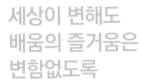

세상이 변해도
배움의 즐거움은
변함없도록

시대는 빠르게 변해도
배움의 즐거움은
변함없어야 하기에

어제의 비상은
남다른 교재부터
결이 다른 콘텐츠
전에 없던 교육 플랫폼까지

변함없는 혁신으로
교육 문화 환경의 새로운 전형을
실현해왔습니다.

비상은 오늘, 다시 한번
새로운 교육 문화 환경을 실현하기 위한
또 하나의 혁신을 시작합니다.

오늘의 내가 어제의 나를 초월하고
오늘의 교육이 어제의 교육을 초월하여
배움의 즐거움을 지속하는 혁신,

바로, 메타인지 기반 완전 학습을.

상상을 실현하는 교육 문화 기업 비상

메타인지 기반 완전 학습
초월을 뜻하는 meta와 생각을 뜻하는 인지가 결합한 메타인지는
자신이 알고 모르는 것을 스스로 구분하고 학습계획을 세우도록 하는
궁극의 학습 능력입니다. 비상의 메타인지 기반 완전 학습 시스템은
잠들어 있는 메타인지를 깨워 공부를 100% 내 것으로 만들도록 합니다.

핵심 기출 단어만 PICK 하다!

〈완자 VOCA PICK〉 시리즈는 예비 고교생부터 수능 직전의 수험생들이 필수 및 기출 어휘를 익히고 암기할 수 있도록 10개년 기출 문제와 EBS 교재, 교과서 등 핵심 자료를 분석하고 수준별로 어휘를 엄선하여 수록하였습니다.

	예비고 – 고1	고1 – 고3	고2 – 고3
최신 교육과정 어휘 (1,800개)	●		
고등 영어 교과서 전종 어휘 (4,455개)	●		
3개년 EBS 고1-2용 교재 (2,950개)	●		
10개년 고1 학력평가 40회 (4,840개)	●		
10개년 고2 학력평가 40회 (5,772개)	●	●	
10개년 고3 학력평가 40회		●	●
10개년 고3 모의평가 20회 (9,562개)		●	●
10개년 대학수학능력시험 10회		●	●
3개년 EBS 수능 연계 교재 (3,672개)		●	●
33,051개의 어휘 데이터에 기반한 수록 어휘 선정	고등 필수	수능 기출	수능 고난도
수록 어휘 수	1600	2000	1200
학습일	40 Day	50 Day	40 Day
학습 목표	내신 및 학평 대비	수능 대비	수능 만점 대비

* MP3 파일은 학습 자료실(book.visang.com)에서 다운로드 가능합니다.

● Vocabulary [집중 암기]

- 수능 및 모의고사 빈출순으로 어휘 수록!
- 단 1회 학습으로도 "5번 반복"이 가능한 구성!
- "해석 완성 & DRILLS"를 통해 쓰면서 외우며 암기 효과 극대화!

❶ 영단어별 구성
- 기본 제시 : 영단어마다 발음기호, 품사, 뜻, 기출 예문 제공
- 추가 제시 : 숙어, 파생어, 반의어, 유의어 등의 정보 추가 제공
- 암기 박스 : 2회독 여부를 표시하는 암기 확인 박스 제공

❷ 수능, 모평, 학평, EBS 교재 기출 예문 표시

❸ 문제 유형과 빈출 어휘 연계 표시
해당 영단어가 자주 등장하는 수능 문제 유형을 표시하고, 대표 예문을 통해 기출 감각을 익히도록 연계

❹ TIP을 통해 영단어의 활용 및 쓰임에 관한 알찬 정보 제공

❺ QR코드로 DAY별 영단어와 뜻을 들으며 학습 가능

❻ DRILLS : 영단어별로 자주 쓰이는 표현이나 숙어를 제시해서 직접 써보며 외울 수 있도록 구성

PART I 최빈출 어휘

📖 가리개를 사용하여 뜻을 암기했는지 확인하세요.

DAY 01

DRILLS

0001 **increase** ⑧ 늘리다; 증가하다 ⑲ 증가, 증진
[ínkri:s]
[inkrí:s]
The percentage of spending on housing **increased** steadily. (학평)
주택에 대한 지출 비율이 꾸준히 _____.
_____ in number
수가 증가하다

0002 **inform** ⑧ (~에게) 알리다; 정보를 주다
[infɔ́:rm]
We are pleased to **inform** you that you have received a scholarship. (학평)
저희는 당신이 장학금을 받게 되었다는 사실을 당신께 _____ 되어 기쁩니다.
➕ information ⑲ 정보 informant ⑲ 정보 제공자
_____ a person of any changes
변경 사항을 ~에게 알리다

0003 **impress** ⑧ 감명을 주다, 깊은 인상을 주다
[imprés]
A well-written email can **impress** the reader. (학평)
잘 쓰인 이메일은 읽는 사람에게 _____ 수 있다.
➕ impression ⑲ 인상, 감명 impressive ⑲ 인상적인
_____ the audience
~에게 감명을 주다

0004 **individual** ⑲ 개개의; 개인적인 ⑲ 개인
[ìndəvídʒuəl]
Individual authors have rights to their intellectual property during their lifetimes. (학평)
_____ 작가들은 그들의 일생 동안 지적 재산권을 갖는다.
➕ individually ⑲ 개별적으로 individualism ⑲ 개인주의
_____ difference
개인차

0005 **result** ⑲ 결과 ⑧ (결과로서) 생기다; (결과로) 되다
[rizʌ́lt]
The graphs above show the **results** of a survey done on consumers from Japan and China. (학평)
위의 그래프는 일본과 중국의 소비자들을 대상으로 한 설문 조사의 _____ 을 보여 준다.
TIP result from / result in
≫ result from + 원인 : ~의 결과로서 일어나다, ~에서 기인하다
≫ result in + 결과 : ~의 결과로 끝나다, 그 결과 ~이 되다
the final _____
최종 결과

0006 **social** ⑲ 사회적인; 사교적인
[sóuʃəl]
In the broad sweep of human **social** life, writing is a fairly recent invention. (EBS)
인간 _____ 생활 전반에서, 글쓰기는 꽤 최근의 발명이다.
해석 완성 증가했다 / 알리게 / 감명을 줄 / 개개의 / 결과 / 사회
_____ problems
사회적인 문제들

DAY 01 / 13

읽고 들으며 암기 ≫ 1회독

0006 **social** ⑲ 사회적인; 사교적인
[sóuʃəl]
In the broad sweep of human **social** life, writing is a fairly recent invention. (EBS)
인간 _____ 생활 전반에서, 글쓰기는 꽤 최근의 발명이다.
_____ problems
사회적인 문제들

쓰면서 암기 ≫ 2회독

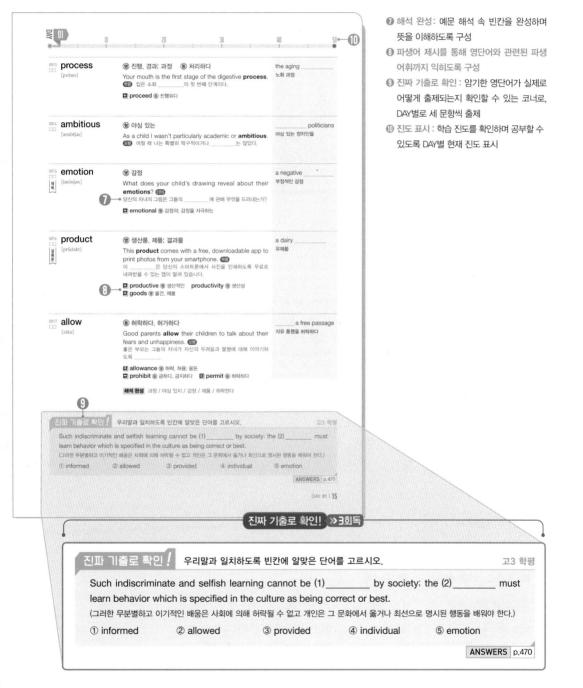

10	20	30	40	50

⑦ 해석 완성: 예문 해석 속 빈칸을 완성하며 뜻을 이해하도록 구성

⑧ 파생어 제시를 통해 영단어와 관련된 파생 어휘까지 익히도록 구성

⑨ 진짜 기출로 확인 : 암기한 영단어가 실제로 어떻게 출제되는지 확인할 수 있는 코너로, DAY별로 세 문항씩 출제

⑩ 진도 표시 : 학습 진도를 확인하며 공부할 수 있도록 DAY별 현재 진도 표시

0013
process
[próses]

ⓝ 진행, 경과; 과정   ⓥ 처리하다
Your mouth is the first stage of the digestive **process**.
해석 입은 소화 _____의 첫 번째 단계이다.
➕ proceed ⓥ 진행되다

the aging _____
노화 과정

0014
ambitious
[æmbíʃəs]

ⓐ 야심 있는
As a child I wasn't particularly academic or **ambitious**.
해석 어릴 때 나는 특별히 학구적이거나 _____는 않았다.

_____ politicians
야심 있는 정치인들

0015
emotion
[imóuʃən]

ⓝ 감정
What does your child's drawing reveal about their **emotions**? EBS
⑦ ➤ 당신의 자녀의 그림은 그들의 _____ 에 관해 무엇을 드러내는가?
➕ emotional ⓐ 감정의; 감정을 자극하는

a negative _____
부정적인 감정

0016
product
[prάdəkt]

ⓝ 생산품, 제품; 결과물
This **product** comes with a free, downloadable app to print photos from your smartphone. 학평
이 _____ 은 당신의 스마트폰에서 사진을 인쇄하도록 무료로 내려받을 수 있는 앱이 딸려 있습니다.
⑧ ➤ productive ⓐ 생산적인   productivity ⓝ 생산성
➕ goods ⓝ 물건, 제품

a dairy _____
유제품

0017
allow
[əláu]

ⓥ 허락하다, 허가하다
Good parents **allow** their children to talk about their fears and unhappiness. 학평
좋은 부모는 그들의 자녀가 자신의 두려움과 불행에 대해 이야기하도록 _____
➕ allowance ⓝ 허락, 허용; 용돈
➕ prohibit ⓥ 금하다, 금지하다 ↔ permit ⓥ 허락하다

_____ a free passage
자유 통행을 허락하다

해석 완성 과정 / 야심 있지 / 감정 / 제품 / 허락하다

⑨

진짜 기출로 확인! 우리말과 일치하도록 빈칸에 알맞은 단어를 고르시오. 고3 학평

Such indiscriminate and selfish learning cannot be (1)_____ by society; the (2)_____ must learn behavior which is specified in the culture as being correct or best.
(그러한 무분별하고 이기적인 배움은 사회에 의해 허락될 수 업고 개인은 그 문화에서 옳거나 최선으로 명시된 행동을 배워야 한다.)

① informed   ② allowed   ③ provided   ④ individual   ⑤ emotion

ANSWERS p.470

DAY 01 | 15

진짜 기출로 확인! ≫3회독

진짜 기출로 확인! 우리말과 일치하도록 빈칸에 알맞은 단어를 고르시오.
고3 학평

Such indiscriminate and selfish learning cannot be (1)_____ by society; the (2)_____ must learn behavior which is specified in the culture as being correct or best.
(그러한 무분별하고 이기적인 배움은 사회에 의해 허락될 수 없고 개인은 그 문화에서 옳거나 최선으로 명시된 행동을 배워야 한다.)

① informed   ② allowed   ③ provided   ④ individual   ⑤ emotion

ANSWERS p.470

3-Minute Check [복습] »4회독

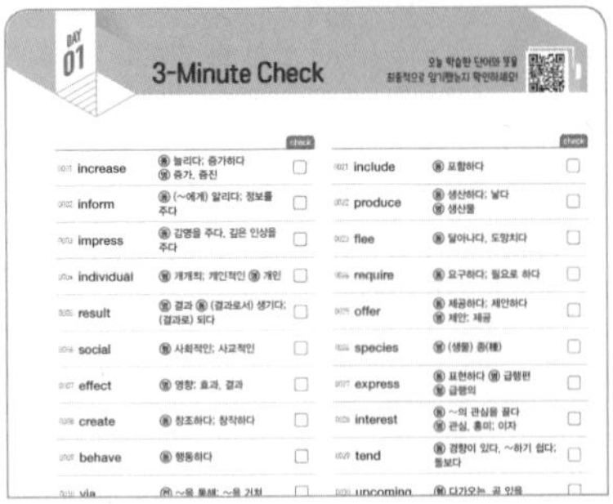

'영단어 – 뜻'을 제대로 암기했는지 **눈으로 빠르게** 훑으며 확인

Wrap Up [테스트] »5회독

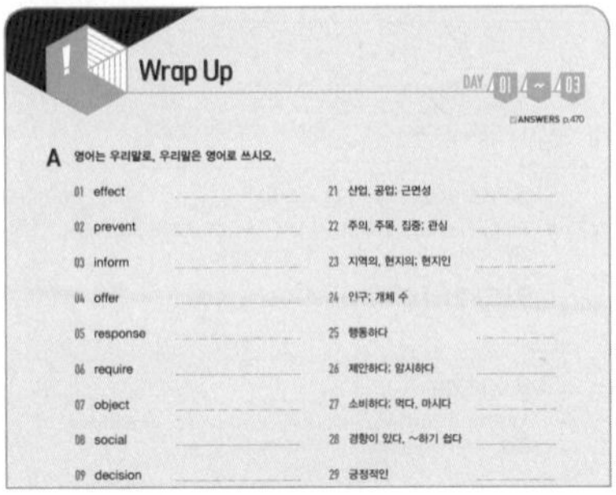

3DAY마다 제공되는 누적 테스트를 통해 이전에 학습한 단어를 환기시키며 복습하기

* Daily Test는 **학습 자료실**(book.visang.com)에서 다운로드 가능합니다.

미니 단어장

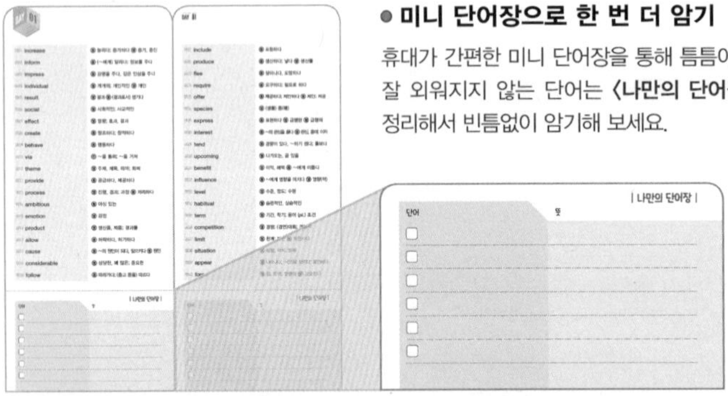

미니 단어장으로 한 번 더 암기

휴대가 간편한 미니 단어장을 통해 틈틈이 암기하고, 잘 외워지지 않는 단어는 **〈나만의 단어장〉**에 따로 정리해서 빈틈없이 암기해 보세요.

× 기호 정의 ×

[명] 명사　[동] 동사　[형] 형용사　[부] 부사　[전] 전치사　[접] 접속사　[대] 대명사

[+] 파생어　[↔] 반의어　[=] 유의어

〔 〕 대체 가능 어구　( ) 보충 설명　(*pl.*) 복수형

[수능] 대학수학능력시험 기출 예문　[학평] 시도교육청 학력평가 기출 예문

[모평] 평가원 모의고사 기출 예문　[EBS] EBS 출간 교재 기출 예문

차 례

수 능 기 출

학습 전략 제안

> <완자 VOCA PICK 수능 기출>은 1회독 안에서도 단어당 5회의 노출을 통해
> 반복 암기가 되는 구성이기 때문에, 1회독만으로도 5회독에 버금가는 학습 효과를 누릴 수 있습니다.
> <완자 VOCA PICK 수능 기출>이 제안하는 시간과 노력이 절약되는
> "N회독 학습 전략"과 "스피드 학습 전략"을 따라 해 보는 건 어떨까요?

제안 ① 8회독 학습 전략

기본 1회 학습(5회독)과 반복 학습(3회독)으로 "8회독"
학습 효과를 노리는 학습자에게 추천!

기본 학습		DAY별 1회 학습으로 "5회독" 효과 내기
어휘 노출	학습 활동	코너 및 학습 가이드
1회	읽고 들으며 암기하기	**Vocabulary** · DAY당 40개의 어휘를 '영단어 – 뜻' 중심으로 암기 · 가리개를 활용해서 암기 여부 확인하며 학습 · MP3를 들으면서 암기
2회	단어를 쓰면서 암기하기	**해석 완성 + DRILLS** · 해석 완성: 예문의 우리말 해석 빈칸에 뜻을 직접 쓰면서 암기 · DRILLS: 짧은 표현의 빈칸에 들어갈 영단어를 파악하고, 영단어를 직접 쓰면서 재암기
3회	문제 풀며 기출 경향 파악하기	**진짜 기출로 확인!** · 실제 수능, 모평, 학평에 실린 짧은 지문을 통해 영단어 관련 문제 풀기 · 기출 지문 속 영단어의 쓰임을 살펴보며 기출 경향 파악
4회	눈으로 암기 여부 최종 확인하기	**3-Minute Check** 눈으로 빠르게 영단어와 뜻을 훑으며 최종 암기 여부 확인
5회	테스트를 통해 기억 환기시키기	**Wrap Up + Daily Test** · 3일치 영단어를 한꺼번에 테스트해보고 암기 여부 확인 · 학습 자료실에서 Daily Test를 다운로드받아 직접 테스트하기

반복 학습	반복 학습으로 "8회독" 효과 내기	
어휘 노출	학습 활동	코너 및 학습 가이드

6회	반복하여
	암기하기
		반복 암기
		· '영단어 – 뜻' 위주의 1차 학습분에 파생어, 반의어, 유의어를 추가해서
		  단어 재암기
		· 1일치 코너 중 자신의 학습 패턴에 맞는 코너를 선택하여 그 부분을
		  집중적으로 재암기

7회	눈으로 암기 여부 최종 확인하기	**3-Minute Check** 눈으로 빠르게 영단어와 뜻을 훑으며 최종 암기 여부 확인하고 미암기 단어 추려내기
8회	휴대하고 필기하며 암기하기	**MINI 단어장 + 나만의 단어장** · 휴대용 미니 단어장을 통해 최종 암기 여부를 확인 · 미암기 단어를 〈나만의 단어장〉에 따로 정리하여 재암기

제안 ② 스피드 학습 전략

어휘의 뜻만 빠르고 확실하게 암기하고 싶은 학습자에게 추천!

어휘 노출	학습 활동	코너 및 학습 가이드
1회	읽고, 듣고 암기하기	**3일치 120개 영단어 집중 암기** 3일치 영단어 120개를 가리개를 활용하여 '영단어 – 뜻' 위주로 암기
2회	테스트를 통해 기억 환기시키기	**Wrap Up** 3일치 영단어를 한꺼번에 테스트해보고 암기 여부 확인
3회	휴대하며 암기하기	**MINI 단어장** 휴대용 미니 단어장을 통해 최종 암기 여부를 확인

학습 계획표

제안 ① 학습 계획표 **8회독** 학습 전략

2회독 학습 계획에 따라 영단어당 8번을 반복 학습할 수 있는 "8회독 효과 내기" 학습 계획표입니다.
50일 동안 계획에 따라 학습하면서 완벽 암기에 도전하세요!

· 기본 학습은 "5회독 효과 내기" 전략에 따라 DAY별 전 코너를 학습하는 계획입니다.
· 반복 학습 1~3회는 DAY별 코너 중, 자신의 학습 패턴에 맞는 코너로 구성합니다.
· 학습을 마무리하면 ~~DAY 01~~ 과 같이 완료 표시를 하면서 끝까지 완주해 보세요.

	1일차	2일차	3일차	4일차	5일차	6일차	7일차	8일차
기본 학습	DAY 01	DAY 02	DAY 03	DAY 04	DAY 05	DAY 06	DAY 07	DAY 08
반복 학습	→ DAY 01 8회독!	DAY 01 반복 1회	DAY 01 반복 2회	DAY 01 반복 3회	DAY 04 반복 1회	DAY 04 반복 2회	DAY 04 반복 3회	DAY 07 반복 1회
			DAY 02 반복 1회	DAY 02 반복 2회	DAY 02 반복 3회	DAY 05 반복 1회	DAY 05 반복 2회	DAY 05 반복 3회
				DAY 03 반복 1회	DAY 03 반복 2회	DAY 03 반복 3회	DAY 06 반복 1회	DAY 06 반복 2회

	9일차	10일차	11일차	12일차	13일차	14일차	15일차	16일차
기본 학습	DAY 09	DAY 10	DAY 11	DAY 12	DAY 13	DAY 14	DAY 15	DAY 16
반복 학습	DAY 07 반복 2회	DAY 07 반복 3회	DAY 10 반복 1회	DAY 10 반복 2회	DAY 10 반복 3회	DAY 13 반복 1회	DAY 13 반복 2회	DAY 13 반복 3회
	DAY 08 반복 1회	DAY 08 반복 2회	DAY 08 반복 3회	DAY 11 반복 1회	DAY 11 반복 2회	DAY 11 반복 3회	DAY 14 반복 1회	DAY 14 반복 2회
	DAY 06 반복 3회	DAY 09 반복 1회	DAY 09 반복 2회	DAY 09 반복 3회	DAY 12 반복 1회	DAY 12 반복 2회	DAY 12 반복 3회	DAY 15 반복 1회

	17일차	18일차	19일차	20일차	21일차	22일차	23일차	24일차
기본 학습	DAY 17	DAY 18	DAY 19	DAY 20	DAY 21	DAY 22	DAY 23	DAY 24
반복 학습	DAY 16 반복 1회	DAY 16 반복 2회	DAY 16 반복 3회	DAY 19 반복 1회	DAY 19 반복 2회	DAY 19 반복 3회	DAY 22 반복 1회	DAY 22 반복 2회
	DAY 14 반복 3회	DAY 17 반복 1회	DAY 17 반복 2회	DAY 17 반복 3회	DAY 20 반복 1회	DAY 20 반복 2회	DAY 20 반복 3회	DAY 23 반복 1회
	DAY 15 반복 2회	DAY 15 반복 3회	DAY 18 반복 1회	DAY 18 반복 2회	DAY 18 반복 3회	DAY 21 반복 1회	DAY 21 반복 2회	DAY 21 반복 3회

	25일차	26일차	27일차	28일차	29일차	30일차	31일차	32일차
기본 학습	DAY 25	DAY 26	DAY 27	DAY 28	DAY 29	DAY 30	DAY 31	DAY 32
반복 학습	DAY 22 반복 3회	DAY 25 반복 1회	DAY 25 반복 2회	DAY 25 반복 3회	DAY 28 반복 1회	DAY 28 반복 2회	DAY 28 반복 3회	DAY 31 반복 1회
	DAY 23 반복 2회	DAY 23 반복 3회	DAY 26 반복 1회	DAY 26 반복 2회	DAY 26 반복 3회	DAY 29 반복 1회	DAY 29 반복 2회	DAY 29 반복 3회
	DAY 24 반복 1회	DAY 24 반복 2회	DAY 24 반복 3회	DAY 27 반복 1회	DAY 27 반복 2회	DAY 27 반복 3회	DAY 30 반복 1회	DAY 30 반복 2회

	33일차	34일차	35일차	36일차	37일차	38일차	39일차	40일차
기본 학습	DAY 33	DAY 34	DAY 35	DAY 36	DAY 37	DAY 38	DAY 39	DAY 40
반복 학습	DAY 31 반복 2회	DAY 31 반복 3회	DAY 34 반복 1회	DAY 34 반복 2회	DAY 34 반복 3회	DAY 37 반복 1회	DAY 37 반복 2회	DAY 37 반복 3회
	DAY 32 반복 1회	DAY 32 반복 2회	DAY 32 반복 3회	DAY 35 반복 1회	DAY 35 반복 2회	DAY 35 반복 3회	DAY 38 반복 1회	DAY 38 반복 2회
	DAY 30 반복 3회	DAY 33 반복 1회	DAY 33 반복 2회	DAY 33 반복 3회	DAY 36 반복 1회	DAY 36 반복 2회	DAY 36 반복 3회	DAY 39 반복 1회

	41일차	42일차	43일차	44일차	45일차	46일차	47일차	48일차
기본학습	DAY 41	DAY 42	DAY 43	DAY 44	DAY 45	DAY 46	DAY 47	DAY 48
반복학습	DAY 40 반복 1회	DAY 40 반복 2회	DAY 40 반복 3회	DAY 43 반복 1회	DAY 43 반복 2회	DAY 43 반복 3회	DAY 46 반복 1회	DAY 46 반복 2회
	DAY 38 반복 3회	DAY 41 반복 1회	DAY 41 반복 2회	DAY 41 반복 3회	DAY 44 반복 1회	DAY 44 반복 2회	DAY 44 반복 3회	DAY 47 반복 1회
	DAY 39 반복 2회	DAY 39 반복 3회	DAY 42 반복 1회	DAY 42 반복 2회	DAY 42 반복 3회	DAY 45 반복 1회	DAY 45 반복 2회	DAY 45 반복 3회

	49일차	50일차	추가 학습	
기본학습	DAY 49	DAY 50		
반복학습	DAY 46 반복 3회	DAY 49 반복 1회	DAY 49 반복 2회	
	DAY 47 반복 2회	DAY 47 반복 3회	DAY50 반복 1회	DAY 49 반복 3회
	DAY 48 반복 1회	DAY 48 반복 2회	DAY 48 반복 3회	DAY50 반복 2회	DAY50 반복 3회

제안 ② 학습 계획표　스피드 학습 전략

"스피디하게 암기하기" 전략에 맞는 학습 계획표입니다.
영단어와 뜻 위주로 암기하면서 17일 만에 완벽 암기에 도전하세요!

	1일차	2일차	3일차	4일차	5일차	6일차	7일차	8일차
집중암기	DAY 01-03	DAY 04-06	DAY 07-09	DAY 10-12	DAY 13-15	DAY 16-18	DAY 19-21	DAY 22-24
1차복습	↓ 3일차씩 묶어서 3회독!	Wrap Up 01-03	Wrap Up 04-06	Wrap Up 07-09	Wrap Up 10-12	Wrap Up 13-15	Wrap Up 16-18	Wrap Up 19-21
2차복습			미니 단어장 01-03	미니 단어장 04-06	미니 단어장 07-09	미니 단어장 10-12	미니 단어장 13-15	미니 단어장 16-18

	9일차	10일차	11일차	12일차	13일차	14일차	15일차	16일차
집중암기	DAY 25-27	DAY 28-30	DAY 31-33	DAY 34-36	DAY 37-39	DAY 40-42	DAY 43-45	DAY 46-48
1차복습	Wrap Up 22-24	Wrap Up 25-27	Wrap Up 28-30	Wrap Up 31-33	Wrap Up 34-36	Wrap Up 37-39	Wrap Up 40-42	Wrap Up 43-45
2차복습	미니 단어장 19-21	미니 단어장 22-24	미니 단어장 25-27	미니 단어장 28-30	미니 단어장 31-33	미니 단어장 34-36	미니 단어장 37-39	미니 단어장 40-42

	17일차	추가 학습	
집중암기	DAY 49-50		
1차복습	Wrap Up 46-48	Wrap Up 49-50	
2차복습	미니 단어장 43-45	미니 단어장 46-48	미니 단어장 49-50

PART

최빈출
어휘

- 수능에 꼭 나오는 최빈출 어휘
- DAY당 40개 어휘 수록

DAY **01**
/
DAY **30**

단어를 암기할 때 **뒤쪽 책날개**를 뜯어서
단어 뜻 가리개로 활용하세요.

DRILLS

0001 **increase**
도표
동[inkríːs]
명[ínkriːs]

(동) 늘리다; 증가하다 (명) 증가, 증진

The percentage of spending on housing **increased** steadily. 학평
주택에 대한 지출 비율이 꾸준히 ....

.... in number
수가 증가하다

0002 **inform**
[infɔ́ːrm]

(동) (~에게) 알리다; 정보를 주다

We are pleased to **inform** you that you have received a scholarship. 학평
저희는 당신이 장학금을 받게 되었다는 사실을 당신께 .... 되어 기쁩니다.

➕ information (명) 정보   informant (명) 정보 제공자

.... a person of any changes
변경 사항을 ~에게 알리다

0003 **impress**
[imprés]

(동) 감명을 주다, 깊은 인상을 주다

A well-written email can **impress** the reader. 학평
잘 쓰인 이메일은 읽는 사람에게 .... 수 있다.

➕ impression (명) 인상, 감명   impressive (형) 인상적인

.... the audience
청중에게 감명을 주다

0004 **individual**
[ìndəvídʒuəl]

(형) 개개의; 개인적인 (명) 개인

Individual authors have rights to their intellectual property during their lifetimes. 수능
.... 작가들은 그들의 일생 동안 지적 재산권을 갖는다.

➕ individually (부) 개별적으로   individualism (명) 개인주의

.... difference
개인차

0005 **result**
도표
[rizʌ́lt]

(명) 결과 (동) (결과로서) 생기다; (결과로) 되다

The graphs above show the **results** of a survey done on consumers from Japan and China. 학평
위의 그래프는 일본과 중국의 소비자들을 대상으로 한 설문 조사의 ....를 보여 준다.

TIP result from / result in
» **result from**+원인 ~의 결과로서 일어나다, ~에서 기인하다
» **result in**+결과 ~의 결과로 끝나다, 그 결과 ~이 되다

the final ....
최종 결과

0006 **social**
주제
[sóuʃəl]

(형) 사회적인; 사교적인

In the broad sweep of human **social** life, writing is a fairly recent invention. EBS
인간 .... 생활 전반에서, 글쓰기는 꽤 최근의 발명이다.

.... problems
사회적인 문제들

해석 완성 증가했다 / 알리게 / 감명을 줄 / 개개의 / 결과 / 사회

0007 effect
[ifékt]
□□

(명) 영향; 효과, 결과

Having a dog in the office had a positive **effect** on the general atmosphere. (학평)
사무실에서 개를 기르는 것은 전반적인 분위기에 긍정적인 ....을 미쳤다.

➕ **effective** (형) 효과적인

cause and ....
원인과 결과

0008 create
[kriéit]
□□

(동) 창조하다; 창작하다

I have just **created** a great new recipe. (EBS)
나는 방금 훌륭한 새로운 조리법을 ....

➕ **creation** (명) 창조; 창작

.... new jobs
새로운 일자리들을 창출하다

0009 behave
[bihéiv]
□□

(동) 행동하다

We **behave** as we think the role should be performed.
(EBS) 우리는 그 역할이 수행되어야 한다고 생각하는 대로 ....

➕ **behavior** (명) 행동   **behavioral** (형) 행동의

.... rudely
무례하게 행동하다

0010 via
[váiə]
□□
실용문

(전) ~을 통해; ~을 거쳐

For questions about the tournament, please contact Jonathan Lee **via** our website. (EBS)
토너먼트에 대한 문의는 저희 웹사이트.................. Jonathan Lee에게 연락해 주세요.

return home ....
Dubai
두바이를 거쳐[경유하여] 귀국
하다

0011 theme
[θi:m]
□□

(명) 주제, 제목, 테마; 화제

I won second prize in our local newspaper's essay contest on the **theme** of 'future career.' (수능)
나는 '미래의 직업'이라는 ....의 지역 신문 수필 대회에서 2등 상을 탔다.

the main ....
of the debate
토론의 주된 주제

> **TIP** '주제'를 나타내는 단어
> » **subject** (명) 주제
> » **topic** (명) 주제, 제목
> » **motif** (명) 주제, 테마

0012 provide
[prəváid]
□□

(동) 공급하다, 제공하다

The center **provides** a variety of programs to improve your artistic skill. (학평)
그 센터는 당신의 예술적인 기술을 향상시키기 위한 다양한 프로그램을 ....

.... the best
medical care
최상의 의료 서비스를 제공하다

해석 완성 영향 / 창조했다 / 행동한다 / 를 통해 / 주제 / 제공합니다

| 10 | 20 | 30 | 40 | 50 |

0013 process
[práses]

(명) 진행, 경과; 과정 (동) 처리하다

Your mouth is the first stage of the digestive **process**.
(학평) 입은 소화 ＿＿＿＿＿의 첫 번째 단계이다.

➕ proceed (동) 진행되다

the aging ＿＿＿＿＿
노화 과정

0014 ambitious
[æmbíʃəs]

(형) 야심 있는

As a child I wasn't particularly academic or **ambitious**.
(모평) 어릴 때 나는 특별히 학구적이거나 ＿＿＿＿＿는 않았다.

＿＿＿＿＿ politicians
야심 있는 정치인들

0015 emotion
[imóuʃən]
제목

(명) 감정

What does your child's drawing reveal about their **emotions**? (EBS)
당신의 자녀의 그림은 그들의 ＿＿＿＿＿에 관해 무엇을 드러내는가?

➕ emotional (형) 감정의; 감정을 자극하는

a negative ＿＿＿＿＿
부정적인 감정

0016 product
[prádəkt]
실

(명) 생산품, 제품; 결과물

This **product** comes with a free, downloadable app to print photos from your smartphone. (학평)
이 ＿＿＿＿＿은 당신의 스마트폰에서 사진을 인쇄하도록 무료로 내려받을 수 있는 앱이 딸려 있습니다.

➕ productive (형) 생산적인   productivity (명) 생산성
🟰 goods (명) 물건, 제품

a dairy ＿＿＿＿＿
유제품

0017 allow
[əláu]

(동) 허락하다, 허가하다

Good parents **allow** their children to talk about their fears and unhappiness. (모평)
좋은 부모는 그들의 자녀가 자신의 두려움과 불행에 대해 이야기하도록 ＿＿＿＿＿.

➕ allowance (명) 허락, 허용; 용돈
🔄 prohibit (동) 금하다, 금지하다 🟰 permit (동) 허락하다

a free passage
자유 통행을 허락하다

해석 완성 과정 / 야심 있지 / 감정 / 제품 / 허락한다

진짜 기출로 확인! 우리말과 일치하도록 빈칸에 알맞은 단어를 고르시오.   고3 학평

Such indiscriminate and selfish learning cannot be (1)＿＿＿＿＿ by society; the (2)＿＿＿＿＿ must learn behavior which is specified in the culture as being correct or best.
(그러한 무분별하고 이기적인 배움은 사회에 의해 허락될 수 없고 개인은 그 문화에서 옳거나 최선으로 명시된 행동을 배워야 한다.)

① informed   ② allowed   ③ provided   ④ individual   ⑤ emotion

ANSWERS p.470

0018 cause
[kɔːz]

(동) ~의 원인이 되다, 일으키다　(명) 원인

Competitive sports are more likely to **cause** injuries.
(학평) 경쟁적인 스포츠는 부상을 .... 더 쉽다.

➕ **causal** (형) 인과 관계의

.... and effect
원인과 결과

0019 considerable
[kənsídərəbl]

(형) 상당한, 꽤 많은; 중요한

Advertisers gain **considerable** benefits from the price competition. (수능)
광고주들은 가격 경쟁으로부터 .... 이익을 얻는다.

➕ **considerably** (부) 상당히, 꽤 많이
🟰 **substantial, great** (형) 상당한, 많은

> **TIP** 혼동하기 쉬운 단어 considerate
> ≫ **considerate** (형) 배려하는, 사려 깊은
> ex. She is **considerate** of old people.
> 그녀는 나이 드신 분들께 사려 깊게 대한다.

a .... amount
of money
꽤 많은 양의 돈

0020 follow
[fálou]
주장

(동) 따라가다; (충고 등을) 따르다; ~의 다음에 오다

Give yourself freedom to **follow** your intuition. (모평)
자기 자신에게 자신의 직관을 .... 자유를 주어라.

.... the rules
규칙을 따르다

0021 include
[inklúːd]
실용문

(동) 포함하다

Tickets **include** cotton candy, lemonade, and a 5×7 photo of the couple. (EBS)
입장권은 솜사탕, 레모네이드, 5×7 사이즈의 커플 사진 한 장을
....

➕ **inclusion** (명) 포함　**inclusive** (형) 포함된; 포괄적인
🔄 **exclude** (동) 제외하다　🟰 **contain** (동) 포함하다

.... all charges
모든 비용을 포함하다

0022 produce
(동)[prədjúːs]
(명)[prádʒuːs]

(동) 생산하다; 낳다; 일으키다　(명) 생산물

Global agriculture must **produce** more food to feed a growing population. (학평)
전 세계의 농업은 늘어나는 인구를 먹여 살리기 위해 더 많은 식량을
.... 한다.

.... electric cars
전기차를 생산하다

0023 flee
[fliː]

(동) (-fled-fled) 달아나다, 도망치다

In the past, danger meant we either had to **flee** or fight.
(학평) 과거에 위험은 우리가 .... 싸워야 한다는 것을 의미했다.

.... from the enemy
적에게서 달아나다

해석 완성 일으키기 / 상당한 / 따를 / 포함한다 / 생산해야 / 달아나거나

0024 require
[rikwáiər]

(동) 요구하다; 필요로 하다

Democracies **require** more equality if they are to grow stronger. 학평
민주주의가 더 강력해지려면 더 많은 평등을 ....

➕ requirement (명) 요구, 필요

TIP require / demand
» **require** (동) (법률·규정·기준에 따라) 요구하다
» **demand** (동) (무엇을 달라고 단호히) 요구하다

.... medical treatment
의학적 치료를 필요로 하다

0025 offer
[ɔ́ːfər]
목적

(동) 제공하다; 제안하다   (명) 제안; 제공

We will **offer** main dishes from particular cuisines, such as Mexican or Chinese. 학평
저희는 멕시코 요리나 중국 요리 같은 특별 요리들의 주요리를 .... 것입니다.

.... an opinion
의견을 제안하다

0026 species
[spíːʃiːz]

(명) (생물) 종(種)

Plant and animal **species** are so diverse. 학평
식물과 동물의 .... 은 매우 다양하다.

a .... of bird
새의 한 종

0027 express
[iksprés]

(동) 표현하다 (명) 급행편 (형) 급행의

When face and body **express** the same emotion, assessments are more accurate. 학평
얼굴과 몸이 같은 감정을 .... 때 평가는 더 정확하다.

➕ expression (명) 표현

.... one's anger
화를 표현하다

0028 interest
[íntərist]

(동) ~의 관심을 끌다 (명) 관심, 흥미; 이자

Works of art may **interest** us in other ways than by being beautiful. 모평
예술 작품은 아름다운 것과는 다른 식으로 우리의 .... 수도 있다.

➕ interested (형) 관심 있어 하는   interesting (형) 흥미로운

have .... in football
축구에 관심을 갖다

해석 완성 필요로 한다 / 제공할 / 종 / 표현할 / 관심을 끌

진짜 기출로 확인! 밑줄 친 단어의 뜻을 문맥에 맞게 찾으시오.

고3 모평

Experiment and observation provide us with clues, but the clues are mysterious, and (1)require some (2)considerable ingenuity to solve. With each new solution, we glimpse a bit more of the overall pattern of nature.

① 포함하다   ② 제공하다   ③ 요구하다   ④ 상당한   ⑤ 급행의

ANSWERS p.470

0029 tend
[tend]

(동) 경향이 있다, ~하기 쉽다; 돌보다

Hearts, livers, and brains **tend** to be much higher in fat. 학평
심장, 간, 뇌는 지방 함유가 훨씬 더 높은 ....

.... to waste money
돈을 낭비하는 경향이 있다

0030 upcoming
[ʌ́pkʌ̀miŋ]

(형) 다가오는, 곧 있을

Her teacher gave her the role of Juliet in the **upcoming** school play, *Romeo and Juliet*. 수능
그녀의 선생님은 그녀에게 .... 학교 연극인 〈로미오와 줄리엣〉에서 줄리엣 역을 맡겼다.

🔁 **forthcoming** (형) 다가오는, 곧 있을

the .... presidential election
다가오는 대통령 선거

0031 benefit
[bénəfit]
빈칸

(명) 이익, 혜택   (동) ~에게 이롭다

Hurrying up can steal the pleasure and **benefit** from the time that we have. 모평
서두르는 것은 우리가 가지고 있는 그 시간으로부터 얻는 즐거움과 ....을 빼앗아 갈 수 있다.

➕ **beneficial** (형) 유익한   **beneficent** (형) 인정 많은

public ....
공공의 이익

0032 influence
[ínfluəns]

(동) ~에 영향을 미치다   (명) 영향(력)

We can **influence** our well-being through diet and nutritional knowledge. EBS
우리는 식이요법과 영양학적 지식을 통해 우리의 행복에 .... 수 있다.

have an influence on ~에 영향을 미치다

➕ **influential** (형) 영향을 미치는

> TIP **influence / affect**
> » **influence** (동) (간접적인) 영향을 미치다
> » **affect** (동) (직접적이고 결정적인) 영향을 미치다

the .... of the mind on the body
신체에 미치는 정신의 영향

0033 level
[lévəl]

(명) 수준, 정도; 수평

People who decorate their offices tend to have higher **levels** of job satisfaction. 학평
자신의 사무실을 꾸미는 사람들은 더 높은 .... 의 직업 만족도를 가지는 경향이 있다.

a basic ....
기본 수준

0034 habitual
[həbítʃuəl]
요약문

(형) 습관적인, 상습적인

The **habitual** acts we automatically do are related to our intention. 학평
우리가 무의식적으로 하는 .... 행위는 우리의 의도와 관계가 있다.

➕ **habit** (명) 습관   **habitually** (부) 습관적으로, 상습적으로

.... complaint
습관적인 불평

해석 완성 경향이 있다 / 곧 있을 / 혜택 / 영향을 미칠 / 수준 / 습관적인

0035 term
[tə:rm]

(명) 기간, 학기; 용어; (pl.) 조건

The Hawaiian language uses the same **term** to refer to one's father and to the father's brother. (학평)
하와이어는 아버지와 아버지의 형제를 지칭하는 데 같은 ⎯⎯ 를 사용한다.

a long ⎯⎯⎯⎯⎯⎯ of unemployment
장기간의 실업

0036 competition
[kàmpətíʃən]

(명) 경쟁; (경연)대회; 경쟁자

The **competition** is open to residents of Canada and the USA. (EBS)
이 ⎯⎯⎯⎯⎯ 는 캐나다와 미국 거주자들에게 열려 있다.

➕ competitive (형) 경쟁의   competitor (명) 경쟁자

win a dancing ⎯⎯⎯⎯
춤 경연대회에서 우승하다

0037 limit
[límit]

(명) 한계; 제한   (동) 제한하다

Set a time **limit** when making a presentation. (학평)
프레젠테이션을 할 때는 시간 ⎯⎯⎯⎯ 을 설정해 놓으세요.

➕ limitation (명) 제한(하는 행위)   limitless (형) 무제한의

a speed ⎯⎯⎯⎯⎯
속도 제한

0038 situation
[sìtʃuéiʃən]

(명) 상황; 위치; 입장

We can improve the **situation** if we all work to become better listeners. (학평)
우리 모두가 더 나은 청자가 되기 위해 노력한다면 우리는 ⎯⎯⎯⎯ 을 개선할 수 있다.

be in a difficult ⎯⎯⎯⎯
힘든 상황에 처해 있다

0039 appear
[əpíər]

(동) 나타나다; ~(으)로 보이다; 출연하다

The door inched open and Mom's smiling face **appeared**. (학평)
문이 조금씩 움직이며 열렸고, 엄마의 미소 짓는 얼굴이 ⎯⎯⎯⎯

➕ appearance (명) 출현; 출연; 외모

⎯⎯⎯⎯⎯ on television
텔레비전에 출연하다

0040 force
[fɔ:rs]

(명) 힘; 폭력; 영향력   (동) 강요하다; ~하게 하다

An object's weight is the **force** exerted on it by gravity. (모평)
어떤 물체의 무게는 중력에 의해 그것에 가해지는 ⎯⎯⎯ 이다.

➕ forceful (형) 강력한, 강압적인

the ⎯⎯⎯⎯ of nature
자연의 힘

해석 완성 용어 / 대회 / 제한 / 상황 / 나타났다 / 힘

진짜 기출로 확인! 우리말과 일치하도록 빈칸에 알맞은 단어를 고르시오.   고3 모평

It was a lecture just like the others, but this time, she said, she was (1)⎯⎯⎯⎯ to have a higher (2)⎯⎯⎯⎯ of consciousness.
(그것은 그저 다른 강의들과 같은 강의였지만, 그녀가 말하길 이번에 그녀는 더 높은 의식 수준을 가질 수밖에 없었다.)

① forced   ② influenced   ③ limit   ④ level   ⑤ term

ANSWERS p.470

3-Minute Check

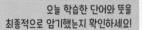

		check
0001 increase	(동) 늘리다; 증가하다 (명) 증가, 증진	☐
0002 inform	(동) (~에게) 알리다; 정보를 주다	☐
0003 impress	(동) 감명을 주다, 깊은 인상을 주다	☐
0004 individual	(형) 개개의; 개인적인 (명) 개인	☐
0005 result	(명) 결과 (동) (결과로서) 생기다; (결과로) 되다	☐
0006 social	(형) 사회적인; 사교적인	☐
0007 effect	(명) 영향; 효과, 결과	☐
0008 create	(동) 창조하다; 창작하다	☐
0009 behave	(동) 행동하다	☐
0010 via	(전) ~을 통해; ~을 거쳐	☐
0011 theme	(명) 주제, 제목, 테마; 화제	☐
0012 provide	(동) 공급하다, 제공하다	☐
0013 process	(명) 진행, 경과; 과정 (동) 처리하다	☐
0014 ambitious	(형) 야심 있는	☐
0015 emotion	(명) 감정	☐
0016 product	(명) 생산품, 제품; 결과물	☐
0017 allow	(동) 허락하다, 허가하다	☐
0018 cause	(동) ~의 원인이 되다, 일으키다 (명) 원인	☐
0019 considerable	(형) 상당한, 꽤 많은; 중요한	☐
0020 follow	(동) 따라가다; (충고 등을) 따르다; ~의 다음에 오다	☐

		check
0021 include	(동) 포함하다	☐
0022 produce	(동) 생산하다; 낳다 (명) 생산물	☐
0023 flee	(동) 달아나다, 도망치다	☐
0024 require	(동) 요구하다; 필요로 하다	☐
0025 offer	(동) 제공하다; 제안하다 (명) 제안; 제공	☐
0026 species	(명) (생물) 종(種)	☐
0027 express	(동) 표현하다 (명) 급행편 (형) 급행의	☐
0028 interest	(동) ~의 관심을 끌다 (명) 관심, 흥미; 이자	☐
0029 tend	(동) 경향이 있다, ~하기 쉽다; 돌보다	☐
0030 upcoming	(형) 다가오는, 곧 있을	☐
0031 benefit	(명) 이익, 혜택 (동) ~에게 이롭다	☐
0032 influence	(동) ~에 영향을 미치다 (명) 영향(력)	☐
0033 level	(명) 수준, 정도; 수평	☐
0034 habitual	(형) 습관적인, 상습적인	☐
0035 term	(명) 기간, 학기; 용어; (pl.) 조건	☐
0036 competition	(명) 경쟁; (경연)대회; 경쟁자	☐
0037 limit	(명) 한계; 제한 (동) 제한하다	☐
0038 situation	(명) 상황; 위치; 입장	☐
0039 appear	(동) 나타나다; ~(으)로 보이다; 출연하다	☐
0040 force	(명) 힘; 폭력; 영향력 (동) 강요하다; ~하게 하다	☐

외우지 못한 단어가 있으면 MINI 단어장에서 다시 한번 정리해 보세요.

📖 가리개를 사용하여 뜻을 암기했는지 확인하세요.

DRILLS

0041 **amount**
[əmáunt]

명 양; 총액　동 총계가 ~이 되다

As you climb higher, the **amount** of oxygen in the atmosphere decreases. 학평
더 높이 올라갈수록 대기 중 산소의 ....은 감소한다.

TIP amount[quantity] / number
amount[quantity]는 양을 나타낼 때, number는 수를 나타낼 때 사용한다.
ex. a large **amount**[quantity] of water 많은 양의 물
　　a large **number** of bottles 많은 수의 병들

a small .... of sugar
적은 양의 설탕

0042 **discourse**
[dískɔːrs]

명 담화, 담론; 강연

Very few individuals studied Latin to participate in the intellectual **discourse**. 학평
극소수의 개인만이 지적인 ....에 참여하기 위해 라틴어를 공부했다.

a .... on issues of gender
성 문제에 대한 담론

0043 **realize**
[ríːəlàiz]

동 깨닫다; 실현하다

You need to **realize** that there are mistakes that you can fix. EBS
당신은 당신이 고칠 수 있는 실수들이 있다는 것을 .... 한다.

.... the seriousness
심각성을 깨닫다

0044 **complete**
[kəmplíːt]

동 끝마치다; 완성하다　형 완전한; 완벽한

He went to Albania to **complete** his academic and military training. 학평
그는 학업과 군사훈련을 .... 위해 알바니아에 갔다.

🔄 incomplete 형 불완전한

a .... victory
완벽한 승리

0045 **possible**
[pásəbl]

형 가능한

Would it be **possible** for you to accommodate us on this date instead? 학평
이 날짜에 대신 저희를 수용하는 것이 ....까요?

🔄 possibility 명 가능성　🔄 impossible 형 불가능한

as much as ....
가능한 한 많이

0046 **improve**
[imprúːv]

동 개선되다; 향상시키다

To **improve** your life, you must learn to say no politely. EBS
삶을 .... 위해 당신은 예의 바르게 거절하는 것을 배워야 한다.

🔄 improvement 명 개선, 향상

.... working conditions
근로 조건을 향상시키다

해석 완성 양 / 담화 / 깨달아야 / 끝마치기 / 가능할 / 향상시키기

0047 publicity
[pʌblísəti]

(명) 널리 알려짐, 명성; 선전, 광고

One of the simplest forms of **publicity** is the news release. (EBS)
............의 가장 간단한 형태 중 하나는 뉴스 보도이다.

advertisement (명) 광고   **propaganda** (명) 선전

a .... seeker
명성을 쫓는 사람

0048 encounter
[inkáuntər]

(동) 우연히 만나다; (위험에) 부닥치다   (명) 만남

Workers **encountered** a number of difficulties during the construction period. (학평)
노동자들은 공사 기간 동안 수많은 곤란에 ....

have an encounter with ~와 우연히 만나다

run into, come across ~와 우연히 만나다

.... danger
위험에 부닥치다

0049 consume
[kənsú:m]

(동) 소비하다, 소모하다; 먹다, 마시다

While our brains make up only 2% of our weight, they **consume** 20% of our energy. (EBS)
우리의 뇌는 우리 몸무게의 2%만 차지하지만, 우리 에너지의 20%를 ....

consumer (명) 소비자

.... too much fuel
너무 많은 연료를 소모하다

0050 communicate
[kəmjú:nəkèit]

(동) 의사소통을 하다; 전달하다

Many animals, including dolphins, whales, and birds, do indeed **communicate** with one another. (학평)
돌고래, 고래, 새를 포함한 많은 동물들이 실제로 서로 .... 수 있다.

communicative (형) 의사 전달의; 속을 잘 털어놓는

.... by email
이메일로 의사소통을 하다

0051 antique
[æntí:k]

(형) 고대의   (명) 골동품

Our museum will hold an exhibition of **antique** items under the theme *Life in the 1800s*. (수능)
저희 박물관은 '1800년대의 생활'이라는 주제로 .... 전시회를 열 것입니다.

antiquity (명) 고대; 유물

open an .... shop
골동품 상점을 열다

0052 positive
[pázətiv]

(형) 긍정적인

Typically, older people experience more **positive** emotions than negative ones in daily life. (EBS)
일반적으로, 더 나이 든 사람들은 일상생활에서 부정적인 감정보다 .... 감정을 더 경험한다.

negative (형) 부정적인

a .... attitude
긍정적인 태도

해석 완성 선전 / 부닥쳤다 / 소비한다 / 의사소통을 할 / 골동품 / 긍정적인

0053 reduce
요지
[ridʒúːs]

(동) 줄이다; 줄어들다

Reducing your consumption will not **reduce** your well-being. 모평
소비를 .... 것이 행복을 .... 않을 것이다.

➕ reduction (명) 감소

.... the speed
속도를 줄이다

0054 attention
□□
[ətén∫ən]

(명) 주의, 주목, 집중; 관심

To be persuaded by a message, you must pay **attention** to that message. 학평
어떤 메시지에 설득당하려면, 그 메시지에 .... 해야 한다.

pay[give] attention to ~에 주목하다, ~에 주의를 기울이다

attract the ....
주의를 끌다

0055 apply
□□
[əplái]

(동) 적용하다; (약 따위를) 바르다; 지원하다

Apply the same principle to all your routine activities. 모평 같은 원칙을 당신의 모든 일상 활동에 ....

➕ application (명) 적용; 신청(서)   applicant (명) 지원자

.... for a job
일자리에 지원하다

0056 decision
□□
주제
[disíʒən]

(명) 결심; 결정; 판결

People's preferences affect **decisions** about consumption and trade. 학평
사람들의 선호는 소비와 거래에 관한 ....에 영향을 준다.

➕ decide (동) 결정하다
➖ determination (명) 결정   judgement (명) 판결

make a ....
결정을 내리다

0057 support
□□
[səpɔ́ːrt]

(동) 지지하다; 지원하다; 부양하다   (명) 지지; 후원; 부양

Parents can affect and **support** their children's social experience. EBS
부모는 자녀의 사회적 경험에 영향을 미치고 .... 수 있다.

.... the president
대통령을 지지하다

해석 완성 줄이는, 줄이지는 / 주목 / 적용하라 / 결정 / 지원할

진짜 기출로 확인 ! 밑줄 친 단어의 뜻을 문맥에 맞게 찾으시오.   고2 학평

If, for example, you begin taking in an extra 200 calories a day by eating a sandwich, you'll tend to (1)reduce your caloric intake by the same (2)amount at the next meal or over the course of the day.

① 양   ② 결정   ③ 줄이다   ④ 소비하다   ⑤ 적용하다

ANSWERS p.470

0058 actual
[ǽktʃuəl]

(형) 실제의; 현행의

Logic must be learned through the use of examples and **actual** problem solving. 수능
논리는 실례의 사용과 .... 문제 해결을 통해 학습되어야 한다.

➕ **actually** (부) 실제로, 사실 **actualize** (동) 현실화하다

.... size
실제 크기

0059 performance
[pərfɔ́:rməns]

(명) 실행; 행위; 성과; 공연

Anxiety has a damaging effect on mental **performance** of all kinds. 수능
걱정은 모든 종류의 정신적인 .... 에 해로운 영향을 준다.

➕ **perform** (동) 실행하다; 공연하다

a musical ....
음악 공연

0060 accept
[æksépt]

(동) 받아들이다; 수락하다

Some workers might decide to **accept** a riskier job at a higher wage. EBS
몇몇 근로자들은 더 높은 급여에 더 위험한 일을 .... 결정할 수도 있다.

➕ **acceptable** (형) 받아들일 수 있는
↔ **reject, refuse** (동) 거절하다, 거부하다

.... an offer
제의를 수락하다

0061 object
(동)[əbdʒékt]
(명)[ábdʒikt]

(동) 반대하다 (명) 물체; 목표

When schools began allowing students to use portable calculators, many parents **objected**. 학평
학교가 학생들에게 휴대용 계산기를 사용하도록 허락하기 시작했을 때 많은 부모들이 ....

➕ **objection** (명) 반대, 이의

a tiny ....
아주 작은 물체

0062 contend
[kənténd]

(동) 주장하다; 싸우다

He **contends** that money cannot buy happiness.
그는 돈으로 행복을 살 수 없다고 ....

contend with (곤란한 문제나 상황과) 씨름하다

➕ **contention** (명) 말다툼, 논쟁; 주장

.... against misfortune
불운과 맞서 싸우다

0063 challenge
[tʃǽlindʒ]
주장

(명) 도전; 힘든 일 (동) ~에 도전하다; 이의를 제기하다

You will always face the **challenge** of other people's comments and opinion. 모평
당신은 항상 다른 사람들의 논평과 의견의 .... 에 직면할 것이다.

➕ **challengeable** (형) 도전할 수 있는

.... the fate
운명에 도전하다

해석 완성 실제 / 행위 / 받아들이기로 / 반대했다 / 주장한다 / 도전

0064 notice
[nóutis]

(동) 알아채다; 통지하다   (명) 주의; 통지; 공고

He **noticed** a blind man trying to cross the street. 수능
그는 눈 먼 남자가 길을 건너려고 애쓰는 것을 ....

+ noticeable (형) 눈에 띄는, 현저한

post a .... on the board
게시판에 공고를 붙이다

0065 achieve
[ətʃíːv]

(동) 이루다, 달성하다

Major development can be **achieved** by having the courage to overcome barriers. 학평
장벽을 극복하는 용기를 가짐으로써 큰 발전이 .... 수 있다.

+ achievement (명) 성취, 달성

.... one's goal
목표를 달성하다

0066 involve
[inválv]

(동) 수반하다; 관련시키다

Planning **involves** only the half of your brain that controls your logical thinking. 모평
계획하는 것은 당신의 논리적 사고를 조절하는 두뇌의 절반만을 ....

.... lots of risk
많은 위험을 수반하다

0067 affect
[əfékt]

(동) 영향을 주다; 감명을 주다

Fatigue **affects** our ability to make good decisions.
학평 피로는 좋은 결정을 내리는 우리의 능력에 ....

+ affection (명) 영향; 애정

TIP 혼동하기 쉬운 단어 effect
» effect (명) 결과, 영향
ex. Does television have an **effect** on children's behavior?
텔레비전이 어린이들의 행동에 영향을 미치는가?

.... the environment
환경에 영향을 주다

0068 economy
[ikánəmi]

(명) 경제

Purchasing local produce improves the local **economy**. 학평
지역 생산품을 구입하는 것은 지역 ....를 향상시킨다.

+ economics (명) 경제학   economical (형) 경제적인

domestic ....
가정 경제

해석 완성 알아차렸다 / 이루어질 / 관련시킨다 / 영향을 준다 / 경제

진파 기출로 확인 ! 우리말과 일치하도록 빈칸에 알맞은 단어를 고르시오.

고2 학평

People living in high altitudes are able to breathe normally because their bodies have become used to the shortage of oxygen. This also means that athletes from those areas can (1)_____ outstanding (2)_____ at lower altitudes.
(높은 고도에 사는 사람들은 몸이 산소 부족에 익숙해졌기 때문에 정상적으로 숨 쉴 수 있다. 이것은 또한 그 지역에 사는 운동선수들이 더 낮은 고도에서 뛰어난 성과를 이룰 수 있다는 것을 의미한다.)

① accept   ② contend   ③ challenges   ④ achieve   ⑤ performances

ANSWERS p.470

0069 promising
[prάmisiŋ]

(형) 유망한, 촉망되는

Adolphe was a **promising** young composer who had just written his first cello piece. 학평
Adolphe는 막 그의 첫 번째 첼로곡을 쓴 .... 젊은 작곡가였다.

a .... new actor
유망한 신인 배우

0070 predominant
[pridάmənənt]

(형) 탁월한; 주된, 두드러진

The handshake is currently the **predominant** greeting ritual in Western countries. EBS
악수는 현재 서구 국가들에서 .... 인사 의식이다.

➕ predominate (동) 뛰어나다, 우세하다

a .... color
두드러진 색깔

0071 consist
[kənsíst]

(동) 이루어져 있다; (~와) 일치하다

The school **consisted** of a two-story wooden building. EBS
그 학교는 2층짜리 목조 건물로 ....

.... of four parts
네 부분으로 이루어져 있다

0072 education
[èʤukéiʃən]
내용일치

(명) 교육, 훈육

Her formal **education** lasted only two years; she learned to read and write on her own. 학평
그녀의 공식 ....은 단 2년간만 지속되었고, 그녀는 읽고 쓰기를 독학했다.

➕ educational (형) 교육의; 교육적인

TIP education / training / instruction
» education (명) (사람이 습득한 전반적인 능력·지식 및 그 과정을 뜻하는) 교육
» training (명) (일정 기간에 걸쳐 어떤 목적으로 행하여지는 특정 분야에서의 실제적인) 교육, 훈련
» instruction (명) (학교 등에서 하는 조직적인) 교육

elementary ....
초등 교육

0073 discrete
[diskrí:t]

(형) 별개의; 분리된

Organisms can be divided into **discrete** categories.
유기체들은 .... 범주들로 나뉠 수 있다.

➕ discretely (부) 따로따로; 분리되어
➕ separate (형) 분리된; 별개의

.... parts
별개의 부품

0074 local
[lóukəl]

(형) 지역의, 현지의   (명) 현지인

He decided to sign up at his **local** swimming pool.
학평 그는 그가 사는 .... 수영장에 등록하기로 결정했다.

➕ localize (동) 지역화하다   locally (부) 현지에서

해석 완성 유망한 / 주된 / 이루어져 있었다 / 교육 / 별개의 / 지역의

.... government
지방 정부

0075 **personal** [pə́rsənl]	휑 개인의, 개인적인 **Personal** growth doesn't just happen on its own. 학평 .... 성장은 그저 저절로 일어나지 않는다. ➕ personality 휑 개성, 성격	.... matters 개인적인 일
0076 **complex** 휑[kəmpléks] 휑[kámpleks]	휑 복잡한 휑 복합 건물, 단지 **Complex** behavior does not imply **complex** mental strategies. 모평 .... 행동이 .... 정신적 계획을 의미하지는 않는다. ➕ complexity 휑 복잡성, 복잡한 것	an apartment .... 아파트 단지
0077 **continent** [kántənənt]	휑 대륙; (the C–) 유럽 대륙 One could cross the North American **continent** without having to say a word to anyone. 학평 사람들은 누구에게도 말 한 마디 할 필요 없이 북미 .... 을 건널 수 있었다.	the African .... 아프리카 대륙
0078 **industry** [índəstri]	휑 산업, 공업; 근면성 The motor vehicle **industry** initially denied that cars caused air pollution. 모평 자동차 .... 은 초기에 차가 대기오염을 일으킨다는 것을 부인했다. ➕ industrial 휑 산업의, 공업의 industrious 휑 근면한	the tourist .... 관광 산업
0079 **material** [mətíəriəl]	휑 물질의, 물질적인 휑 재료; 자료 In art classes, children are able to interact with such **materials** as paint or clay. EBS 미술 수업에서 아이들은 페인트나 찰흙 같은 .... 를 가지고 상호작용할 수 있다. ➕ materialism 휑 물질(만능)주의 materialistic 휑 물질주의적인	a teaching .... 교수 자료
0080 **opportunity** 목적 [àpərtjú:nəti]	휑 기회 Don't miss this great **opportunity** to improve your Korean writing. 수능 한국어 쓰기 실력을 향상시킬 이 좋은 .... 를 놓치지 마세요.	take the .... 기회를 잡다

해석 완성 개인의 / 복잡한, 복잡한 / 대륙 / 산업 / 재료 / 기회

진짜 기출로 확인 ! 문맥에 맞도록 빈칸에 알맞은 단어를 고르시오.　　　　　　　　　　고3 학평

The movie (1)_____ is obviously affected by (2)_____ recommendations. Even though well over a billion dollars is spent every year on promoting new movies, people talking to people is what really counts.

① education　　　② industry　　　③ personal　　　④ complex　　　⑤ material

ANSWERS p.470

DAY 02

3-Minute Check

오늘 학습한 단어와 뜻을
최종적으로 암기했는지 확인하세요!

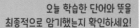

			check
0041	amount	[명] 양; 총액 [동] 총계가 ~이 되다	☐
0042	discourse	[명] 담화, 담론; 강연	☐
0043	realize	[동] 깨닫다; 실현하다	☐
0044	complete	[동] 끝마치다; 완성하다 [형] 완전한; 완벽한	☐
0045	possible	[형] 가능한	☐
0046	improve	[동] 개선되다; 향상시키다	☐
0047	publicity	[명] 널리 알려짐, 명성; 선전, 광고	☐
0048	encounter	[동] 우연히 만나다; (위험에) 부닥치다 [명] 만남	☐
0049	consume	[동] 소비하다, 소모하다; 먹다, 마시다	☐
0050	communicate	[동] 의사소통을 하다; 전달하다	☐
0051	antique	[형] 고대의 [명] 골동품	☐
0052	positive	[형] 긍정적인	☐
0053	reduce	[동] 줄이다; 줄어들다	☐
0054	attention	[명] 주의, 주목, 집중; 관심	☐
0055	apply	[동] 적용하다; (약 따위를) 바르다; 지원하다	☐
0056	decision	[명] 결심; 결정; 판결	☐
0057	support	[동] 지지하다; 지원하다; 부양하다 [명] 지지; 후원; 부양	☐
0058	actual	[형] 실제의; 현행의	☐
0059	performance	[명] 실행; 행위; 성과; 공연	☐
0060	accept	[동] 받아들이다; 수락하다	☐

			check
0061	object	[동] 반대하다 [명] 물체; 목표	☐
0062	contend	[동] 주장하다; 싸우다	☐
0063	challenge	[명] 도전; 힘든 일 [동] ~에 도전하다; 이의를 제기하다	☐
0064	notice	[동] 알아채다; 통지하다 [명] 주의; 통지; 공고	☐
0065	achieve	[동] 이루다, 달성하다	☐
0066	involve	[동] 수반하다; 관련시키다	☐
0067	affect	[동] 영향을 주다; 감명을 주다	☐
0068	economy	[명] 경제	☐
0069	promising	[형] 유망한, 촉망되는	☐
0070	predominant	[형] 탁월한; 주된, 두드러진	☐
0071	consist	[동] 이루어져 있다; (~와) 일치하다	☐
0072	education	[명] 교육, 훈육	☐
0073	discrete	[형] 별개의; 분리된	☐
0074	local	[형] 지역의, 현지의 [명] 현지인	☐
0075	personal	[형] 개인의, 개인적인	☐
0076	complex	[형] 복잡한 [명] 복합 건물, 단지	☐
0077	continent	[명] 대륙; (the C-) 유럽 대륙	☐
0078	industry	[명] 산업, 공업; 근면성	☐
0079	material	[형] 물질의, 물질적인 [명] 재료; 자료	☐
0080	opportunity	[명] 기회	☐

외우지 못한 단어가 있으면 미니 단어장에서 다시 한번 정리해 보세요.

DRILLS

0081 **compare**
[kəmpέər]

(동) 비교하다; 비유하다

Even before we were born, we were **compared** with others. 학평
우리는 심지어 우리가 태어나기 전부터 다른 사람들과 ....

compare A with B A를 B와 비교하다
compare A to B A를 B에 비유하다

.... the two cases
두 가지 경우를 비교하다

0082 **describe**
[diskráib]

(동) 묘사하다, 서술하다

You would find it very difficult to **describe** the inside of your friend. 학평
당신은 친구의 내면을 .... 것이 매우 어렵다는 것을 알게 될 것이다.

➕ **description** (명) 묘사, 서술   **descriptive** (형) 묘사적인

.... the situation
상황을 묘사하다

0083 **suggest**
요약문 [səgdʒέst]

(동) 제안하다; 시사하다, 암시하다

Research **suggests** that spending more time on serious hobbies can boost creativity at work. 학평
연구는 진지한 취미에 더 많은 시간을 들이는 것이 직장에서 창의성을 신장시킬 수 있다는 것을 ....

➕ **suggestion** (명) 제안; 암시   **suggestive** (형) 암시하는

.... a plan
계획을 제안하다

0084 **negative**
어휘 [négətiv]

(형) 부정적인; (수학) 음의, 마이너스의

Physical movement can sometimes dispel **negative** feelings. 학평
신체적인 움직임은 때때로 .... 감정을 떨쳐 버릴 수 있다.

have a .... effect
부정적인 영향을 미치다

0085 **glare**
[glέər]

(명) (환한) 빛; 노려봄   (동) 빛나다; 노려보다

He looked around anxiously in the **glare** of the lamp. 학평
그는 전등 .... 속에서 초조하게 주변을 둘러봤다.

.... at someone silently
말없이 누군가를 노려보다

0086 **population**
도표 [pὰpjəléiʃən]

(명) 인구; 개체 수

The graph shows the world **population** access to electricity in 1997 and in 2017. 수능
그래프는 1997년과 2017년의 전기에 대한 세계 ....의 접근을 보여 준다.

➕ **populate** (동) 살다; 거주시키다

.... growth
인구 증가

해석 완성 비교되었다 / 묘사하는 / 시사한다 / 부정적인 / 빛 / 인구

0087 deal
[di:l]

(동) (-dealt-dealt) 다루다; 거래하다　(명) 거래; 취급

Complete the small stuff first to **deal** with the big stuff.　(학평)
큰일을 .... 위해 작은 일 먼저 끝마쳐라.

➕ dealer (명) 상인, 판매업자

.... with the issues
쟁점들을 다루다

0088 invent
[invént]

(동) 발명하다; 창작하다; 지어내다

Let's go back to 4,000 B.C. in ancient China where some early clocks were **invented**. (학평)
몇몇 초기 시계들이 .... 기원전 4천 년의 고대 중국으로 되돌아가보자.

➕ invention (명) 발명(품); 창작　inventive (형) 발명의; 창의적인

.... an excuse
핑계를 지어내다

0089 general
[dʒénərəl]

(형) 일반적인; 대체적인　(명) 장군

Some people tend to be late as a **general** rule, whether they are busy or not. (모평)
어떤 사람들은 그들이 바쁘든 바쁘지 않든 간에 .... 으로 늦는 경향이 있다.

➕ generalize (동) 일반화하다　generalization (명) 일반화
🔄 specific (형) 특정한　particular (형) 특정; 특별한

.... knowledge
일반 상식

0090 average
[ǽvəridʒ]

(형) 평균의; 보통의　(명) 평균

The **average** speed of the boats was a little over four miles an hour. (학평)
그 배들의 .... 속도는 시속 4마일을 조금 넘었다.

on average 평균적으로

.... prices
평균 가격

0091 abnormal
[æbnɔ́ːrməl]

(형) 비정상적인, 이상한

If an **abnormal** rhythm is detected, the AED* will instruct you to push the shock button. (EBS)
*AED 자동심장충격기
.... 리듬이 감지되면, AED가 당신이 충격 버튼을 누르도록 지시할 것입니다.

➕ abnormality (명) 비정상, 이상
🔄 normal (형) 정상의; 보통의

.... heart rhythms
비정상적인 심장 박동

0092 response
[rispáns]

(명) 대답; 반응

Individuals who struggle with obesity tend to eat in **response** to emotions. (모평)
비만과 싸우는 사람은 감정에 .... 하여 먹는 경향이 있다.

an official .... to the report
보도에 대한 공식적인 반응

해석 완성 다루기 / 발명된 / 일반적 / 평균 / 비정상적인 / 반응

0093 discharge
[distʃɑ́ːrdʒ]

명 배출(물); 방전; 해고 동 배출하다; 해고하다

The **discharge** from fish farms can pollute nearby natural aquatic ecosystems. 학평
물고기 양식장에서 나온 ....은 인근의 자연 수중 생태계를 오염시킬 수 있다.

the .... of toxic waste
유독성 폐기물 배출

0094 ability
[əbíləti]

명 능력; 재능

Dogs' **ability** to learn about humans is amazing. 학평
인간에 대해 배우는 개의 ....은 놀랍다.

🔄 **inability** 명 무능력 📋 **capability** 명 능력

artistic ....
예술적 재능

0095 availability
[əvèiləbíləti]

명 이용 가능성, 유효성

The **availability** of transportation infrastructure has been considered a precondition for tourism. 모평
교통 기반 시설의 ....은 관광의 전제 조건으로 여겨져 왔다.

➕ **available** 형 이용할 수 있는

.... of online news
온라인 뉴스의 이용 가능성

0096 beverage
[bévəridʒ]

명 (물 외의) 음료

Milk was not an ideal **beverage** for New York City's hot summer days. EBS
우유는 더운 여름날 뉴욕 시의 이상적인 ....가 아니었다.

an alcoholic ....
알코올음료

0097 concern
[kənsə́ːrn]
요지

명 관계; 염려; 관심사 동 관계하다; 염려하다

Our growing **concern** with health has affected the way we eat. 학평
건강에 대해 늘어나는 ....가 우리가 먹는 방식에 영향을 미쳐 왔다.

➕ **concerning** 전 ~에 관하여

해석 완성 배출물 / 능력 / 이용 가능성 / 음료 / 염려

.... about the safety
안전에 대한 염려

밑줄 친 단어의 뜻을 문맥에 맞게 찾으시오. 고2 학평

The graph (1)compares the percentage of the U.S. population with the percentage of newspaper readership among four different age groups. Among the four age groups, the 18-24 group accounts for the lowest percentage of both (2)population and newspaper readership.

① 인구 ② 유효성 ③ 비교하다 ④ 배출하다 ⑤ 다루다

ANSWERS p.470

0098 contact
[kántækt]

명 접촉, 연락   동 접촉[연락]하다

Email is a popular, easy way to stay in **contact** with friends and family. 학평
이메일은 친구들 및 가족과 ....을 유지하는 인기 있고 쉬운 방법이다.

keep[stay] in contact with ~와 접촉[연락]을 유지하다
come in contact with ~와 접촉하다; ~와 만나다
lose contact with ~와 연락이 끊어지다

in close ....
밀접하게 접촉하여

0099 avoid
[əvɔ́id]

동 피하다; 방지하다

With new coworkers, you probably **avoid** discussions of politics. 학평
당신은 아마도 새로운 동료들과는 정치에 관한 토론을 .... 것이다.

➕ **avoidance** 명 회피; 도피

.... danger
위험을 피하다

0100 determine
[ditə́ːrmin]

동 결심하다; 결정하다

The study was to **determine** if handwriting was linked to personality. 학평
그 연구는 필적이 성격과 관련되는지 아닌지를 .... 것이었다.

➕ **determination** 명 결심; 결단력; 결정
➡ **resolve** 동 결심하다

.... the price
가격을 결정하다

0101 occur
[əkə́ːr]

동 발생하다; (머리에) 떠오르다

The error **occurs** partly because our attention focuses on the person, not on the situation. EBS
실수는 부분적으로 우리의 주의가 상황이 아니라 사람에게 집중되기 때문에 ....

➕ **occurrence** 명 사건; 발생
➡ **happen** 발생하다   **take place** 발생하다

.... frequently
빈번하게 발생하다

0102 risk
[risk]

동 위험을 감수하다; 위태롭게 하다   명 위험

People don't want to **risk** a step into unknown territory. 모평
사람들은 미지의 영역으로 발을 내딛는 ....를 원치 않는다.

risk one's life 목숨을 위태롭게 하다

➕ **risky** 형 위험한
➡ **venture** 동 위험을 무릅쓰고 하다

take a ....
위험을 무릅쓰다

해석 완성 연락 / 피할 / 결정하는 / 발생한다 / 위험을 감수하기

0103 immense
[iméns]

(형) 막대한, 광대한

Corcolle is an area of **immense** cultural and natural value for Italy. (학평)

Corcolle는 .... 문화적, 자연적 가치를 지닌 이탈리아의 한 지역이다.

目 **enormous** (형) 막대한, 거대한

conquer an .... territory
광대한 영토를 정복하다

0104 induce
[indjúːs]

(동) 유도하다, 유발하다; 설득하다

We try to **induce** our neighbors to help out with a neighborhood party. (학평)

우리는 이웃들이 동네 파티를 돕도록 .... 애쓴다.

目 **cause** (동) 유발하다   **persuade** (동) 설득하다

.... sleep
수면을 유도하다

0105 unanimous
[juːnǽnəməs]

(형) 만장일치의

Their decision was **unanimous**.
그들의 결정은 .... 였다.

➕ **unanimously** (부) 만장일치로

a .... vote
만장일치의 표결

0106 approach
[əpróutʃ]

(동) (~에) 접근하다   (명) 접근(법)

He succeeded by **approaching** the problem from a different point of view. (학평)

그는 다른 관점으로 문제에 .... 으로써 성공했다.

目 **access** (동) 접근하다 (명) 접근

.... the moon
달에 접근하다

0107 immediate
[imíːdiət]

(형) 직접의; 즉각적인

I want **immediate** action to solve this urgent problem.
(수능) 나는 이 위급한 문제를 해결하기 위한 .... 조처를 원한다.

➕ **immediately** (부) 즉각적으로, 즉시
目 **instant** (형) 즉각적인   **direct** (형) 직접적인

an .... reaction
즉각적인 반응

0108 respond
[rispánd]

(동) 응답하다, 대답하다; 반응을 보이다

The audience **responded** with deafening applause.
(모평) 관객들은 귀청이 터질듯한 박수로 ....

➕ **responsive** (형) 즉각 반응하는

.... to the question
그 질문에 대답하다

해석 완성 막대한 / 유도하려고 / 만장일치 / 접근함 / 즉각적인 / 응답했다

진짜 기출로 확인! 네모 안에서 문맥에 알맞은 단어를 고르시오.   고3 학평

The most satisfied married couples tend to (1) approach / induce problems without (2) immediately / unanimously criticizing their partners.

ANSWERS p.470

0109 **assume** [əsjú:m]

[동] 추정하다; (태도를) 취하다

It is a mistake to **assume** that television has destroyed family conversation. [학평]
텔레비전이 가족의 대화를 파괴했다고 .... 것은 잘못이다.

[+] **assumption** [명] 추정; 가정

.... a low posture
저자세를 취하다

0110 **demand** [dimǽnd]

[명] 요구; 수요 [동] 요구하다

Nowadays the **demand** for the sun blocking items is increasing rapidly. [학평]
요즘 햇볕 차단 제품의 ....가 급격히 증가하고 있다.

demand an explanation 설명을 요구하다

[+] **demanding** [형] 요구가 많은

supply and ....
공급과 수요

0111 **essential** [isénʃəl]

[형] 필수의; 본질적인 [명] 필수적인 것

Young people treat the mobile phone as an **essential** necessity of life. [모평]
젊은이들은 휴대 전화를 삶의 ....품으로 여긴다.

.... to happiness
행복에 필수적인

0112 **commerce** [kámə:rs]

[명] 상거래, 상업; 무역

The Internet has brought dramatic changes to e-**commerce**. [EBS]
인터넷은 전자 ....에 극적인 변화를 가져왔다.

domestic ....
국내 무역

0113 **particular** [pərtíkjələr]

[형] 특별한; 특정한

Artists tended to concentrate their energy on one **particular** subject. [학평]
예술가들은 자신의 에너지를 한 가지 .... 주제에 집중하는 경향이 있었다.

[+] **particularly** [부] 특별히(= in particular)

without a .... reason
특별한 이유 없이

0114 **purchase** [pə́:rtʃəs] [실용문]

[동] 사다, 구입하다 [명] 구입

You can **purchase** food to feed the lizards on site. [학평] 당신은 도마뱀을 먹일 사료를 현장에서 .... 수 있습니다.

make a ....
구입하다

0115 **connect** [kənékt]

[동] 연결하다; 연결되다; 관련짓다

Social media have wonderful advantages in how we **connect**. [EBS]
소셜미디어는 우리가 .... 방식에 굉장한 이점을 갖고 있다.

[+] **connection** [명] 연결; 접속
[반] **disconnect** [동] 연결을 끊다

.... the printer to the computer
프린터를 컴퓨터에 연결하다

[해석 완성] 추정하는 / 수요 / 필수 / 상거래 / 특정한 / 구입할 / 연결되는

0116 **contrast** ☐☐ 명[kántræst] 동[kəntrǽst]	(명) 대조; 차이 (동) 대조시키다; 대조를 보이다 Sometimes we have to experience the **contrast** of darkness in order to find the light. (EBS) 때때로 우리는 빛을 찾기 위해 어둠의 ....를 경험해야 한다. **in contrast with** ~와 대조를 이루어 **contrast A with B** A와 B를 대조하다	the .... between light and shade 빛과 그늘의 대조
0117 **desire** ☐☐ [dizáiər]	(명) 욕구, 욕망 (동) 바라다, 요구하다 He was a very passionate young man filled with **desire** and determination. (학평) 그는 ....과 결단력으로 가득 찬 매우 열정적인 젊은이였다. ➕ **desirable** (형) 바람직한	a strong .... for power 권력을 향한 강한 욕구
0118 **detail** ☐☐ 명[dí:teil] 동[ditéil]	(명) 세부 사항 (동) 상세히 알리다 Collect as many **details** and as much information as possible. (EBS) 가능한 한 많은 ....과 정보를 모아라.	a trivial .... 사소한 세부 사항
0119 **proficient** ☐☐ [prəfíʃənt]	(형) 능숙한, 숙달된 Pablo became **proficient** in English, eventually earning an "A." (EBS) Pablo는 영어에 ....졌고, 결국 'A'를 받았다. ➕ **proficiency** (명) 능숙, 숙달	.... in speaking French 프랑스어 말하기에 능숙한
0120 **prevent** ☐☐ 주제 [privént]	(동) 막다, 예방하다 Fruits and vegetables are believed to help **prevent** cancer. (모평) 과일과 채소는 암을 .... 데 도움이 된다고 믿어진다. ➕ **prevention** (명) 예방, 방지	.... the fire from spreading 화재가 번지는 것을 막다

해석 완성 대조 / 욕망 / 세부 사항 / 능숙해 / 예방하는

진짜 기출로 확인! 우리말과 일치하도록 빈칸에 알맞은 단어를 고르시오. 고3 학평

Home design practice will tell them to paint their ceilings as light as possible, and in (1)_____ make the ceiling distinct from the walls. This (2)_____ between ceilings and walls, so the advice goes, will increase the perceived room height.

(주택 설계 관행은 그들에게 천장을 가능한 밝게 칠하되, 특히 천장을 벽과 확연히 구분되도록 하라고 말할 것이다. 그 조언대로, 천장과 벽의 이러한 대조는 인지되는 방의 높이를 증가시켜 줄 것이다.)

① essential   ② contrast   ③ particular   ④ demand   ⑤ purchase

ANSWERS p.470

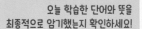

		check
0081 **compare**	(동) 비교하다; 비유하다	☐
0082 **describe**	(동) 묘사하다, 서술하다	☐
0083 **suggest**	(동) 제안하다; 시사하다, 암시하다	☐
0084 **negative**	(형) 부정적인; (수학) 음의, 마이너스의	☐
0085 **glare**	(명) (환한) 빛; 노려봄 (동) 빛나다; 노려보다	☐
0086 **population**	(명) 인구; 개체 수	☐
0087 **deal**	(동) 다루다; 거래하다 (명) 거래; 취급	☐
0088 **invent**	(동) 발명하다; 창작하다; 지어내다	☐
0089 **general**	(형) 일반적인; 대체적인 (명) 장군	☐
0090 **average**	(형) 평균의; 보통의 (명) 평균	☐
0091 **abnormal**	(형) 비정상적인, 이상한	☐
0092 **response**	(명) 대답; 반응	☐
0093 **discharge**	(명) 배출(물); 방전; 해고 (동) 배출하다; 해고하다	☐
0094 **ability**	(명) 능력; 재능	☐
0095 **availability**	(명) 이용 가능성; 유효성	☐
0096 **beverage**	(명) (물외의) 음료	☐
0097 **concern**	(명) 관계; 염려; 관심사 (동) 관계하다; 염려하다	☐
0098 **contact**	(명) 접촉, 연락 (동) 접촉[연락]하다	☐
0099 **avoid**	(동) 피하다; 방지하다	☐
0100 **determine**	(동) 결심하다; 결정하다	☐

		check
0101 **occur**	(동) 발생하다; (머리에) 떠오르다	☐
0102 **risk**	(동) 위험을 감수하다; 위태롭게 하다 (명) 위험	☐
0103 **immense**	(형) 막대한, 광대한	☐
0104 **induce**	(동) 유도하다, 유발하다; 설득하다	☐
0105 **unanimous**	(형) 만장일치의	☐
0106 **approach**	(동) (~에) 접근하다 (명) 접근(법)	☐
0107 **immediate**	(형) 직접의; 즉각적인	☐
0108 **respond**	(동) 응답하다, 대답하다; 반응을 보이다	☐
0109 **assume**	(동) 추정하다; (태도를) 취하다	☐
0110 **demand**	(명) 요구; 수요 (동) 요구하다	☐
0111 **essential**	(형) 필수의; 본질적인 (명) 필수적인 것	☐
0112 **commerce**	(명) 상거래, 상업; 무역	☐
0113 **particular**	(형) 특별한; 특정한	☐
0114 **purchase**	(동) 사다, 구입하다 (명) 구입	☐
0115 **connect**	(동) 연결하다; 연결되다; 관련짓다	☐
0116 **contrast**	(명) 대조; 차이 (동) 대조시키다; 대조를 보이다	☐
0117 **desire**	(명) 욕구, 욕망 (동) 바라다, 요구하다	☐
0118 **detail**	(명) 세부 사항 (동) 상세히 알리다	☐
0119 **proficient**	(형) 능숙한, 숙달된	☐
0120 **prevent**	(동) 막다, 예방하다	☐

외우지 못한 단어가 있으면 미니 단어장에서 다시 한번 정리해 보세요.

Wrap Up

☑ ANSWERS p.470

A 영어는 우리말로, 우리말은 영어로 쓰시오.

01	effect		21	산업, 공업; 근면성
02	prevent		22	주의, 주목, 집중; 관심
03	inform		23	지역의, 현지의; 현지인
04	offer		24	인구; 개체 수
05	response		25	행동하다
06	require		26	제안하다; 암시하다
07	object		27	소비하다; 먹다, 마시다
08	social		28	경향이 있다, ~하기 쉽다
09	decision		29	긍정적인
10	immediate		30	(~에) 접근하다; 접근(법)
11	risk		31	상황; 위치; 입장
12	allow		32	깨닫다; 실현하다
13	economy		33	상당한, 꽤 많은; 중요한
14	achieve		34	~의 원인이 되다; 원인
15	education		35	담화, 담론; 강연
16	individual		36	추정하다; (태도를) 취하다
17	reduce		37	기간, 학기; 용어
18	average		38	능력; 재능
19	opportunity		39	묘사하다, 서술하다
20	particular		40	다루다; 거래하다; 거래

B 우리말과 일치하도록 빈칸에 알맞은 말을 쓰시오.

01 Set a time .... when making a presentation.
→ 프레젠테이션을 할 때는 시간제한을 설정해 놓으세요.

02 One of the simplest forms of .... is the news release.
→ 선전의 가장 간단한 형태 중 하나는 뉴스 보도이다.

03 Our museum will hold an exhibition of .... items under the theme *Life in the 1800s*.
→ 저희 박물관은 '1800년대의 생활'이라는 주제로 골동품 전시회를 열 것입니다.

04 Give yourself freedom to .... your intuition.
→ 자기 자신에게 자신의 직관을 따를 자유를 주어라.

05 You will always face the .... of other people's comments and opinion.
→ 당신은 항상 다른 사람들의 논평과 의견의 도전에 직면할 것이다.

C 우리말과 일치하도록 빈칸에 알맞은 단어를 〈보기〉에서 골라 쓰시오. (형태 변화 가능)

보기				
force	support	improve	detail	contrast

01 Parents can affect and .... their children's social experience.
부모는 자녀의 사회적 경험에 영향을 미치고 지원할 수 있다.

02 An object's weight is the .... exerted on it by gravity.
어떤 물체의 무게는 중력에 의해 그것에 가해지는 힘이다.

03 To .... your life, you must learn to say no politely.
삶을 향상시키기 위해 당신은 예의 바르게 거절하는 것을 배워야 한다.

04 Collect as many .... and as much information as possible.
가능한 한 많은 세부 사항과 정보를 모아라.

05 Sometimes we have to experience the .... of darkness in order to find the light.
때때로 우리는 빛을 찾기 위해 어둠의 대조를 경험해야 한다.

[책] 가리개를 사용하여 뜻을 암기했는지 확인하세요.

DRILLS

0121 □□ **argument** [ɑ́:rgjumənt]

[명] 논의, 논쟁; 말다툼

He would talk back to the customer and win lots of **arguments**. [학평]
그는 고객에게 말대꾸를 하고 많은 ....에서 이기곤 했다.

[+] **argue** [동] 논쟁하다 **arguable** [형] 논의의 여지가 있는

have an .... with a friend
친구와 말다툼을 하다

0122 □□ **attract** [ətrǽkt]

[동] (주의 등을) 끌다; 매혹하다; 끌어들이다

Bright lights or loud sounds can **attract** our attention. [EBS] 밝은 조명이나 큰 소리는 우리의 주의를 .... 수 있다.

[+] **attraction** [명] 매력; 명소 **attractive** [형] 매력적인

.... more visitors
더 많은 방문객을 끌어들이다

0123 □□ **evolution** [èvəlú:ʃən]

[명] 진화; 발전

Evolution of languages occurs along with time. [학평]
언어의 ....는 시간에 따라 발생한다.

[+] **evolutionary** [형] 진화의; 발달의

the .... of the human species
인류의 진화

0124 □□ **access** [ǽkses]

[명] 접근; 접근권 [동] (컴퓨터에) 접속하다

Few people had **access** to books, which were handwritten and expensive. [학평]
손으로 쓰인 비싼 책에 ....이 있는 사람들이 거의 없었다.

[+] **accessible** [형] 접근 가능한

a man of easy ....
접근하기 쉬운 사람

0125 □□ [주장] **advantage** [ædvǽntidʒ]

[명] 이익; 이점 [동] 유리하게 하다

Laughter can turn any disadvantage into an **advantage**. [모평]
웃음은 어떤 약점도 ....으로 바꿀 수 있다.

take advantage of ~을 이용하다

[↔] **disadvantage** [명] 불이익; 약점 [동] 불리하게 하다

the .... of education
교육의 이점

0126 □□ [주제] **protect** [prətékt]

[동] 보호하다, 지키다

Textiles and clothing have functions that go beyond just **protecting** the body. [모평]
직물과 의복은 단순히 신체를 .... 것을 넘어서는 기능을 갖고 있다.

[+] **protection** [명] 보호 **protective** [형] 보호하는

.... people from danger
위험으로부터 사람들을 보호하다

해석 완성 논쟁 / 끌 / 진화 / 접근권 / 이점 / 보호하는

0127 organization
[ɔ̀ːrɡənizéiʃən]

(명) 조직, 기구

If you are willing to volunteer, there are many **organizations** that will be glad to welcome you. 학평
자원봉사를 하고 싶다면, 당신을 반갑게 환영해 줄 많은 .... 이 있다.

➕ **organize** (동) 조직하다

non-governmental

비정부 기구

0128 depend
[dipénd]

(동) (~에) 달려 있다; (~에) 의존하다

The meanings of most words **depend** on their context. EBS
대부분의 단어의 의미는 그것의 문맥에 ....

It depends. (그것은) 상황에 따라 달라요.

.... on situations

상황에 달려 있다

0129 bilingual
[bailíŋɡwəl]

(형) 2개 언어의, 2개 언어를 하는

He is **bilingual** in French and English.
그는 프랑스어와 영어, ...

.... education

2개 언어 병용 교육

0130 gain
[gein]

(동) 얻다; 벌다; 늘리다 (명) 증가; 이득

These materials let students enjoy the pleasure of reading and **gain** information. 모평
이 자료들은 학생들이 독서의 기쁨을 즐기고 정보를 .... 한다.

gain weight 체중이 늘다
the watch gains two minutes 시계가 2분 빠르다

🔁 **lose** (동) 잃다 **loss** (명) 상실

.... popularity

인기를 얻다

0131 decrease
도표 (동)[dikríːs]
    (명)[díːkriːs]

(동) 줄이다; 감소하다 (명) 감소

The injury rate of Saturday, Sunday and Monday games **decreased** steadily from 2014 to 2017. 학평
2014년에서 2017년까지 토요일, 일요일, 월요일 경기의 부상 비율이 꾸준히 ....

🔁 **increase** (명) 증가 (동) 늘리다; 늘어나다

.... in population

인구의 감소

0132 mental
[méntl]

(형) 마음의, 정신의

Mental skills become important at high levels of competition. 모평
높은 수준의 경쟁에서는 .... 기능이 중요해진다.

➕ **mentality** (명) 정신력; 정신 상태
🔁 **physical** (형) 신체의; 물질의

.... health

정신 건강

해석 완성 조직 / 의존한다 / 2개 언어를 한다 / 얻게 / 감소했다 / 정신적

0133 attend
목적
[əténd]

(동) 출석하다, 참석하다; 주의를 기울이다

I recently **attended** your lecture about recent issues in business. 학평
저는 최근에 사업의 최근 쟁점에 관한 당신의 강연에 ....

➕ attendance (명) 출석

.... a meeting
모임에 참석하다

0134 attitude
[ǽtitjùːd]

(명) 태도; 자세

Dogs aren't smarter than chimps, but they have a different **attitude** toward people. 학평
개들은 침팬지보다 더 똑똑하지는 않지만 사람들에게 다른 .... 를 가지고 있다.

a friendly ....
우호적인 태도

0135 recognize
[rékəgnàiz]

(동) 알아보다; 인정하다

She pretended not to **recognize** me. 모평
그녀는 나를 못 .... 척 했다.

➕ recognition (명) 인식   recognizable (형) 알아볼 수 있는

TIP recognize / identify / distinguish
» **recognize** (동) (사람·사물을 보거나 듣고) 알아보다
» **identify** (동) (신원 등을) 확인하다[알아보다]
» **distinguish** (동) (비교적 격식으로) (분명치 않은 것을) 알아보다

.... an old friend
옛 친구를 알아보다

0136 specific
[spisífik]

(형) 특정한; 구체적인

Horses have a **specific** reaction to fire; they want to stay in the stall. EBS
말들은 화재에 대해 .... 반응을 하는데, 그들은 마구간에 머물고 싶어 한다.

➕ specifically (부) 명확히; 특히   specification (명) 상술

a .... aim
특정한 목적

0137 advance
[ədvǽns]

(명) 전진; 진보   (동) 전진시키다; 전진하다   (형) 사전의

Over the past century, society has witnessed extraordinary **advances** in medicine. 학평
지난 세기 동안, 사회는 의학에서 대단한 .... 를 목격해 왔다.

➕ advancement (명) 전진; 진보

an .... notice
사전 통고

해석 완성 참석했습니다 / 태도 / 알아보는 / 특정한 / 진보

진파 기출로 확인! 우리말과 일치하도록 네모 안에서 문맥에 맞은 단어를 고르시오.   고3 모평

One of the major banks in Britain tried to (1) gain / protect a competitive (2) argument / advantage by opening on Saturday mornings.
(영국의 주요 은행 중 한 곳이 토요일 오전에 영업함으로써 경쟁 우위를 얻으려고 했다.)

ANSWERS p.470

0138 vacant
[véikənt]

(형) 빈, 비어 있는; 공석 중인

The seat next to him was **vacant**.
그의 옆 자리는 ....

➕ vacancy (명) 빈자리; 공허

remain ....
공석으로 남아 있다

0139 impact
(명)[ímpækt]
(동)[impǽkt]

(명) 충돌, 충격; 영향 (동) 충돌하다; 영향을 주다

The **impacts** of tourism on the environment are evident to scientists. (수능)
관광업이 환경에 미치는 ....은 과학자들에게는 명백하다.

have[make] an impact on ~에 영향을 주다

the .... of a car crash
자동차 충돌 사고의 충격

0140 muscle
[mʌ́səl]

(명) 근육; 근력

It's never too late to start building up **muscle** strength, regardless of your age. (수능)
나이에 상관없이, ...의 힘을 기르기 시작하는 것은 결코 늦지 않다.

➕ muscular (형) 근육의; 근육질의

a facial ....
안면 근육

0141 realistic
[rì(:)əlístik]

(형) 현실적인, 실현 가능한

If we set **realistic** goals, we will get our rewards. (학평)
우리가 .... 목표를 세우면, 우리는 보상을 받을 것입니다.

➕ reality (명) 현실, 사실 realism (명) 사실주의
➖ unrealistic (형) 비현실적인 ☰ feasible (형) 실현 가능한

produce a ....
result
현실적인 결과를 내놓다

0142 accurate
[ǽkjərit]

(형) 정확한, 정밀한

Such knowledge may improve existing climate models and provide more **accurate** predictions. (학평)
그러한 지식은 존재하는 기후 모델들을 개선하고 더 ....
예측을 제공할지도 모른다.

➕ accuracy (명) 정확; 정확도 accurately (부) 정확히
➖ inaccurate (형) 부정확한
☰ precise (형) 정확한, 정밀한

.... records
정확한 기록

0143 devastate
[dévəstèit]

(동) 황폐화하다, 완전히 파괴하다

High-density rearing **devastated** not just the caged fish, but local wild fish populations too. (수능)
고밀도 사육은 가두리에 있는 물고기뿐만 아니라 지역의 야생 물고기 개체도 ....

➕ devastation (명) 황폐화, 파괴 devastating (형) 파괴적인

.... a town
마을을 황폐화하다

해석 완성 비어 있었다 / 영향 / 근육 / 현실적인 / 정확한 / 황폐화했다

0144 employee [implɔ́iiː]	명 고용인, 종업원, 직원	a full-time _____
	Allowing **employees** to occasionally work from home will generate better ideas and results. 학평	상근 직원
	_____ 때때로 재택근무를 하도록 허락하는 것은 더 나은 아이디어와 결과를 낳을 것이다.	
	➕ employment 명 고용; 취업 ↔ employer 명 고용주, 사용자	

0145 consent [kənsént]	명 승낙, 동의 동 동의하다, 승낙하다	with or without _____
	The government banned direct mail marketing to children without the **consent** of their parents. 학평	동의가 있건 없건
	정부는 부모의 _____ 없이 자녀에게 보내는 다이렉트 메일(광고용 우편물) 마케팅을 금지했다.	

0146 account [əkáunt]	명 계산; 계좌; 설명; 고려 동 설명하다	open an _____
	Moral decisions require taking other people into **account**. 모평	계좌를 트다
	도덕적 결정은 다른 사람을 _____ 하는 것을 필요로 한다.	
	take ~ into account ~을 고려하다 account for ~을 설명하다; (부분·비율을) 차지하다	
	➕ accountant 명 회계사 accountable 형 설명할 수 있는	

0147 analyze [ǽnəlàiz]	동 분석하다; 검토하다	_____ data
	The machine will **analyze** the heart rhythm. EBS	자료를 분석하다
	그 기계는 심장의 리듬을 _____ 것이다.	
	➕ analysis 명 분석 analyst 명 분석가	

0148 verify [vérəfài]	동 검증하다, 입증하다	_____ the news
	Lie detectors can **verify** the accuracy of the information by searching for further evidence. EBS	뉴스 내용을 검증하다
	거짓말 탐지기는 추가 증거를 검색함으로써 정보의 정확성을 _____ 수 있다.	
	➕ verification 명 확인, 증명	

해석 완성 직원들이 / 동의 / 고려 / 분석할 / 검증할

진짜 기출로 확인 ! 밑줄 친 단어의 뜻을 문맥에 맞게 찾으시오.　　　　　　　　12년 수능

The way to find the best product is to take all of this information into (1)account and to carefully (2)analyze the different brands on display.

① 동의　　　　② 고려　　　　③ 영향　　　　④ 입증하다　　　　⑤ 분석하다

ANSWERS p.470

0149 **ignore** [ignɔ́ːr]	(동) 무시하다 She chooses information that fits her, and **ignores** other people's recommendations. (학평) 그녀는 자신에게 맞는 정보를 선택하고, 다른 사람들의 추천을 .... **+** ignorance (명) 무지 ignorant (형) 무지한 **TIP** ignore / neglect » ignore (동) (의식적으로) 무시하다 » neglect (동) (모른 채) 무시하다, 경시하다, 등한시하다	.... the warning 경고를 무시하다
0150 **theory** [θí(ː)əri]	(명) 이론, 학설 There is absolutely no scientific evidence for this **theory**. (수능) 이 .... 에는 과학적인 증거가 전혀 없다. **+** theoretical (형) 이론의, 이론적인 theoretically (부) 이론적으로	.... and practice 이론과 실제
0151 **overturn** [óuvərtəːrn]	(동) 뒤집다; 뒤집히다; 번복하다 (명) 전복 A bus hit a car and **overturned**. 버스가 차를 들이받고	.... the ban 금지를 번복하다
0152 **referee** [rèfəríː]	(명) 심판; 중재인 (동) 심판하다 The **referee** called a timeout to stop the match. (학평) .... 이 타임아웃을 선언하여 경기를 중단시켰다. **TIP** referee / umpire / judge » referee (명) (주로 농구·축구·하키·권투 등의) 심판 » umpire (명) (주로 테니스·야구 경기의) 심판 » judge (명) (주로 경연대회·토론 등의) 심판, 판정단	complain to the .... 심판에게 항의하다
0153 **underlie** [ʌ̀ndərlái]	(동) (–underlay–underlain) (~의) 기초가 되다 Through our ears we gain access to vibration, which **underlies** everything around us. (수능) 우리의 귀를 통해 우리는 우리 주변에 있는 모든 것의 .... 진동에 접근한다. **+** underlying (형) 기초가 되는	.... the revolution 혁명의 기초가 되다
0154 **superficial** [sùːpərfíʃəl]	(형) 피상적인; 표면상의 There are **superficial** analogies between the eye and a camera. (수능) 눈과 카메라 사이에는 .... 유사점이 있다. **+** superficially (부) 표면적으로	a .... analysis 피상적인 분석

해석 완성 무시한다 / 이론 / 뒤집혔다 / 심판 / 기초가 되는 / 피상적인

0155 **political** [pəlítikəl]	(형) 정치의; 정당의 **Political** leaders pursue their own interests as well as their nations' interests. **EBS** .... 지도자들은 그들 국가의 이익뿐만 아니라 자기 자신들의 이익도 추구한다.	a .... campaign 정치 운동
0156 **characteristic** [kæ̀riktərístik]	(명) 특징, 특질 (형) 특유의 Certain personality **characteristics** make some people more resistant to distress. **학평** 어떤 성격 .... 은 어떤 사람들을 고통에 더 잘 견디게 만든다.	a .... of modern life 현대 생활의 특징
0157 **equal** [íːkwəl]	(형) 같은; 평등한 (명) 동등한 것[사람] (동) ~와 같다 In the Information Age, people have more **equal** access to knowledge. **학평** 정보화 시대에, 사람들은 지식에 더 많은 .... 접근권을 갖는다.	.... rights 평등한 권리
0158 **judge** [dʒʌdʒ]	(동) 판단하다; 심판하다 (명) 재판관; 심판 As you get older, you become less able to **judge** if you are warm or cold. **학평** 나이 들수록 당신은 따뜻한지 추운지를 .... 수 있는 능력이 덜하게 된다.	.... a man by appearance 사람을 외모로 판단하다
0159 **conventional** [kənvénʃənəl]	(형) 전통적인; 관례적인 You have to challenge the **conventional** ways of doing things and search for opportunities to innovate. **수능** 당신은 .... 업무 방식에 도전하고 혁신할 기회를 찾아야 한다.	have a .... wedding 전통 혼례를 올리다
0160 **associate** [əsóuʃièit]	(동) 연상하다; 연합하다; 교제하다 (형) 제휴한 Children often **associate** pictures with their life experiences or familiar images. **학평** 아이들은 종종 사진으로 자신의 인생 경험이나 익숙한 이미지를 .... ➕ association (명) 연상; 연합; 교제	an .... company 제휴 회사

해석 완성 정치 / 특징 / 평등한 / 판단할 / 전통적인 / 연상한다

진파 기출로 확인! 문맥에 맞도록 빈칸에 알맞은 단어를 고르시오. (대소문자 무시)　　　　고3 학평

(1)_____ acts vary in terms of contribution. At one extreme, within limits, votes have (2)_____ weight. We are each allowed only one per election contest. But the principle of one person, one vote does not obtain for other kinds of participation.

① superficial　　② equal　　③ characteristic　　④ political　　⑤ conventional

ANSWERS p.471

3-Minute Check

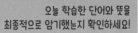

			check
0121 **argument**	명 논의, 논쟁; 말다툼	☐
0122 **attract**	동 (주의 등을) 끌다; 매혹하다; 끌어들이다	☐
0123 **evolution**	명 진화; 발전	☐
0124 **access**	명 접근; 접근권 동 (컴퓨터에) 접속하다	☐
0125 **advantage**	명 이익; 이점 동 유리하게 하다	☐
0126 **protect**	동 보호하다, 지키다	☐
0127 **organization**	명 조직, 기구	☐
0128 **depend**	동 (~에) 달려 있다; (~에) 의존하다	☐
0129 **bilingual**	형 2개 언어의, 2개 언어를 하는	☐
0130 **gain**	동 얻다; 벌다; 늘리다 명 증가; 이득	☐
0131 **decrease**	동 줄이다; 감소하다 명 감소	☐
0132 **mental**	형 마음의, 정신의	☐
0133 **attend**	동 출석하다, 참석하다; 주의를 기울이다	☐
0134 **attitude**	명 태도; 자세	☐
0135 **recognize**	동 알아보다; 인정하다	☐
0136 **specific**	형 특정한; 구체적인	☐
0137 **advance**	명 전진; 진보 동 전진시키다; 전진하다 형 사전의	☐
0138 **vacant**	형 빈, 비어 있는; 공석 중인	☐
0139 **impact**	명 충돌, 충격; 영향 동 충돌하다; 영향을 주다	☐
0140 **muscle**	명 근육; 근력	☐

			check
0141 **realistic**	형 현실적인, 실현 가능한	☐
0142 **accurate**	형 정확한, 정밀한	☐
0143 **devastate**	동 황폐화하다, 완전히 파괴하다	☐
0144 **employee**	명 고용인, 종업원, 직원	☐
0145 **consent**	명 승낙, 동의 동 동의하다, 승낙하다	☐
0146 **account**	명 계산; 계좌; 설명; 고려 동 설명하다	☐
0147 **analyze**	동 분석하다; 검토하다	☐
0148 **verify**	동 검증하다, 입증하다	☐
0149 **ignore**	동 무시하다	☐
0150 **theory**	명 이론, 학설	☐
0151 **overturn**	동 뒤집다; 뒤집히다; 번복하다 명 전복	☐
0152 **referee**	명 심판; 중재인 동 심판하다	☐
0153 **underlie**	동 (~의) 기초가 되다	☐
0154 **superficial**	형 피상적인; 표면상의	☐
0155 **political**	형 정치의; 정당의	☐
0156 **characteristic**	명 특징, 특질 형 특유의	☐
0157 **equal**	형 같은; 평등한 명 동등한 것 [사람] 동 ~와 같다	☐
0158 **judge**	동 판단하다; 심판하다 명 재판관; 심판	☐
0159 **conventional**	형 전통적인; 관례적인	☐
0160 **associate**	동 연상하다; 연합하다; 교제하다 형 제휴한	☐

외우지 못한 단어가 있으면 미니 단어장에서 다시 한번 정리해 보세요.

📖 가리개를 사용하여 뜻을 암기했는지 확인하세요.

0161 instruct
[instrʌ́kt]

(동) 가르치다; 지시하다; 알려 주다

I **instructed** her to begin CPR. 모평
나는 그녀에게 심폐소생술을 시작하라고 ....

➕ instruction (명) 훈련; 가르침; 지시   instructive (형) 유익한

TIP instruct / command / order
» instruct (동) (특히 격식을 차려 · 공식적으로) 지시하다
» command (동) (권위 있는 사람이) 명령[지시]하다
» order (동) 명령[지시]하다(command보다 더 일반적)

.... students
in Chinese
학생들에게 중국어를 **가르치다**

0162 maintain
[meintéin]
빈칸

(동) 유지하다; 보존하다; 주장하다

To **maintain** good health, you rely on medicines made by others. 학평
좋은 건강을 .... 위해, 당신은 다른 사람들에 의해 만들어진 약에 의존한다.

➕ maintenance (명) 유지; 보수

.... high standards
높은 수준을 **유지하다**

0163 audience
[ɔ́ːdiəns]
실전

(명) 관객, 청중; 시청자

She became afraid of speaking before a large **audience**. 모평
그녀는 많은 .... 앞에서 말하는 것이 두려워졌다.

draw a big ....
많은 **관객**을 끌다

0164 donate
[dóuneit]

(동) 기증하다, 기부하다

If everyone **donates** $5, we can end this fundraising campaign successfully. EBS
만약 모두가 5달러를 ...., 우리는 이 기금 모금 운동을 성공적으로 끝낼 수 있습니다.

➕ donation (명) 기부, 기증; 기증품

.... money to a charity
자선단체에 돈을 **기부하다**

0165 expert
[ékspəːrt]

(명) 전문가   (형) 전문가의; 숙달된

Some **experts** explained that friendship formation could be traced to infancy. 학평
몇몇 ....은 우정 형성이 유아기로 거슬러 올라갈 수 있다고 설명했다.

an .... driver
숙달된 운전사

0166 govern
[gʌ́vərn]

(동) 다스리다, 지배하다; 운영하다

Unlike other team sports, baseball is not **governed** by the clock. 모평
다른 팀 스포츠들과 달리, 야구는 시계에 의해 .... 않는다.

➕ government (명) 정부; 통치   governor (명) 통치자, 지배자

.... a country
나라를 **다스리다**

해석 완성 지시했다 / 유지하기 / 관객 / 기부하면 / 전문가들 / 운영되지

0167 interpret
[intə́:rprit]

(동) 해석하다, 이해하다; 통역하다

Their brain must learn how to **interpret** the data coming in. (학평)
그들의 뇌는 들어오는 정보를 어떻게 .... 를 배워야만 한다.

➕ interpretation (명) 해석; 통역 interpreter (명) 통역사

.... the hidden meaning
숨은 의미를 해석하다

0168 biological
[bàiəláʤikəl]

(형) 생물학의; 생물체의

Could **biological** differences between the sexes lead to gender differences in behavior? (학평)
성별 간의 .... 차이가 행동에서의 성별 차이로 이어질 수 있었는가?

.... parents
생물학적 부모

0169 contain
[kəntéin]

(동) 포함하다, (~이) 들어 있다

The box **contained** some toys, countless little candies and cookies. (학평)
그 상자에는 몇 개의 장난감, 셀 수 없이 많은 작은 사탕과 쿠키가 ....

TIP contain / hold / include
» **contain** (동) (용기·장소 안에) 포함하다
» **hold** (동) (수용(력)·지탱(력)을 강조하여) 수용하다[담다]
» **include** (동) (전체의 일부로) 포함하다

.... poison
독이 들어 있다

0170 addict
(동)[ədíkt]
(명)[ǽdikt]

(동) 중독시키다 (명) 중독자

Is it dangerous to get **addicted** to exercise? (학평)
운동에 .... 것은 위험할까?

➕ addictive (형) 중독성의

a video game ....
비디오 게임 중독자

0171 athlete
[ǽθli:t]

(명) 운동선수; 육상 경기 선수

Great coaches can get their **athletes** to perform well by drumming certain ideas into their heads. (EBS)
훌륭한 코치는 자신의 ....의 머리에 특정한 생각을 주입함으로써 그들이 더 잘 수행하게 할 수 있다.

➕ athletic (형) 운동 경기의; (체격이) 운동선수다운

a natural ....
타고난 운동선수

0172 aware
[əwέər]

(형) 알고 있는; ~한 의식이 있는

Most of us are **aware** of the direct effect we have on our friends and family. (학평)
우리 대부분은 우리가 친구와 가족에게 미치는 직접적인 영향을 ....

➕ awareness (명) 인지; 인식

.... of the danger
위험을 알고 있는

해석 완성 해석하는지 / 생물학적 / 들어 있었다 / 중독되는 / 운동선수 / 알고 있다

0173 constant
[kánstənt]

(형) 변치 않는, 일정한; 지속적인

He's under **constant** threat of ruin through the loss of his animals. (학평)

그는 자신의 가축들을 잃는 .... 파멸의 위협을 받고 있다.

圓 unchanging (형) 불변의 continuous (형) 끊임없는

at .... speed
일정한 속도로

0174 evaluate
[ivǽljuèit]

(동) 평가하다

On the basis of this social clock, you **evaluate** your own social development. (모평)

이러한 사회적 시계에 근거하여, 당신은 당신 자신의 사회적 발전을 ....

➕ evaluation (명) 평가

.... employees' performance
직원들의 성과를 평가하다

0175 remain
[riméin]

(동) 여전히 ~이다; 남다 (명) (pl.) 잔존물; 유물

Although some of the problems were solved, others **remain** unsolved to this day. (학평)

어떤 문제들은 해결되었지만 다른 문제들은 지금까지도 ....
해결되지 않은 상태...................

➕ remaining (형) 남아 있는

.... silent
여전히 침묵한 채로 있다

0176 concept
[kánsept]
요지

(명) 개념; 구상

Some people can effortlessly learn new **concepts** and materials. (학평)

어떤 사람들은 새로운 ....과 제재들을 손쉽게 배울 수 있다.

➕ conception (명) 개념; 구상

.... of beauty
미의 개념

0177 elect
[ilékt]

(동) 선출하다, 선거하다

She became the first woman **elected** to the U.S. Congress in 1916. (학평)

그녀는 1916년 미국 의회에 .... 최초의 여성이 되었다.

해석 완성 지속적인 / 평가한다 / 여전히, 이다 / 개념 / 선출된

.... a person as chairman
~을 의장으로 선출하다

진짜 기출로 확인! 네모 안에서 문맥에 알맞은 단어를 고르시오.   고3 모평

Among the most fascinating natural temperature-regulating behaviors are those of social insects such as bees and ants. These insects are able to (1) interpret / maintain a nearly (2) constant / biological temperature in their hives or mounds throughout the year.

ANSWERS p.471

0178 combine
[kəmbáin]

(동) 결합시키다; 겸하다

He developed a performance style that **combined** comedy with classical music. 모평
그는 희극을 고전 음악과 .... 공연 양식을 발전시켰다.

combine A with B A와 B를 결합하다

➕ **combination** (명) 결합; 화합물

.... work with pleasure
일과 오락을 결합시키다

0179 comfort
[kʌ́mfərt]

(명) 위로, 위안; 안락 (동) 위로하다; 편하게 하다

He found **comfort** through his love of music and students. 학평
그는 음악과 학생들에 대한 사랑에서 .... 을 찾았다.

➕ **comfortable** (형) 편안한 **comforting** (형) 위안이 되는
➖ **discomfort** (명) 불편, 불편함

words of ....
위로의 말

0180 invest
[invést]

(동) 투자하다; 지출하다; (시간 등을) 바치다

The reason many people **invest** is so they can enjoy retirement. 학평
많은 사람들이 .... 이유는 은퇴를 즐길 수 있기 위해서이다.

➕ **investment** (명) 투자, 출자

.... money in stocks
돈을 주식에 투자하다

0181 measure
[méʒər]

(동) 재다; (치수가) ~이다 (명) 측정; 대책

Measure his height one day to the next and you won't notice a difference. EBS
어떤 날과 그 다음 날 그의 키를 .... 당신은 차이를 알아채지 못할 것이다.

➕ **measurable** (형) 잴 수 있는 **measurement** (명) 측정; 치수

.... the length
길이를 재다

0182 observe
[əbzə́ːrv]

(동) 관찰하다; (~을 보고) 알다; 준수하다

I **observe** the moon wherever I go. 모평
나는 어디에 가든지 달을 ....

observe the law 법을 준수하다

➕ **observation** (명) 관찰 **observatory** (명) 관측소, 전망대

.... a person's behavior
~의 행동을 관찰하다

0183 disappointed
[dìsəpɔ́intid]

(형) 실망한, 낙담한

The **disappointed** Canadian tried to understand what had gone wrong. 모평
그 .... 캐나다인은 무엇이 잘못됐는지 이해하려고 노력했다.

➕ **disappointment** (명) 실망

.... at the result
그 결과에 실망한

해석 완성 결합한 / 위안 / 투자하는 / 재 보면 / 관찰한다 / 실망한

0184 current
[kə́:rənt]

(형) 현행의, 통용되는; 현재의　(명) 흐름, 조류; 추세

Are you bored with your **current** exercise routine? 학평
당신은 ＿＿＿＿＿＿ 판에 박힌 운동 과정이 지루하신가요?

➕ **currency** (명) (화폐의) 통용, 유통

＿＿＿＿＿＿ prices
현재의 물가

0185 identify
[aidéntəfài]

(동) (신원을) 확인하다, 식별하다; 발견하다; 동일시하다

A sleeping mother has the ability to **identify** the particular cry of her own baby. 학평
자고 있는 엄마는 자신의 아기의 특정한 울음을 ＿＿＿＿＿＿ 능력이 있다.

➕ **identification** (명) 신원 확인; 신분 증명(서)

＿＿＿＿＿＿ a body
시신을 확인하다

0186 reflect
[riflékt]

(동) 비추다, 반사하다; 반영하다; 숙고하다

After that trip, his style changed to **reflect** the realism of those painters. 학평
그 여행 이후로, 그 화가들의 사실주의를 ＿＿＿＿＿＿ 위해 그의 스타일이 바뀌었다.

➕ **reflection** (명) 반사; 반영; 숙고

＿＿＿＿＿＿ the bright sunlight
밝은 햇살을 반사하다

0187 degree
[digrí:]

(명) 등급; 정도; 학위; (각도·온도의) 도

Your imagination is bound to some **degree** by your beliefs. EBS
당신의 상상력은 어느 ＿＿＿＿＿＿ 당신의 신념에 얽매인다.

TIP / academic degree(학위)
» a doctor's[master's / bachelor's] degree
박사[석사 / 학사] 학위

a matter of ＿＿＿＿＿＿
정도의 문제

0188 figure
[fígjər]

(명) 숫자, 수치; 형태; 인물

These **figures** are more than two times the recommended daily salt intake. 학평
이 ＿＿＿＿＿＿는 하루에 권장되는 소금 섭취량의 두 배 이상이다.

round in ＿＿＿＿＿＿
형태가 둥근

해석 완성 현재의 / 식별하는 / 반영하기 / 정도 / 수치

진짜 기출로 확인! 밑줄 친 단어의 뜻을 문맥에 맞게 찾으시오.　　20년 수능

Experts have (1)identified a large number of (2)measures that promote energy efficiency. Unfortunately many of them are not cost effective. This is a fundamental requirement for energy efficiency investment from an economic perspective.

① 등급　　　② 대책　　　③ 발견했다　　　④ 결합시켰다　　　⑤ 반영했다

ANSWERS p.471

0189 elastic
[ilǽstik]

[형] 탄성이 있는; 융통성 있는

Elastic weapons like bows were unknown in Australian aboriginal land. [수능]
활과 같은 .... 무기들은 호주 원주민 지역에 알려지지 않았다.

an .... rule
융통성 있는 규칙

0190 strategy
[strǽtidʒi]

[명] 전략; 계획

Getting meaningful feedback on your performance is a powerful **strategy** for learning anything. [학평]
당신의 행위에 의미 있는 피드백을 받는 것은 어떤 것이든 배우는 데 강력한 ....이다.

[+] **strategic** [형] 전략의

a marketing ....
판매 전략

0191 worship
[wə́:rʃip]

[명] 숭배, 존경 [동] 숭배하다, 존경하다

The beginning of religion was the **worship** of many natural objects. [EBS]
종교의 시작은 많은 자연물들에 대한 ....였다.

.... God
신을 숭배하다

0192 imperial
[impíəriəl]

[형] 제국의; 황제의

Individuals went to the colonies for profit and participated in 19th-century **imperial** campaigns. [EBS]
사람들은 이익을 위해 식민지로 향했고, 19세기 .... 군사 행동에 참여했다.

[+] **imperialism** [명] 제국주의

British .... expansion
영국의 제국 팽창주의

0193 errand
[érənd]

[명] 심부름, 잡일

Her boss sent her on an **errand** into town.
그녀의 상사는 시내에 그녀를 ....을 보냈다.

run an ....
심부름을 하다

0194 consistent
[kənsístənt]

[형] 변함없는, 일관된; 일치하는

Sociologists have a desire to be **consistent** with their words, beliefs, and deeds. [모평]
사회학자들은 그들의 말, 신념, 행동에 .... 하는 욕구가 있다.

[+] **consistency** [명] 일관성

a .... approach to the problem
문제에 대한 일관된 접근

0195 construct
[동][kənstrʌ́kt]
[명][kɑ́nstrʌkt]

[동] 건설하다; 구성하다 [명] 구조(물); 구성 개념

We have **constructed** so many large reservoirs to hold water. [학평]
우리는 물을 저장하기 위해 매우 많은 저수지를 .... 왔다.

[+] **construction** [명] 건설; 구성 **constructive** [형] 건설적인

.... a bridge
다리를 건설하다

해석 완성 탄성이 있는 / 전략 / 숭배 / 제국의 / 심부름 / 일관되고자 / 건설해

0196	**explore**	(동) 탐험하다; 탐구하다	_____ the moon
	[iksplɔ́ːr]	I've always wanted to **explore** the Amazon, the unknown and mysterious world. 수능 나는 항상 미지의 신비한 세계인 아마존을 _____ 원해 왔다.	달을 탐험하다
		⊞ **exploration** (명) 탐험; 탐구 **explorer** (명) 탐험가	

0197	**professional**	(형) 직업상의; 전문의 (명) 직업 선수; 전문가	a _____ golfer
내용 일치	[prəféʃənəl]	He started as a **professional** photographer in 1959. 수능 그는 1959년에 _____ 사진가로 출발했다.	프로[직업적인] 골프 선수
		⊟ **unprofessional** (형) 전문가가 아닌; 미숙한 **amateur** (형) 아마추어의, 직업이 아닌 (명) 아마추어	

0198	**harm**	(동) 해치다; 해를 끼치다 (명) 손해, 손상	physical _____
주 제	[hɑːrm]	Spilled oil may **harm** the plants and animals in the region. 학평 유출된 기름은 그 지역의 식물과 동물들에게 _____ 지도 모른다.	신체적 손상
		⊞ **harmful** (형) 해로운 **harmless** (형) 무해한	

0199	**method**	(명) 방법, 방식	a teaching _____
	[méθəd]	Gratitude is one of the most reliable **methods** for increasing happiness. EBS 감사는 행복을 증진시키는 가장 믿음직한 _____ 중 하나이다.	교수법
		⊞ **methodology** (명) 방법론	

0200	**define**	(동) 정의하다; 규정짓다	_____ the terms
	[difáin]	After identifying the existence of a problem, we must **define** its scope and goals. 학평 문제의 존재를 확인한 후에 우리는 그것의 범위와 목표를 _____ 한다.	용어들을 정의하다
		⊞ **definition** (명) 정의; 한정; 선명도	

해석 완성 탐험하기를 / 전문 / 해를 끼칠 / 방법 / 규정해야

진짜 기출로 확인 ! 밑줄 친 단어의 뜻을 문맥에 맞게 찾으시오. 13년 수능

Through the use of the scientific (1)method to determine the facts of any given policy situation, the power of social (2)constructions is supposedly diminished, and solutions to social problems are discovered in an objective way.

① 전략   ② 방법   ③ 손해   ④ 숭배   ⑤ 구성

ANSWERS p.471

DAY 05

3-Minute Check

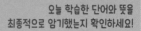

오늘 학습한 단어와 뜻을
최종적으로 암기했는지 확인하세요!

0161 instruct	동 가르치다; 지시하다; 알려주다	☐
0162 maintain	동 유지하다; 보존하다; 주장하다	☐
0163 audience	명 관객, 청중; 시청자	☐
0164 donate	동 기증하다, 기부하다	☐
0165 expert	명 전문가 형 전문가의; 숙달된	☐
0166 govern	동 다스리다, 지배하다; 운영하다	☐
0167 interpret	동 해석하다, 이해하다; 통역하다	☐
0168 biological	형 생물학의; 생물체의	☐
0169 contain	동 포함하다, (~이) 들어 있다	☐
0170 addict	동 중독시키다 명 중독자	☐
0171 athlete	명 운동선수; 육상 경기 선수	☐
0172 aware	형 알고 있는; ~한 의식이 있는	☐
0173 constant	형 변치 않는, 일정한; 지속적인	☐
0174 evaluate	동 평가하다	☐
0175 remain	동 여전히 ~이다; 남다 명 (pl.) 잔존물; 유물	☐
0176 concept	명 개념; 구상	☐
0177 elect	동 선출하다, 선거하다	☐
0178 combine	동 결합시키다; 겸하다	☐
0179 comfort	명 위로, 위안; 안락 동 위로하다; 편하게 하다	☐
0180 invest	동 투자하다; 지출하다; (시간 등을) 바치다	☐
0181 measure	동 재다; (치수가) ~이다 명 측정; 대책	☐
0182 observe	동 관찰하다; (~을 보고) 알다; 준수하다	☐
0183 disappointed	형 실망한, 낙담한	☐
0184 current	형 현행의, 통용되는; 현재의 명 흐름, 조류; 추세	☐
0185 identify	동 (신원을) 확인하다, 식별하다; 발견하다; 동일시하다	☐
0186 reflect	동 비추다, 반사하다; 반영하다; 숙고하다	☐
0187 degree	명 등급; 정도; 학위; (각도·온도의) 도	☐
0188 figure	명 숫자, 수치; 형태; 인물	☐
0189 elastic	형 탄성이 있는, 융통성 있는	☐
0190 strategy	명 전략; 계획	☐
0191 worship	명 숭배, 존경 동 숭배하다; 존경하다	☐
0192 imperial	형 제국의, 황제의	☐
0193 errand	명 심부름, 잡일	☐
0194 consistent	형 변함없는, 일관된; 일치하는	☐
0195 construct	동 건설하다; 구성하다 명 구조(물); 구성 개념	☐
0196 explore	동 탐험하다; 탐구하다	☐
0197 professional	형 직업상의; 전문의 명 직업 선수; 전문가	☐
0198 harm	동 해치다; 해를 끼치다 명 손해, 손상	☐
0199 method	명 방법, 방식	☐
0200 define	동 정의하다; 규정짓다	☐

외우지 못한 단어가 있으면 미니 단어장에서 다시 한번 정리해 보세요.

DRILLS

0201 extreme
[ikstrí:m]

(형) 극한의, 극심한

It is the very **extreme** of pleasure to lie down beneath an old oak tree. 학평
오래된 참나무 아래 누워 있는 것은 매우 .... 즐거움이다.

➕ **extremely** (부) 극히, 극도로

.... pressure
극심한 압박감

0202 innovate
[ínəvèit]

(동) 혁신하다; 도입하다

How can a design **innovate** successfully? 학평
디자인은 어떻게 성공적으로 .... 수 있는가?

➕ **innovation** (명) 혁신 **innovative** (형) 혁신적인

.... in education
교육을 혁신하다

0203 potential
[pəténʃəl]

(형) 잠재적인 (명) 잠재력; 가능성

Potential readers explore a new magazine by buying a single issue. 수능
.... 독자들은 낱권의 잡지를 구매함으로써 새로운 잡지를 탐색한다.

➕ **potentiality** (명) 잠재력; 가능성

a .... market
잠재적 시장

0204 predict
[pridíkt]

(동) 예언하다, 예측하다; 예보하다

Doctors **predicted** that he would not be able to walk again. 학평
의사들은 그가 다시 걸을 수 없을 거라고 ....

➕ **predictable** (형) 예측할 수 있는 **prediction** (명) 예언; 예보

.... the outcome
결과를 예측하다

0205 interior
[intíəriər]

(형) 내부의, 실내의 (명) 내부, 실내

A friend of hers bought a house and asked her to do the **interior** decoration. 학평
그녀의 친구 중 한 명이 집을 사서 그녀에게 .... 장식을 해 달라고 부탁했다.

↔ **exterior** (형) 외부의 (명) 외부

the .... of a building
건물의 내부

0206 feature
[fí:tʃər]

(명) 특징; (pl.) 생김새; 특집 기사[방송]
(동) 특징을 이루다

My dogs responded to other musical **features** beside the regular jingling of my jewelry. 학평
내 개들은 내 장신구의 일정한 딸랑거림 외에도 다른 음악적 .... 에 반응했다.

a striking ....
현저한 특징

해석 완성 극한의 / 혁신할 / 잠재적 / 예측했다 / 실내 / 특징

0207 **intention**
[inténʃən]

[명] 의향, 의도

Evil types such as Iago in the play *Othello* are able to conceal their hostile **intentions**. [학평]
연극 〈오셀로〉의 Iago 같은 사악한 유형은 그들의 적대적인 ....를 숨길 수 있다.

[+] intentional [형] 고의의 intentionally [부] 고의로

.... of coming back
돌아올 의향

0208 **seek**
[siːk]

[동] (-sought-sought) 추구하다, 찾다; 시도하다

Even bitter rivals **seek** companionship at times of danger. [학평]
냉혹한 경쟁자조차도 위험한 때에는 동료애를 ....

.... fame
명예를 추구하다

0209 **prefer**
[prifə́ːr]

[동] 선호하다, 더 좋아하다

There are several reasons as to why liars **prefer** concealments. [EBS]
거짓말쟁이들이 은폐를 .... 몇 가지 이유가 있다.

[+] preference [명] 선호, 편애

.... coffee to tea
차보다 커피를 더 좋아하다

0210 **precaution**
[prikɔ́ːʃən]

[명] 예방책; 조심

As a **precaution**, you should take the following measures to prepare for the storm.
........................으로, 당신은 폭풍에 대비하기 위해 다음의 조치를 취해야 한다.

every .... against fire
화재에 대비한 모든 예방책

0211 **annual** [실용문]
[ǽnjuəl]

[형] 일 년의; 해마다의, 연례의

Green Marathon is an **annual** fundraising event held in Orange City. [학평]
그린 마라톤은 Orange 시에서 열리는 .... 기금 모금 행사입니다.

[TIP] biannual / biennial / triennial
» biannual [형] 연 2회의
» biennial [형] 2년에 한 번씩의
» triennial [형] 3년에 한 번씩의

an .... income
연 수입

0212 **content**
[형][kəntént]
[명][kɑ́ntent]

[형] 만족하는 [명] (*pl.*) 내용물; 목차

My grandpa loved his little home and was **content** with what he had. [수능]
나의 할아버지는 그의 작은 집을 사랑했고, 자신이 가진 것에 ....

.... with one's life
~의 생활에 만족하는

해석 완성 의도 / 추구한다 / 선호하는 / 예방책 / 연례 / 만족했다

0213 contribute
[kəntríbjuːt]

(동) 기부하다; 기여하다

Drinking water can **contribute** to good health. 학평
물을 마시는 것은 좋은 건강에 .... 수 있다.

➕ **contribution** (명) 기부; 기여

.... to a world
peace
세계 평화에 기여하다

0214 principle
[prínsəpəl]

(명) 원리, 원칙; 주의, 신조

Many students gained a deeper understanding of the **principles** underlying their exercises. 학평
많은 학생들은 그들의 연습 문제의 기초가 되는 ....에 대해 더 깊이 이해하게 되었다.

> **TIP** 혼동하기 쉬운 단어 principal
> » **principal** (형) 주요한 (명) 교장, 학장
>   ex. the **principal** source of income 주요 수입원
>   the **principal** of St John's High School
>   St. John's 고등학교 교장

a basic ....
기본 원칙

0215 charge
[tʃɑːrdʒ]
실용문

(명) 책무; 요금; 고발; 충전
(동) (책임을) 지우다; 청구하다; 고발하다; 충전하다

Participation in the contest is free of **charge**. 모평
대회의 참가는 ....이 무료이다.

.... for the repairs
수리비를 청구하다

0216 employ
[implɔ́i]

(동) 고용하다; 사용하다   (명) 고용

It receives around 1,800 tourists yearly and **employs** almost 100 residents. 학평
그것은 해마다 1,800명가량의 관광객을 수용하고 거의 100명의 주민들을 ....

.... a lawyer
변호사를 고용하다

0217 finance
[fínæns]
요지

(명) 재정; 자금

It's tempting to stretch one's **finances** to build or buy a larger house. 수능
더 큰 집을 짓거나 사기 위해 ....을 늘리는 것은 구미가 당기는 일이다.

➕ **financial** (형) 재정상의, 금융의

public ....
공공 재정

해석 완성 기여할 / 원리 / 요금 / 고용한다 / 자금

진짜 기출로 확인! 밑줄 친 단어의 뜻을 문맥에 맞게 찾으시오.   고3 모평

When we come to a badly crafted text in which context and (1) content are not happily joined, we must struggle to understand, and our sense of what the author intended probably bears little correspondence to his original (2) intention.

① 의도   ② 예방   ③ 내용   ④ 자금   ⑤ 원리

ANSWERS p.471

0218 **appreciate**
[əprí:ʃièit]
목적

ⓢ 고맙게 여기다; 인식하다; 진가를 인정하다

We **appreciate** your patience and understanding on this matter. ⒠ⓑⓢ
저희는 이 문제에 대한 당신의 인내와 이해에 ....

➕ **appreciation** ⓜ 감사; 평가; 감상

TIP appreciate / thank
'～에 대해 감사하다'라는 뜻으로 appreciate는 뒤에 바로 목적어
(사물·행위)가 오고, thank는 「thank+사람+for+사물·행위」로 나타
낸다.
ex. I **appreciate** your help. 당신의 도움에 감사드려요.
　　Thank you for the present. 그 선물 감사합니다.

.... fine works
of art
좋은 예술작품의 진가를 인정
하다

0219 **architecture**
[ɑ́:rkitèktʃər]

ⓜ 건축(술), 건축학; 건축 양식

Good **architecture** and good engineering are both arts requiring science. ⓗⓟ
훌륭한 .... 과 훌륭한 공학기술은 둘 다 과학을 필요로 하는 예술이다.

➕ **architect** ⓜ 건축가

Roman ....
로마 건축 양식

0220 **attempt**
[ətémpt]

ⓜ 시도; 습격　ⓢ 시도하다; 습격하다

He underwent surgery and intensive physical therapy, in an **attempt** to regain fitness. ⓗⓟ
그는 건강을 회복하려는 ....로, 외과 수술과 집중 물리 치료를 받았다.

.... to escape
탈출하려고 시도하다

0221 **category**
[kǽtəgɔ̀:ri]
도표

ⓜ 범주, 카테고리

Compared to 2006, 2012 recorded an 18 percent increase in the **category** of cell phone numbers. ⓢⓤ
2006년과 비교해서, 2012년은 휴대 전화 수의 ....에서 18% 상승을 기록했다.

➕ **categorize** ⓢ 분류하다

the same ....
같은 범주

0222 **claim**
[kleim]

ⓢ 요구하다, 청구하다; 주장하다　ⓜ 요구; 주장

Almost every man **claimed** he was innocent. ⓜⓟ
거의 모든 사람은 그가 결백하다고 ....

.... damages
손해배상을 요구하다

0223 **due**
[dju:]

ⓗ 지급 기일이 된; 당연한; ～할 예정인; ～(으)로 인한

Due to an illness in his childhood, he lost his hearing. ⓗⓟ 그의 어린 시절 병........................, 그는 청력을 잃었다.

the .... date
(어음의) 지급 기일

해석 완성 감사드립니다 / 건축술 / 시도 / 범주 / 주장했다 / 으로 인해

0224 perceive
[pərsíːv]

(동) 감지하다, 인식하다; 이해하다

We tend to **perceive** the door of a classroom as rectangular no matter from which angle it is viewed. 수능
우리는 어떤 각도에서 보이든지 교실의 문을 직사각형으로 .... 경향이 있다.

➕ **perceptive** (형) 지각하는; 통찰력 있는

.... a change
변화를 감지하다

0225 capacity
[kəpǽsəti]

(명) 수용력, 용량; 능력

Human brains have a vast **capacity** for implicit memory. EBS
인간의 두뇌는 내재적 기억의 광대한 .... 을 갖고 있다.

a seating ....
of 1,000
천 명 좌석의 수용력

0226 engage
[engéidʒ]

(동) 약속하다; 관여하게 하다; 종사하다; 약혼시키다

Aristotle did not think that all human beings should be allowed to **engage** in political activity. 모평
아리스토텔레스는 모든 인간이 정치적 행위에 .... 허락되어야 한다고 생각하지 않았다.

➕ **engagement** (명) 약속; 용무; 약혼

.... in foreign
trade
해외 무역에 종사하다

0227 flow
[flou]

(동) 흐르다 (명) 흐름

The Internet allows information to **flow** more freely than ever before. 학평
인터넷은 이전 어느 때보다 정보가 더 자유롭게 .... 허락한다.

the .... of blood
혈액의 흐름

0228 indicate
[índikèit]

빈칸

(동) 가리키다; 나타내다; ~의 징후이다

In many cultures, a ring **indicates** marital status. 학평
많은 문화들에서, 반지는 혼인 여부를 ....

➕ **indication** (명) 지시; 표시; 징조   **indicator** (명) 지표

.... a place on
a map
지도에서 한 장소를 가리키다

해석 완성 인식하는 / 수용력 / 종사하도록 / 흐르도록 / 나타낸다

진짜 기출로 확인! 밑줄 친 두 단어의 공통으로 알맞은 뜻을 고르시오.   고3 모평

Since African American culture (1)appreciates a greater flexibility of gender roles and accepts a broader range of gender-appropriate behaviors, African American women are not as bound as white women by gender role stereotypes. Athletics for girls and women is not (2)perceived as conflicting with an African American female's gender role.

① 가리키다   ② 인식하다   ③ 요구하다   ④ 약속하다   ⑤ 시도하다

ANSWERS p.471

0229 reveal
[riví:l]
(동) 드러내다, 폭로하다　(명) 폭로
With old friends, you can tell informal jokes, and **reveal** sensitive personal facts. 학평
오랜 친구들과 당신은 스스럼없는 농담을 할 수 있고, 민감한 개인적 사실을 .... 수 있다.

.... a secret
비밀을 폭로하다

0230 conflict
(명)[kánflikt]
(동)[kənflíkt]
(명) 충돌, 분쟁; 갈등　(동) 충돌하다; 상충하다
Put yourself in another's shoes to solve **conflict**. 학평
.... 을 해결하기 위해 다른 사람의 입장이 되어 보아라.

a .... between two countries
두 나라 간의 분쟁

0231 option
[ápʃən]
(명) 선택 (가능한 것); 선택권
Put fruits, vegetables, and other healthy **options** at eye level in your refrigerator. 학평
냉장고 안에 과일, 채소, 그리고 다른 건강에 좋은 ....을 눈높이에 두어라.

the only ....
유일한 선택

➕ optional (형) 선택의

TIP option / choice / alternative
'선택 (가능한 것)'이라는 뜻으로 choice는 option보다 비격식적이고, alternative는 option보다 더 격식적이다.

0232 misplace
[mispléis]
(동) 잘못 두다
Finding a **misplaced** remote control or smartphone is an annoyance. 학평
.... 리모컨이나 스마트폰을 찾는 것은 성가신 일이다.

.... one's car key
~의 자동차 열쇠를 잘못 두다

0233 direction
[dirékʃən]
(명) 방향; 지도, 지시; 감독
Ordinarily, the sound waves you produce travel in all **directions**. 모평
보통, 당신이 만드는 음파는 모든 ....으로 이동한다.

under the ....
of the teacher
선생님의 지시하에

➕ directive (형) 지시하는　directly (부) 똑바로; 즉시

0234 independent
[ìndipéndənt]
(형) 독립한; 독립적인　(명) 독립한 사람[것]
Solitude makes you stronger and more **independent**. 학평
고독은 당신을 더 강하고 더 .... 만든다.

an .... country
독립 국가

➕ independence (명) 독립

0235 moral
[mɔ́(:)rəl]
(형) 도덕의, 도덕적인
Human beings do not enter the world as competent **moral** agents. 수능
인간은 유능한 .... 행위자로 세상에 오지 않는다.

moral standards
도덕적인 기준

➕ morality (명) 도덕(성)

해석 완성 드러낼 / 갈등 / 선택 가능한 것들 / 잘못 놔둔 / 방향 / 독립적으로 / 도덕적

0236 region
[ríːdʒən]

(명) 지방, 지역; 영역

At the close of the Ice Age the entire **region** was submerged beneath a lake of meltwater. (수능)
빙하기의 끝에 전_____은 녹은 물의 호수 밑에 가라앉았다.

+ regional (형) 지역의

a tropical _____
열대 지방

0237 respect
[rispékt]

(동) 존중하다, 존경하다   (명) 존중, 존경

He moved to Paris, hoping to get some greater **respect** and fame in the music industry. (학평)
그는 음악 산업에서 더 큰 _____과 명성을 얻기를 기대하며 파리로 이사했다.

+ respectable (형) 존경할 만한   **respective** (형) 각각의

_____ for the elderly
연장자에 대한 존중

0238 surface
[sə́ːrfis]

(명) 표면; 외양   (형) 표면의

First he covered the **surface** of the canvas with red for warmth. (EBS)
먼저 그는 따뜻함을 위해 캔버스 _____을 붉은색으로 뒤덮었다.

the _____ of the Earth
지표면

0239 throw
[θrou]

(동) (-threw-thrown) 던지다; 내던지다   (명) 던지기

He finally **threw** away his crutches and began to walk almost normally. (학평)
그는 마침내 목발을 _____ 거의 정상적으로 걷기 시작했다.

throw away (필요 없는 것을) 버리다

_____ a stone at the window
창문에 돌을 던지다

0240 consumption
[kənsʌ́mpʃən]

(명) 소비(량); 소모

The most important characteristic of this house is its low energy **consumption**. (학평)
이 주택의 가장 중요한 특징은 낮은 에너지 _____이다.

reduce water _____
물 소비를 줄이다

해석 완성 지역 / 존경 / 표면 / 내던지고 / 소비

진짜 기출로 확인! 우리말과 일치하도록 빈칸에 알맞은 단어를 고르시오.

고3 학평

This (1)_____ is referred to as the oxygen minimum zone. This zone is created by the low rates of oxygen diffusing down from the surface layer of the ocean, combined with the high rates of (2)_____ of oxygen by decaying organic matter that sinks from the (3)_____ and accumulates at these depths.
(이 지역은 산소 극소 대역이라고 일컬어진다. 이 대역은 바다의 표층에서 아래로 퍼져 가는 산소의 낮은 비율에 의해 형성되고, 표면에서 가라앉아 이 깊이에 축적된 부패하고 있는 유기물에 의한 높은 산소 소비율과 결합된다.)

① option   ② region   ③ direction   ④ surface   ⑤ consumption

ANSWERS p.471

		check
0201 **extreme**	(형) 극한의, 극심한	
0202 **innovate**	(동) 혁신하다; 도입하다	
0203 **potential**	(형) 잠재적인 (명) 잠재력; 가능성	
0204 **predict**	(동) 예언하다, 예측하다; 예보하다	
0205 **interior**	(형) 내부의, 실내의 (명) 내부, 실내	
0206 **feature**	(명) 특징; (pl.) 생김새; 특집 기사[방송] (동) 특징을 이루다	
0207 **intention**	(명) 의향, 의도	
0208 **seek**	(동) 추구하다, 찾다; 시도하다	
0209 **prefer**	(동) 선호하다, 더 좋아하다	
0210 **precaution**	(명) 예방책; 조심	
0211 **annual**	(형) 일 년의; 해마다의, 연례의	
0212 **content**	(형) 만족하는 (명) (pl.) 내용물; 목차	
0213 **contribute**	(동) 기부하다; 기여하다	
0214 **principle**	(명) 원리, 원칙; 주의, 신조	
0215 **charge**	(명) 책무; 요금; 충전 (동) (책임을) 지우다; 청구하다; 충전하다	
0216 **employ**	(동) 고용하다; 사용하다 (명) 고용	
0217 **finance**	(명) 재정; 자금	
0218 **appreciate**	(동) 고맙게 여기다; 인식하다; 진가를 인정하다	
0219 **architecture**	(명) 건축(술), 건축학; 건축 양식	
0220 **attempt**	(명) 시도; 습격 (동) 시도하다; 습격하다	

		check
0221 **category**	(명) 범주, 카테고리	
0222 **claim**	(동) 요구하다, 청구하다; 주장하다 (명) 요구; 주장	
0223 **due**	(형) 지급 기일이 된; 당연한; ~할 예정인; ~(으)로 인한	
0224 **perceive**	(동) 감지하다, 인식하다; 이해하다	
0225 **capacity**	(명) 수용력, 용량; 능력	
0226 **engage**	(동) 약속하다; 관여하게 하다; 종사하다; 약혼시키다	
0227 **flow**	(동) 흐르다 (명) 흐름	
0228 **indicate**	(동) 가리키다; 나타내다; ~의 징후이다	
0229 **reveal**	(동) 드러내다, 폭로하다 (명) 폭로	
0230 **conflict**	(명) 충돌, 분쟁; 갈등 (동) 충돌하다; 상충하다	
0231 **option**	(명) 선택 (가능한 것); 선택권	
0232 **misplace**	(동) 잘못 두다	
0233 **direction**	(명) 방향; 지도, 지시; 감독	
0234 **independent**	(형) 독립한; 독립적인 (명) 독립한 사람[것]	
0235 **moral**	(형) 도덕의, 도덕적인	
0236 **region**	(명) 지방, 지역; 영역	
0237 **respect**	(동) 존중하다, 존경하다 (명) 존중, 존경	
0238 **surface**	(명) 표면; 외양 (형) 표면의	
0239 **throw**	(동) 던지다; 내던지다 (명) 던지기	
0240 **consumption**	(명) 소비(량); 소모	

외우지 못한 단어가 있으면 미니 단어장에서 다시 한번 정리해 보세요.

A 영어는 우리말로, 우리말은 영어로 쓰시오.

01	disappointed		21	무시하다
02	depend		22	극한의, 극심한
03	constant		23	논의, 논쟁; 말다툼
04	political		24	원리, 원칙; 주의, 신조
05	method		25	전문가; 전문가의; 숙달된
06	theory		26	2개 언어를 하는
07	audience		27	생물학의; 생물체의
08	donate		28	빈, 비어 있는; 공석 중인
09	protect		29	의향, 의도
10	strategy		30	분석하다; 검토하다
11	realistic		31	탐험하다; 탐구하다
12	aware		32	근육; 근력
13	interior		33	흐르다; 흐름
14	gain		34	도덕의, 도덕적인
15	capacity		35	선출하다, 선거하다
16	judge		36	개념; 구상
17	predict		37	잠재적인; 잠재력; 가능성
18	indicate		38	충돌, 분쟁; 충돌하다
19	evolution		39	숭배, 존경; 숭배하다
20	prefer		40	존중하다; 존중, 존경

B 우리말과 일치하도록 빈칸에 알맞은 말을 쓰시오.

01 There are _____ analogies between the eye and a camera.
→ 눈과 카메라 사이에는 피상적인 유사점이 있다.

02 Solitude makes you stronger and more _____.
→ 고독은 당신을 더 강하고 더 독립적으로 만든다.

03 Individuals went to the colonies for profit and participated in 19th-century _____ campaigns.
→ 사람들은 이익을 위해 식민지로 향했고, 19세기 제국의 군사 행동에 참여했다.

04 _____ skills become important at high levels of competition.
→ 높은 수준의 경쟁에서는 정신적 기능이 중요해진다.

05 Lie detectors can _____ the accuracy of the information by searching for further evidence.
→ 거짓말 탐지기는 추가 증거를 검색함으로써 정보의 정확성을 검증할 수 있다.

C 문장의 네모 안에서 문맥에 알맞은 단어를 고르시오.

01 In the Information Age, people have more | equal / annual | access to knowledge.

02 The | accounts / impacts | of tourism on the environment are evident to scientists.

03 First he covered the | surface / consent | of the canvas with red for warmth.

04 Spilled oil may | harm / appreciate | the plants and animals in the region.

05 With old friends, you can tell informal jokes, and | contribute / reveal | sensitive personal facts.

📖 가리개를 사용하여 뜻을 암기했는지 확인하세요.

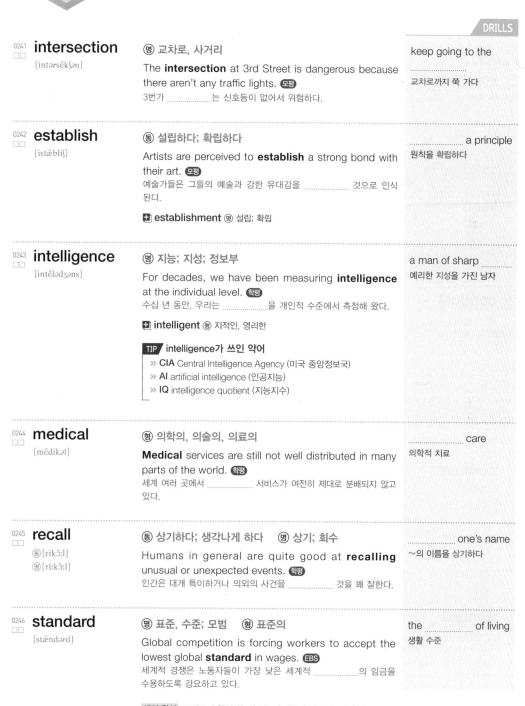

DRILLS

0241
intersection
[ìntərsékʃən]

ⓜ 교차로, 사거리

The **intersection** at 3rd Street is dangerous because there aren't any traffic lights. (모평)
3번가 ....는 신호등이 없어서 위험하다.

keep going to the
....
교차로까지 쭉 가다

0242
establish
[istǽbliʃ]

ⓥ 설립하다; 확립하다

Artists are perceived to **establish** a strong bond with their art. (모평)
예술가들은 그들의 예술과 강한 유대감을 .... 것으로 인식된다.

➕ **establishment** ⓜ 설립; 확립

.... a principle
원칙을 확립하다

0243
intelligence
[intélədʒəns]

ⓜ 지능; 지성; 정보부

For decades, we have been measuring **intelligence** at the individual level. (학평)
수십 년 동안, 우리는 ....을 개인적 수준에서 측정해 왔다.

➕ **intelligent** ⓐ 지적인, 영리한

TIP intelligence가 쓰인 약어
» **CIA** Central Intelligence Agency (미국 중앙정보국)
» **AI** artificial intelligence (인공지능)
» **IQ** intelligence quotient (지능지수)

a man of sharp ....
예리한 지성을 가진 남자

0244
medical
[médikəl]

ⓐ 의학의, 의술의, 의료의

Medical services are still not well distributed in many parts of the world. (학평)
세계 여러 곳에서 .... 서비스가 여전히 제대로 분배되지 않고 있다.

.... care
의학적 치료

0245
recall
ⓥ[rikɔ́ːl]
ⓜ[ríːkɔ̀ːl]

ⓥ 상기하다; 생각나게 하다 　ⓜ 상기; 회수

Humans in general are quite good at **recalling** unusual or unexpected events. (학평)
인간은 대개 특이하거나 의외의 사건을 .... 것을 꽤 잘한다.

.... one's name
~의 이름을 상기하다

0246
standard
[stǽndərd]

ⓜ 표준, 수준; 모범 　ⓐ 표준의

Global competition is forcing workers to accept the lowest global **standard** in wages. (EBS)
세계적 경쟁은 노동자들이 가장 낮은 세계적 ....의 임금을 수용하도록 강요하고 있다.

the .... of living
생활 수준

해석 완성 교차로 / 확립하는 / 지능 / 의료 / 상기하는 / 수준

0247 **struggle**
□□
[strʌ́gl]

(동) 버둥거리다; 분투하다   (명) 분투; 투쟁

As he **struggled** to get up, he saw something fall from his bag. 모평
그가 일어나려고 .... 때 그는 가방에서 뭔가가 떨어지는 것을 보았다.

.... for breath
숨을 쉬려고 버둥거리다

0248 **volunteer**
□□
실 수능0008
[vàləntíər]

(명) 지원자; 자원 봉사자   (동) 자진하여 하다; 자원 봉사를 하다

Applicants under 18 years of age must have a parent sign the **volunteer** application. 학평
18세 미만의 지원자들은 .... 신청서에 부모님의 서명을 받아야 합니다.

➕ voluntary (형) 자발적인, 지원의

a .... soldier
지원병

0249 **keen**
□□
[ki:n]

(형) 예민한; 열정적인

Turkey vulture finds its food using its **keen** eyes and sense of smell. 학평
터키 독수리는 .... 눈과 후각을 이용해 먹이를 찾아낸다.

.... fans of football
열정적인 축구 팬들

0250 **conduct**
□□
(동)[kəndʌ́kt]
(명)[kándʌkt]

(동) 수행하다; 지휘하다; 안내하다   (명) 행동; 지휘; 운영

A scientist **conducted** a research to discover the chemical makeup of tears. 학평
한 과학자가 눈물의 화학적 성분을 알아내기 위해 연구를 ....

➕ conductor (명) 지휘자; 차장; 안내인

TIP conduct / perform
» conduct (동) (무엇인가를 알아내기 위해 조사를) 수행하다
» perform (동) (유용하거나 어려운 것을) 수행하다

.... an orchestra
오케스트라를 지휘하다

0251 **confuse**
□□
[kənfjú:z]

(동) 혼동하다; 혼란시키다

So often we **confuse** means with ends, and sacrifice happiness(end) for money(means). 수능
매우 자주 우리는 수단과 목표를 ...., 돈(수단)을 위해 행복(목표)을 희생한다.

confuse A with[and] B A를 B와 혼동하다

➕ confusion (명) 혼동; 혼란

.... the issue
쟁점을 혼란스럽게 만들다

0252 **context**
□□
[kántekst]

(명) 문맥; (사건의) 배경

Ideas can be misleading when they are taken out of the big picture **context**. EBS
큰 그림의 ....에서 빼내고 보면 개념은 오해를 일으킬 수 있다.

➕ contextual (형) 문맥상의

a historical ....
역사적 배경

해석 완성 버둥거렸을 / 자원 봉사자 / 예민한 / 수행했다 / 혼동하고 / 문맥

0253 glimpse
[glimps]

(명) 흘긋 봄 (동) 흘긋 보다

Looking up, the young man searched for a **glimpse** of the finish line. (학평)

고개를 들어 젊은이는 결승선을 .... 찾아보았다.

catch a glimpse of ~을 언뜻 보다

.... a kid through the window
창문을 통해 아이를 흘긋 보다

0254 feed
[fi:d]

(동) (-fed-fed) 먹이다, 먹을 것을 주다; (연료를) 공급하다

Global agriculture must produce more food to **feed** a growing population. (학평)

세계의 농업은 늘어나는 인구를 .... 위해 더 많은 식량을 생산해야 한다.

feed on ~을 먹고 살다

.... the pigs
돼지에게 먹이를 주다

0255 garment
[gá:rmənt]

(명) 의복, 옷

Body scanning software defines all the measurements necessary for producing the **garment**. (학평)

신체 스캐닝 소프트웨어는 .... 을 생산하는 데 필요한 모든 치수를 분명히 나타낸다.

📙 **clothing** (명) 옷, 의복   **apparel** (명) 의류, 의복

wear a sports ....
운동복을 착용하다

0256 gene
[dʒi:n]

(명) 유전자

Genes, development, and learning all contribute to the process of becoming a decent human being. (수능)

.... 발달, 학습은 모두 훌륭한 인간이 되기 위한 과정에 기여한다.

➕ **genetics** (명) 유전학

a dominant ....
우성 유전자

0257 scatter
[skǽtər]

(동) 흩뿌리다; 흩어지다

Someone took a handful of coffee beans and **scattered** them across a table. (EBS)

누군가가 커피콩을 한 움큼 가지고 와서 탁자 위에 ....

📙 **disperse** (동) 흩어지다

.... the grass seed
잔디 씨를 흩뿌리다

해석 완성 흘긋 보려고 / 먹이기 / 의복 / 유전자 / 흩뿌렸다

진짜 기출로 확인 ! 우리말과 일치하도록 빈칸에 알맞은 단어를 고르시오.   고3 학평

We are embarking on a time when each individual will have all their own (1)_____ data and the computing power to process it in the (2)_____ of their own world.

(우리는 각 개인이 그들 자신의 의료 데이터를 가지게 되고, 그것을 그들 자신의 세계의 맥락에서 처리할 수 있는 계산 능력을 가지게 될 시대를 시작하고 있다.)

① gene   ② keen   ③ context   ④ intelligence   ⑤ medical

ANSWERS p.471

0258 relative
[rélətiv]

(형) 상대적인; 관계있는　(명) 친척

Any wealth or any progress is **relative**, and quickly dissolves in a comparison with others. (학평)
어떠한 재산 또는 어떠한 발전이든 ...., 다른 사람들과의 비교 속에서 빠르게 효력이 사라진다.

➕ **relatively** (부) 비교적, 상대적으로

a close ....
가까운 친척

0259 survive
[sərváiv]

(동) 살아남다; (~보다) 오래 살다; (위기 등을) 견디다

Not all organisms are able to find sufficient food to **survive**. (모평)
모든 유기체가 .... 위해 충분한 음식을 찾을 수 있는 것은 아니다.

➕ **survival** (명) 생존　**survivor** (명) 생존자

.... in the wild
야생에서 살아남다

0260 assist
[əsíst]

(동) 돕다; ~의 도움이 되다　(명) 원조, 조력

They always gathered at this time of year to **assist** with her corn harvest. (모평)
그들은 해마다 이맘때쯤이면 그녀의 옥수수 수확을 .... 위해 항상 모였다.

➕ **assistance** (명) 지원, 원조　**assistant** (명) 조수, 보조원

.... a person financially
~을 재정적으로 돕다

0261 emerge
[imə́ːrdʒ]

(동) 나오다; 드러나다; 생겨나다

Technology **emerges** out of specific economic, social and political contexts. (EBS)
과학 기술은 특수한 경제적, 사회적, 정치적 맥락에서 ....

➕ **emergence** (명) 출현; 발생　**emerging** (형) 신흥의, 신생의

.... from behind the clouds
구름 뒤에서 나오다

0262 expectation
[èkspektéiʃən]

(명) 기대, 예상

Unrealistic **expectations** and comparisons to others lead to jealousy. (학평)
다른 사람들에 대한 비현실적인 ....와 비교는 질투를 일으킨다.

against expectation 예상과 달리
beyond expectation 뜻밖에; 기대 이상으로

➕ **expect** (동) 기대하다

long-term ....
장기 예상

0263 feedback
[fíːdbæ̀k]

(명) 피드백, 반응, 의견

Most people tend to listen to positive **feedback** and ignore negative **feedback**. (학평)
대부분의 사람들은 긍정적인 ....을 귀 기울여 듣고 부정적인 ....을 무시하는 경향이 있다.

get immediate ....
즉각적인 반응을 받다

해석 완성 상대적이며 / 살아남기 / 돕기 / 생겨난다 / 기대 / 피드백

0264 range
[reindʒ]

(명) 열, 줄; 범위　(동) (범위가) ~에 미치다; 정렬시키다

Today the term artist is used to refer to a broad **range** of creative individuals. 모평
오늘날 예술가라는 용어는 폭넓은 _____의 창의적인 개인을 가리키기 위해 사용된다.

_____ books on a shelf
책을 선반 위에 정렬하다

0265 relate
[riléit]

(동) 관계[관련]시키다; 관계[관련]가 있다

When a new story appears, we attempt to find a belief of ours that **relates** to it. 모평
새로운 이야기가 등장할 때, 우리는 그것과 _____ 우리의 신념을 찾으려고 시도한다.

relate A with[to] B A를 B와 관련짓다

➕ **relation** (명) 관계

_____ this with the accident
이것을 사고와 관련짓다

0266 request
[rikwést]

(동) 요청하다; 신청하다　(명) 요청; 수요

I would **request** a reply from you within 5 days from receiving this letter. EBS
저는 당신이 이 편지를 받고 5일 이내에 답신을 주시길 _____.

refuse a _____
요청을 거절하다

0267 depressed
[diprést]

(형) 우울한, 의기소침한; 불경기의

If you get unsatisfactory responses, you become frustrated and even **depressed**. EBS
만약 당신이 만족스럽지 않은 반응을 얻으면, 당신은 실망하고 심지어 _____진다.

➕ **depress** (동) 우울하게 만들다　**depression** (명) 우울; 불경기

get _____ by the news
그 소식에 우울해지다

0268 enhance
[inhǽns]

(동) 향상하다, (가치 등을) 높이다

Physical activities **enhance** cognitive development. 학평
신체적 활동은 인지 발달을 _____.

➕ **enhancement** (명) 향상, 증대

_____ the quality of life
삶의 질을 향상하다

해석 완성 범위 / 관련 있는 / 요청합니다 / 의기소침해 / 향상시킨다

진짜 기출로 확인! 문맥에 맞도록 빈칸에 알맞은 단어를 고르시오.　고3 학평

Rather than face the stress of turning the pet in to a shelter, owners drive pets far from their home (1)_____ and abandon them. Some people believe the animal has a better chance to (2)_____ roaming free than at a shelter, a false belief formed to salve the pet abandoner's conscience.

① assist　② survive　③ range　④ emerge　⑤ feedback

ANSWERS p.471

0269 attack
[ətǽk]

(동) 공격하다; (병이 사람을) 침범하다   (명) 공격; 발병

Ants **attack** their enemies by biting, stinging, often injecting or spraying chemicals. (학평)

개미는 물고 찌르고, 종종 화학 물질을 주입하거나 분사함으로써 적을 ....

assault (동) 맹렬히 공격하다 (명) 공격

the bomb ....
폭탄 공격

0270 plant
[plænt]

(동) 심다; (씨를) 뿌리다   (명) 식물; 농작물; 공장

Planting a seed does not necessarily require overwhelming intelligence. (학평)

씨를 .... 것이 반드시 굉장한 지능을 요구하지는 않는다.

TIP plant / factory / mill
» **plant** (명) (동력이 생산되거나 산업 공정이 진행되는) 공장 시설
» **factory** (명) (상품이 만들어지는) 공장
» **mill** (명) (특정 재료를 만드는) 공장
  ex. a nuclear power **plant** 원자력 발전소
     a chocolate **factory** 초콜릿 공장
     a cotton **mill** 면직물 공장

a flowering ....
꽃식물

0271 promote
[prəmóut]

(동) 촉진[장려]하다; 승진시키다; 홍보하다

He tried to **promote** reform of land ownership. (EBS)

그는 토지 소유권의 개혁을 .... 위해 노력했다.

promotion (명) 증진; 승진; 판매 촉진

.... economic growth
경제 성장을 촉진하다

0272 series
[síəriːz]

(명) 일련; 연속; 시리즈

You have to see life as a **series** of adventures. (학평)

당신은 인생을 모험의 ....으로 보아야 한다.

a .... of victories
승리의 연속

0273 signify
[sígnəfài]

(동) 의미하다, 나타내다; 중요하다

Ask yourself in what situation the core of a particular behavior would **signify** value. (EBS)

어떤 상황에서 특정한 행동의 핵심이 가치를 .... 스스로에게 물어봐라.

significance (명) 중요성   **significant** (명) 중요한

.... one's intention
~의 의향을 나타내다

0274 delight
[díláit]

(명) 기쁨, 즐거움   (동) 기쁘게 하다; 기뻐하다

A shiver of **delight** ran down his spine when he saw his name in capital letters on the door. (학평)

그가 문 위에 대문자로 쓰인 그의 이름을 보았을 때 ....의 전율이 그의 척추를 타고 내려갔다.

delightful (명) 매우 기쁜, 즐거운

.... one's parents
~의 부모를 기쁘게 하다

해석 완성 공격한다 / 뿌리는 / 촉진하기 / 연속 / 나타내는지 / 기쁨

| 0275 **identity** [aidéntəti] | 몡 동일함; 신원, 정체(성); 주체성 Pets changed the people's social **identity** for the better. 학평 애완동물들은 사람들의 사회적 ＿＿＿＿＿＿을 더 낫게 변화시켰다. | reveal the ＿＿＿＿＿ 신원을 밝히다 |

| 0276 **spread** [spred] | 동 (-spread-spread) 펴다; 퍼뜨리다; 퍼지다 몡 확산, 전파 In less than ten thousand years this new, agricultural way of life had **spread** around the globe. EBS 만 년이 채 지나지 않아 이 새로운 농경 생활 방식은 전 세계에 ＿＿＿＿＿. | ＿＿＿＿＿ wings 날개를 펴다 |

| 0277 **adaptation** [æ̀dəptéiʃən] | 몡 적응; 각색 (작품) Culture is a uniquely human form of **adaptation**. 학평 문화는 인간의 고유한 ＿＿＿＿＿ 형태이다. | ＿＿＿＿＿ of a novel 소설의 각색 |

| 0278 **definite** [défənit] | 혱 뚜렷한, 명확한; 한정된 His father had formed very **definite** resolutions as to his education. EBS 그의 아버지는 그의 교육에 관해 매우 ＿＿＿＿＿ 결단을 내렸다. ➕ **definitely** 뷘 명백히, 확실히 ➕ **infinite** 혱 무한한 | a ＿＿＿＿＿ answer 명확한 대답 |

| 0279 **purpose** [pə́:rpəs] | 몡 목적, 의도; 용도 동 의도하다 Using animal images for commercial **purposes** was faced with severe criticism. 모평 상업적 ＿＿＿＿＿로 동물 이미지를 사용하는 것은 심한 비판에 직면했다. | this campaign's main ＿＿＿＿＿ 이 캠페인의 주된 목적 |

| 0280 **remove** [rimú:v] | 동 제거하다; 벗다; 옮기다 To **remove** social inequality is the inherent purpose of knowledge. 수능 사회적 불평등을 ＿＿＿＿＿ 것은 지식의 내재된 목적이다. ➕ **removal** 몡 제거; 이동 | ＿＿＿＿＿ stains 얼룩을 제거하다 |

해석 완성 정체성 / 퍼졌다 / 적응 / 명확한 / 용도 / 제거하는

진파 기출로 확인! 밑줄 친 단어의 뜻을 문맥에 맞게 찾으시오.　　　　　　고3 학평

Some (1)plants produce an initial (2)series of leaves designed to be eaten, and more luxurious growth only occurs once that has happened.

① 식물　　　② 공장　　　③ 목적　　　④ 적응　　　⑤ 일련

ANSWERS p.472

3-Minute Check

오늘 학습한 단어와 뜻을
최종적으로 암기했는지 확인하세요!

0241 intersection	몡 교차로, 사거리	0261 emerge	동 나오다; 드러나다; 생겨나다
0242 establish	동 설립하다; 확립하다	0262 expectation	몡 기대, 예상
0243 intelligence	몡 지능; 지성; 정보부	0263 feedback	몡 피드백, 반응, 의견
0244 medical	혱 의학의, 의술의, 의료의	0264 range	몡 열, 줄; 범위 동 (범위가) ~에 미치다; 정렬시키다
0245 recall	동 상기하다; 생각나게 하다 몡 상기; 회수	0265 relate	동 관계[관련]시키다; 관계[관련]가 있다
0246 standard	몡 표준, 수준; 모범 혱 표준의	0266 request	동 요청하다; 신청하다 몡 요청; 수요
0247 struggle	동 버둥거리다; 분투하다 몡 분투; 투쟁	0267 depressed	혱 우울한, 의기소침한; 불경기의
0248 volunteer	몡 지원자; 자원 봉사자 동 자진하여 하다	0268 enhance	동 향상하다, (가치 등을) 높이다
0249 keen	혱 예민한; 열정적인	0269 attack	동 공격하다 몡 공격; 발병
0250 conduct	동 수행하다; 지휘하다 몡 행동; 지휘; 운영	0270 plant	동 심다; (씨를) 뿌리다 몡 식물; 농작물; 공장
0251 confuse	동 혼동하다; 혼란시키다	0271 promote	동 촉진[장려]하다; 승진시키다; 홍보하다
0252 context	몡 문맥; (사건의) 배경	0272 series	몡 일련; 연속; 시리즈
0253 glimpse	몡 흘긋 봄 동 흘긋 보다	0273 signify	동 의미하다, 나타내다; 중요하다
0254 feed	동 먹이다, 먹을 것을 주다; (연료를) 공급하다	0274 delight	몡 기쁨, 즐거움 동 기쁘게 하다; 기뻐하다
0255 garment	몡 의복, 옷	0275 identity	혱 동일함; 신원, 정체(성); 주체성
0256 gene	몡 유전자	0276 spread	동 펴다; 퍼뜨리다; 퍼지다 몡 확산, 전파
0257 scatter	동 흩뿌리다; 흩어지다	0277 adaptation	몡 적응; 각색 (작품)
0258 relative	혱 상대적인; 관계있는 몡 친척	0278 definite	혱 뚜렷한, 명확한; 한정된
0259 survive	동 살아남다; (~보다) 오래 살다; (위기 등을) 견디다	0279 purpose	몡 목적, 의도; 용도 동 의도하다
0260 assist	동 돕다; ~의 도움이 되다 몡 원조, 조력	0280 remove	동 제거하다; 벗다; 옮기다

외우지 못한 단어가 있으면 MINI 단어장에서 다시 한번 정리해 보세요.

DAY 07

72 | VOCA PICK 수능 기출

DRILLS

0281 **chemical**
[kémikəl]

형 화학의, 화학적인   명 (pl.) 화학 물질

Blue was the chosen color for denim because of the **chemical** properties of blue dye. 학평
파란색 염료의 .... 특성 때문에 파란색이 데님에 선택된 색상이었다.

➕ **chemistry** 명 화학; 화학적 성질   **chemist** 명 화학자

.... weapons
화학 무기

0282 **earn**
[ə:rn]

동 (돈을) 벌다; 획득하다, 얻다

He **earned** a medical degree from the University of Pennsylvania. 모평
그는 펜실베이니아 대학교에서 의학 학위를 ....

➕ **earning** 명 벌기; 획득; (pl.) 소득

.... a living
생활비를 벌다

0283 **expel**
[ikspél]

동 쫓아내다, 추방하다

184 students were accused of cheating, and 152 of those were **expelled**. EBS
184명의 학생들이 부정 행위로 고발을 당했고, 그중 152명이 ....

.... invaders from one's country
~의 나라에서 침략자를 쫓아내다

0284 **manage**
[mǽnidʒ]

동 다루다; 관리[경영]하다; (어떻게든) 해내다

He **managed** to translate his jokes for the American audience. 모평
그는 미국인 관객들을 위해 자신의 농담을 .... 번역 ....

➕ **management** 명 취급; 관리[경영]

.... time effectively
시간을 효율적으로 관리하다

0285 **publish**
[pʌ́bliʃ]
내용일치

동 출판하다

In 1789, he **published** his autobiography, which became immensely popular. 학평
1789년에 그는 자서전을 .... 그것은 막대한 인기를 얻었다.

➕ **publisher** 명 출판업자   **publication** 명 출판(물); 발표

.... a novel
소설을 출판하다

0286 **spot**
[spɑt]

명 점; 얼룩; 장소   동 더럽히다; 찾아내다

When you finished shopping, you may have left the **spot** with a certain hesitation. 모평
당신이 쇼핑을 끝냈을 때 당신은 그 .... 를 약간 망설이다 떠났을지도 모른다.

a .... of ink on the shirt
셔츠에 묻은 잉크 얼룩

해석 완성 화학적인 / 획득했다 / 퇴학당했다 / 어떻게든, 해냈다 / 출판했는데 / 장소

0287 treat
[tri:t]

ⓥ 다루다; 치료하다; 대접하다   ⓝ 대접; 한턱내기

People **treat** children in a variety of ways: care for them, punish them, love them. 학평

사람들은 아이들을 다양한 방식으로 .... 그들을 돌보고, 벌주고, 사랑하는 식이다.

treat A to lunch A에게 저녁을 대접하다

➕ **treatment** ⓝ 취급, 대우; 치료

how to .... the disease
질병을 치료하는 방법

0288 compete
[kəmpí:t]

ⓥ 경쟁하다; (경기에) 참가하다

Competition is healthy when you **compete** against yourself. 학평

경쟁은 당신 자신과 .... 때 건전한 것이다.

.... with the best teams
최고의 팀들과 경쟁하다

0289 concentrate
[kánsəntrèit]

ⓥ 집중하다, 전념하다

Early, small communities had to **concentrate** all their physical and mental effort on survival. 수능

초기의 작은 공동체들은 그들의 모든 신체적, 정신적 노력을 생존에 .... 했다.

concentrate one's attention on ~의 주의를 …에 집중하다

➕ **concentration** ⓝ 집중; 농축한 것, 농도

.... rays to a focus
광선을 초점에 집중하다

0290 lack
[læk]

ⓥ (~이) 부족하다   ⓝ 부족, 결핍

What happens when the oceans **lack** oxygen? 학평

바다에 산소가 .... 무슨 일이 일어나는가?

🔄 **abundance** ⓝ 풍부, 풍요   📋 **shortage** ⓝ 부족

.... of funds
자금 부족

0291 participate
[pɑːrtísəpèit]

ⓥ 참가하다, 참여하다

Students have the opportunity to **participate** in various sports activities. 학평

학생들은 다양한 스포츠 활동에 .... 기회가 있습니다.

➕ **participation** ⓝ 참가, 참여   **participant** ⓝ 참가자
📋 **take part in** ~에 참가하다   **join** ⓥ 참여하다

.... actively
적극적으로 참가하다

0292 prepare
[pripέər]

ⓥ 준비하다, 대비하다

Nancy thanked her daughter for this special trip that she had **prepared** in secret. 모평

Nancy는 그녀의 딸이 비밀리에 .... 이 특별한 여행에 대해 딸에게 감사했다.

➕ **preparation** ⓝ 준비   **preparatory** ⓐ 준비의, 예비의

해석 완성 다루는데 / 경쟁할 / 집중해야 / 부족하면 / 참여할 / 준비한

.... for an exam
시험을 준비하다

0293 trade
[treid]

명 거래, 매매, 무역 동 거래하다; 교환하다

Smaller stores tend to have smaller **trade** areas and fewer customers. EBS
더 작은 가게들은 더 작은 .... 지역과 더 적은 손님을 갖는 경향이 있다.

make a trade 교환하다, 거래하다

foreign ....
해외 무역

0294 unique
[juːníːk]

형 유일한; 독특한

Twins provide a **unique** opportunity to study genes.
학평 쌍둥이는 유전자에 대해 연구할 .... 기회를 제공한다.

➕ uniqueness 명 유일함; 독특성
🟰 sole 형 유일한   unusual 형 독특한

.... form of music
독특한 형식의 음악

0295 active
[ǽktiv]

형 활동적인; 활발한; 적극적인

She retired in 1996 remaining **active** in civil rights organizations. 학평
그녀는 1996년에 은퇴했지만 시민 인권 단체에서 여전히 .... 활동을 했다.

➕ activate 동 활성화하다   activity 명 활동
🔄 inactive 형 활발하지 않은   passive 형 수동적인

.... for one's age
나이에 비해 활동적인

0296 alternative
[ɔːltə́ːrnətiv]

형 대안의   명 대안; 양자택일

Stop and consider **alternative** courses of action before you go forward. 학평
앞으로 가기 전에 멈춰서 .... 행동 방침을 숙고해 보라.

.... energy sources
대체 에너지원

0297 duplicate
동[djúːpləkèit]
형[djúːpləkit]

동 복제하다, 복사하다   명 복제본, 사본

None of the tuba's sounds are **duplicated** by the violin. 학평
튜바의 어떤 소리도 바이올린에 의해 .... 않는다.

a .... or the original
사본 또는 원본

해석 완성 거래 / 독특한 / 활발한 / 대안의 / 복제되지

진짜 기출로 확인! 밑줄 친 단어의 뜻을 문맥에 맞게 찾으시오.   고3 모평

The chemical industry denied that there were practical (1)alternatives to ozone-depleting (2)chemicals, predicting not only economic disaster but numerous deaths because food and vaccines would spoil without refrigeration.

① 부족   ② 대안   ③ 거래   ④ 장소   ⑤ 화학 물질

ANSWERS p.472

0298 prove
[pru:v]

(동) 증명하다; 판명되다

These successes **prove** the quality of the popular movies being made there. 학평
이러한 성공들은 그곳에서 만들어지고 있는 인기 있는 영화들의 양질을 ....

➕ **proof** (명) 증거(물); 증명(서)

.... one's innocence
~의 무죄를 증명하다

0299 regard
[rigá:rd]

(동) ~(으)로 여기다; 존중하다; 주목하다
(명) 관계; 주의; 점; (pl.) 안부 인사

In the Arapesh tribe, both men and women were taught to play what we would **regard** as a feminine role. 학평
Arapesh 부족에서는 남자와 여자 모두 우리가 여성의 역할로 .... 역할을 하라고 배웠다.

regard A as B A를 B로 여기다〔간주하다〕
in this regard 이 점에서는
Give my (best) regards to ~. ~에게 안부 전해줘.

have no special ....
to the matter
그 문제와 특별한 관계가 없다

0300 wonder
[wʌ́ndər]

(동) 놀라다; 궁금해 하다 (명) 놀라움; 경이

Do you ever **wonder** why customers leave retail stores empty-handed? 학평
당신은 왜 손님들이 빈손으로 소매점을 떠나는지 .... 적이 있는가?

stare in ....
경이의 눈으로 보다

0301 conclude
[kənklú:d]

(동) 끝내다; 결론을 내리다

Professors **concluded** that dads play a big role in helping their kids set goals and complete them. 학평
교수들은 아빠들이 자녀들이 목표를 설정하고 목표를 완성하도록 돕는 데 큰 역할을 한다고 ....

➕ **conclusion** (명) 결말; 결론   **conclusive** (형) 결정적인

.... an argument
논쟁을 끝내다

0302 device
[diváis]

(명) 장치, 기구; 고안, 방책

With your Bluetooth **device** turned on, start scanning.
EBS 당신의 블루투스 ....를 켠 채로 스캔을 시작하라.

an electronic ....
전기 기구

0303 discovery
[diskʌ́vəri]

(명) 발견; 발견물

More likely than not, **discovery** is made by accident.
학평 십중팔구, ...은 우연히 이루어진다.

➕ **discover** (동) 발견하다

new scientific ....
새로운 과학적 발견

해석 완성 증명한다 / 여기는 / 궁금해 한 / 결론지었다 / 장치 / 발견

⁰³⁰⁴ **ensure**
[inʃúər]

(동) 보장[보증]하다; 안전하게 하다

Farmers plant more seeds than are necessary to **ensure** full breeding. 학평
농부들은 충분한 재배를 .... 위해 필요 이상으로 더 많은 씨를 뿌린다.

.... the freedom of the press
출판의 자유를 보장하다

⁰³⁰⁵ **frustrate**
[frʌ́strèit]

(동) 좌절시키다; 실망하다

The extended copyright protection **frustrates** new creative endeavors. 수능
(기간이) 연장된 저작권 보호는 새로운 창의적인 시도들을 ....

⊞ **frustration** (명) 좌절, 실패

.... the plan
그 계획을 좌절시키다

⁰³⁰⁶ **designate**
[dézignèit]

(동) 지정하다; 지명하다

Her house has been **designated** as a National Historic Landmark and is open to the public. 학평
그녀의 집은 국가 사적으로 .... 대중에게 개방되어 있다.

⊞ **designated** (형) 지정된, 정해진

.... a person as a guardian
~을 후견인으로 지명하다

⁰³⁰⁷ **mass**
[mæs]

(명) 덩어리; 다수, 대량; 대중 (형) 대중의; 대량의

Systems of **mass** production and **mass** distribution were developed. EBS
.... 생산과 .... 배포 체계가 발달했다.

.... communications
대중 매체

⁰³⁰⁸ **master**
[mǽstər]

(동) 지배하다; 숙달하다 (명) 주인; 대가; 스승

Once we have **mastered** reading, writing and speaking we move on to other things. 학평
일단 우리가 읽기, 쓰기, 말하기에 ...., 우리는 다른 것들로 넘어가게 된다.

.... three languages
3개 국어에 숙달하다

해석 완성 보장하기 / 좌절시킨다 / 지정되어 / 대량, 대량 / 숙달하면

진짜 기출로 확인! 우리말과 일치하도록 빈칸에 알맞은 단어를 고르시오.   13년 수능

Are you (1)_____ how we (2)_____ each fish has a safe journey? Here's the secret. We pack each one in an oxygen-inflated plastic bag with enough water to keep the fish relaxed and comfortable.
(여러분은 저희가 어떻게 각 물고기가 안전한 여행을 하도록 보장하는지 궁금하신가요? 여기 비결이 있습니다. 저희는 물고기가 긴장을 풀고 편안한 상태를 유지하도록 충분한 물이 든 산소가 주입된 비닐봉지에 물고기를 한 마리씩 넣습니다.)

① ensure   ② master   ③ wondering   ④ regarding   ⑤ designate

ANSWERS p.472

0309 novelty
[návəlti]

(명) 신기함, 새로움, 참신함; 새로운 것

We rarely wish to be surprised by **novelty** as we go round street corners. 학평
우리는 길모퉁이를 돌아갈 때 ....에 놀라기를 좀처럼 바라지 않는다.

a certain .... value
어느 정도 참신함이라는 가치

0310 dispatch
[dispǽtʃ]

(동) 급파하다; 발송하다　(명) 급파; 발송

Troops were **dispatched** to the border.
군대가 국경으로 ....

.... a letter
편지를 발송하다

0311 intrude
[intrú:d]

(동) 방해하다; 침범하다

To accommodate tourists and not **intrude** on the urban layout, the town built an underground parking lot. 학평
관광객의 편의를 도모하고 도시 배치를 .... 않기 위해, 그 도시는 지하 주차장을 만들었다.

➕ **intruder** (명) 침입자　**intrusion** (명) 침범, 침입

.... on one's privacy
~의 사생활을 침범하다

0312 suffer
[sʌ́fər]
주제

(동) (고통·손해를) 겪다; 고생하다, (병을) 앓다

They **suffered** from rather unique types of dental problems due to their culture. 학평
그들은 그들의 문화 때문에 다소 독특한 유형의 치아 문제를 ....

.... from a bad headache
심한 두통을 앓다

0313 accomplish
[əkámpliʃ]

(동) 이루다, 성취하다

Parents and teachers working together can **accomplish** more than educators can alone. EBS
함께 노력하는 부모와 교사는 교육 전문가들이 단독으로 할 수 있는 것보다 더 많은 것을 .... 수 있다.

➕ **accomplishment** (명) 성취; 업적

.... one's purpose
~의 목적을 이루다

0314 adopt
[ədápt]

(동) 입양하다; 채택하다

There are two main strategies we can **adopt** to improve the quality of life. 학평
우리가 삶의 질을 향상시키기 위해 .... 수 있는 두 가지 주요 전략이 있다.

➕ **adoption** (명) 입양; 채택　**adopter** (명) 입양인; 사용자

.... a resolution
결의안을 채택하다

0315 commercial
[kəmə́:rʃəl]
주제

(형) 상업의; 영리 위주의　(명) (라디오·TV) 광고

Each year, **commercial** and recreational fishing kills more than 100 million sharks globally. 학평
매년, 전세계적으로 ....이고 오락적인 낚시가 1억 마리 이상의 상어를 죽인다.

.... success
상업적 성공

해석 완성 새로운 것 / 급파되었다 / 침범하지 / 겪었다 / 성취할 / 채택할 / 상업적

0316 electric
[iléktrik]

(형) 전기의 **(명)** 전기 장치

These days, **electric** scooters have quickly become a campus staple. (학평)
요즘 .... 스쿠터가 빠르게 캠퍼스의 주요한 것이 되어 왔다.

> **TIP** electric / electrical
> 둘 다 '전기의, 전기를 이용하는'의 의미인데, electric은 주로 전기를 이용한 어떤 것을 묘사할 때 쓰이고, electrical은 equipment(장비), wiring(배선)과 같이 더 일반적인 명사들과 함께 쓰인다.
> *ex.* an **electric** fan 선풍기 / **electrical** equipment 전기 설비

an .... car
전기 자동차

0317 lure
[luər]

(동) 유인하다, 유혹하다 **(명)** 매력; 유혹

Don't let money **lure** you into a job you don't like.
돈이 당신이 좋아하지도 않는 직장에 들어가도록 .... 두지 말라.

the .... of adventure
모험의 유혹

0318 policy
[páləsi]

(명) 정책, 방침

It is our **policy** to access employee performance and award raises annually. (학평)
직원 성과를 평가하고 매년 임금 인상을 수여하는 것이 저희의 .... 입니다.

the new education
....
새로운 교육 정책

0319 rely
[riláí]
빈칸

(동) 의지하다; 신뢰하다

Modern economies **rely** on the ability to move goods, people, and information safely and reliably. (모평)
현대의 경제는 상품, 사람 그리고 정보를 안전하고 믿을 만하게 옮기는 능력에 ....

.... on one's parents
부모에게 의지하다

0320 conscious
[kánʃəs]

(형) 의식하고 있는, 의식적인

Our automatic, unconscious habits can keep us safe even when our **conscious** mind is distracted. (학평)
우리의 자동적이고 무의식적인 습관은 우리의 .... 정신이 산만해질 때조차도 우리를 안전하게 지켜줄 수 있다.

➕ consciousness (명) 의식, 자각
➖ unconscious (형) 무의식의

.... of the fault
잘못을 의식하고 있는

해석 완성 전기 / 유혹하게 / 방침 / 의지한다 / 의식적인

진짜 기출로 확인! 문맥에 맞도록 빈칸에 알맞은 단어를 고르시오. 고3 모평

For example, one major company has a(n) (1)_____ that requires the following personnel in order to remove a(n) (2)_____ motor: a tinsmith to remove the cover, an electrician to disconnect the electrical supply, a millwright to unbolt the mounts, and one or more laborers to remove the motor from its mount.

① dispatch   ② policy   ③ novelty   ④ commercial   ⑤ electric

ANSWERS p.472

3-Minute Check

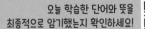

		check
0281 chemical	휑 화학의, 화학적인 명 (pl.) 화학 물질	☐
0282 earn	동 (돈을) 벌다; 획득하다, 얻다	☐
0283 expel	동 쫓아내다, 추방하다	☐
0284 manage	동 다루다; 관리[경영]하다; (어떻게든) 해내다	☐
0285 publish	동 출판하다	☐
0286 spot	명 점; 얼룩; 장소 동 더럽히다; 찾아내다	☐
0287 treat	동 다루다; 치료하다; 대접하다 명 대접; 한턱내기	☐
0288 compete	동 경쟁하다; (경기에) 참가하다	☐
0289 concentrate	동 집중하다, 전념하다	☐
0290 lack	동 (~이) 부족하다 명 부족, 결핍	☐
0291 participate	동 참가하다, 참여하다	☐
0292 prepare	동 준비하다, 대비하다	☐
0293 trade	명 거래, 매매, 무역 동 거래하다; 교환하다	☐
0294 unique	휑 유일한; 독특한	☐
0295 active	휑 활동적인; 활발한; 적극적인	☐
0296 alternative	휑 대안의 명 대안; 양자택일	☐
0297 duplicate	동 복제하다, 복사하다 명 복제본, 사본	☐
0298 prove	동 증명하다; 판명되다	☐
0299 regard	동 ~(으)로 여기다; 존중하다 명 관계; 점; (pl.) 안부 인사	☐
0300 wonder	동 놀라다; 궁금해 하다 명 놀라움; 경이	☐

		check
0301 conclude	동 끝내다; 결론을 내리다	☐
0302 device	명 장치, 기구; 고안, 방책	☐
0303 discovery	명 발견; 발견물	☐
0304 ensure	동 보장[보증]하다; 안전하게 하다	☐
0305 frustrate	동 좌절시키다; 실망하다	☐
0306 designate	동 지정하다; 지명하다	☐
0307 mass	명 덩어리; 다수, 대량; 대중 휑 대중의; 대량의	☐
0308 master	동 지배하다; 숙달하다 명 주인; 대가; 스승	☐
0309 novelty	명 신기함, 새로움, 참신함; 새로운 것	☐
0310 dispatch	동 급파하다; 발송하다 명 급파; 발송	☐
0311 intrude	동 방해하다; 침범하다	☐
0312 suffer	동 (고통·손해를) 겪다; 고생하다, (병을) 앓다	☐
0313 accomplish	동 이루다, 성취하다	☐
0314 adopt	동 입양하다; 채택하다	☐
0315 commercial	휑 상업의; 영리 위주의 명 (라디오·TV) 광고	☐
0316 electric	휑 전기의 명 전기 장치	☐
0317 lure	동 유인하다, 유혹하다 명 매력; 유혹	☐
0318 policy	명 정책, 방침	☐
0319 rely	동 의지하다; 신뢰하다	☐
0320 conscious	휑 의식하고 있는, 의식적인	☐

외우지 못한 단어가 있으면 미니 단어장에서 다시 한번 정리해 보세요.

📖 가리개를 사용하여 뜻을 암기했는지 확인하세요.

DRILLS

0321 firm
[fəːrm]

(형) 단단한; 확고한　(부) 굳게　(명) 회사

There are no **firm** boundaries within the open oceans.
(학평) 광활한 바다에는 .... 경계가 없다.

.... evidence
확고한 증거

0322 fit
[fit]

(동) 맞다; 맞게 하다　(형) 꼭 맞는; 적합한; 건강한
(명) 적합; 꼭 맞는 옷

The secret is to find a plan that **fits** your goal. (학평)
그 비결은 당신의 목표에 .... 계획을 찾는 것이다.

> **TIP** fit / suit / match
> » **fit** (동) (치수·모양 등이 체형에) 맞다
> » **suit** (동) (색·무늬·스타일 등이 누군가에게) 어울리다
> » **match** (동) (색·무늬·스타일 등이 서로) 어울리다

a perfect ....
완벽하게 꼭 맞는 옷

0323 patient
[péiʃənt]

(명) 환자　(형) 참을성 있는

Improving the design of medical setting helps **patients** get better faster. (학평)
의료 환경의 디자인을 개선하는 것은 ....가 더 빨리 회복하는 데 도움이 된다.

➕ **patience** (명) 참을성, 끈기

.... with children
아이들에 대해 참을성 있는

0324 project
(명)[prάdʒekt]
(동)[prədʒékt]

(명) 계획; 프로젝트; 연구 과제　(동) 계획하다; 투사하다

Adapting novels is one of the most respectable of movie **projects**. (수능)
소설을 각색하는 것은 가장 존경할 만한 영화 .... 중 하나이다.

.... the image on a screen
이미지를 스크린에 투사하다

0325 represent
[rèprizént]

(동) 나타내다, 의미하다; 대표하다; 표현하다

Flags are used to **represent** organizations and groups of people. (학평)
조직과 사람들의 집단을 .... 위해 깃발이 사용된다.

➕ **representative** (형) 대표적인; 표현하는 (명) 대표자

.... Korea at the conference
회의에서 한국을 대표하다

0326 visual
[víʒuəl]

(형) 시각의; 선명한　(명) 시각 자료

Our brains have evolved to deal very well with both **visual** images and spatial locations. (EBS)
우리의 뇌는 .... 이미지와 공간적인 위치 둘 다 매우 잘 다루도록 진화해 왔다.

➕ **visualize** (동) 시각화하다; 마음속에 그려 보다

.... art
시각 예술

해석 완성 확고한 / 맞는 / 환자 / 프로젝트 / 나타내기 / 시각적인

0327 agency
[éidʒənsi]

(명) 대리점; 대리; 정부 기관(국, 청)

The Environmental Protection **Agency**'s standards for tap water are actually higher. 학평
환경 보호 _____의 수돗물 기준은 실제로 더 높다.

➕ **agent** (명) 대행자, 대리인; 정부 직원

> **TIP** agency가 쓰인 표현들
> » a news agency 통신사, 언론사
> » an entertainment agency 연예기획사
> » International Atomic Energy Agency (= IAEA)
>   국제 원자력 기구

a general sales _____
판매 총대리점

0328 conversational
[kɑ̀nvərséiʃənəl]

(형) 회화[대화]체의

He delivered his next speech in a more relaxed and **conversational** tone of voice. 학평
그는 다음 연설은 더 편안하고 _____ 어조의 목소리로 전달했다.

_____ English
회화체 영어

0329 generate
[dʒénərèit]

(동) 일으키다; 발생시키다; 발생하다

The average school kid **generates** 65 pounds of lunch bag waste every year. 모평
평균 학령 아동은 매년 65파운드의 점심 도시락 쓰레기를 _____.

_____ heat
열을 발생시키다

0330 motivate
[móutəvèit]

(동) 동기를 주다, 자극하다

The thrill of bargain hunting **motivates** shoppers. 학평
염가 판매를 찾아다니는 스릴은 쇼핑객들에게 _____.

➕ **motivation** (명) 자극; 동기 부여

_____ the staff
직원들에게 동기를 주다

0331 pain
[pein]

(명) 아픔, 통증; 괴로움; (pl.) 노력

Players who experienced **pain** used smaller muscles in their forearms more. 학평
_____을 겪는 연주자들은 그들의 팔뚝에 있는 더 작은 근육을 더 많이 사용했다.

➕ **painful** (형) 아픈; 괴로운

muscle _____
근육통

0332 perception
[pərsépʃən]

(명) 지각, 자각; 인식

We make sense of reality based on our selective **perception** of it. EBS
우리는 현실에 대한 우리의 선별적 _____을 바탕으로 현실을 이해한다.

one's self _____
~의 자아 인식

해석 완성 국 / 대화하는 / 발생시킨다 / 동기를 준다 / 통증 / 인식

0333 **primary**
[práimèri]

[형] 주요한; 초기의; 근본적인

Learning science through inquiry is a **primary** principle in education today. [EBS]
탐구를 통해 과학을 배우는 것은 오늘날 교육의 .... 원칙이다.

[+] **primarily** [부] 처음에는; 본래는

the .... stage of civilization
문명의 초기 단계

0334 **promise**
[prámis]

[명] 약속; 가망 [동] 약속하다; ~의 가망이 있다

A **promise** that is made verbally and not done is a debt. [학평]
말로 하고 실행하지 않은 ....은 빚이다.

make[break] a promise 약속하다[약속을 깨뜨리다]
stick to one's promise 약속을 꼭 지키다

.... one's help
~의 조력을 약속하다

0335 **separate**
[동][sépərèit]
[형][sépərit]

[동] 분리하다; 분리되다; 헤어지다 [형] 분리된; 별개의

Restaurants **separate** smokers and nonsmokers. [EBS]
식당들은 흡연자와 비흡연자를 ....

.... politics from religion
정치와 종교를 분리하다

0336 **preview**
[prí:vjù:]

[명] 시연회, 시사회; 미리보기 [동] 간단히 소개하다

The windows are a **preview** of the attractions inside. [EBS] 창문은 명소 내부의 ....이다.

go to see the .... of a play
연극 시사회를 보러 가다

0337 **adjust**
[ədʒʌ́st]
[실용문]

[동] 맞추다, 조정하다; 순응하다

Adjust the volume level by moving the joystick left or right. [학평]
조이스틱을 왼쪽이나 오른쪽으로 움직여서 음량을 ....

[+] **adjustment** [명] 조정
[=] **adapt** [동] 조정하다; 적응하다

.... a clock
시계를 맞추다

해석 완성 주요한 / 약속 / 분리한다 / 미리보기 / 조정하라

진짜 기출로 확인! 우리말과 일치하도록 빈칸에 알맞은 단어를 고르시오. 고3 모평

As a result, researchers gradually began to believe that runners are subconsciously able to (1)_________ leg stiffness prior to foot strike based on their (2)_________ of the hardness or stiffness of the surface on which they are running.
(결과적으로, 연구자들은 달리는 사람은 자신이 달리고 있는 지표면의 경도나 경직도에 대한 자신의 인식을 바탕으로 발이 땅에 닿기 전에 다리의 경직도를 잠재의식적으로 조정할 수 있다고 점차 믿기 시작했다.)

① pains ② adjust ③ separate ④ motivate ⑤ perceptions

ANSWERS p.472

0338 detect
[ditékt]

(동) 발견하다; 탐지[감지]하다; 수사하다

How do musicians **detect** pitch differences? (수능)
음악가들은 어떻게 음정의 차이를 ....?

➕ detective (형) 탐정의 (명) 탐정

> **TIP** detect / notice / witness
> » detect (동) (특히 알아내기 쉽지 않은 것(병·지뢰·방사능 물질·근본 원리 등)을) 발견하다, 알아내다, 감지하다
> » notice (동) (보거나 듣고) 알다, 주목하다
> » witness (동) (사건·사고를) 목격하다

.... an escape of gas
가스의 누출을 감지하다

0339 efficient
[ifíʃənt]

(형) 능률적인, 효과적인; 유능한

Workers are trained to do their jobs in an **efficient** way to meet organizational goals. (학평)
근로자들은 조직의 목적을 충족시키기 위한 .... 방법으로 자신의 일을 하도록 훈련된다.

➖ inefficient (형) 비능률적인, 효과 없는

an .... heating system
능률적인 난방 체계

0340 flight
[flait]

(명) 비행; (비행기) 여행; 항공편

He was watching television at an airport terminal while waiting for a **flight**. (학평)
그는 공항 터미널에서 ....을 기다리면서 TV를 보고 있었다.

cancel the ....
항공편을 취소하다

0341 genetic
[dʒənétik]

(형) 유전의, 유전학의

Many **genetic** and biological mechanisms control hunger and satiety. (EBS)
많은 ...., 생물학적 메커니즘이 배고픔과 포만감을 통제한다.

➕ genetically (부) 유전적으로

.... factors
유전적 요인들

0342 injury
[índʒəri]

(명) 부상; 손해

Despite my **injury**, I began making an effort to swim.
(모평) ....에도 불구하고, 나는 수영을 하려는 노력을 시작했다.

➕ injure (동) 상처를 입히다; 해치다

.... to the head
머리에 입은 부상

0343 institution
[ìnstətjú:ʃən]

(명) 기관, 단체; 보호 시설; 제정, 설립

Your company has an excellent reputation as a research **institution**. (모평)
귀사는 연구 ....으로 뛰어난 명성을 얻고 있습니다.

➕ institute (동) 설립하다 (명) 협회   institutional (형) 제도의

an educational ....
교육 기관

해석 완성 감지하는가 / 효과적인 / 항공편 / 유전적 / 부상 / 기관

0344 liable
[láiəbl]

(형) ~할 것 같은, ~하기 쉬운; 책임이 있는

In cold weather, the blood vessels are more **liable** to contract and the blood pressure rises. 학평
추운 날씨에, 혈관은 더욱 수축.................., 혈압은 상승한다.

国 likely (형) ~할 것 같은   **inclined** (형) ~하기 쉬운

be .... to rain
비가 올 것 같다

0345 select
[silékt]

(동) 선발하다, 선택하다   (형) 선택된

He was **selected** to carry the Olympic Torch. 학평
그는 올림픽 성화를 봉송하도록 ....

➕ selection (명) 선발, 선택   **selective** (형) 선택의, 선택적인

.... the final candidates
최종 후보들을 선발하다

0346 shift
[ʃift]

(명) 변화; 교대   (동) 이동하다; 바꾸다; 바뀌다

We are now witnessing a fundamental **shift** in our resource demands. 수능
우리는 지금 우리의 자원 수요에 근본적인 .... 를 목격하고 있다.

work an eight-hour ....
8시간 교대 근무를 하다

0347 explanation
[èksplənéiʃən]

(명) 설명; 해명; 해설

There are numerous **explanations** for the fall of the Roman empire. 수능
로마 제국의 몰락에 대한 수많은 .... 이 있다.

an .... for one's lateness
~가 늦은 것에 대한 해명

0348 external
[ikstə́:rnəl]

(형) 외부의; 대외적인   (명) 외부

Human perception and behavior can be influenced by **external** factors. 학평
인간의 인식과 행동은 .... 요소들에 의해 영향을 받을 수 있다.

➖ internal (형) 내부의 (명) 본질

.... trade
대외 무역

해석 완성 하기 쉽고 / 선발되었다 / 변화 / 설명 / 외부의

진짜 기출로 확인! 문맥에 맞도록 빈칸에 알맞은 단어를 고르시오.   고3 모평

They discovered that the part of the deaf cats' brain that allowed them to (1)_____ the lights was the same part that allowed them to (1)_____ peripheral sounds. "The brain is very (2)_____ and doesn't let space go to waste," said Dr. Stephen Lomber, who led the research project.

① shift   ② select   ③ external   ④ detect   ⑤ efficient

ANSWERS p.472

0349 □□ **inspire** [inspáiər]	(통) 고무하다; 영감을 주다; (감정 등을) 불어넣다 Such leaders **inspire** enthusiasm in their organizations. (모평) 그러한 지도자들은 그들의 조직에 열정을 .... ⊕ **inspiration** (명) 고무; 영감	.... a thought into a person ~에게 어떤 생각을 불어넣다
0350 □□ **necessity** [nəsésəti]	(명) 필요(성); 필수품 Young people treat the mobile phone as an essential **necessity** of life. (모평) 젊은이들은 휴대 전화를 삶의 .... 품으로 여긴다. ⊕ **necessary** (형) 필수적인	a daily .... 일상 필수품
0351 □□ **preserve** [prizə́:rv]	(통) 보호하다; 보존하다; (식품을 가공 처리해) 저장하다 (명) 저장[절임] 식품 With your donation, we can **preserve** fragile coral reefs around the world. (모평) 당신의 기부로 우리는 전 세계의 연약한 산호초를 .... 수 있습니다. ⊕ **preservation** (명) 보존; 보호; 저장 **preservative** (형) 보존하는; 방부의 (명) 방부제	.... historic sites 사적을 보존하다
0352 □□ **aspect** [ǽspekt]	(명) 양상; 측면; 관점; 방향 Parents play a huge role in every **aspect** of their children's life, even in the athletic **aspect**. (학평) 부모는 아이들의 생활의 모든 ...., 심지어 운동의 .... 에도 막대한 역할을 한다.	a new .... of the case 그 사건의 새로운 양상
0353 □□ **investigate** [invéstəgèit]	(통) 조사하다, 연구하다; 수사하다 The researchers **investigated** whether different types of writing could ease people into sleep. (학평) 그 연구원들은 다른 종류의 글쓰기가 사람들을 편안하게 잠들게 할 수 있는지 .... ⊕ **investigation** (명) 조사; 수사 **investigator** (명) 수사관	.... a crime 범죄 사건을 수사하다
0354 □□ **native** [néitiv]	(형) 출생지의, 모국의; 타고난; 토착의 (명) 원주민 You might write your texts both in your **native** language and in English. (학평) 당신은 당신의 글을 .... 어와 영어 둘 다로 쓸 수도 있다.	one's .... country ~의 출생 국가
0355 □□ **utmost** [átmòust]	(형) 최대한의, 극도의 I expect to have the **utmost** cooperation from your company. (학평) 귀사에서 .... 협조를 해 주시길 기대하고 있습니다.	with the .... effort 최대한의 노력을 해서

해석 완성 불어넣는다 / 필수 / 보호할 / 측면, 측면 / 연구했다 / 모국 / 최대한의

0356 arrange
[əréindʒ]

(동) 정리[정돈]하다; 배열하다; 준비하다

She **arranged** her schedule to start at 10 a.m. (학평)
그녀는 오전 10시에 시작하는 것으로 일정을 ....

➕ **arrangement** (명) 정리; 배열; 준비

.... a meeting
회의를 준비하다

0357 tease
[tiːz]

(동) 괴롭히다; 놀리다

Children who create imaginary friends should never be **teased** or humiliated. (학평)
상상 속의 친구를 만든 아이들은 절대 .... 창피를 주어서는 안 된다.

🟰 **bother** (동) 괴롭히다   **mock** (동) 놀리다

.... a dog
개를 괴롭히다

0358 demonstrate
[démənstrèit]

(동) 증명하다; 설명하다; 시위하다

Dozens of studies have **demonstrated** the exhausting nature of self-supervision. (학평)
수십 개의 연구가 자기감독의 소모적인 성질을 .... 왔다.

➕ **demonstration** (명) 증명; 시범; 시위

.... how to use the machine
그 기계의 사용법을 설명하다

0359 distinct
[distíŋkt]

(형) 별개의; 뚜렷한

There are a lot of **distinct** species that resemble one another. (EBS)
서로 닮은 많은 .... 종들이 있다.

➕ **distinction** (명) 구별, 차별   **distinctive** (형) 독특한

a .... difference
뚜렷한 차이

0360 expand
[ikspǽnd]

(동) 펼치다; 넓히다, 확장하다

Expanding your mind is vital to being creative. (학평)
창의적이 되기 위해 마음을 .... 것이 필수적이다.

➕ **expansion** (명) 확장, 확대; 팽창
🟰 **enlarge** (동) 확장하다

.... one's business
~의 사업을 확장하다

해석 완성 준비했다 / 놀리거나 / 증명해 / 별개의 / 넓히는

진짜 기출로 확인! 밑줄 친 단어의 뜻을 문맥에 맞게 찾으시오.   고3 모평

The opportunity to sell (1)<u>native</u> artworks to tourists or perform folk dances for them may encourage local artists to (2)<u>preserve</u> traditional art forms. For example, Fijians have developed their palm mat and shell jewelry crafts into profitable tourist businesses.

① 별개의   ② 토착의   ③ 정돈하다   ④ 보존하다   ⑤ 확장하다

ANSWERS p.472

3-Minute Check

check

0321 **firm**	(형) 단단한; 확고한 (부) 굳게 (명) 회사	☐
0322 **fit**	(동) 맞다 (형) 꼭 맞는; 적합한; 건강한 (명) 꼭 맞는 옷	☐
0323 **patient**	(명) 환자 (형) 참을성 있는	☐
0324 **project**	(명) 계획; 프로젝트; 연구 과제 (동) 계획하다; 투사하다	☐
0325 **represent**	(동) 나타내다, 의미하다; 대표하다; 표현하다	☐
0326 **visual**	(형) 시각의; 선명한 (명) 시각 자료	☐
0327 **agency**	(명) 대리점; 대리; 정부 기관(국, 청)	☐
0328 **conversational**	(형) 회화[대화]체의	☐
0329 **generate**	(동) 일으키다; 발생시키다; 발생하다	☐
0330 **motivate**	(동) 동기를 주다, 자극하다	☐
0331 **pain**	(명) 아픔, 통증; 괴로움; (pl.) 노력	☐
0332 **perception**	(명) 지각, 자각; 인식	☐
0333 **primary**	(형) 주요한; 초기의; 근본적인	☐
0334 **promise**	(명) 약속; 가망 (동) 약속하다; ~의 가망이 있다	☐
0335 **separate**	(동) 분리하다; 분리되다; 헤어지다 (형) 분리된; 별개의	☐
0336 **preview**	(명) 시연회, 시사회; 미리보기 (동) 간단히 소개하다	☐
0337 **adjust**	(동) 맞추다, 조정하다; 순응하다	☐
0338 **detect**	(동) 발견하다; 탐지[감지]하다; 수사하다	☐
0339 **efficient**	(형) 능률적인, 효과적인; 유능한	☐
0340 **flight**	(명) 비행; (비행기) 여행; 항공편	☐

check

0341 **genetic**	(형) 유전의, 유전학의	☐
0342 **injury**	(명) 부상; 손해	☐
0343 **institution**	(명) 기관, 단체; 보호 시설; 제정, 설립	☐
0344 **liable**	(형) ~할 것 같은, ~하기 쉬운; 책임이 있는	☐
0345 **select**	(동) 선발하다, 선택하다 (형) 선택된	☐
0346 **shift**	(명) 변화; 교대 (동) 이동하다; 바꾸다; 바뀌다	☐
0347 **explanation**	(명) 설명; 해명; 해설	☐
0348 **external**	(형) 외부의; 대외적인 (명) 외부	☐
0349 **inspire**	(동) 고무하다; 영감을 주다; (감정 등을) 불어넣다	☐
0350 **necessity**	(명) 필요(성); 필수품	☐
0351 **preserve**	(동) 보호하다; (식품을 가공 처리해) 저장하다 (명) 저장 식품	☐
0352 **aspect**	(명) 양상; 측면; 관점; 방향	☐
0353 **investigate**	(동) 조사하다, 연구하다; 수사하다	☐
0354 **native**	(형) 출생지의, 모국의; 타고난; 토착의 (명) 원주민	☐
0355 **utmost**	(형) 최대한의, 극도의	☐
0356 **arrange**	(동) 정리[정돈]하다; 배열하다; 준비하다	☐
0357 **tease**	(동) 괴롭히다; 놀리다	☐
0358 **demonstrate**	(동) 증명하다; 설명하다; 시위하다	☐
0359 **distinct**	(형) 별개의; 뚜렷한	☐
0360 **expand**	(동) 펼치다; 넓히다, 확장하다	☐

외우지 못한 단어가 있으면 미니 단어장에서 다시 한번 정리해 보세요.

Wrap Up

☑ ANSWERS p.472

A 영어는 우리말로, 우리말은 영어로 쓰시오.

01	accomplish		21	적응; 각색 (작품)
02	detect		22	환자; 참을성 있는
03	establish		23	경쟁하다; (경기에) 참가하다
04	chemical		24	지능; 지성; 정보부
05	scatter		25	방해하다; 침범하다
06	expel		26	동일함; 신원, 정체(성)
07	dispatch		27	준비하다, 대비하다
08	depressed		28	혼동하다; 혼란시키다
09	alternative		29	정책, 방침
10	garment		30	출판하다
11	conscious		31	입양하다; 채택하다
12	primary		32	출생지의; 토착의; 원주민
13	enhance		33	목적, 의도; 의도하다
14	concentrate		34	대리점; 정부 기관(국, 청)
15	perception		35	증명하다; 설명하다
16	inspire		36	활동적인; 활발한; 적극적인
17	efficient		37	유전의, 유전학의
18	necessity		38	흘긋 봄; 흘긋 보다
19	represent		39	문맥; (사건의) 배경
20	promote		40	상업의; (라디오·TV) 광고

B 우리말과 일치하도록 빈칸에 알맞은 말을 쓰시오.

01 More likely than not, ... is made by accident.
→ 십중팔구, 발견은 우연히 이루어진다.

02 This new, agricultural way of life had .... around the globe.
→ 이 새로운 농경 생활 방식은 전 세계에 퍼졌다.

03 With your Bluetooth .... turned on, start scanning.
→ 당신의 블루투스 장치를 켠 채로 스캔을 시작하라.

04 You have to see life as a .... of adventures.
→ 당신은 인생을 모험의 연속으로 보아야 한다.

05 There are a lot of .... species that resemble one another.
→ 서로 닮은 많은 별개의 종들이 있다.

C 밑줄 친 단어와 뜻이 가장 유사한 단어를 고르시오.

01 He was <u>selected</u> to carry the Olympic Torch.
① ranged   ② chosen   ③ proved   ④ injured   ⑤ preserved

02 The average school kid <u>generates</u> 65 pounds of lunch bag waste every year.
① suffers   ② arranges   ③ adjusts   ④ produces   ⑤ removes

03 He <u>earned</u> a medical degree from the University of Pennsylvania.
① fed   ② lacked   ③ gained   ④ managed   ⑤ conducted

04 They always gathered at this time of year to <u>assist</u> with her corn harvest.
① help   ② attack   ③ recall   ④ request   ⑤ volunteer

05 Modern economies <u>rely</u> on the ability to move goods, people, and information safely and reliably.
① relate   ② depend   ③ emerge   ④ survive   ⑤ enhance

가리개를 사용하여 뜻을 암기했는지 확인하세요.

DRILLS

0361 **gather** [gǽðər]

[동] 모으다; (꽃·과실을) 따다

Almost everybody **gathered** around me and started congratulating me for my victory. [학평]

거의 모든 사람이 내 주변에 .... 나의 승리에 대해 나를 축하하기 시작했다.

.... evidence
증거를 모으다

0362 **threat** [θret]

[명] 위협, 협박

You may care passionately about the **threat** of global warming. [학평]

당신은 지구 온난화의 ....에 대해 격렬히 걱정할지도 모른다.

.... to one's security
~의 안전에 위협

0363 **authority** [əθɔ́:rəti]

[동] 권위; 권한; 허가; (*pl.*) 당국

Managers manage by using the **authority** the factory gives them. [학평]

관리자들은 공장이 그들에게 부여한 ....을 사용하여 관리한다.

[+] **authorize** [동] 권한을 주다; 허가하다

.... to sign a check
수표에 서명할 권한

0364 **comment** [kɑ́ment]

[명] 논평, 언급 [동] 논평하다; 해설하다

The purpose of the positive **comment** might be to avoid a disagreement. [모평]

긍정적인 ....의 목적은 논쟁을 피하기 위한 것일지도 모른다.

[+] **commentary** [명] 실황 방송; (작품에 대해 글로 쓴) 해설; 비판, 논의

[=] **remark** [명] 발언, 논평 [동] 논평하다

.... on the subject
그 주제에 관한 논평

0365 **evolve** [ivɑ́lv]

[동] 발전[전개]하다; 진화하다; 발전[진화]시키다

Written language has **evolved** in ways quite different from speech. [EBS]

문어(文語)는 담화와는 완전히 다른 방식으로 ....

.... a new theory
새 학설을 발전시키다

0366 **subscribe** [səbskráib]

[동] 정기구독하다

Insert cards with subscription offers are included in magazines to encourage you to **subscribe**. [수능]

구독 신청이 있는 삽입 카드는 당신이 .... 장려하기 위해 잡지에 포함되어 있다.

[+] **subscription** [명] 정기구독

.... to several magazines
몇 개의 잡지를 정기구독하다

해석 완성 모여서 / 위협 / 권한 / 논평 / 발전해 왔다 / 정기구독하도록

0367 profit
[práfit]

(명) 이익, 수익 (동) 이익을 내다

Part of all **profits** will be donated to local animal shelters. (학평)
모든 ....의 일부는 지역 동물 보호소에 기부될 것입니다.

make a profit 수익을 내다

➕ **profitable** (형) 수익성 있는 **profitability** (명) 수익성
🔄 **loss** (명) 손실

a pre-tax ....
세전 이익

0368 strike
[straik]

(동) (-struck-struck(stricken)) 치다; 공격하다
(명) 타격; 동맹 파업

Strike the iron while it is hot. (학평)
쇠가 달구어졌을 때 .... (쇠뿔도 단김에 빼라.)

➕ **striking** (형) 두드러진, 현저한

.... a ball
with a bat
방망이로 공을 치다

0369 tendency
[téndənsi]

(명) 경향, 추세; 성향

Most people have a **tendency** to expect positive behaviors from people they like. (학평)
대부분의 사람들은 자신이 좋아하는 사람들에게 긍정적인 행동을 기대하는 ....이 있다.

a .... to
cause headaches
두통을 일으키는 경향

0370 acquire
[əkwáiər]

(동) 얻다, 획득하다; 습득하다

Children **acquire** their vocabularies gradually as they grow older. (모평)
아이들은 자라면서 서서히 어휘를 ....

.... a foreign
language
외국어를 습득하다

0371 provoke
[prəvóuk]

(동) 유발하다; 도발하다

Art **provokes** in us a reaction that causes us to consider, judge, emote, or perceive meaning in some way. (EBS)
예술은 우리에게 어떤 식으로든 의미를 고려하고, 판단하고, 감정을 드러내거나 인식하게 하는 반응을 ....

➕ **provocation** (명) 도발 **provocative** (형) 성나게 하는

.... allergic
reactions
알레르기 반응을 유발하다

0372 anxiety
[æŋzáiəti]

(명) 걱정, 불안; 열망

My hands were trembling due to the **anxiety**. (학평)
................으로 인해 내 손은 떨리고 있었다.

.... about health
건강에 대한 걱정

해석 완성 수익 / 처라 / 경향 / 습득한다 / 유발한다 / 불안

0373 **crime**
[kraim]

몡 죄, 범죄; 범행

Control of the **crime** scene is obviously important.
EBS .... 현장의 통제는 명백히 중요하다.

➕ **criminal** 혱 범죄의 몡 범죄자

TIP crime / sin
» **crime** 몡 (주로 법률상의) 위법 행위, 범죄
» **sin** 몡 (종교나 도덕상의) 죄악
ex. the **crime** of robbery 강도죄
the **sin** of deceiving her 그녀를 속인 죄

commit a ....
죄를 범하다

0374 **decline**
[dikláin]

몡 감소; 쇠퇴   동 기울다; 감소하다; 거절하다

Across the Arctic, polar bear numbers are in **decline**.
모평 북극 전역에서 북극곰의 숫자가 .... 하고 있다.

a steady ....
in earnings
수입의 꾸준한 감소

0375 **martial**
[má:rʃəl]

혱 싸움의; 전쟁의; 군대의

He wants to learn the **martial** arts so he can defend
himself. **학평**
그는 스스로를 방어할 수 있도록 .... 술을 배우길 원한다.

.... music
군악

0376 **overall**
[óuvərɔ̀:l]

㽊 전반적으로   혱 전반적인; 전체의

We use more energy **overall** when we are running.
학평 우리는 달리고 있을 때 .... 더 많은 에너지를 사용한다.

the .... length
of a pole
장대의 전체 길이

0377 **appropriate**
[əpróupriət]

혱 적절한, 적당한

Please wear clothing **appropriate** for the weather
conditions. **학평**
날씨 상태에 .... 옷을 입으세요.

an .... example
적절한 예

➕ **appropriately** 㽊 적당하게, 알맞게
➖ **inappropriate** 혱 부적절한
🟰 **proper** 혱 적절한   **suitable** 혱 적절한

해석 완성 범죄 / 감소 / 무 / 전반적으로 / 적절한

진파 기출로 확인 ! 문맥에 맞도록 빈칸에 알맞은 단어를 고르시오. (대소문자 무시)   고3 학평

The above graph shows the change in the population of book readers between 2011 and 2012.
(1)_____, the percentage of book readers (2)_____ from 78% in 2011 to 75% in 2012.

① gathered   ② evolved   ③ declined   ④ overall   ⑤ appropriately

ANSWERS p.472

0378 bacteria
[bæktíəriə]

(명) 박테리아, 세균

Bottled water is permitted to contain certain amounts of any **bacteria**. 학평
병에 든 생수는 일정 양의 어떤 ....를 포함하는 것이 허용된다.

➕ **bacterium** (명) bacteria의 단수형
bacteria-free (형) 무균의

healthy gut ....
건강에 좋은 장내 박테리아

0379 divine
[diváin]

(형) 신성한; 신의

In the 17th century, hair itself was a means to communicate with **divine** spirits. 학평
17세기에, 머리카락 그 자체는 .... 영혼들과 의사소통할 수 있는 하나의 수단이었다.

➕ **divinity** (명) 신성(함)

a .... gift
신의 선물

0380 circumstance
[sə́ːrkəmstæns]

(명) 상황, 환경; 사건, 일

It is natural for words to change their meaning over time and with new **circumstances**. 학평
흐르는 시간과 새로운 ....에 따라 단어의 의미가 변하는 것은 당연하다.

in any circumstances 어떤 상황에서도

a fortunate ....
다행한 일

0381 metabolism
[mətǽbəlìzəm]

(명) 신진대사

Calorie restriction can cause your **metabolism** to slow down, and reduce energy levels. 학평
칼로리 제한은 ....의 속도를 늦추고 에너지 수준을 떨어뜨릴 수 있다.

boost one's ....
신진대사를 촉진시키다

0382 overcome
[òuvərkám]

(동) (-overcame-overcome) 극복하다; 이기다, 압도하다

To **overcome** this barrier, you must consider your audience's needs. EBS
이 장벽을 .... 위해 당신은 당신 관객들의 요구를 고려해야 한다.

.... difficulties
어려움을 극복하다

0383 registration
[rèdʒistréiʃən]

실용문

(명) 등록; 등기

Spaces are limited, so advance **registration** is required. 모평
공간이 제한되어 있어서 사전 ....이 필요합니다.

➕ **register** (동) 등록하다 (명) 기록부

fill out the ....
form
등록 양식을 작성하다

해석 완성 박테리아 / 신성한 / 환경 / 신진대사 / 극복하기 / 등록

0384 **tradition** □□
[trədíʃən]

[명] 전통, 관습

Tradition is a critical element that cannot be ignored in the creation of architecture. [학평]
...................은 건축의 창조에 있어서 무시될 수 없는 중대한 요소이다.

cultural ....
문화적 전통

0385 **variety** □□
[vəráiəti]

[명] 다양성; 갖가지

A diverse garden will become a habitat for a **variety** of bird species. [EBS]
다양한 정원은 .... 종의 새들의 서식지가 될 것이다.

[유] **diversity** [명] 다양성

a .... of patterns
갖가지 문양들

0386 **vary** □□
[vέəri]

[동] 변화를 주다; 다르다; 변하다

The growing seasons for tea in different geographic areas **vary** greatly. [학평]
각각 다른 지리적 지역에서 차의 성장 시기는 매우 ....

.... from the original
원본과 다르다

0387 **revenge** □□
[rivénʤ]

[명] 복수(심), 보복 [동] 복수하다

Just remember that living well is the best **revenge**.
잘 사는 것이 최고의 복수라는 것만 기억하라.

[TIP] **revenge / avenge**
» ~에게 복수하다 take (one's) **revenge** on somebody / **revenge** oneself on somebody / be **revenged** on somebody / **avenge** oneself on somebody
» ~에 대해 복수하다 **avenge** something (O) revenge something (X)

an act of ....
보복 행위

0388 **destroy** □□
[distrɔ́i]

[동] 파괴하다; 말살하다

The whole roof of our big shed had been lifted off and **destroyed** by the storm. [EBS]
그 폭풍에 우리의 큰 헛간의 지붕이 통째로 날아가고 ....

[파] **destruction** [명] 파괴; 파멸

.... hundreds of houses
수백 채의 집을 파괴하다

해석 완성 전통 / 다양한 / 다르다 / 파괴됐다

진짜 기출로 확인! 네모 안에서 문맥에 알맞은 단어를 고르시오. 고3 모평

The renewed interest in genetics has led to a growing awareness that there are many wild plants and animals with interesting or useful genetic properties that could be used for a (1) [vary / variety / tradition] of as-yet-unknown purposes. This has led in turn to a realization that we should avoid (2) [destroying / revenging / overcoming] natural ecosystems because they may harbor tomorrow's drugs against cancer, malaria, or obesity.

ANSWERS p.473

0389 ecosystem
[ékousìstəm]

(명) 생태계

Certain species are more crucial to the maintenance of their **ecosystem** than others. 모평
특정 종들은 다른 종들보다 자신들의 .... 유지에 더 결정적이다.

preserve the ....
생태계를 보존하다

0390 eliminate
[ilímənèit]

(동) 제거하다, 없애다; 탈락시키다

The rise of AI might **eliminate** the economic value and political power of most humans. 학평
인공지능의 번영은 대부분의 인간의 경제적 가치와 정치적 권력을 .... 수 있다.

➕ elimination (명) 제거; 예선

.... racism
인종 차별을 없애다

0391 estimate
(명)[éstəmit]
(동)[éstəmèit]

(명) 추정, 견적; 평가   (동) 추정하다, 견적하다

Instead of calculating the answer, take two or three seconds to make a rough **estimate**. 학평
답을 계산하는 대신에 2~3초 들여서 대략적인 ....을 해 보아라.

a written ....
견적서

0392 lease
[li:s]

(명) 임대차 (계약)   (동) 임대하다

We recently renewed our **lease** with plans to stay for another year. 학평
우리는 최근에 1년 더 머무를 계획으로 ....을 갱신했다.

take out a ....
on a house
주택에 대한 임대차 계약을 맺다

0393 ride
[raid]

(동) (–rode–ridden) 타다; 태우다   (명) 타고 가기

They **rode** their bicycles to school together that morning, as they usually did. 수능
그들은 그날 아침 평상시에 하던 대로 함께 자전거를 .... 등교했다.

offer a person a ....
~에게 태워다 주기로 제안하다

0394 satisfy
[sǽtisfài]

(동) 만족시키다; 충족시키다

We can use our resources to **satisfy** only some of our wants. 학평
우리는 우리 욕망의 일부만을 .... 위해 우리의 자원을 사용할 수 있다.

➕ satisfactory (형) 만족스러운
➖ dissatisfy (동) 불만을 품게 하다

.... all the
needs
모든 요구를 충족시키다

0395 scale
[skeil]

(명) 규모; 축척; 눈금; 저울

Direction, **scale**, etc. must be distorted somewhat to make it all fit neatly on the page. 학평
방향, ... 등은 그 페이지에 모두 깔끔하게 맞도록 어느 정도 왜곡되어야 한다.

on a large ....
대규모로

해석 완성 생태계 / 없앨 / 추정 / 임대차 계약 / 타고 / 충족시키기 / 축척

0396 worth
[wəːrθ]

(형) ~의[~할] 가치가 있는 (명) 가치

A moment's insight is sometimes **worth** a life's experience. 학평
순간의 통찰력은 때때로 일생의 경험의 ....

🔁 **worthless** (형) 가치 없는

a city .... visiting
방문할 가치가 있는 도시

0397 bias
[báiəs]

(명) 편견

Scientists should be careful to reduce **bias** in their experiments. 수능
과학자들은 그들의 실험에서 ....을 줄이도록 주의해야 한다.

🔁 **prejudice** (명) 편견

political ....
정치적 편견

0398 charity
[tʃǽrəti]
실용영문

(명) 자비; 자선 (행위); 자선 단체

We will be holding our school **charity** collection to help local students. 모평
우리는 지역 학생들을 돕기 위한 우리 학교 .... 기증품 모으기 행사를 열 예정입니다.

a .... for the homeless
노숙자들을 위한 자선 단체

0399 dependent
[dipéndənt]

(형) 의존하는; ~에 좌우되는

Humans are **dependent** on society for their survival. EBS 인간은 생존을 위해 사회에 ....

.... upon the weather
날씨에 좌우되는

0400 exceed
[iksíːd]
목적

(동) 넘다, 초과하다

The size of your image file cannot **exceed** 100 megabytes. 모평
이미지 파일의 크기는 100메가바이트를 .... 수 없습니다.

.... the speed limit
제한속도를 초과하다

해석 완성 가치가 있다 / 편견 / 자선 / 의존한다 / 초과할

진짜 기출로 확인! 밑줄 친 단어의 뜻을 문맥에 맞게 찾으시오.   19년 수능

Invasions of natural communities by non-indigenous species are currently rated as one of the most important global-(1)scale environmental problems. The loss of biodiversity has generated concern over the consequences for (2)ecosystem functioning and thus understanding the relationship between both has become a major focus in ecological research during the last two decades.

① 눈금   ② 규모   ③ 축척   ④ 생태계   ⑤ 편견

ANSWERS p.473

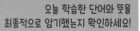
		check
0361 **gather**	동 모으다; (꽃·과실을) 따다	☐
0362 **threat**	명 위협, 협박	☐
0363 **authority**	명 권위; 권한; 허가; (pl.) 당국	☐
0364 **comment**	명 논평, 언급 동 논평하다; 해설하다	☐
0365 **evolve**	동 발전[전개]하다; 진화하다; 발전[진화]시키다	☐
0366 **subscribe**	동 정기구독하다	☐
0367 **profit**	명 이익, 수익 동 이익을 내다	☐
0368 **strike**	동 치다; 공격하다 명 타격; 동맹 파업	☐
0369 **tendency**	명 경향, 추세; 성향	☐
0370 **acquire**	동 얻다, 획득하다; 습득하다	☐
0371 **provoke**	동 유발하다; 도발하다	☐
0372 **anxiety**	명 걱정, 불안; 열망	☐
0373 **crime**	명 죄, 범죄; 범행	☐
0374 **decline**	명 감소; 쇠퇴 동 기울다; 감소하다; 거절하다	☐
0375 **martial**	형 싸움의; 전쟁의; 군대의	☐
0376 **overall**	부 전반적으로 형 전반적인; 전체의	☐
0377 **appropriate**	형 적절한, 적당한	☐
0378 **bacteria**	명 박테리아, 세균	☐
0379 **divine**	형 신성한; 신의	☐
0380 **circumstance**	명 상황, 환경; 사건, 일	☐

		check
0381 **metabolism**	명 신진대사	☐
0382 **overcome**	동 극복하다; 이기다, 압도하다	☐
0383 **registration**	명 등록; 등기	☐
0384 **tradition**	명 전통, 관습	☐
0385 **variety**	명 다양성; 갖가지	☐
0386 **vary**	동 변화를 주다; 다르다; 변하다	☐
0387 **revenge**	명 복수(심), 보복 동 복수하다	☐
0388 **destroy**	동 파괴하다; 말살하다	☐
0389 **ecosystem**	명 생태계	☐
0390 **eliminate**	동 제거하다, 없애다; 탈락시키다	☐
0391 **estimate**	명 추정, 견적; 평가 동 추정하다, 견적하다	☐
0392 **lease**	명 임대차 (계약) 동 임대하다	☐
0393 **ride**	동 타다; 태우다 명 타고 가기	☐
0394 **satisfy**	동 만족시키다; 충족시키다	☐
0395 **scale**	명 규모; 축척; 눈금; 저울	☐
0396 **worth**	형 ~의[~할] 가치가 있는 명 가치	☐
0397 **bias**	명 편견	☐
0398 **charity**	명 자비; 자선 (행위); 자선 단체	☐
0399 **dependent**	형 의존하는; ~에 좌우되는	☐
0400 **exceed**	동 넘다, 초과하다	☐

외우지 못한 단어가 있으면 MINI 단어장에서 다시 한번 정리해 보세요.

📖 가리개를 사용하여 뜻을 암기했는지 확인하세요.

DRILLS

0401 extend
[iksténd]

(동) 뻗다; 연장하다; 확장하다

He **extended** his arm above his head. 수능
그는 머리 위로 팔을 ....

➕ **extensive** (형) 폭넓은, 대규모의

.... a deadline
기한을 연장하다

0402 household
[háushòuld]

(명) 가족; 가구　(형) 가족의

Housework performed by members of the **household** is not included in the GDP. 학평
.... 세대원에 의해 행해진 집안일은 GDP(국내총생산)에 포함되지 않는다.

a large ....
대가족

0403 reaction
[riǽkʃən]

(명) 반응; 반작용

Human **reactions** are so complex that they can be difficult to interpret objectively. 학평
인간의 ....은 매우 다양해서 객관적으로 해석하기 어려울 수 있다.

the public ....
to the news
뉴스에 대한 대중의 반응

0404 release
[rilíːs]

(동) 풀어놓다; 석방하다　(명) 방출; 석방; 개봉[발표]

He picked up injured birds, then he healed them and then he **released** them from his hand. 학평
그는 다친 새들을 집어 들어서 치료한 후 그들을 손에서 ....

.... a prisoner
죄수를 석방하다

0405 survey
도표 (명)[sə́ːrvei]
(동)[səːrvéi]

(명) 조사; 측량　(동) 조사하다; 측량하다

The above graph shows the results of a **survey** conducted in 2012. 수능
위의 도표는 2012에 행해진 .... 결과를 보여 준다.

.... TV viewers
TV 시청자를 조사하다

> **TIP** survey / poll
> » **survey** (명) (여러 가지 질문에 대한 답변 요구가 가능한) 설문 조사
> » **poll** (명) (하나의 단순한 질문에 대해 답하는) 설문 조사

0406 trait
[treit]

(명) 특성, 특색, 특징

Many authors have implied that heritable **traits** are difficult or impossible to alter. EBS
많은 저술가들은 유전적 ....은 바꾸기 어렵거나 불가능하다고 암시해 왔다.

a national ....
국민성

해석 완성 뻗었다 / 가구 / 반응 / 놓아주었다 / 조사 / 특성

0407 valuable
[vǽljuəbl]

(형) 귀중한; 값비싼; 가치 있는　(명) (pl.) 귀중품

Language offers something more **valuable** than mere information exchange. 수능
언어는 단순한 정보의 교환보다 더 .... 것을 제공한다.

➕ **invaluable** (형) 값을 매길 수 없는, 대단히 귀중한(= priceless)
➖ **valueless** (형) 무가치한, 하찮은(= worthless)

.... jewelry
값비싼 보석류

0408 apparent
[əpǽrənt]

(형) 명백한; 겉보기의

Scientists have good evidence that this **apparent** difference is real. 수능
과학자들은 이 .... 차이가 실제라는 좋은 증거를 갖고 있다.

➕ **apparently** (부) 명백히; 겉보기에는
➡ **obvious** (형) 명백한　**seeming** (형) 겉보기의

an .... fact
명백한 사실

0409 award
[əwɔ́ːrd]
실용어휘

(동) 수여하다　(명) 상, 상품

A panel of judges will **award** the winner a $100 cash prize. 학평
심사위원단은 우승자에게 현금 100달러의 상금을 .... 것입니다.

win an ....
상을 받다

0410 decade
[dékeid]

(명) 10년

For **decades** my colleagues and I have studied happiness and the good life. 학평
수 .... 동안 나의 동료와 나는 행복과 좋은 생활을 연구해 왔다.

in the past ....
지난 10년 동안

0411 trend
[trend]

(명) 경향, 추세; 유행　(동) 향하다

He attributes this **trend** directly to the influence of television crime dramas. 학평
그는 이러한 .... 을 바로 텔레비전 범죄 드라마의 영향 탓으로 돌렸다.

➕ **trendy** (형) 유행을 따르는

the .... of public opinion
여론의 추세

0412 adapt
[ədǽpt]

(동) 적응시키다; 순응[적응]하다; 각색하다

Impalas have the ability to **adapt** to different environments of the savannas. 학평
임팔라는 대초원의 갖가지 환경에 .... 수 있는 능력이 있다.

➕ **adaptability** (명) 적응성　**adaptive** (형) 적응할 수 있는

.... to the new system
새로운 시스템에 적응하다

해석 완성 가치 있는 / 명백한 / 수여할 / 십 년 / 경향 / 적응할

| | | 20 | 30 | 40 | 50 |

0413 aggressive
[əgrésiv]

(형) 침략적인; 공격적인; 적극적인

Basking sharks are not **aggressive** and generally harmless to people. 학평
돌묵상어는 .... 않고 대체로 사람들에게 해롭지 않다.

➕ **aggression** (명) 공격, 침략
➕ **defensive** (형) 방어적인

an .... war
침략 전쟁

0414 beat
[biːt]
심장

(동) (-beat-beaten) 치다; 이기다; (심장이) 뛰다
(명) 때리기; (심장) 고동

My heart **beat** quickly and my face became reddish.
수능 내 심장은 빠르게 .... 얼굴은 빨개졌다.

.... a drum
북을 치다

0415 department
[dipάːrtmənt]

(명) 부, 부서; 학과

I work in the accounting **department**. EBS
나는 경리..................에서 일한다.

TIP **department** 관련 표현
» **department store** 백화점
» **the Education Department** 교육부
» **the literature department** 문학부[과]

the personnel ....
인사부

0416 era
[íərə]

(명) 기원; 연대, 시대, 시기

Fashions from the Victorian **era** do not appear cool or fashionable now, no matter who wears them. EBS
빅토리아 ....의 패션은 누가 입든 지금은 멋지거나 유행처럼 보이지 않는다.

the end of an ....
한 시대의 끝

0417 distribute
[distríbjuːt]

(동) 나누어 주다; 배포하다; 유통시키다

We will **distribute** the food to our neighbors on Christmas Eve. 수능
우리는 크리스마스이브에 이웃들에게 음식을 .... 것입니다.

➕ **distribution** (명) 분배; 배포; 유통

.... brochures
소책자를 배포하다

해석 완성 공격적이지 / 뛰고 / 부 / 시대 / 나누어 줄

진짜 기출로 확인! 네모 안에서 문맥에 알맞은 단어를 고르시오. 고3 학평

However, the human body has evolved over time in environments of food scarcity; hence, the ability to store fat efficiently is a (1) valuable / valueless / aggressive physiological function that served our ancestors well for thousands of years. Only in the last few (2) surveys / awards / decades , in the primarily industrially developed economies, has food become so plentiful and easy to obtain as to cause fat-related health problems.

ANSWERS p.473

0418 **gradual**
□□
[grǽdʒuəl]

(형) 점진적인; (경사가) 완만한

The gradients between the environments of different areas of ocean water mass are very **gradual**. (학평)
각각 다른 지역에서의 해수 환경의 변화도는 매우 ....

➕ **gradually** (부) 서서히

a .... change
점진적인 변화

0419 **label**
□□
[léibəl]

(명) 라벨, 꼬리표 (동) 라벨을 붙이다

A snack with the **label** "99% natural" seems more appealing than it would if **labeled** "1% unnatural." (학평)
'99% 천연'이라는 ....이 붙은 간식은 '1% 천연이 아님'이라고 .... 것보다 더 매력적으로 보인다.

TIP label / tag
» label (명) (종이 등에 물건에 대한 정보를 붙인) 표
» tag (명) (어떤 표시를 하기 위해 붙인) 표
ex. an address **label** 주소표 / a name **tag** 이름표

put a .... on one's suitcase
~의 여행 가방에 라벨을 붙이다

0420 **status**
□□
[stéitəs]

(명) 상태, 정세; 지위, 신분

Minorities tend not to have much power or **status**.
(수능) 소수 집단은 많은 권력이나 ....를 갖지 못하는 경향이 있다.

social ....
사회적 지위

0421 **announce**
□□
[실] [ənáuns]

(동) 알리다, 발표하다; 공고하다

We will **announce** the winners of this year's contest on August 15, 2015. (모평)
저희는 2015년 8월 15일에 올해의 대회 우승자를 .... 것입니다.

➕ **announcement** (명) 알림, 발표   **announcer** (명) 아나운서

.... one's engagement
~의 약혼을 발표하다

0422 **affirm**
□□
[əfə́:rm]

(동) 확인하다, 단언하다; 확인하다

In much of social science, evidence is used only to **affirm** a particular theory. (수능)
대부분의 사회과학에서, 증거는 특정한 이론을 .... 위해서만 사용된다.

➕ **affirmation** (명) 확언, 단언   **affirmative** (형) 긍정하는, 동의하는

.... the innocence of the accused
피고의 결백을 확인하다

0423 **physical**
□□
[fízikəl]

(형) 육체[신체]의; 물질적인; 물리의

Most overeating is prompted by feelings rather than **physical** hunger. (모평)
대부분의 과식은 .... 배고픔보다는 기분에 의해 촉발된다.

➖ **mental** (형) 마음의   **spiritual** (형) 정신적인, 영적인

.... fitness
신체적 건강

해석 완성 점진적이다 / 라벨, 라벨이 붙은 / 지위 / 발표할 / 확인하기 / 육체적

0424 colony
[kάləni]

(명) 식민지; (동·식물) 군집

Ant **colonies** have their own personalities, which are shaped by the environment. 학평
개미 ....은 주변 환경에 의해 형성된 그들만의 성격을 지닌다.

➕ colonial (형) 식민지의; 군락의

a _____ of France
프랑스의 식민지

0425 creature
[kríːtʃər]

(명) 피조물; 생물; 동물

Both mammals and birds are noisy **creatures**. 학평
포유류와 조류 둘 다 시끄러운 ....이다.

➕ creation (명) 창조, 창작

a sea _____
바다 생물

0426 crop
[krɑp]

(명) 수확; 농작물 (동) 수확하다; 심다

As temperatures rise further, regions such as Africa will face declining **crop** yields. 학평
온도가 더욱 올라감에 따라 아프리카 같은 지역들은 ....
수확량 감소에 직면할 것이다.

an abundant _____
풍부한 수확

0427 dominate
[dάmənèit]

(동) 지배하다; 억누르다; 우세하다

Males **dominated** hunting, war, and heavy labor because of their natural upper-body strength. EBS
남자들은 타고난 상체의 힘 덕분에 사냥, 전쟁 그리고 힘든 노동에
....

➕ domination (명) 지배; 우월 dominant (형) 지배적인; 우세한

_____ the conversation
대화를 지배하다

0428 embarrassed
[imbǽrəst]

심경

(형) 당혹스러운, 난처한

He was a little **embarrassed** by all this ceremony. 학평
그는 이 모든 의식에 약간 ....했다.

➕ embarrassment (명) 당황, 곤혹

TIP embarrassed / ashamed
» embarrassed (형) (실수를 했거나 어색한 상황이) 당혹스러운
» ashamed (형) (의도적으로 한 잘못에) 부끄러워하는

_____ by the mistake
그 실수에 당혹스러운

해석 완성 군집 / 동물 / 농작물 / 우세했다 / 당혹스러워

진짜 기출로 확인! 밑줄 친 단어의 뜻을 문맥에 맞게 찾으시오. 고3 모평

This (1)crop is harvested throughout the year and thus requires more than its fair share of water. The economic (2)status of the crop ensures that water rights can be bought or bribed away from subsistence crops.

① 생물 ② 농작물 ③ 군집 ④ 지위 ⑤ 꼬리표

ANSWERS p.473

0429 identical
[aidéntikəl]

(형) 동일한, 똑같은; 일란성의

Identical twins almost always have the same eye color. 학평
.... 쌍둥이는 거의 항상 같은 눈 색깔을 갖고 있다.

the .... person
동일한 사람

0430 initial
[iníʃəl]

(형) 처음의, 초기의   (명) 첫 글자

Sure, the **initial** pain will be larger, but the total amount of agony over time will be lower. 학평
물론, ... 고통은 더 커질 것이지만 고통의 총량은 시간이 지남에 따라 낮아질 것이다.

🔁 **initially** (부) 처음에

an .... payment
첫 지불금

0431 intend
[inténd]

(동) 의도하다, ~할 작정이다

We are mostly doing what we **intend** to do, even though it's happening automatically. 학평
그 일이 자동적으로 일어나더라도 우리는 대부분 우리가 하려고 .... 일을 하고 있다.

🔁 **intentional** (형) 의도적인, 고의의

.... to leave here
이곳을 떠날 작정이다

0432 journal
[dʒə́:rnəl]

(명) 일지; 신문; 잡지; 정기 간행물

Usually, an article for publication in a scholarly **journal** is produced for a specific audience. 학평
대개, 학술적인 .... 에서 출판을 위한 논문은 특정 독자를 위해 제작된다.

🔁 **journalism** (명) 저널리즘, 신문 잡지업
journalist (명) 저널리스트, 기자

a medical ....
의학 잡지

0433 reject
[ridʒékt]

(동) 거절하다, 거부하다

She was later invited to meet Adolf Hitler but she **rejected** the offer on political grounds. 학평
그녀는 나중에 Adolf Hitler를 만나도록 초대되었지만 정치적인 이유로 그 제의를 ....

.... a suggestion
제안을 거부하다

0434 target
[tá:rgit]

(명) 과녁; 목표; 대상   (동) 목표로 삼다

What happens when the only available comparison **target** we have is superior than we are? 모평
우리가 가진 유일하게 비교 가능한 비교 .... 이 우리보다 우월한 경우 어떤 일이 생길까?

TIP target / goal
» **target** (명) (보통 회사나 공식 기관이 판매량 등의 수치나 날짜의 형태로 설정하는 공식적) 목표
» **goal** (명) (보통 사람의 일생을 통한 경력이나 기업의 장기적인) 계획

miss the ....
과녁을 벗어나다

해석 완성 일란성 / 초기의 / 의도하는 / 잡지 / 거절했다 / 대상

0435 **pottery** □□ [pátəri]	(명) 도기; 도기 제조법 **Pottery** Studio will be traveling to our school for a fun family event of **pottery** painting! 학평 _____ 스튜디오는 _____ 에 그림을 그리는 즐거운 가족 행사를 위해 우리 학교로 이동할 것입니다!	handmade _____ pieces 수제 도기 작품들
0436 **additional** □□ [ədíʃənəl]	(형) 추가의, 부가적인 You can bring one **additional** guest other than parents. EBS 당신은 부모님 외에 한 명의 _____ 손님을 데려올 수 있습니다.	an _____ charge 추가 요금
0437 **agricultural** □□ [ægrikÁltʃərəl]	(형) 농업의, 경작의 With the introduction of improved **agricultural** equipment, there is less need for male muscular strength. 학평 개선된 _____ 기계의 도입으로, 남성의 근력이 덜 요구된다. ➕ agriculture (명) 농업; 농사	_____ products 농산물
0438 **complain** □□ 목적 [kəmpléin]	(동) 불평하다; 호소하다 Many of my apartment neighbors also seriously **complain** about this noise. 수능 우리 아파트 이웃들 다수 또한 이 소음에 대해 심하게 _____ . ➕ complaint (명) 불평	_____ about high prices 높은 물가에 대해 불평하다
0439 **edit** □□ [édit]	(동) 편집하다 (명) 편집 He significantly improved Greek texts and **edited** four plays written by Euripides. 모평 그는 그리스어로 된 원문을 상당히 개선했고, Euripides가 쓴 희곡 네 편을 _____ . ➕ edition (명) (간행물의) 판(版) editor (명) 편집자; 편집장	_____ a film 영화를 편집하다
0440 **enable** □□ [inéibl]	(동) ~할 수 있게 하다; 가능하게 하다 This will **enable** me to perform better at my work. 모평 이것은 내 업무에서 내가 더 잘 수행_____ 것이다.	_____ easier access 더 편한 접근을 가능하게 하다

해석 완성 도기, 도기 / 추가 / 농(업) / 불평합니다 / 편집했다 / 할 수 있게 할

진짜 기출로 확인! 우리말과 일치하도록 빈칸에 알맞은 단어를 고르시오. 고3 모평

In almost every case, the safer alternative is available at a comparable cost. Industry may (1)_____ these facts and (2)_____ about the high cost of acting, but history sets the record straight.
(거의 모든 경우에 더 안전한 대안이 비슷한 비용으로 이용될 수 있다. 업계는 이러한 사실을 거부하고 높은 실행 비용에 대해 불평할지도 모르지만, 역사가 기록을 바로잡는다.)

① edit   ② enable   ③ intend   ④ complain   ⑤ reject

ANSWERS p.473

3-Minute Check

오늘 학습한 단어와 뜻을
최종적으로 암기했는지 확인하세요!

		check
0401 **extend**	(동) 뻗다; 연장하다; 확장하다	
0402 **household**	(명) 가족; 가구 (형) 가족의	
0403 **reaction**	(명) 반응; 반작용	
0404 **release**	(동) 풀어놓다; 석방하다 (명) 방출; 석방; 개봉[발표]	
0405 **survey**	(명) 조사; 측량 (동) 조사하다; 측량하다	
0406 **trait**	(명) 특성, 특색, 특징	
0407 **valuable**	(형) 귀중한; 값비싼; 가치 있는 (명) (pl.) 귀중품	
0408 **apparent**	(형) 명백한; 겉보기의	
0409 **award**	(동) 수여하다 (명) 상, 상품	
0410 **decade**	(명) 10년	
0411 **trend**	(명) 경향, 추세; 유행 (동) 향하다	
0412 **adapt**	(동) 적응시키다; 순응[적응]하다; 각색하다	
0413 **aggressive**	(형) 침략적인; 공격적인; 적극적인	
0414 **beat**	(동) 치다; 이기다; (심장이) 뛰다 (명) 때리기; (심장) 고동	
0415 **department**	(명) 부, 부서; 학과	
0416 **era**	(명) 기원; 연대, 시대, 시기	
0417 **distribute**	(동) 나누어 주다; 배포하다; 유통시키다	
0418 **gradual**	(형) 점진적인; (경사가) 완만한	
0419 **label**	(명) 라벨, 꼬리표 (동) 라벨을 붙이다	
0420 **status**	(명) 상태, 정세; 지위, 신분	

		check
0421 **announce**	(동) 알리다, 발표하다; 공고하다	
0422 **affirm**	(동) 확언하다, 단언하다; 확인하다	
0423 **physical**	(형) 육체[신체]의; 물질적인; 물리의	
0424 **colony**	(명) 식민지; (동·식물) 군집	
0425 **creature**	(명) 피조물; 생물; 동물	
0426 **crop**	(명) 수확; 농작물 (동) 수확하다; 심다	
0427 **dominate**	(동) 지배하다; 억누르다; 우세하다	
0428 **embarrassed**	(형) 당혹스러운, 난처한	
0429 **identical**	(형) 동일한, 똑같은; 일란성의	
0430 **initial**	(형) 처음의, 초기의 (명) 첫 글자	
0431 **intend**	(동) 의도하다, ~할 작정이다	
0432 **journal**	(명) 일지; 신문; 잡지; 정기 간행물	
0433 **reject**	(동) 거절하다, 거부하다	
0434 **target**	(명) 과녁; 목표; 대상 (동) 목표로 삼다	
0435 **pottery**	(명) 도기; 도기 제조법	
0436 **additional**	(형) 추가의, 부가적인	
0437 **agricultural**	(형) 농업의, 경작의	
0438 **complain**	(동) 불평하다; 호소하다	
0439 **edit**	(동) 편집하다 (명) 편집	
0440 **enable**	(동) ~할 수 있게 하다; 가능하게 하다	

외우지 못한 단어가 있으면 미니 단어장에서 다시 한번 정리해 보세요.

📖 가리개를 사용하여 뜻을 암기했는지 확인하세요.

DRILLS

0441 **excel**
[iksél]

동 ~보다 낫다; 뛰어나다

She never **excelled** at school or sports. 모평
그녀는 결코 학업이나 운동에 .... 않았다.

➕ **excellence** 명 우수, 탁월   **excellent** 형 우수한

.... in math
수학에 뛰어나다

0442 **exhibit**
[igzíbit]

동 전시[진열]하다; 보이다   명 전시(품)

She was forbidden to **exhibit** her artwork in Germany.
학평 그녀는 독일에서 자신의 미술품을 .... 것이 금지되었다.

➕ **exhibition** 명 전시; 전시회

.... Monet's
paintings
Monet의 그림을 전시하다

0443 **favor**
[féivər]

동 호의를 보이다; 편들다   명 호의; 친절; 부탁

They were successful and happy, and events in their
lives seemed to **favor** them. 학평
그들은 성공적이었고 행복했으며, 삶에서의 사건들이 그들을
.... 것 같았다.

ask a .... of you
당신에게 부탁을 하다

0444 **generation**
[dʒènəréiʃən]

명 세대, 대; 발생

Prejudice are passed along from **generation** to
generation in a process known as cultural
transmission. EBS
편견은 문화적 전승이라고 알려진 과정에서 ....에서
...............로 전해진다.

electricity ....
전기 발생

0445 **height**
[hait]

명 높이, 고도; 키

Floor lightness made no difference to estimates of
ceiling **height**. 학평
마루의 밝기는 천장 ....의 추정에 차이를 주지 않았다.

➕ **heighten** 동 높이다; 높아지다

TIP 수치 표현
» **length** 명 길이; 세로   » **width** 명 폭, 너비
» **depth** 명 깊이   » **weight** 명 무게

the average ....
of the players
선수들의 평균 키

0446 **isolate**
[áisəlèit]

동 고립시키다, 격리하다

Whatever you do, don't **isolate** yourself. EBS
당신이 무엇을 하든, 당신 자신을 .... 마세요.

➕ **isolation** 명 고립, 격리

.... dangerous
criminals from society
위험한 범죄자들을 사회로부터
격리하다

해석 완성 뛰어나지 / 전시하는 / 편드는 / 세대, 세대 / 높이 / 고립시키지

0447 organism
[ɔ́ːrɡənìzəm]

(명) 유기체; 생물, 미생물

Food intake is essential for the survival of every living **organism**. 수능

음식 섭취는 모든 살아 있는 ....의 생존에 필수적이다.

the social ....
사회 유기체

0448 origin
[ɔ́rədʒin]

(명) 기원, 근원; 출신

To understand a person's behavior, we must know something about that person's **origins**. 학평

어떤 사람의 행동을 이해하기 위해 우리는 그 사람의 ....에 관한 것을 알아야 한다.

➕ **original** (형) 최초의, 근원의; 독창적인　**originality** (명) 독창성
originate (동) 비롯하다, 유래하다

the .... of life
생명의 기원

0449 praise
[preiz]

(명) 칭찬, 찬양　(동) 칭찬하다

Praise is the driving force of success. 학평

............은 성공의 원동력이다.

➕ **praiseworthy** (형) 칭찬할 만한
🟰 **compliment** (명) 칭찬 (동) 칭찬하다

.... the music highly
그 음악을 대단히 칭찬하다

0450 program
[próuɡræm]

(명) 프로그램; 계획(표)　(동) 프로그램을 짜다

We offer a free educational **program**, "Observatory Nights." 모평

저희는 '천문대의 밤'이라는 무료 교육 ....을 제공합니다.

a training ....
훈련 계획

0451 vote
[vout]

(동) 투표하다; 표결하다　(명) 투표; 표

She was the only legislator to **vote** against entry into World War II. 학평

그녀는 제2차 세계대전 참전의 반대에 .... 유일한 의원이었다.

vote in favor of ~에 찬성 투표를 하다
gain a majority vote 과반수의 표를 얻다

.... for[against] the candidate
그 후보자에게 찬성[반대] 투표하다

0452 convey
[kənvéi]

(동) (생각 등을) 전달하다; 운반하다

Our voice is a very subtle instrument and can **convey** every shade and nuance. 학평

우리의 목소리는 매우 미묘한 도구이고 모든 음영과 뉘앙스를 .... 수 있다.

.... hot water from the boiler
보일러에서 뜨거운 물을 운반하다

해석 완성 유기체 / 출신 / 칭찬 / 프로그램 / 투표한 / 전달할

0453 defend
[difénd]

동 방어하다, 지키다; 수비하다; 변호하다

He wants to learn the martial arts so he can **defend** himself. 학평
그는 자신을 .... 위해 무술을 배우기를 원한다.

➕ defensive 형 수비적인; 방어의   defendant 명 피고인

.... a city against an attack
공격으로부터 도시를 지키다

0454 exchange
[ikstʃéindʒ]

명 교환; 환전   동 교환하다, 바꾸다

True dialogue is more than the mere **exchange** of ideas. EBS
진정한 대화는 단순한 생각의 .... 이상의 것이다.

.... gifts
선물을 교환하다

0455 graduate
내용일치
동 [grǽdʒuèit]
명 [grǽdʒuət]

동 졸업하다   명 졸업자

He **graduated** from Harvard College in 1939. 학평
그는 1939년에 하버드 대학을 ....

➕ graduation 명 졸업

.... from high school
고등학교를 졸업하다

0456 glacier
[gléiʃər]

명 빙하

Fly among the peaks of the Alaska Range with fantastic views and soar over the **glaciers**. 학평
환상적인 경치를 자랑하는 알래스카 산맥의 봉우리 사이를 날아다니며 .... 위를 날아올라라.

➕ glacial 형 빙하의; 빙하기의

the longest valley ....
가장 긴 계곡 빙하

0457 perspective
[pərspéktiv]

명 전망; 관점; 원근법   형 원근법의

This opportunity will be great for developing a global **perspective**. 모평
이 기회는 세계적 .... 을 개발하기에 좋을 것입니다.

🟰 prospect 명 전망   viewpoint 명 관점

from a different ....
다른 관점에서

해석 완성 방어하기 / 교환 / 졸업했다 / 빙하 / 관점

진짜 기출로 확인! 우리말과 일치하도록 빈칸에 알맞은 단어를 고르시오.   16년 수능

They may blame us for our wasteful ways, but they can never collect on our debt to them. We act as we do because we can get away with it: future (1)_____ do not (2)_____; they have no political or financial power; they cannot challenge our decisions.
(그들은 우리가 낭비한 방식에 대해서 우리를 비난할지 모르지만 그들은 결코 그들에 대한 우리의 빚 위에서는 모을 수 없다. 우리는 그것을 모면할 수 있기 때문에 우리가 하는 대로 행동한다. 미래 세대는 투표하지 않는다. 그들은 정치적 혹은 경제적 힘을 갖고 있지 않다. 그들은 우리의 결정에 도전할 수 없다.)

① vote   ② exhibit   ③ graduates   ④ defend   ⑤ generations

ANSWERS p.473

0458 phenomenon
[finá-mənàn]

(명) 현상; 경이로운 사람[것]

Like war, migration is an ancient **phenomenon** and very common throughout history. 학평
전쟁과 마찬가지로, 이주는 아주 오래된 ....이고, 역사를 통틀어 매우 흔하다.

➕ **phenomena** (명) phenomenon의 복수형
phenomenal (형) (자연) 현상의; 경이로운

a natural ....
자연 현상

0459 refer
[rifə́:r]

(동) 참조하다; 언급하다; 가리키다

Duration **refers** to the time that events last. 수능
기간은 일이 지속되는 시간을 ....

➕ **reference** (명) 참조; 언급 (대상)

.... to a dictionary
사전을 참조하다

0460 regular
[régjələr]

(형) 규칙적인; 정기적인; 정규의

Children need **regular** bedtimes and familiar foods. 학평
아이들은 .... 취침 시간과 익숙한 음식이 필요하다.

➕ **regularly** (부) 규칙적으로   **regularity** (명) 규칙적임
➖ **irregular** (형) 불규칙적인; 비정규의

.... breathing
규칙적인 호흡

0461 anticipate
[æntísəpèit]

(동) 예상하다, 기대하다

We can **anticipate** that personal growth and performance will progress faster in young. 모평
우리는 개인의 성장과 성과가 젊을 때 더 빨리 진척될 것으로 .... 수 있다.

➕ **anticipation** (명) 예상, 기대

.... a victory
승리를 예상하다

0462 appeal
[əpí:l]

(동) 호소하다; 간청하다; 흥미를 끌다   (명) 호소; 간청; 매력

The producer decided that her beautiful voice would **appeal** to Americans, regardless of her race. EBS
그 제작자는 그녀의 아름다운 목소리가 그녀의 인종에 관계없이 미국인들의 .... 것으로 판단했다.

.... to the public
여론에 호소하다

0463 calculate
[kǽlkjəlèit]

(동) 계산하다; 추정하다

The overall loss for historians is hard to **calculate**, but tragically sad. EBS
역사가들의 전체적 손실은 .... 힘들지만 비극적으로 슬프다.

➕ **calculation** (명) 계산; 추정   **calculator** (명) 계산기

.... the cost of a journey
여행 비용을 계산하다

해석 완성 현상 / 가리킨다 / 규칙적인 / 기대할 / 흥미를 끌 / 계산하기

0464 □□ **confidence** [kάnfidəns]

[명] 신뢰; 자신(감); 확신

Repetition of experience helps them build **confidence**. [학평]
경험의 반복은 그들이 ....을 기르는 것을 돕는다.

have confidence in ~을 신뢰하다

act with ....
자신감을 가지고 행동하다

0465 □□ **entertain** [èntərtéin]

[동] 대접하다; 즐겁게 하다

Composers should do more than **entertain** audience. [학평] 작곡가들은 청취자를 .... 것 이상을 해야 한다.

[+] **entertainment** [명] 대접; 오락; 연예
entertainer [명] 연예인, 엔터테이너

.... guests
손님들을 대접하다

0466 □□ **insight** [ínsàit]

[명] 통찰, 통찰력

Insight is actually the result of ordinary analytical thinking. [모평]
..................은 사실 평범한 분석적 사고의 결과이다.

a writer of great ....
통찰력이 탁월한 작가

0467 □□ **review** [rivjúː]

[명] 검토; 비평; 복습 [동] 비평하다; 복습하다

We may look for **reviews** and ratings of the latest movies. [학평]
우리는 최신 영화의 ....과 평점을 찾아볼지도 모른다.

.... today's lessons
오늘의 수업을 복습하다

0468 □□ [실용문] **admission** [ædmíʃən]

[명] 입장(료); 입학; 인정

Each ticket purchased allows one student free **admission** to the concert. [학평]
구매한 티켓 한 장당 학생 한 명에게 음악회에 무료 ....을 허락합니다.

.... to the museum
박물관 입장료

해석 완성 자신감 / 즐겁게 하는 / 통찰력 / 비평 / 입장

진짜 기출로 확인! 밑줄 친 단어의 뜻을 문맥에 맞게 찾으시오. 고3 학평

The above graph shows the average annual (1) <u>entertainment</u> expenditures of US urban and rural households in 2011. Of the five categories, urban households spent more on fees and (2) <u>admissions</u> and on audio and visual equipment and services than rural households, while rural households spent more than urban households in the other three categories.

① 비평 ② 오락 ③ 현상 ④ 통찰력 ⑤ 입장료

ANSWERS p.473

0469 citizen
[sítəzən]

몡 시민; 주민

Direct involvement of **citizens** was what had made the American Revolution possible. 모평
.................의 직접적인 개입이 미국 독립 혁명을 가능하게 만든 것이었다.

➕ citizenship 몡 시민권; 시민의 신분

an American ....
미국 시민

0470 colleague
[káli:g]

몡 동료; 동업자

This young person worked very hard and earned the respect of his **colleagues**. 학평
이 젊은 사람은 열심히 일했고 그의 ....의 존경을 얻었다.

TIP colleague / fellow
» colleague 몡 (같은 직장이나 직종에 종사하는 업무상의) 동료
» fellow 몡 (colleague보다 더 넓은 의미로 직장·학교·동아리 등 관심사나 상황이 비슷한) 동료

a .... who joined the team
팀에 들어온 동료

0471 deliver
[dilívər]

동 배달하다; (연설 등을) 하다; 분만하다

He was a professor invited to **deliver** a lecture at a local university. 학평
그는 지역 대학교에서 강의를 .... 초빙된 교수였다.

➕ delivery 몡 배달; 인도; 분만

.... letters
편지를 배달하다

0472 display
[displéi]

몡 전시, 진열   동 진열[전시]하다; 드러내다

All winning posters will be on **display** in the City Hall.
학평 모든 수상 포스터는 시청에 .... 될 것입니다.

.... goods for sale
할인 제품을 진열하다

0473 facility
[fəsíləti]

몡 시설, 설비; 쉬움

The guests share **facilities** such as the pool, the restaurant, and the fitness center. EBS
손님들은 수영장, 식당, 헬스장 같은 ....을 함께 쓴다.

a new sports ....
새로운 스포츠 시설

0474 locate
[lóukeit]

동 ~의 위치를 찾다; (특정) 위치에 두다

The dormitories are **located** on the south end of campus. 학평
기숙사는 교정 남쪽 끝에 ....

➕ location 몡 위치, 장소

.... the capital in Seoul
수도를 서울에 두다

0475 objective
[əbdʒéktiv]

형 객관적인; 목적의   몡 목적, 목표

Science is a branch of knowledge which is systematic, testable, and **objective**. 학평
과학은 체계적이고, 시험할 수 있고, ... 지식 분야이다.

➕ objectivity 몡 객관성
➖ subjective 형 주관적인

the main ....
of the meeting
그 회의의 주된 목표

해석 완성 시민 / 동료 / 하도록 / 전시 / 시설 / 위치해 있다 / 객관적인

0476 post [poust]	(동) 우송하다; 게시하다 (명) 우편(물); 기둥, 푯말 The Internet is free space where anybody can **post** anything. (모평) 인터넷은 누구나 어떤 것이든 .... 수 있는 자유 공간이다.	hit a lamp .... 가로등 기둥을 들이받다
0477 pursue [pərsúː]	(동) 추구하다; 추적하다; 수행하다 Some people continue to **pursue** a goal even after years of frustration. (학평) 어떤 사람들은 심지어 수년의 실패 후에도 계속해서 목표를 .... ➕ **pursuit** (명) 추구; 추적	.... pleasure 쾌락을 추구하다
0478 recover [rikávər]	(동) 회복하다; 되찾다 Usually the immune system wins, and the person **recovers**. (학평) 보통 면역체계가 승리하고, 사람은 .... ➕ **recovery** (명) 회복; 회수	.... the stolen paintings 도난당한 그림을 되찾다
0479 sensitive [sénsətiv]	(형) 예민한; 섬세한; (주제 등이) 민감한 Artists are **sensitive** to changes of the environment. (EBS) 예술가들은 환경의 변화에 .... TIP 혼동하기 쉬운 단어 sensible / sensory » sensible (형) 분별 있는, 합리적인 ex. a **sensible** decision 합리적인 결정 » sensory (형) 감각의 ex. a **sensory** nerve 감각 신경	a .... ear 예민한 귀
0480 vehicle [víːikl]	(명) 탈것, 차량; 매개물 All **vehicles** must pass a safety inspection. (학평) 모든 .... 은 안전 점검을 통과해야 합니다. **해석 완성** 게시할 / 추구한다 / 회복한다 / 예민하다 / 차량	a motor .... 자동차

진짜 기출로 확인 ! 문맥에 맞도록 빈칸에 알맞은 단어를 고르시오.   20년 수능

Felix was studying science using a video (1)_____ on the school web site. He made an angry face at his naughty brother. Right then, Mom asked loudly from the kitchen, "What are you doing, Felix?" Felix's room was (2)_____ next to the kitchen, and he could hear Mom clearly.

① pursued   ② displayed   ③ posted   ④ located   ⑤ delivered

ANSWERS | p.473

3-Minute Check

			check
0441	**excel**	(동) ~보다 낫다; 뛰어나다	
0442	**exhibit**	(동) 전시[진열]하다; 보이다 (명) 전시(품)	
0443	**favor**	(동) 호의를 보이다; 편들다 (명) 호의; 친절; 부탁	
0444	**generation**	(명) 세대, 대; 발생	
0445	**height**	(명) 높이, 고도; 키	
0446	**isolate**	(동) 고립시키다, 격리하다	
0447	**organism**	(명) 유기체; 생물, 미생물	
0448	**origin**	(명) 기원, 근원; 출신	
0449	**praise**	(명) 칭찬, 찬양 (동) 칭찬하다	
0450	**program**	(명) 프로그램; 계획(표) (동) 프로그램을 짜다	
0451	**vote**	(동) 투표하다; 표결하다 (명) 투표; 표	
0452	**convey**	(동) (생각 등을) 전달하다; 운반하다	
0453	**defend**	(동) 방어하다, 지키다; 수비하다; 변호하다	
0454	**exchange**	(명) 교환; 환전 (동) 교환하다, 바꾸다	
0455	**graduate**	(동) 졸업하다 (명) 졸업자	
0456	**glacier**	(명) 빙하	
0457	**perspective**	(명) 전망; 관점; 원근법 (형) 원근법의	
0458	**phenomenon**	(명) 현상; 경이로운 사람[것]	
0459	**refer**	(동) 참조하다; 언급하다; 가리키다	
0460	**regular**	(형) 규칙적인; 정기적인; 정규의	

			check
0461	**anticipate**	(동) 예상하다, 기대하다	
0462	**appeal**	(동) 호소하다; 간청하다; 흥미를 끌다 (명) 호소; 간청; 매력	
0463	**calculate**	(동) 계산하다; 추정하다	
0464	**confidence**	(명) 신뢰; 자신(감); 확신	
0465	**entertain**	(동) 대접하다; 즐겁게 하다	
0466	**insight**	(명) 통찰, 통찰력	
0467	**review**	(명) 검토; 비평; 복습 (동) 비평하다; 복습하다	
0468	**admission**	(명) 입장(료); 입학; 인정	
0469	**citizen**	(명) 시민; 주민	
0470	**colleague**	(명) 동료; 동업자	
0471	**deliver**	(동) 배달하다; (연설 등을) 하다; 분만하다	
0472	**display**	(명) 전시, 진열 (동) 진열[전시]하다; 드러내다	
0473	**facility**	(명) 시설, 설비; 쉬움	
0474	**locate**	(동) ~의 위치를 찾다; (특정) 위치에 두다	
0475	**objective**	(형) 객관적인; 목적의 (명) 목적, 목표	
0476	**post**	(동) 우송하다; 게시하다 (명) 우편(물); 기둥; 푯말	
0477	**pursue**	(동) 추구하다; 추적하다; 수행하다	
0478	**recover**	(동) 회복하다; 되찾다	
0479	**sensitive**	(형) 예민한; 섬세한; (주제 등이) 민감한	
0480	**vehicle**	(명) 탈것, 차량; 매개물	

외우지 못한 단어가 있으면 **미니 단어장**에서 다시 한번 정리해 보세요.

Wrap Up

☑ANSWERS p.473

A 영어는 우리말로, 우리말은 영어로 쓰시오.

01	embarrassed	21	전통, 관습
02	anxiety	22	부, 부서; 학과
03	isolate	23	반응; 반작용
04	registration	24	신성한; 신의
05	initial	25	투표하다; 투표; 표
06	apparent	26	육체[신체]의; 물질적인
07	lease	27	추가의, 부가적인
08	tendency	28	죄, 범죄; 범행
09	agricultural	29	수여하다; 상, 상품
10	announce	30	과녁; 목표; 목표로 삼다
11	charity	31	제거하다; 탈락시키다
12	threat	32	10년
13	creature	33	신뢰; 자신(감); 확신
14	acquire	34	방어하다; 수비하다
15	regular	35	교환; 환전; 교환하다
16	origin	36	복수(심); 복수하다
17	gradual	37	예민한; 섬세한; 민감한
18	praise	38	편집하다; 편집
19	distribute	39	회복하다; 되찾다
20	pursue	40	침략적인; 공격적인

B 우리말과 일치하도록 빈칸에 알맞은 말을 쓰시오.

01 ....twins almost always have the same eye color.
→ 일란성 쌍둥이는 거의 항상 같은 눈 색깔을 갖고 있다.

02 The size of your image file cannot ....100 megabytes.
→ 이미지 파일의 크기는 100메가바이트를 초과할 수 없습니다.

03 He was a professor invited to ....a lecture at a local university.
→ 그는 지역 대학교에서 강의를 하도록 초빙된 교수였다.

04 Many of my apartment neighbors also seriously ....about this noise.
→ 우리 아파트 이웃들 다수 또한 이 소음에 대해 심하게 불평합니다.

05 To ....this barrier, you must consider your audience's needs.
→ 이 장벽을 극복하기 위해 당신은 당신 관객들의 요구를 고려해야 한다.

C 우리말과 일치하도록 빈칸에 알맞은 단어를 〈보기〉에서 골라 쓰시오.

보기				
enable	appeal	beat	valuable	decline

01 Across the Arctic, polar bear numbers are in ....
북극 전역에서 북극곰의 숫자가 감소하고 있다.

02 The producer decided that her beautiful voice would ....to Americans, regardless of her race.
그 제작자는 그녀의 아름다운 목소리가 그녀의 인종에 관계없이 미국인들의 흥미를 끌 것으로 판단했다.

03 My heart ....quickly and my face became reddish.
내 심장은 빠르게 뛰고 얼굴은 빨개졌다.

04 This will ....me to perform better at my work.
이것은 내 업무에서 내가 더 잘 수행할 수 있게 할 것이다.

05 Language offers something more ....than mere information exchange.
언어는 단순한 정보의 교환보다 더 가치 있는 것을 제공한다.

📖 가리개를 사용하여 뜻을 암기했는지 확인하세요.

0481 ☐☐ **accompany**
[əkʌ́mpəni]

동 ~와 동행하다; ~을 수반[동반]하다

Don invited Tom to **accompany** him to visit a thirteen-year-old boy in the hospital. 학평
Don은 Tom에게 병원에 있는 13세 소년을 방문하는 데 그와 .... 요청했다.

.... a friend on a walk
산책하러 친구와 동행하다

0482 ☐☐ **assess**
[əsés]

동 (재산 등을) 평가하다; (세금 등을) 부과하다

It is our policy at Northstar to **assess** employee performance and award raises annually. 학평
직원 성과를 .... 해마다 임금을 인상해 주는 것이 우리 Northstar의 방침입니다.

➕ **assessment** 명 평가(액); 부과

.... a tax on a person
~에게 세금을 부과하다

0483 ☐☐ **atmosphere**
[ǽtməsfiər]

명 대기; 분위기

Encourage parents to conduct reading sessions in a warm and positive **atmosphere**. EBS
부모들이 따뜻하고 긍정적인 ....에서 읽기 시간을 지도하도록 장려하라.

the upper ....
상층부 대기

0484 ☐☐ **chore**
[tʃɔːr]

명 (늘 하는) 일; 허드렛일

It was time to do the morning **chores**. 학평
아침의 ....을 할 시간이었다.

become a daily ....
일상적인 일이 되다

0485 ☐☐ **code**
[koud]

명 암호, 부호; 규약

Aesop used his fables to lead people toward a certain moral **code**. 학평
이솝은 사람들을 특정한 도덕 ....으로 이끌기 위해 그의 우화를 이용했다.

➕ **coding** 명 (컴퓨터) 부호화

break a ....
암호를 풀다

0486 ☐☐ **exclude**
[iksklúːd]

동 배제하다, 제외하다

You may worry about **excluding** other people if you write specifically for one individual. 학평
만약 당신이 특히 한 개인을 위해 글을 쓴다면 다른 사람들을 .... 것에 대해 걱정할지도 모른다.

➕ **exclusion** 명 배제   **exclusive** 형 배타적인; 독점적인

.... the possibility of error
실수의 가능성을 제외하다

해석 완성 동행해달라고 / 평가하고 / 분위기 / 허드렛일 / 규약 / 배제하는

0487 □□ **flavor** [fléivər]

[명] 맛, 풍미, 향미; 멋 [동] 맛을 내다

Strawberry ice cream tinted with red food coloring seems to have a stronger strawberry **flavor**. [모평]
빨간 식용 색소를 더한 딸기 아이스크림은 더 강한 딸기 ....이 나는 것 같다.

a sweet ....
단맛

0488 □□ **guilt** [gilt]

[명] 죄, 유죄; 죄책감

The key to this prisoner's freedom was the admission of his **guilt**. [모평]
이 죄수의 자유의 비결은 자신의 ....에 대한 인정이었다.

⊞ **guilty** [형] 유죄의; 죄책감이 드는
⇔ **innocence** [명] 무죄

prove one's ....
~의 유죄를 입증하다

0489 □□ **habitat** [hǽbətæ̀t]

[명] 서식지; 거주지

Since the 1980's, zoos have strived to reproduce the natural **habitats** of their animals. [모평]
1980년대 이후로 동물원들은 그들의 동물들의 자연 ....를 재현하려고 노력해 왔다.

⊞ **habitation** [명] 거주; 거주지 **habitant** [명] 주민; 거주자

a tropical ....
열대 서식지

0490 □□ **psychological** [sàikəládʒikəl]

[형] 심리학의; 심리[정신]적인

Environmental, physical, and **psychological** factors limit our potential. [학평]
환경적, 육체적, ... 요인들은 우리의 잠재력을 제한한다.

⊞ **psychology** [명] 심리학; 심리 **psychologist** [명] 심리학자

a bad .... effect
좋지 않은 심리적 영향

0491 □□ **academic** [æ̀kədémik]

[형] 학업의; 학문의; 학구적인

We wish you the best of luck in your **academic** career. [EBS]
우리는 당신의 .... 경력에 행운을 기원합니다.

⊞ **academy** [명] (특수 분야의) 학교; 학술원, 예술원

.... interest
학문적 관심

0492 □□ **assign** [əsáin]

[동] 할당하다; 선임하다; 지정하다

His job is to complete tasks **assigned** to him by someone else in the factory. [학평]
그의 일은 공장에서 다른 누군가에 의해 그에게 .... 과업을 완수하는 것이다.

assign A to B A를 B에 할당하다

⊞ **assignment** [명] 할당; 지정; 과제, 숙제

.... a person for a guard
~을 경비원으로 선임하다

해석 완성 맛 / 죄 / 서식지 / 심리적 / 학업적 / 할당된

0493 composition
[kàmpəzíʃən]

ⓝ 구성; 성분; 작곡; 작문

These great musicians generally did their **composition** mentally without reference to pen or piano. 모평
이 위대한 음악가들은 대개 펜이나 피아노와는 상관없이 마음속으로 ....을 했다.

the .... of air
공기의 성분

0494 confirm
[kənfɔ́:rm]

ⓥ 확실히 하다; 확인하다

Testing allows us not merely to **confirm** our theories but to weed out those that do not fit the evidence. 수능
실험은 단지 우리에게 이론을 .... 해 줄 뿐만 아니라 그 증거에 맞지 않는 것을 제거하게 해 준다.

.... a reservation
예약을 확인하다

0495 contrary
[kántreri]
빈칸

ⓐ ~와는 다른; 반대되는   ⓝ 반대(되는 것)

Secrecy is **contrary** to the best interests and spirit of science. 학평
비밀주의는 과학의 최선의 이익과 정신에 ....

on the ....
반대로

0496 delay
[diléi]

ⓥ 지연시키다; 미루다, 연기하다   ⓝ 지연; 연기

Illness or an accident can **delay** marriage or having a family. EBS
병이나 사고는 결혼이나 가족을 갖는 것을 .... 수 있다.

� **put off** ~을 미루다, 연기하다

.... departure
출발을 연기하다

0497 discourage
[diskɔ́:ridʒ]

ⓥ 좌절시키다; 단념시키다; 방해하다

The experience of failure would **discourage** students from future study. 학평
실패의 경험은 학생들에게 미래의 학습을 .... 것이다.

➕ **discouragement** ⓝ 낙담; 방해 (요소)

.... all attempts
모든 시도를 방해하다

해석 완성 작곡 / 확인하게 / 반대된다 / 지연시킬 / 좌절시킬

진짜 기출로 확인! 밑줄 친 단어의 뜻을 문맥에 맞게 찾으시오.   고3 학평

Usually, religious myths feature tales of supernatural beings that in various ways illustrate the society's ethical (1)code in action. Right actions earn the approval of the supernatural power which is recognized by a particular culture. Wrong actions may cause punishment through supernatural agencies. In short, by raising people's feelings of (2)guilt and anxiety about their actions, religion helps keep people in line.

① 죄   ② 암호   ③ 규약   ④ 지연   ⑤ 성분

ANSWERS p.474

0498
☐☐
제목 **gender**
[dʒéndər]

(명) 성, 성별

Why do we have **gender** roles in human society? 학평
인간 사회에는 왜 ⋯⋯⋯⋯⋯ 역할이 있는가?

➕ **gender-specific** (형) 한쪽 성에 국한된
gender-neutral (형) 성중립적인

⋯⋯⋯⋯⋯ discrimination
성 차별

0499
☐☐ **grant**
[grænt]

(동) 주다, 수여하다; 허가하다　(명) 수여; 허가; 보조금

Parents are commonly reluctant to **grant** their grown children equal footing with them as adults. 학평
부모들은 보통 자신의 성장한 자녀에게 부모와 동등한 성인으로서의 자격을 ⋯⋯⋯⋯⋯ 것을 꺼린다.

⋯⋯⋯⋯⋯ a degree
학위를 수여하다

0500
☐☐
주제 **ideal**
[aidíːəl]

(명) 이상(적인 것)　(형) 이상적인; 관념적인

There is an important difference between having an **ideal** and making a rule to live by. 학평
⋯⋯⋯⋯⋯을 갖는 것과 지키며 살아갈 규칙을 만드는 것 사이에는 중요한 차이가 있다.

➕ **idealize** (동) 이상화하다　**idealism** (명) 이상주의

⋯⋯⋯⋯⋯ beauty
이상적인 아름다움

0501
☐☐ **internal**
[intɔ́ːrnl]

(형) 내부의; 체내의; 내면적인; 국내의

Our **internal** body clocks can be readjusted by environmental cues. 모평
우리의 ⋯⋯⋯⋯⋯ 생체 시계는 환경적 신호에 의해 재조정될 수 있다.

➕ **internalize** (동) 내면화하다
↔ **external** (형) 외부의; 국외의
≒ **domestic** (형) 국내의

⋯⋯⋯⋯⋯ organs
체내 장기

0502
☐☐ **operate**
[ápərèit]

(동) 작동되다; 운용되다; 조작하다; 수술하다; 운용하다

I want to know how to **operate** my wireless speaker set. 학평
저는 제 무선 스피커 세트를 ⋯⋯⋯⋯⋯ 방법을 알고 싶습니다.

➕ **operation** (명) 작용; 조작; 수술; 경영

⋯⋯⋯⋯⋯ a hotel
호텔을 경영하다

0503
☐☐ **outcome**
[áutkʌ̀m]

(명) 결과, 성과

Think over all possible **outcomes** of a given situation. 모평
주어진 상황에 대한 모든 가능한 ⋯⋯⋯⋯⋯를 숙고해 보라.

≒ **result** (명) 결과, 성과　**consequence** (명) 결과

a successful ⋯⋯⋯⋯⋯
성공적인 결과

해석 완성 성 / 주는 / 이상 / 체내 / 조작하는 / 결과

0504 resident
[rézidənt]
목적

(명) 거주자, 주민   (형) 거주하는; 내재하는

We truly value and appreciate all of our **residents**, including those with pets. (학평)
저희는 애완동물을 기르는 분들을 포함하여 모든 _____ 을 진심으로 소중히 여기고 (그분들께) 감사드립니다.

➕ **residence** (명) 주거; 주택

_____ registration
주민 등록

0505 suppose
[səpóuz]

(동) 가정하다; 추측하다

Suppose someone gives you $100, and you buy a set of tires for your car. (학평)
누군가 당신에게 100달러를 주고 당신은 당신의 차를 위한 타이어 한 세트를 산다고 _____ 보라.

➕ **supposition** (명) 가정; 추측

_____ that it is true
그것이 진실이라고 가정하다

0506 urban
[ə́ːrbən]

(형) 도시의; 도시에 사는

In **urban** areas, green roofs provide wildlife habitat, even on the tops of tall buildings. (학평)
_____ 지역에서는, 심지어 고층 건물들 옥상에서도 녹색 지붕이 야생 생물에게 거주지를 제공한다.

🔄 **rural** (형) 시골의, 전원의

_____ development
도시 개발

0507 attach
[ətǽtʃ]
목적

(동) 붙이다, 첨부하다; 달라붙다

My resume is **attached** in case you are interested. (EBS) 혹시 관심이 있으시다면 제 이력서가 _____ 있습니다.

➕ **attachment** (명) 부착(물); 접촉; 애착

_____ a file
파일을 첨부하다

0508 board
[bɔːrd]

(동) 탑승하다   (명) 판자; 위원회

She **boarded** the plane, sank into her seat, and then sought her book. (학평)
그녀는 비행기에 _____ 의자에 털썩 앉아 그녀의 책을 찾았다.

TIP -board 관련 표현
» **blackboard** (명) 칠판   » **skateboard** (명) 스케이트보드
» **backboard** (명) (농구의) 백보드   » **cutting board** 도마

_____ of directors
이사회

해석 완성 주민 / 가정해 / 도시 / 첨부되어 / 탑승하여

진짜 기출로 확인 ! 문맥에 맞도록 빈칸에 알맞은 단어를 고르시오.   고3 학평

· The free shuttle bus service (1)_____ in our historic port city from Central Station to Marin Education Center via George Street.
· You can (2)_____ the bus at any stops that display the green shuttle logo.

① attach(es)   ② board(s)   ③ grant(s)   ④ operate(s)   ⑤ suppose(s)

ANSWERS p.474

0509 **cheer**
[tʃiər]

동 환호하다; 응원하다　명 환호; 응원; 활기

The crowds would jump up and wave their arms to **cheer** for him when he made a great play. 학평
그가 멋진 경기를 했을 때 관중들은 그를 .... 위해 뛰어올라 팔을 흔들곤 했다.

words of ....
응원의 말

0510 **client**
[kláiənt]

명 고객; 의뢰인

She was a **client** at my father's animal clinic. 학평
그녀는 나의 아버지의 동물 병원 ....이었다.

handle a ....
고객을 다루다

0511 **coast**
[koust]

명 해안, 연안

A coral barrier reef protects the **coast** from high sea tides. EBS
산호초는 만조로부터 ....을 보호한다.

➕ coastal 형 해안의

TIP **coast / beach**
» **coast** 명 (바닷가나 그 인근의 땅을 뜻하는) 해안
» **beach** 명 (모래나 작은 돌들이 있는) 바닷가

the south ....
of England
잉글랜드 남부 해안

0512 **credit**
[krédit]

동 신용하다; (공적을) ~에게 돌리다　명 신용; 명성; 학점

Inventions, ideas, and discoveries have been **credited** to the persons who originated them. 모평
발명, 사상, 발견은 그것을 창안한 사람의 .... 왔다.

a high .... rating
높은 신용 등급

0513 **criticize**
[krítisàiz]

동 비판하다; 비평하다

Compliment your employees rather than **criticize**. 학평
당신의 직원들을 ....보다는 칭찬하라.

➕ critical 형 비판적인; 대단히 중요한　criticism 명 비판; 비평

.... the government
정부를 비판하다

0514 **edge**
[edʒ]

명 가장자리; 날　동 날카롭게 하다; 서서히 나아가다

Rocks that are too close to the water's **edge** can be deceptively dangerous. 학평
물.......... 에 너무 가까이 있는 바위들은 보기와는 달리 위험할 수 있다.

the .... of a knife
칼날

0515 **equipment**
[ikwípmənt]

명 장비; 설비; 채비

Many of you have asked about what climbing **equipment** to buy. 모평
많은 분들이 어떤 등산 ....를 사야 하는지에 대해 문의하셨습니다.

heating ....
난방 설비

해석 완성 응원하기 / 고객 / 해안 / 공으로 돌려져 / 비판하기 / 가 / 장비

0516 **found** [faund]
[내용 일치]

[동] (-founded-founded) 설립[창설]하다

She got a job at an insurance firm and eventually **founded** her own website development company. [학평]
그녀는 보험 회사에 취직했고 결국 자신의 웹사이트 개발 회사를 ....

[+] foundation [명] 설립, 창설; 토대 founder [명] 설립자
[=] establish [동] 설립하다

.... a company
회사를 설립하다

0517 **frame** [freim]

[명] 뼈대; 틀; 체격 [동] 틀에 넣다; 틀을 잡다

Supplying the right **frame** of reference is a critical part of the task of writing. [모평]
적절한 참조의 ....을 제공하는 것은 글을 쓰는 일의 중대한 부분이다.

a window ....
창틀

0518 **instinct** [ínstiŋkt]

[명] 본능; 소질; 직감

Herding is an essential survival **instinct**. [EBS]
무리를 짓는 것은 필수적인 생존 ....이다.

by instinct 본능적으로

[+] instinctive [형] 본능적인; 직감의

a maternal ....
모성 본능

0519 **instrument** [ínstrəmənt]

[명] 기구, 도구; 악기; 수단

He educated himself about several musical **instruments**. [학평]
그는 몇 가지 ....를 독학했다.

a medical ....
의료 기구

0520 **intellectual** [ìntəléktʃuəl]

[형] 지적인; 지능을 요하는 [명] 지식인

The idea of protecting **intellectual** activity and creation has deep roots. [모평]
.... 활동과 창작을 보호하는 개념은 그 뿌리가 깊다.

[+] intellect [명] 지력; 지능; 지식인

.... curiosity
지적 호기심

해석 완성 설립했다 / 틀 / 본능 / 악기 / 지적인

진짜 기출로 확인! 네모 안에서 문맥에 알맞은 단어를 고르시오. 고3 모평

For example, the first step in servicing or installing equipment is talking with the (1) [credits / clients / intellectuals] to understand how they used the (2) [instinct / edge / equipment]. The same is true in selling. The salesperson first has to learn about the customer's needs.

ANSWERS p.474

3-Minute Check

오늘 학습한 단어와 뜻을
최종적으로 암기했는지 확인하세요!

		check
0481 accompany	동 ~와 동행하다; ~을 수반[동반]하다	☐
0482 assess	동 (재산 등을) 평가하다; (세금 등을) 부과하다	☐
0483 atmosphere	명 대기; 분위기	☐
0484 chore	명 (늘 하는) 일; 허드렛일	☐
0485 code	명 암호, 부호; 규약	☐
0486 exclude	동 배제하다, 제외하다	☐
0487 flavor	명 맛, 풍미, 향미; 멋 동 맛을 내다	☐
0488 guilt	명 죄, 유죄; 죄책감	☐
0489 habitat	명 서식지; 거주지	☐
0490 psychological	형 심리학의; 심리[정신]적인	☐
0491 academic	형 학업의; 학문의; 학구적인	☐
0492 assign	동 할당하다; 선임하다; 지정하다	☐
0493 composition	명 구성; 성분; 작곡; 작문	☐
0494 confirm	동 확실히 하다; 확인하다	☐
0495 contrary	형 ~와는 다른; 반대되는 명 반대(되는 것)	☐
0496 delay	동 지연시키다; 미루다, 연기하다 명 지연; 연기	☐
0497 discourage	동 좌절시키다; 단념시키다; 방해하다	☐
0498 gender	명 성, 성별	☐
0499 grant	동 주다, 수여하다; 허가하다 명 수여; 허가; 보조금	☐
0500 ideal	명 이상(적인 것) 형 이상적인; 관념적인	☐

		check
0501 internal	형 내부의; 체내의; 내면적인; 국내의	☐
0502 operate	동 작동되다; 운용되다; 조작하다; 수술하다; 운용하다	☐
0503 outcome	명 결과, 성과	☐
0504 resident	명 거주자, 주민 형 거주하는; 내재하는	☐
0505 suppose	동 가정하다; 추측하다	☐
0506 urban	형 도시의; 도시에 사는	☐
0507 attach	동 붙이다, 첨부하다; 달라붙다	☐
0508 board	동 탑승하다 명 판자; 위원회	☐
0509 cheer	동 환호하다; 응원하다 명 환호; 응원; 활기	☐
0510 client	명 고객; 의뢰인	☐
0511 coast	명 해안, 연안	☐
0512 credit	동 신용하다; (공적을) ~에게 돌리다 명 신용; 명성; 학점	☐
0513 criticize	동 비판하다; 비평하다	☐
0514 edge	명 가장자리; 날 동 날카롭게 하다; 서서히 나아가다	☐
0515 equipment	명 장비; 설비; 채비	☐
0516 found	동 설립[창설]하다	☐
0517 frame	명 뼈대; 틀; 체격 동 틀에 넣다; 틀을 잡다	☐
0518 instinct	명 본능; 소질; 직감	☐
0519 instrument	명 기구, 도구; 악기; 수단	☐
0520 intellectual	형 지적인; 지능을 요하는 명 지식인	☐

외우지 못한 단어가 있으면 미니 단어장에서 다시 한번 정리해 보세요.

DRILLS

0521 obtain
[əbtéin]

(동) 얻다

He was unable to **obtain** a teaching position in Berlin.
EBS 그는 베를린에서 교직을 .... 수 없었다.

.... information
정보를 얻다

0522 ashamed
[əʃéimd]

(형) 부끄러운; 딱하게 여기는

She felt **ashamed** to be looking at them. **수능**
그녀는 그들을 보고 있는 것이 .... 느껴졌다.

.... of one's
behavior
~의 행동이 부끄러운

0523 confident
[kánfidənt]

(형) 확신하는; 자신 있는

She became **confident** in her singing. **학평**
그녀는 자신의 노래에 .... 되었다.

.... of success
성공을 확신하는

TIP confident / sure
confident가 sure보다 더 강하고 확실한 뜻을 나타내어 긍정문에 더 흔히 쓰이고, sure는 약간의 불안이나 의심이 있어 부정문이나 의문문에 흔히 쓰인다.

0524 contract
(동)[kəntrǽkt]
(명)[kántrækt]

(동) 계약하다; 수축하다   (명) 계약(서)

The Sun is slowly getting brighter as its core **contracts** and heats up. **모평**
태양은 태양의 핵이 .... 가열되면서 서서히 더 밝아지고 있다.

a verbal ....
구두 계약

➕ contraction (명) 수축; 축소

0525 disaster
[dizǽstər]

(명) 재해; 재앙; 큰 실패

Some scientific discoveries often led to terrible **disasters** in human history. **학평**
어떤 과학적 발견들은 종종 인간 역사에서 끔찍한 ....으로 이어졌다.

a natural ....
자연 재해

➕ disastrous (형) 재해의; 비참한

0526 distinguish
[distíŋgwiʃ]

(동) 구별하다; 식별하다

Some languages only **distinguish** between two basic colors, black and white. **학평**
어떤 언어들은 기본적인 두 색상인 검은색과 하얀색만 ....

distinguish A from B A와 B를 구별하다

hard to ....
구별하기 어려운

해석 완성 얻을 / 부끄럽게 / 자신을 갖게 / 수축하고 / 재앙 / 구별한다

0527 **distract** [distrǽkt]

[동] (주의를) 흩뜨리다, 딴 데로 돌리다

Her attention was **distracted** by a rough, noisy quarrel taking place at the ticket counter. [학평]
매표구에서 일어난 거칠고 시끄러운 싸움에 그녀의 주의가 ....

[+] **distraction** [명] 주의 산만; 오락

.... one's attention from studying
~가 공부하는 데 주의를 흩뜨리다

0528 **examine** [igzǽmin]

[동] 검사[조사, 검토]하다; 시험하다; 진찰하다

Researchers **examined** 10 right-handed people with an injury of the upper right arm. [학평]
연구자들은 오른팔 윗부분에 부상을 입은 오른손잡이 10명을 ....

[+] **examination** [명] 조사, 검토; 시험

.... baggage
수화물을 검사하다

0529 **extent** [ikstént]

[명] 정도, 범위

Even genetic mutations are, to some **extent**, caused by environmental factors. [학평]
심지어 유전자 변이도 어느 ....는 환경적 요소에 기인한다.

to a certain extent 어느 정도까지
to a great[large] extent 대부분은, 크게

the .... of one's reading
~의 독서 범위

0530 **interact** [ìntərǽkt]

[동] 상호작용하다; 소통하다

Illustrations in picture books invite children to read and **interact** with text. [학평]
그림책의 삽화들은 아이들이 글을 읽고 글과 .... 이끈다.

[+] **interaction** [명] 상호작용 **interactive** [형] 상호작용하는

.... with each other
서로 상호작용하다

0531 **lecture** [léktʃər] [실용문]

[명] 강의, 강연; 훈계 [동] 강의하다

There will be a special **lecture** on astronomy. [모평]
천문학에 관한 특별 ....이 있을 것입니다.

give[deliver] a lecture 강의를 하다

a .... on modern art
현대 미술에 대한 강의

0532 **practical** [prǽktikəl]

[형] 실제적인; 실용적인

Solar energy can be a **practical** alternative energy source for us in the foreseeable future. [수능]
태양 에너지는 가까운 미래에 우리에게 .... 대체 에너지원이 될 수 있다.

[↔] **impractical** [형] 비실용적인 **theoretical** [형] 이론적인

.... knowledge
실용적인 지식

해석 완성 흩뜨려졌다 / 조사했다 / 정도 / 상호작용하도록 / 강연 / 실용적인

0533 **prey** [prei]

[명] 먹이; 희생자

Some kittens take a long time to become good at catching **prey**. [EBS]
어떤 새끼고양이들은 ....를 잡는 것에 능숙해지는 데 오랜 시간이 걸린다.

[TIP] 혼동하기 쉬운 단어 pray
» pray [동] 기도[기원]하다; 간청하다
ex. We **prayed** for peace. 우리는 평화를 기원했다.

in search of ....
먹이를 찾아서

0534 **relieve** [rilíːv]

[동] 완화시키다; 안심시키다; 구제하다

You can use herbal remedies via taste and smell to **relieve** seasickness. [학평]
당신은 뱃멀미를 .... 위해 미각이나 후각을 통한 허브 용법을 사용할 수 있다.

[+] **relief** [명] 완화; 안심; 구제

.... stress
스트레스를 완화시키다

0535 **breathe** [briːð]

[동] 호흡하다; (숨을) 들이마시다; (생기 등을) 불어 넣다

Have you ever wondered what it's like to **breathe** underwater? [학평]
당신은 물속에서 .... 것이 어떨지 궁금했던 적이 있나요?

.... fresh air
신선한 공기를 들이마시다

0536 **desert** [명][dézərt] [동][dizə́ːrt]

[명] 사막 [동] 버리다; 탈영하다

The horse had lain in the terrible heat of the **desert** with no water for at least a week. [학평]
그 말은 ....의 끔찍한 열기 속에 물 없이 최소 일주일 동안 누워 있었다.

.... one's wife and children
~의 아내와 자식을 버리다

0537 **ethic** [éθik]

[명] 윤리, 도덕 [형] 윤리적인, 도덕상의

The lawyer violated the **ethics** of his profession.
그 변호사는 자신의 직업 ....를 어겼다.

[+] **ethics** [명] 윤리학 **ethical** [형] 윤리적인

a defined work ....
규정되어 있는 업무 윤리

해석 완성 먹이 / 완화시키기 / 호흡하는 / 사막 / 윤리

진짜 기출로 확인! 밑줄 친 단어의 뜻을 문맥에 맞게 찾으시오. 고3 모평

The chemical industry denied that there were (1) practical alternatives to ozone-depleting chemicals, predicting not only economic (2) disaster but numerous deaths because food and vaccines would spoil without refrigeration.

① 윤리 ② 재앙 ③ 부끄러운 ④ 실용적인 ⑤ 확신하는

ANSWERS p.474

0538 excess
(형)[iksés]
(명)[ékses]

(형) 초과의 (명) 과도, 과잉; 초과(량)

When you consume more calories than you need at any time, those **excess** calories will be stored as body fat. 학평
언제든 당신이 필요 이상으로 더 많은 칼로리를 섭취할 때 그 .... 칼로리는 체지방으로 저장될 것이다.

in excess of ~을 초과하여

an .... of exports
수출 초과

0539 grateful
[gréitfəl]
목적

(형) 고마워하는; 감사의

We would be extremely **grateful** if you could come to the event. 학평
당신이 그 행사에 오실 수 있다면 매우 ....

TIP grateful / thankful
» grateful (형) (주로 남의 호의·친절 등에 대해) 감사하는
ex. I am **grateful** to all the teachers for their help.
모든 선생님들께 저를 도와주신 것에 대해 감사드립니다.
» thankful (형) (주로 행운을 준 신·자연·운명 등에) 감사하는
ex. We were **thankful** for a good harvest.
우리는 풍작에 감사했다.

a .... letter
감사의 편지

0540 instant
[ínstənt]

(형) 즉각적인; 긴급한 (명) 잠깐, 순간

The dopamine reward of the **instant** feedback contributes to the time spent on social media. 학평
.... 피드백의 도파민 보상은 소셜 미디어에 소비된 시간에 기여한다.

➕ **instantly** (부) 즉각, 즉시
➡ **immediate** (형) 즉각적인

for an ....
잠깐 동안

0541 multiple
[mʌ́ltəpl]

(형) 복합적인; 다수의 (명) (수학) 배수

There are **multiple** theories of the nature of art. EBS
예술의 본질에 관한 .... 이론이 있다.

➕ **multiply** (동) 증가시키다; 곱하다

a .... choice test
다항 선택식[객관식] 시험

0542 peer
[piər]

(명) 또래, 동료 (동) 유심히 보다

People mask their reactions because of politeness or **peer** pressure. 학평
사람들은 공손함이나 .... 집단의 압력 때문에 그들의 반응을 숨긴다.

➕ **peer-to-peer** (형) P2P 방식의(인터넷상 개인 간 파일을 공유하는)

.... into the dark corners
어두운 구석을 유심히 보다

해석 완성 초과 / 감사하겠습니다 / 즉각적인 / 다수의 / 동료

0543 심경	**pound** [paund]	(동) 세게 치다; 두근거리다 (명) 파운드(화폐·무게 단위) My heart began to **pound** with anticipation and longing. (학평) 기대와 그리움으로 내 심장이 _____ 시작했다.	_____ the door loudly 문을 시끄럽게 세게 치다
0544	**presence** [prézəns]	(명) 존재(함); 참석; (군대) 주둔 The dog's **presence** was an especially calming influence on child and teenage patients. (학평) 그 개의 _____ 는 특히 어린이와 십 대 환자들에게 진정 효과가 되었다.	the _____ of life on Mars 화성에 생물이 존재함
0545	**scholar** [skálər]	(명) 학자; 장학생 Some **scholars** believe that Shakespeare didn't write scripts. (EBS) 어떤 _____ 는 셰익스피어가 극본을 쓰지 않았다고 믿는다.	a world-famous _____ 세계적으로 유명한 학자
0546	**weigh** [wei]	(동) 무게를 재다; 무게가 ~이다 The modern adult human brain **weighs** only 1/50 of the total body weight. (학평) 현대 성인의 뇌는 전체 체중의 단지 50분의 1의 _____. ➕ weight (명) 무게, 체중	_____ baggage 수화물의 무게를 재다
0547	**aid** [eid]	(명) 지원; 도움; 보조 기구 (동) 원조하다; 도움이 되다 She was working to set up an **aid** program for poor women. (학평) 그녀는 가난한 여성들을 위한 _____ 프로그램을 개설하기 위해 일하고 있었다.	_____ flood victims 홍수 피해자를 원조하다
0548	**aim** [eim]	(명) 목표; 겨냥 (동) 목표로 하다; 겨누다 The **aim** of this education should be to teach young students how to eat more healthily. (학평) 이 교육의 _____ 는 어린 학생들에게 더 건강하게 먹는 방법을 가르치는 것이어야 한다.	_____ a gun at the target 총을 표적에 겨누다

해석 완성 두근거리기 / 존재 / 학자 / 무게이다 / 지원 / 목표

진파 기출로 확인! 문맥에 맞도록 빈칸에 알맞은 단어를 고르시오.   고3 학평

Tamanduas grow to lengths of 21 to 35 inches, with tails of up to 16 inches. They generally (1)_____ between 7 and 19 (2)_____. Their main defense is their sharp claws. During the day they are surrounded by lots of flies and mosquitoes and are often seen wiping these insects from their eyes.

① peer   ② aid   ③ weigh   ④ multiples   ⑤ pounds

ANSWERS p.474

0549 anthropology

[æ̀nθrəpάlədʒi]

(명) 인류학

Fieldwork is the hallmark of cultural **anthropology**. (모평) 현지 조사는 문화 ....의 특징이다.

➕ anthropologist (명) 인류학자

reveal the secrets of

인류학의 비밀을 밝혀내다

0550 compliment

(명)[kάmpləmənt]
(동)[kάmpləmènt]

(명) 칭찬, 찬사   (동) 칭찬하다

They are affected more easily by **compliments** than criticism. (학평) 그들은 비판보다 ....에 더 쉽게 영향을 받는다.

➕ complimentary (형) 칭찬의

> **TIP** 혼동하기 쉬운 단어 complement
> » complement (명) 보완물 (동) 보완하다
>   *ex.* The different flavors **complement** each other.
>   각기 다른 맛들이 서로를 보완해 준다.

.... a person on one's good grades
~의 좋은 성적에 대해 ~을 칭찬하다

0551 function

[fʌ́ŋkʃən]

(명) 기능; (수학) 함수   (동) 기능하다

A social **function** of religion is to prompt reflection concerning conduct. (학평) 종교의 사회적 ....은 행동에 대한 성찰을 촉진하는 것이다.

.... normally
정상적으로 기능하다

0552 cue

[kju:]

(명) 신호, 암시; (시작을 알리는) 큐[신호]   (동) 신호를 주다

Advertising for food and beverages communicates potentially powerful food consumption **cues**. (EBS) 음식과 음료에 대한 광고는 잠재적으로 강력한 음식 소비 ....를 전달한다.

give a person the ....
~에게 신호를 주다

0553 debt

[det]

(명) 빚, 부채; 신세, 은혜

Brunel was imprisoned for several months because of his **debt**. (모평) Brunel은 그의 .... 때문에 몇 달간 투옥되었다.

be in ....
빚이 있다

0554 forage

[fɔ́:ridʒ]

(동) (식량 등을) 찾아다니다   (명) 사료, 마초

Animals spend much of their time **foraging**. (EBS) 동물들은 먹이를 .... 많은 시간을 보낸다.

.... crops
사료용 작물

0555 illustrate

[íləstrèit]

(동) 삽화를 넣다; (예를 들어) 설명하다

We can simply state our beliefs, or we can tell stories that **illustrate** them. (학평) 우리는 우리의 믿음을 간단하게 말하거나 그것을 .... 이야기를 할 수도 있다.

➕ illustration (명) 삽화; 실례   illustrator (명) 삽화가; 예증하는 사람

해석 완성 인류학 / 칭찬 / 기능 / 신호 / 빚 / 찾아다니며 / 예를 들어 설명하는

0556 oxygen
[ɑ́ksidʒən]

[명] 산소

The deep oceans contain quite high levels of **oxygen**. [학평] 깊은 바다는 꽤 높은 수준의 ______를 포함하고 있다.

[+] **oxygenate** [동] 산소를 공급하다

a lack of ______
산소 부족

0557 predator
[prédətər]

[명] 약탈자; 포식자, 육식 동물

A school of fish will split in two to avoid a **predator**. [모평] 한 무리의 물고기떼가 ______를 피하기 위해 둘로 갈라질 것이다.

[+] **predatory** [형] 약탈하는; 육식의
[↔] **prey** [명] 먹이; 희생자

a relationship between ______ and prey
포식자와 먹이 간의 관계

0558 resist
[rizíst]

[동] 저항하다; 방해하다; 견디다

If you **resist** accepting the change it is because you are afraid of losing something. [학평] 당신이 변화를 받아들이는 것에 ______ 그것은 무언가를 잃는 것이 두렵기 때문이다.

[+] **resistance** [명] 저항, 반대 **resistant** [형] 저항하는; 견디는

______ the temptation
유혹을 견디다

0559 autobiography
[ɔ̀:təbaiɑ́grəfi]

[명] 자서전

He published his **autobiography**, which became popular. [학평] 그는 ______을 출판했고, 그것은 인기를 끌었다.

[+] **autobiographical** [형] 자서전(체)의

a newly published ______
신간 자서전

0560 basis
[béisis]

[명] 기초, 토대; 근거; 기준

Seating is limited and available on a first-come **basis**. [모평] 좌석은 제한되어 있고, 선착순을 ______으로 이용할 수 있습니다.

[+] **basic** [형] 기본적인; 근본적인

the ______ of good marriage
훌륭한 결혼 생활의 토대

해석 완성 산소 / 포식자 / 저항한다면 / 자서전 / 기준

진짜 기출로 확인! 우리말과 일치하도록 빈칸에 알맞은 단어를 고르시오. 고3 학평

The reason for this is that our brains pick up on the statistical regularities of the environment, and so we learn to predict the likely taste and nutritional properties of potential foodstuffs on the (1) ________ of other sensory (2) ________, such as color and smell.

(이것은 우리의 뇌가 환경의 통계적 규칙성을 파악하고, 그래서 우리가 색과 냄새 같은 다른 감각적 암시에 근거하여 먹으려는 식품의 예상되는 맛과 영양적 특성을 예측하는 법을 배우기 때문이다.)

① debts ② cues ③ basis ④ forage ⑤ predators

ANSWERS p.474

3-Minute Check

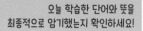

			check
0521	obtain	동 얻다	
0522	ashamed	형 부끄러운; 딱하게 여기는	
0523	confident	형 확신하는; 자신 있는	
0524	contract	동 계약하다; 수축하다 명 계약(서)	
0525	disaster	명 재해; 재앙; 큰 실패	
0526	distinguish	동 구별하다; 식별하다	
0527	distract	동 (주의를) 흩뜨리다, 딴 데로 돌리다	
0528	examine	동 검사[조사, 검토]하다; 시험하다; 진찰하다	
0529	extent	명 정도; 범위	
0530	interact	동 상호작용하다; 소통하다	
0531	lecture	명 강의, 강연; 훈계 동 강의하다	
0532	practical	형 실제적인; 실용적인	
0533	prey	명 먹이; 희생자	
0534	relieve	동 완화시키다; 안심시키다; 구제하다	
0535	breathe	동 호흡하다; (숨을) 들이 마시다; (생기 등을) 불어 넣다	
0536	desert	명 사막 동 버리다; 탈영하다	
0537	ethic	명 윤리, 도덕 형 윤리적인, 도덕상의	
0538	excess	형 초과의 명 과도, 과잉; 초과(량)	
0539	grateful	형 고마워하는; 감사의	
0540	instant	형 즉각적인; 긴급한 명 잠깐, 순간	

			check
0541	multiple	형 복합적인; 다수의 명 (수학) 배수	
0542	peer	명 또래, 동료 동 유심히 보다	
0543	pound	동 세게 치다; 두근거리다 명 파운드	
0544	presence	명 존재(함); 참석; (군대) 주둔	
0545	scholar	명 학자; 장학생	
0546	weigh	동 무게를 재다; 무게가 ~이다	
0547	aid	명 지원; 도움; 보조 기구 동 원조하다; 도움이 되다	
0548	aim	명 목표; 겨냥 동 목표로 하다; 겨누다	
0549	anthropology	명 인류학	
0550	compliment	명 칭찬, 찬사 동 칭찬하다	
0551	function	명 기능; (수학) 함수 동 기능하다	
0552	cue	명 신호, 암시; 큐[신호] 동 신호를 주다	
0553	debt	명 빚, 부채; 신세, 은혜	
0554	forage	동 (식량 등을) 찾아다니다 명 사료, 마초	
0555	illustrate	동 삽화를 넣다; (예를 들어) 설명하다	
0556	oxygen	명 산소	
0557	predator	명 약탈자; 포식자, 육식 동물	
0558	resist	동 저항하다; 방해하다; 견디다	
0559	autobiography	명 자서전	
0560	basis	명 기초, 토대; 근거; 기준	

외우지 못한 단어가 있으면 미니 단어장에서 다시 한번 정리해 보세요.

📖 가리개를 사용하여 뜻을 암기했는지 확인하세요.

DRILLS

0561 **belong**
[bilɔ́(ː)ŋ]

동 (~에) 속하다; (~의) 것이다

Seven of every 10 Americans **belong** to at least one club. 학평
미국인 10명 중 7명은 적어도 하나의 동호회에 ....

➕ **belonging** 명 귀속(의식), 친밀감; (pl.) 소유물; 소지품

.... to the man
그 남자의 것이다

0562 **deny**
[dinái]

동 부인하다; 거부[거절]하다

Who could **deny** that the human body is a miracle?
학평 그 누가 인간의 신체가 기적이라는 것을 .... 수 있을까?

➕ **denial** 명 부인; 거부
↔ **admit** 동 인정하다

.... a rumor
소문을 부인하다

0563 **fright**
[frait]

명 (갑작스런) 공포, 심한 놀람

There are many well-known actors who develop stage **fright** and cannot perform. 수능
무대 ....이 생기고 공연을 하지 못하는 유명한 배우들이 많다.

➕ **frighten** 동 깜짝 놀라게 하다, 오싹하게 하다

cry out in ....
놀라서 비명을 지르다

0564 **obstacle**
[ábstəkl]

명 장애(물), 방해(물)

Some people give up as soon as an **obstacle** is placed in front of them. 학평
어떤 사람들은 그들 앞에 ....이 놓이자마자 포기한다.

➕ **hindrance** 명 장애(물), 방해 (요인)

an .... to success
성공의 장애물

0565 **routine**
[ruːtíːn]

명 판에 박힌 일, 일과; 관례   형 일상의; 판에 박힌

Our daily **routine** needs to be adapted to our internal clock. 학평
우리의 매일의 ....는 우리 체내 시계에 적응되어야 한다.

.... duties
일상의 업무

0566 **sector**
도
표
[séktər]

명 분야; 구역; 부채꼴

The textiles **sector** generated 38 million tons of plastic waste. 모평
섬유 산업 ....는 3천 8백만 톤의 플라스틱 쓰레기를 발생시켰다.

in the manufacturing
....
제조업 분야에서

해석 완성 속해 있다 / 부인할 / 공포증 / 장애물 / 일과 / 분야

0567 symbol
[símbəl]

(명) 상징; 기호, 부호

He created the elephant as the **symbol** for the Republican Party. (학평)
그는 공화당의 ....으로 코끼리를 만들었다.

➕ **symbolic** (형) 상징적인; 기호의
symbolize (동) 상징하다; 기호로 나타내다

the chemical .... for copper
구리의 화학 기호

0568 typical
[típikəl]

(형) 전형적인; 일반적인

This young man is a **typical** product of a high-achieving father. (학평)
이 젊은 남자는 열정적인 아버지가 낳은 .... 결과물이다.

➕ **typically** (부) 전형적으로; 보통

a .... Italian restaurant
전형적인 이탈리아 식당

0569 alter
[ɔ́:ltər]

(동) 변경하다, 바꾸다; (옷을) 고치다; 달라지다

We cannot **alter** our genetics, but we can influence our lives by intelligent health practices. (EBS)
우리는 우리의 유전자를 .... 수는 없지만 영리한 건강 습관으로 우리 삶에 영향을 끼칠 수 있다.

.... a house
집을 개조하다

0570 civilization
[sìvəlizéiʃən]

(명) 문명(화); 문명 세계[사회]

One of the greatest **civilizations** of ancient times was the Egyptians. (학평)
고대의 가장 위대한 .... 중 하나는 이집트 문명이었다.

➕ **civilize** (동) 문명화하다; 세련되게 하다

modern ....
현대 문명

0571 classify
[klǽsəfài]

(동) 분류하다; (문서 등을) 기밀 취급하다

Students of ethics have been perplexed whether to **classify** their subject as a science, an art, or otherwise. (학평)
윤리학 연구자들은 그들의 과목을 과학, 예술 아니면 다른 것으로 .... 할지 혼란스러워해 왔다.

classify A as B A를 B로 분류하다

➕ **classification** (명) 분류; 범주   **classified** (형) 분류된; 기밀의

.... books by subjects
책을 주제별로 분류하다

0572 collective
[kəléktiv]

(형) 집합적인; 집단의; 공동의

A scientific truth has little standing until it becomes a **collective** product. (모평)
과학적 진실은 .... 산물이 될 때까지는 설 자리가 거의 없다.

➕ **collection** (명) 수집(품)   **collect** (동) 수집하다; 모으다

.... intelligence
집단 지성

해석 완성 상징 / 전형적인 / 바꿀 / 문명 / 분류해야 / 집단의

0573 decorate
[dékərèit]

(동) 장식하다; 훈장을 주다

My grandmother **decorated** a cake with "HAPPY BIRTHDAY BETTY." 수능
나의 할머니는 "생일 축하해 BETTY."라고 케이크를 ....

➕ decoration (명) 장식; 훈장   decorative (형) 장식(용)의

.... a Christmas tree
크리스마스트리를 장식하다

0574 deliberate
(형)[dilíbərit]
(동)[dilíbərèit]

(형) 고의의; 신중한   (동) 숙고하다

The typical attitude toward natural resources is often **deliberate** ignorance. EBS
천연자원에 대한 전형적인 태도는 종종 .... 무지이다.

a .... choice
신중한 선택

0575 efficiency
[ifíʃənsi]

(명) 효율(성), 능률

Experts have identified a large number of measures that promote energy **efficiency**. 수능
전문가들은 에너지 .... 을 증진시키는 다수의 대책을 규명해 왔다.

increase ....
능률을 향상시키다

0576 escape
[iskéip]

(동) 달아나다, 탈출하다; 벗어나다   (명) 탈출; 모면

The floor collapsed almost immediately after the firefighters **escaped**. 학평
소방관들이 .... 직후에 바닥이 무너졌다.

make one's escape 도망치다
escape injury 부상을 면하다

.... from prison
감옥에서 탈출하다

0577 expose
[ikspóuz]
빈칸

(동) 노출시키다; 접하게 하다; 폭로하다; 드러내다

All the company wants is to **expose** you to those product brands and images. 학평
모든 회사가 원하는 것은 당신을 그 제품 상표와 이미지에 .... 것이다.

.... a plant to sunlight
식물을 햇빛에 노출시키다

해석 완성 장식하셨다 / 고의적인 / 효율 / 탈출한 / 노출시키는

진짜 기출로 확인! 밑줄 친 단어의 뜻을 문맥에 맞게 찾으시오.   고3 모평

The "trick" here is to recognize that individual humans are social constructions themselves, embodying and reflecting the variety of social and cultural influences they have been (1)underlined to during their lives. Our individuality is not (2)denied, but it is viewed as a product of specific social and cultural experiences.

① 접하게 되다   ② 분류되다   ③ 소속되다   ④ 변경되다   ⑤ 부인되다

ANSWERS p.474

0578 fiction
[fíkʃən]

[명] 소설; 허구, 지어낸 이야기

The participants were no longer able to distinguish between truth and **fiction**. [학평]
참가자들은 더 이상 진실과 ....를 구별할 수 없었다.

[반] nonfiction [명] 논픽션(역사·전기·기행문 등 소설·허구의 이야기 외의 문학 작품)

TIP fiction / novel
» fiction 꾸며낸 이야기라는 장르를 강조하는 말로 novel, tale(이야기, 설화) 등을 전부 포함함
» novel 내용을 강조하는 말로 어느 정도의 상당한 길이와 복잡한 구성을 지닌 소설, 장편 소설을 의미함 (*cf.* short story: 단편 소설)

science ....
공상 과학 소설

0579 fulfill
[fulfíl]

[동] 이행하다; 성취[실현]하다; 충족시키다

I tried my best to **fulfill** your dream but I couldn't make it. [모평]
저는 당신의 꿈을 .... 위해 최선을 다했지만 해낼 수 없었어요.

[파] fulfillment [명] 이행; 성취, 실현

.... a promise
약속을 이행하다

0580 handle
[hǽndl]

[동] 다루다; 처리하다 [명] 손잡이, 핸들

One difference between winners and losers is how they **handle** losing. [수능]
승자와 패자 사이 한 가지 차이는 그들이 실패를 어떻게 ....이다.

[파] handler [명] 다루는 사람; 조련사

.... the crisis
위기를 처리하다

0581 imitate
[ímitèit]

[동] 모방하다, 흉내 내다; 모조하다

There are hundreds of great people to **imitate** and copy. [수능]
.... 본받아야 할 수백 명의 훌륭한 사람들이 있다.

[파] imitation [명] 모방; 모조
[유] mimic [동] 모방하다, 흉내 내다 copy [동] 모방하다

.... human speech
사람의 말을 흉내 내다

0582 integrate
[동][íntəgrèit]
[형][íntəgrit]

[동] 통합하다; 통합되다 [형] 통합된

You are able to **integrate** the new knowledge you acquire with what you already know. [EBS]
당신은 당신이 습득한 새로운 지식을 이미 알고 있는 것과 .... 수 있다.

[파] integration [명] 통합; 완성
[반] separate [동] 분리하다, 떼어놓다 [형] 분리된

.... learning with play
학습과 놀이를 통합하다

해석 완성 허구 / 실현하기 / 다루느냐 / 모방하고 / 통합할

0583 ☐☐ **official** [əfíʃəl]	명 공무원; 임원 형 공무상의; 공식의 He began work as a public **official** there. 학평 그는 그곳에서 _____으로 일을 시작했다.	an _____ record 공식 기록
0584 ☐☐ **repeat** [ripíːt]	동 반복하다; 따라서 말하다 명 반복 Many dog trainers **repeat** a training exercise in a variety of places. 학평 많은 개 훈련사들은 다양한 장소에서 훈련 연습을 _____. ➕ repetitive 형 반복적인	_____ a mistake 실수를 반복하다
0585 ☐☐ **breakdown** [bréikdàun]	명 고장, 파손; 실패, 결렬 I had a bad spyware, and that's what was causing my computer's **breakdown**. 학평 악성 스파이웨어가 설치되었고, 그것이 바로 내 컴퓨터를 _____ 나게 만들었다.	communication _____ 의사소통 단절[결렬]
0586 ☐☐ **commitment** [kəmítmənt]	명 약속, 서약; 헌신; 투입 If you make a **commitment** in a negotiation, you have to uphold it. 학평 만약 당신이 협상에서 _____을 한다면, 당신은 그것을 유지해야 한다. **make a commitment to** ~에 헌신하다	a _____ of time and energy 시간과 에너지 투입
0587 ☐☐ **component** [kəmpóunənt]	명 성분, 요소; 부품 형 구성하는 Landslides can be a more severe **component** of the soil erosion problem. EBS 산사태는 토양 침식 문제의 더욱 심각한 _____가 될 수 있다.	the car _____ industry 자동차 부품 산업
0588 ☐☐ **considerate** [kənsídərit]	형 동정심[이해심] 많은; 사려 깊은 He was a good kid—decent student, talented athlete, **considerate** brother. EBS 그는 점잖은 학생이었고, 재능 있는 운동선수였으며, _____ 형제로, 착한 아이였다. ➕ consideration 명 고려, 숙고 consider 동 숙고하다	_____ of others 남에 대해 이해심 많은

해석 완성 공무원 / 반복한다 / 고장 / 약속 / 요소 / 이해심 많은

진짜 기출로 확인! 밑줄 친 단어의 뜻을 문맥에 맞게 찾으시오. 고3 학평

If you break a (1)commitment made in a negotiation, you can be sure that you will not get the opportunity to negotiate with that particular party again. Sometimes it is painful to (2)fulfill a commitment, but it is more painful and can be fatal to lose business because you failed to fulfill a commitment.

① 성분 ② 약속 ③ 반복하다 ④ 통합하다 ⑤ 이행하다

ANSWERS p.474

0589 diversity
[divə́:rsəti]

(명) 다양성; 차이(점)

The vast majority of forest genetic **diversity** remains undescribed, especially in the tropics. (EBS)
특히 열대지방에서 숲의 유전적 ....의 대부분은 설명되지 않은 채로 남아 있다.

➕ diversify (동) 다양화하다

cultural ....
문화적 다양성

0590 install
[instɔ́:l]

(동) 설치하다; 취임시키다

The city should consider **installing** traffic lights as soon as possible. (모평)
그 도시는 가능한 한 빨리 신호등을 .... 것을 고려해야 한다.

.... new software
새로운 소프트웨어를 설치하다

0591 private
[práivit]

(형) 사적인; 사유의; 비밀의

The government did not promote **private** ownership of land. (학평)
정부는 토지에 대한 .... 소유를 장려하지 않았다.

➕ privacy (명) 사생활, 프라이버시
privately (부) 남몰래; 개인으로서

.... property
사유 재산

0592 proper
[prápər]

(형) 적절한, 알맞은

With the **proper** training, you will be able to perform CPR quickly and effectively. (모평)
.... 훈련으로, 여러분은 심폐소생술(CPR)을 빠르고 효과적으로 시행할 수 있을 것입니다.

➖ improper (형) 부적절한; 예의에 벗어난

at a .... time
적절한 때에

0593 sight
[sait]

(명) 시력; 시야; 풍경

A whole new world came into **sight**. (수능)
완전히 새로운 세상이 .... 에 들어왔다.

a beautiful ....
아름다운 풍경

0594 submit
[səbmít]
실용문

(동) 제출하다; 복종시키다

For the contest, high school students will create and **submit** posters on safety awareness. (EBS)
대회를 위해, 고등학생들은 안전 의식에 관한 포스터를 만들고 .... 것입니다.

➕ submission (명) 제출; 복종

.... an application
지원서를 제출하다

0595 arise
[əráiz]

(동) (-arose-arisen) 발생하다; (~에) 기인하다

Difficulties **arise** when we do not think of people and machines as collaborative systems. (수능)
우리가 사람과 기계를 협업 시스템으로 생각하지 않을 때 곤란이 ....

.... from carelessness
부주의에 기인하다

해석 완성 다양성 / 설치하는 / 사적인 / 적절한 / 시야 / 제출할 / 발생한다

0596	**destination** [dèstənéiʃən]	똉 목적지, 도착지; 용도	reach one's _____ ~의 목적지에 도달하다

destination
[dèstənéiʃən]

똉 목적지, 도착지; 용도

A slight change in your daily habits can guide your life to a very different **destination**. 학평
일상의 습관에서 약간의 변화가 당신의 삶을 매우 다른 _____로 인도할 수 있다.

reach one's _____
~의 목적지에 도달하다

---

discipline
[dísəplin]

똉 훈련; 규율; 훈계   똉 훈육하다

Many **disciplines** are better learned by entering into the doing than by mere abstract study. 수능
많은 _____은 단지 추상적인 연구에 의해서보다는 하는 것에 돌입했을 때 더 잘 습득된다.

moral _____
도덕적 규율

---

immigrant
[ímigrənt]

똉 (입국) 이민; (입국) 이주자   똉 이주해 오는; 이민의

In fact, **immigrants** increase the size of the market and thus create jobs. 학평
사실, _____는 시장의 크기를 늘리고 그리하여 일자리를 창출한다.

➕ **immigration** 똉 (입국) 이민; (출)입국 관리; 입국 심사
➕ **emigrant** 똉 (외국으로 가는) 이민(자) 똉 (외국으로) 이주하는

_____ workers
이주 노동자들

---

intensive
[inténsiv]

똉 격렬한; 집중적인

He underwent surgery and **intensive** physical therapy.
학평 그는 외과 수술과 _____ 물리 치료를 받았다.

➕ **intensively** 뿐 집중적으로   **intensity** 똉 격렬; 집중; 강도

an _____ language course
집중 어학 코스

---

irritate
[írətèit]

똉 짜증나게 하다; 자극하다

Someone bangs his fist on our car's hood after we have **irritated** him at a crosswalk. 모평
우리가 횡단보도에서 누군가를 _____ 후에 그는 우리 자동차 덮개를 주먹으로 친다.

➕ **irritation** 똉 짜증, 화; 자극; 염증

_____ the skin
피부를 자극하다

해석 완성 목적지 / 훈련 / 이민자 / 집중적인 / 짜증나게 한

The answer is the taxi driver. This is because taxi drivers need to take new routes quite often. To do this, they use their hippocampus* (1)_____ to memorize all kinds of routes and figure out the quickest way to reach their (2)_____.   * hippocampus: (뇌의) 해마

① sights   ② privately   ③ immigrants   ④ destinations   ⑤ intensively

ANSWERS p.474

3-Minute Check

		check
0561 **belong**	동 (~에) 속하다; (~의) 것이다	
0562 **deny**	동 부인하다; 거부[거절]하다	
0563 **fright**	명 (갑작스런) 공포, 심한 놀람	
0564 **obstacle**	명 장애(물), 방해(물)	
0565 **routine**	명 판에 박힌 일, 일과; 관례 형 일상의; 판에 박힌	
0566 **sector**	명 분야; 구역; 부채꼴	
0567 **symbol**	명 상징; 기호, 부호	
0568 **typical**	형 전형적인; 일반적인	
0569 **alter**	동 변경하다, 바꾸다; (옷을) 고치다; 달라지다	
0570 **civilization**	명 문명(화); 문명 세계[사회]	
0571 **classify**	동 분류하다; (문서 등을) 기밀 취급하다	
0572 **collective**	형 집합적인; 집단의; 공동의	
0573 **decorate**	동 장식하다; 훈장을 주다	
0574 **deliberate**	형 고의의; 신중한 동 숙고하다	
0575 **efficiency**	명 효율(성), 능률	
0576 **escape**	동 달아나다, 탈출하다; 벗어나다 명 탈출; 모면	
0577 **expose**	동 노출시키다; 접하게 하다; 폭로하다; 드러내다	
0578 **fiction**	명 소설; 허구, 지어낸 이야기	
0579 **fulfill**	동 이행하다; 성취[실현]하다; 충족시키다	
0580 **handle**	동 다루다; 처리하다 명 손잡이, 핸들	

		check
0581 **imitate**	동 모방하다, 흉내 내다; 모조하다	
0582 **integrate**	동 통합하다; 통합되다 형 통합된	
0583 **official**	명 공무원; 임원 형 공무상의; 공식의	
0584 **repeat**	동 반복하다; 따라서 말하다 명 반복	
0585 **breakdown**	명 고장, 파손; 실패, 결렬	
0586 **commitment**	명 약속, 서약; 헌신; 투입	
0587 **component**	명 성분, 요소; 부품 형 구성하는	
0588 **considerate**	형 동정심[이해심] 많은; 사려 깊은	
0589 **diversity**	명 다양성; 차이(점)	
0590 **install**	동 설치하다; 취임시키다	
0591 **private**	형 사적인; 사유의; 비밀의	
0592 **proper**	형 적절한, 알맞은	
0593 **sight**	명 시력; 시야; 풍경	
0594 **submit**	동 제출하다; 복종시키다	
0595 **arise**	동 발생하다; (~에) 기인하다	
0596 **destination**	명 목적지, 도착지; 용도	
0597 **discipline**	명 훈련; 규율; 훈계 동 훈육하다	
0598 **immigrant**	명 (입국) 이민; (입국) 이주자 형 이주해 오는; 이민의	
0599 **intensive**	형 격렬한; 집중적인	
0600 **irritate**	동 짜증나게 하다; 자극하다	

외우지 못한 단어가 있으면 미니 단어장에서 다시 한번 정리해 보세요.

☑ ANSWERS pp.474~475

A 영어는 우리말로, 우리말은 영어로 쓰시오.

01	scholar		21	자서전
02	practical		22	이상적인 (것); 관념적인
03	contrary		23	부인하다; 거부[거절]하다
04	resist		24	~와 동행하다
05	lecture		25	재해; 재앙; 큰 실패
06	collective		26	성, 성별
07	urban		27	호흡하다; (숨을) 들이마시다
08	obstacle		28	본능; 소질; 직감
09	psychological		29	빚, 부채; 신세, 은혜
10	confident		30	사적인; 사유의
11	outcome		31	고장, 파손; 실패, 결렬
12	submit		32	대기; 분위기
13	confirm		33	소설; 허구, 지어낸 이야기
14	distract		34	산소
15	attach		35	무게를 재다; 무게가 ~이다
16	efficiency		36	상징; 기호, 부호
17	illustrate		37	탈출하다; 벗어나다; 탈출
18	client		38	모방하다; 모조하다
19	official		39	학업의; 학문의; 학구적인
20	distinguish		40	판에 박힌 (일); 일상의

B 우리말과 일치하도록 빈칸에 알맞은 단어를 〈보기〉에서 골라 쓰시오.

보기   aid   equipment   intensive   multiple   peer

01 She was working to set up a(n) .... program for poor women.
그녀는 가난한 여성들을 위한 지원 프로그램을 개설하기 위해 일하고 있었다.

02 He underwent surgery and .... physical therapy.
그는 외과 수술과 집중적인 물리 치료를 받았다.

03 There are .... theories of the nature of art.
예술의 본질에 관한 다수의 이론이 있다.

04 Many of you have asked about what climbing .... to buy.
많은 분들이 어떤 등산 장비를 사야 하는지에 대해 문의하셨습니다.

05 People mask their reactions because of politeness or .... pressure.
사람들은 공손함이나 동료 집단의 압력 때문에 그들의 반응을 숨긴다.

C 문장의 네모 안에서 문맥에 알맞은 단어를 고르시오.

01 In fact, predators / immigrants increase the size of the market and thus create jobs.

02 We would be extremely grateful / instant if you could come to the event.

03 They are affected more easily by composition / compliments than criticism.

04 The city should consider installing / interacting traffic lights as soon as possible.

05 The crowds would jump up and wave their arms to belong / cheer for him when he made a great play.

📖 가리개를 사용하여 뜻을 암기했는지 확인하세요.

DRILLS

0601
□□
breathtaking
[bréθtèikiŋ]

(형) 숨이 막힐[멎을]듯한

Her smile was **breathtaking** and gave the student a completely new sense of life. 학평
그녀의 미소는 ...., 그 학생에게 완전히 새로운 삶의 감각을 선사했다.

a .... view of the mountains
숨이 멎을듯한 산의 풍경

0602
□□
remind
[rimáind]

(동) 생각나게 하다, 상기시키다

They **remind** us of the good times. 학평
그들은 우리에게 좋은 시절을 ....

remind A of B A에게 B를 생각나게 하다

.... a person of the happy days
~에게 행복한 시절을 생각나게 하다

0603
□□
route
[ru:t]

(명) 경로; 노선; 수단   (동) 경로를 정하다

The Indian Ocean became the key **route** for world trade. 학평
인도양은 세계 무역의 핵심 ....가 되었다.

the shortest ....
가장 가까운 경로

0604
□□
satisfaction
[sæ̀tisfǽkʃən]

(명) 만족; 만족을 주는 것; 보상

Customers' **satisfaction** is the motto of our service. 학평
소비자 ....이 저희 서비스의 좌우명입니다.

give ....
만족시키다

0605
□□
stare
[stɛər]

(명) 응시   (동) 응시하다, 빤히 보다

Most workers will give you a blank **stare** if you ask what their learning goals are. 학평
대부분의 근로자들은 그들의 학습 목표가 무엇인지 물으면 당신을 명한 눈으로 ....할 것이다.

.... at a person
~을 빤히 보다

TIP stare / gaze
» **stare** (동) (놀랍거나 이상해서 비우호적으로) 쳐다보다
   ex. I screamed and everyone **stared**.
   내가 비명을 지르자 모든 사람들이 빤히 쳐다봤다.
» **gaze** (동) (놀랍거나 인상적이어서 애정을 담아 가만히) 응시하다
   ex. We **gazed** at him in amazement.
   우리는 감탄하며 그를 응시했다.

0606
□□
trap
[træp]

(명) 함정; 덫   (동) 덫을 놓다; 속이다

The biggest **trap** many family gardeners fall into is creating a garden that is too large. 학평
많은 가족 정원사들이 빠지는 가장 큰 ....은 너무 넓은 정원을 만드는 것이다.

a mouse ....
쥐덫

해석 완성 숨이 막힐듯했고 / 생각나게 한다 / 경로 / 만족 / 응시 / 함정

0607 universal
[jùːnəvə́ːrsəl]

(형) 우주의; 전 세계의; 보편적인

Cuteness, like beauty, has a **universal** appeal. 학평
아름다움과 마찬가지로 귀여움은 .... 매력을 갖고 있다.

➕ universe (명) 우주

a .... language
세계 공통어

0608 abandon
[əbǽndən]

(동) 버리다; 포기하다

Owners drive pets far from their home range and **abandon** them. 학평
주인은 차를 몰아 애완동물을 그들의 주거 범위에서 먼 곳으로 데리고 가서 ....

➕ abandonment (명) 유기, 버림

.... one's right
~의 권리를 포기하다

0609 absolute
[ǽbsəlùːt]

(형) 절대적인, 완전한; 확고한

The effects of genetics are never **absolute** because genes do not operate in isolation. EBS
유전자는 홀로 작동하지 않기 때문에 유전적 특징의 영향은 결코 .... 않다.

➕ absolutely (부) 절대적으로
➖ relative (형) 상대적인

an .... principle
절대적인 원리

0610 acknowledge
[æknɑ́lidʒ]

(동) 인정하다, 승인하다

We must **acknowledge** that thinking well is a time-consuming process. 모평
우리는 잘 생각하는 것이 시간을 소모하는 과정이라는 것을 .... 한다.

➕ acknowledgment (명) 승인; 자백
🟰 admit (동) 인정하다, 승인하다   recognize (동) 인정하다

.... one's fault
~의 잘못을 인정하다

0611 address
목적
(동) [ədrés]
(명) [ǽdres]

(동) 연설하다; (문제 등을) 다루다   (명) 주소; 연설

I ask that you take the time to seriously **address** this issue. 학평
저는 귀하가 시간을 내어 이 문제를 진지하게 .... 요청합니다.

deliver an ....
연설을 하다

0612 archaeology
[àːrkiɑ́lədʒi]

(명) 고고학

The quest for profit and the search for knowledge cannot coexist in **archaeology**. 수능
.... 에서 이익 추구와 지식의 탐구는 공존할 수 없다.

➕ archaeological (형) 고고학의   archaeologist (명) 고고학자

major in ....
고고학을 전공하다

해석 완성 보편적인 / 버린다 / 절대적이지 / 인정해야 / 다루어 주시기를 / 고고학

0613 **artificial**
[à:rtəfíʃəl]

(형) 인공의; 인조의

The online world is an **artificial** universe. (학평)
온라인 세상은 .... 세계이다.

📘 fake, mock, counterfeit (형) 위조의, 모조의, 가짜의

.... flowers
조화

0614 **capture**
[kǽptʃər]

(동) 붙잡다; (관심 등을) 사로잡다   (명) 포획

Humor can easily **capture** people's attention. (수능)
유머는 사람들의 주의를 쉽게 .... 수 있다.

.... a thief
도둑을 붙잡다

0615 **cognitive**
[kágnətiv]

(형) 인식의, 인지의

Exercise is good for attention, information processing, and performance of **cognitive** tasks. (학평)
운동은 집중력, 정보 처리, ... 업무 수행에 좋다.

.... development
인지 발달

0616 **corporate**
[kɔ́:rpərit]

(형) 기업의; 법인의

Look in the phone book for local alternatives to large **corporate** chains. (EBS)
전화번호부에서 대.................. 체인에 대한 현지의 대안을 찾아보라.

🔄 corporation (명) 기업; 법인

.... property
법인 재산

0617 **crucial**
[krú:ʃəl]

(형) 중대한, 결정적인

Certain species are more **crucial** to the maintenance of their ecosystem than others. (모평)
어떤 종들은 다른 종들보다 그들의 생태계를 유지하는 데 더 ....

📘 critical, vital (형) 중요한, 중대한

a .... moment
결정적인 순간

해석 완성 인공의 / 사로잡을 / 인지 / 기업 / 중대하다

진짜 기출로 확인 ! 우리말과 일치하도록 빈칸에 알맞은 단어를 고르시오.   12년 수능

Anxiety has a damaging effect on mental performance of all kinds. It is in one sense a useful response gone awry — an overly zealous mental preparation for an anticipated threat. But such mental rehearsal is disastrous (1)_____ static when it becomes (2)_____ stared in a stale routine that (3)_____ attention, intruding on all other attempts to focus elsewhere.

(걱정은 모든 종류의 정신적인 업무 수행에 해로운 영향을 미친다. 그것은 어떤 의미에서는 실패에 유용한 반응, 즉 예상되는 위협에 대한 과도하게 열광적인 정신적인 준비이다. 그러나 그러한 정신적인 예행연습은 주의력을 사로잡는 진부하고 판에 박힌 일에 갇히게 될 때 다른 곳에 초점을 맞추기 위한 모든 다른 시도들을 방해하면서 재난적인 인지적 정지 상태가 된다.)

① cognitive   ② universal   ③ trapped   ④ captures   ⑤ abandons

ANSWERS p.475

0618 diverse
[divə́:rs]

(형) 다양한; 다른

The media provide us with **diverse** and opposing views. (수능)
대중 매체는 우리에게 .... 반대되는 견해를 제공한다.

➕ diversify (동) 다양화하다

people from ....
cultures
다양한 문화권의 사람들

0619 endure
[indʒúər]

(동) 참다, 견디다; 지속하다

Humans had to **endure** alternating periods of feast and famine. (학평)
인간은 잔치와 기근이 번갈아 일어나는 시기를 .... 했다.

➕ endurable (형) 견딜 수 있는   endurance (명) 인내; 지구력

.... the pain
고통을 견디다

0620 essence
[ésəns]
빈칸

(명) 본질, 정수(精髓)

In **essence**, birds cannot readily slow down. (학평)
.... 적으로, 새들은 즉시 속도를 늦출 수 없다.

of the essence 절대적으로 필요한[중요한]

🟰 fundamental nature 본질

the .... of religion
종교의 본질

0621 fame
[feim]
내용일치

(명) 명성; 평판

Despite his **fame** as a classical scholar, he actually published little. (모평)
고전 학자로서의 ....에도 불구하고, 그는 사실 책을 거의 출판하지 않았다.

🟰 reputation (명) 평판; 명성

achieve ....
명성을 얻다

0622 fellow
[félou]

(형) 동료의   (명) 녀석; 동료; (대학의) 연구원

You are facing challenges **fellow** humans have also faced. (모평)
당신은 .... 인간들 또한 직면했던 도전에 직면해 있다.

➕ fellowship (명) 유대감, 동료애

.... travellers
동료 여행자들

0623 former
[fɔ́:rmər]

(형) 먼저의, 이전의; (the ~) 전자의

Now a **former** champion, she was thinking of retiring from boxing. (수능)
.... 챔피언이었던 그녀는 권투에서 은퇴할 생각을 하고 있었다.

↔ latter (형) 뒤의, 후반의; (the ~) 후자의

a .... president
전 대통령

해석 완성 다양하고 / 견뎌야 / 본질 / 명성 / 동료 / 전

0624 inherent
[inhíərənt]

(형) 고유의, 타고난, 내재하는

Language is an ability, **inherent** in us. (학평)
언어는 우리 안에 .... 능력이다.

➕ inherently (부) 선천적으로; 본질적으로

an .... right of man
인간 고유의 권리

0625 invade
[invéid]

(동) 침입[침략]하다; 침해하다

In 480 B.C. Xerxes, the son of the King of Persia, prepared to **invade** Greece. (학평)
기원전 480년에, 페르시아 왕의 아들인 Xerxes는 그리스를 .... 준비를 했다.

➕ invasion (명) 침입, 침략; 침해   invasive (형) 침입하는

.... one's privacy
~의 사생활을 침해하다

0626 merely
[míərli]

(부) 단지, 그저

There's more to striving to be in the majority of one's group than **merely** acquiring power. (학평)
어떤 이가 자기 집단의 다수에 속하기 위해 노력하는 데에는 .... 권력을 획득하는 것 이상이 있다.

➕ mere (형) 단순한, ~에 불과한

say .... as a joke
그저 농담으로 말하다

0627 nutrient
[njú:triənt]

(명) 영양소, 영양분   (형) 영양이 되는

In tropical areas, soils are often degraded and lack **nutrients**. (EBS)
열대지방에서 토양은 흔히 분해되어 ....이 부족하다.

➕ nutrition (명) 영양; 자양물   nutritious (형) 영양가 높은

an essential ....
필수 영양소

0628 retail
[rí:teil]

(형) 소매의   (명) 소매   (동) 소매하다

He ran a **retail** shoe store near my house. (학평)
그는 나의 집 근처에서 신발 .... 점을 운영했다.

➕ retailer (명) 소매상인
↔ wholesale (형) 도매의 (명) 도매 (동) 도매하다

a .... price
소매가

해석 완성 내재하는 / 침략할 / 단지 / 영양분 / 소매

진파 기출로 확인 ! 밑줄 친 단어의 뜻을 문맥에 맞게 찾으시오. 고3 학평

Some people believe that you can't change human nature, and thus they see the idea of an evolving human consciousness as no more than unwarranted idealism. Yet, what is human nature? The dictionary defines nature as the (1)inherent character or basic constitution of a person or thing — its (2)essence.

① 본질   ② 명성   ③ 다양한   ④ 영양이 되는   ⑤ 고유의

ANSWERS p.475

0629 □□	**reward** [riwɔ́ːrd]	똉 보상, 상; 보답 똉 보답하다; 상을 주다 The trainer gives the dog a food **reward** regularly. 모평 훈련사는 그 개에게 규칙적으로 먹이 ....을 준다. ➕ **rewarding** 똉 보람 있는; 수익이 많이 나는 TIP **reward / award** » **reward** 똉 (선행·노력 등에 대한) 보상, 보답; (나쁜 일·게으름 등에 대한) 응보, 벌 » **award** 똉 (심사를 하여 일정한 조건을 충족하는 것에 주어지는) 상	.... the workers for their efforts 인부들에게 수고에 대해 보답하다
0630 □□	**sacrifice** [sǽkrəfàis]	똉 희생하다; 희생시키다 똉 희생, 제물 There is no free lunch: doing one thing makes us **sacrifice** other opportunities. 학평 세상에 공짜는 없다. 한 가지 일을 하는 것은 우리에게 다른 기회들을 .... 한다. **at any sacrifice** 어떤 희생을 치르더라도	fall a .... to[of] ~의 희생이 되다
0631 □□	**session** [séʃən]	똉 (특정 활동) 기간; 학기 Always have regular safety training **sessions**, usually every year. 학평 보통은 매년 정기적인 안전 훈련 ....을 가져라.	a recording .... 녹음 기간
0632 □□	**magnitude** [mǽɡnətjùːd]	똉 규모; 거대함; 중대성; (지진의) 진도 A defining element of catastrophes is the **magnitude** of their harmful consequences. 수능 재앙을 정의하는 요소는 그 해로운 영향의 ....이다.	the .... of the universe 우주의 거대함
0633 □□	**pledge** [pledʒ]	똉 맹세[서약]하다 똉 맹세, 서약 The government **pledged** itself to deal with environmental problems. 정부는 환경 문제에 대처하겠다고 스스로	.... one's honor ~의 명예를 걸고 맹세하다
0634 □□	**puberty** [pjúːbərti]	똉 사춘기; (식물) 개화기 Some children grow slightly more slowly than others and reach **puberty** later than average. 어떤 아이들은 다른 아이들보다 약간 더 천천히 자라서 평균보다 더 늦게 ....가 된다.	arrive at .... 사춘기에 이르다
0635 □□	**stiffen** [stífən]	똉 뻣뻣해지다; 뻣뻣하게 하다 His limbs **stiffened** and his right arm became virtually useless. 학평 그의 팔다리는 .... 오른쪽 팔은 사실상 쓸 수 없게 되었다. ➕ **stiff** 똉 뻣뻣한 **stiffness** 똉 경직, 강직	.... cloth with starch 풀을 먹여 천을 뻣뻣하게 하다

해석 완성 보상 / 희생하게 / 기간 / 규모 / 서약했다 / 사춘기 / 뻣뻣해졌고

0636 vapor
[véipər]

몡 증기 통 증발하다; 증발시키다

Carbon dioxide, along with water **vapor**, even in small quantities, absorbs long-wave energy. EBS
이산화탄소는 심지어 소량이라도 수_____와 함께 장파 에너지를 흡수한다.

➕ **vaporize** 통 증발하다; 증발시키다

a cloud of _____
자욱한 증기

0637 wrestle
[résl]

통 싸우다, 씨름하다 몡 씨름, 격투

If you expect to remember what you read, you have to **wrestle** fully with its meaning. 학평
당신이 읽은 것을 기억하기를 기대한다면, 당신은 그것의 의미와 충분히 _____ 한다.

_____ with the temptation
유혹과 싸우다

0638 attribute
통[ətríbjuːt]
몡[ǽtribjùːt]

통 (~의) 탓으로 하다; (~의) 결과로 보다 몡 속성

Not all residents **attribute** environmental damage to tourism. 수능
모든 주민들이 환경 훼손을 관광업의 _____ 않는다.

➕ **attribution** 몡 (원인을 ~에) 돌림; 속성

_____ one's success to hard work
~의 성공을 성실한 노력의 결과로 보다

0639 breath
[breθ]
심화

몡 숨; 입김

Taking a deep **breath**, he picked up his board and ran into the water. 수능
그는 깊은 _____을 들이마시며, 보드를 집어 들고 바다로 뛰어들었다.

out of _____
숨이 가쁜

0640 broad
[brɔːd]

혱 (폭)넓은; 광대한; 대략의

Human rights can be divided into two **broad** categories: negative rights and positive rights. 학평
인권은 두 가지 _____ 범주, 즉 소극적 권리와 적극적 권리로 나뉠 수 있다.

a _____ experience
폭넓은 경험

해석 완성 증기 / 씨름해야 / 탓으로 돌리지는 / 숨 / 넓은

진짜 기출로 확인 ! 우리말과 일치하도록 네모 안에서 문맥에 알맞은 단어를 고르시오. 고3 학평

On the contrary, the most effective way of maintaining a behavior is not with a consistent, predictable (1) session / reward / vapor , but rather with what is termed "variable reinforcement" — that is, rewards that vary in their frequency or (2) sacrifice / breath / magnitude .
(그와는 반대로 어떤 행동을 유지하는 가장 효과적인 방법은 일관되고 예측 가능한 보상으로가 아니라 오히려 '변동 강화'라고 불리는 것, 즉 빈도나 규모가 변하는 보상으로 하는 것이다.)

ANSWERS p.475

3-Minute Check

check

0601 **breathtaking**	(형) 숨이 막힐[멎을]듯한	☐	
0602 **remind**	(동) 생각나게 하다, 상기시키다	☐	
0603 **route**	(명) 경로; 노선; 수단 (동) 경로를 정하다	☐	
0604 **satisfaction**	(명) 만족; 만족을 주는 것; 보상	☐	
0605 **stare**	(명) 응시 (동) 응시하다, 빤히 보다	☐	
0606 **trap**	(명) 함정; 덫 (동) 덫을 놓다; 속이다	☐	
0607 **universal**	(형) 우주의; 전 세계의; 보편적인	☐	
0608 **abandon**	(동) 버리다; 포기하다	☐	
0609 **absolute**	(형) 절대적인; 완전한; 확고한	☐	
0610 **acknowledge**	(동) 인정하다, 승인하다	☐	
0611 **address**	(동) 연설하다; (문제 등을) 다루다 (명) 주소; 연설	☐	
0612 **archaeology**	(명) 고고학	☐	
0613 **artificial**	(형) 인공의; 인조의	☐	
0614 **capture**	(동) 붙잡다; (관심 등을) 사로잡다 (명) 포획	☐	
0615 **cognitive**	(형) 인식의, 인지의	☐	
0616 **corporate**	(형) 기업의; 법인의	☐	
0617 **crucial**	(형) 중대한, 결정적인	☐	
0618 **diverse**	(형) 다양한; 다른	☐	
0619 **endure**	(동) 참다, 견디다; 지속하다	☐	
0620 **essence**	(명) 본질, 정수	☐	

check

0621 **fame**	(명) 명성; 평판	☐	
0622 **fellow**	(형) 동료의 (명) 녀석; 동료; (대학의) 연구원	☐	
0623 **former**	(형) 먼저의, 이전의; (the ~) 전자의	☐	
0624 **inherent**	(형) 고유의, 타고난, 내재하는	☐	
0625 **invade**	(동) 침입[침략]하다; 침해하다	☐	
0626 **merely**	(부) 단지, 그저	☐	
0627 **nutrient**	(명) 영양소, 영양분 (형) 영양이 되는	☐	
0628 **retail**	(형) 소매의 (명) 소매 (동) 소매하다	☐	
0629 **reward**	(명) 보상, 상; 보답 (동) 보답하다; 상을 주다	☐	
0630 **sacrifice**	(동) 희생하다; 희생시키다 (명) 희생, 제물	☐	
0631 **session**	(명) (특정 활동) 기간; 학기	☐	
0632 **magnitude**	(명) 규모; 거대함; 중대성; (지진의) 진도	☐	
0633 **pledge**	(동) 맹세[서약]하다 (명) 맹세, 서약	☐	
0634 **puberty**	(명) 사춘기; (식물) 개화기	☐	
0635 **stiffen**	(동) 뻣뻣해지다; 뻣뻣하게 하다	☐	
0636 **vapor**	(명) 증기 (동) 증발하다; 증발시키다	☐	
0637 **wrestle**	(동) 싸우다, 씨름하다 (명) 씨름, 격투	☐	
0638 **attribute**	(동) (~의) 탓으로 하다; (~의) 결과로 보다 (명) 속성	☐	
0639 **breath**	(명) 숨; 입김	☐	
0640 **broad**	(형) (폭)넓은; 광대한; 대략의	☐	

외우지 못한 단어가 있으면 MINI 단어장에서 다시 한번 정리해 보세요.

📖 가리개를 사용하여 뜻을 암기했는지 확인하세요.

DRILLS

0641 conceal
[kənsíːl]

(동) 숨기다

When romantic partners lie to each other they do so relatively often by **concealing** information. **EBS**
연애 상대가 서로에게 거짓말할 때 그들은 비교적 자주 정보를 .... 그렇게 한다.

🔄 **reveal** (동) 드러내다; 밝히다   **disclose** (동) 드러내다

.... one's identity
~의 신분을 숨기다

0642 cope
[koup]

(동) 대처하다, 극복하다

How would they **cope** with unemployment? **학평**
그들은 어떻게 실직에 ....?

.... with stress
스트레스에 대처하다

0643 cultivate
[kʌ́ltəvèit]

(동) 경작하다; 재배하다; (재능·품성 등을) 기르다

It is necessary to **cultivate** our realistic optimism. **학평**
우리의 현실적인 낙천주의를 .... 것이 필요하다.

➕ **cultivation** (명) 경작; 재배; 교화, 양성

.... rice
벼를 재배하다

0644 electricity
[ilektrísəti]

(명) 전기; 전력

Households can reduce the cost of **electricity** and gas bills. **수능**
가구들은 .... 요금과 가스 요금을 줄일 수 있다.

➕ **electrical** (형) 전기의

a waste of ....
전력 낭비

0645 expense
[ikspéns]

실용어휘

(명) 지출, 비용; 부담

Shipping is at your **expense**. **학평**
배송비는 귀하의 ....입니다.

➕ **expensive** (형) 값비싼

TIP 혼동하기 쉬운 단어 expanse
» **expanse** (명) 넓게 트인 지역; 팽창, 확장
   ex. a vast **expanse** of water 망망 대해

spare no ....
비용을 아끼지 않다

0646 false
[fɔːls]

(형) 틀린, 잘못된; 거짓의

Until we have that evidence, it is better to believe that the assumption is **false**. **수능**
우리가 그 증거를 가질 때까지는 그 추정이 .... 믿는 것이 낫다.

➕ **falsify** (동) 거짓임을 입증하다; 위조하다

.... information
거짓 정보

해석 완성 숨김으로써 / 대처할까 / 기르는 / 전기 / 부담 / 틀리다고

0647 geography
[ʤiɑ́grəfi]

뗑 지리; 지리학

We were studying longitude and latitude in **geography** class. 학평
.... 수업에서 우리는 경도와 위도를 공부하고 있었다.

➕ **geographic(al)** 톙 지리학의; 지리적인

the .... of New
York City
뉴욕 시의 지리

0648 intense
[inténs]

뗑 격렬한, 극심한; 격앙된

The conversation grew more **intense**. 학평
대화가 더 ....졌다.

➕ **intensely** 봄 강렬하게, 극도로; 열심히
intensity 뗑 강렬함, 강함

.... cold
극심한 추위

0649 secure
[sikjúər]

톙 안전한; 안정된 동 안전하게 하다; 확보하다

Feeling **secure** is an important component of happiness. 학평
.... 느끼는 것은 행복의 중요한 요소이다.

➕ **security** 뗑 안전; 보안; 안심
➖ **insecure** 톙 안전하지 못한; 불안정한

a .... job with
good pay
보수가 좋은 안정된 직업

0650 stretch
[stretʃ]

동 늘이다; 뻗다; (토지 등이) 펼쳐지다 뗑 뻗기; 신축성

Breaden **stretched** out his arm and was about to grab a chocolate bar. 수능
Breaden은 팔을 .... 초코바 하나를 막 움켜쥐려고 했다.

.... a rubber
band
고무줄을 늘이다

0651 transport
뗑[trǽnspɔːrt]
동[trænspɔ́ːrt]

뗑 수송, 운송 동 수송하다, 운반하다

Human **transport** of plants increased abundantly as our transportation technology developed. 학평
교통 기술이 발달함에 따라 인간의 식물 ....이 매우 증가했다.

➕ **transportation** 뗑 운송, 수송; 교통 기관, 탈것
🟰 **convey** 동 실어 나르다, 운반하다

.... goods by
truck
트럭으로 물건을 수송하다

0652 ultimately
[ʌ́ltəmətli]

봄 궁극적으로; 결국, 최후로

Ultimately, our assessments and our choices involve value judgments and personal opinions. 학평
....................., 우리의 평가와 선택은 가치 판단과 개인적인 의견을 포함한다.

➕ **ultimate** 톙 궁극적인; 최후의

.... decide
not to go
결국 가지 않기로 결정하다

해석 완성 지리학 / 격렬해 / 안전하다고 / 뻗어서 / 수송 / 궁극적으로

10	20	30	40	50

0653 victim
[víktim]

⟨명⟩ 희생(자), 피해자

The **victims** of identity theft are usually thought of as individuals. (학평)
신원 도용의 ....는 대개 개인들이라고 여겨진다.

a .... of war
전쟁의 희생자

0654 accumulate
[əkjúːmjəlèit]

⟨동⟩ 모으다, 축적하다

Children's SNS activities should be encouraged when we help them **accumulate** knowledge. (수능)
우리가 아이들이 지식을 .... 도울 때 아이들의 SNS 활동은 장려되어야 한다.

➕ accumulation ⟨명⟩ 축적, 누적

.... wealth
부를 축적하다

0655 aesthetic
[esθétik]

⟨형⟩ 미의, 심미적인   ⟨명⟩ 미학

There are **aesthetic** and ethical reasons for preserving biodiversity. (모평)
생물의 다양성을 보존하는 데는 .... 윤리적인 이유들이 있다.

➕ aesthetics ⟨명⟩ 미학

an .... sense
미적 감각

0656 cheat
[tʃiːt]

⟨동⟩ 속이다; 부정행위를 하다; 바람피우다   ⟨명⟩ 사기(꾼)

Humans are so averse to feeling that they're being **cheated**. (모평)
인간은 자신이 .... 있다는 느낌을 매우 싫어한다.

TIP cheat / deceive / trick
» cheat ⟨동⟩ (돈이나 물건, 이익을 얻기 위해) 속이다[사기 치다]
» deceive ⟨동⟩ (특히 자기를 믿는 사람을) 속이다
» trick ⟨동⟩ (계략을 써서 교묘하게) 속이다

.... a customer
손님을 속이다

0657 command
[kəmǽnd]

⟨명⟩ 명령; 지휘   ⟨동⟩ 명령하다; 지휘하다

So are they all following the **commands** of a leader?
(모평) 그래서 그들은 모두 지도자의 ....을 따르고 있는가?

➕ commander ⟨명⟩ 지휘관; 중령

.... silence
조용히 하라고 명령하다

해석 완성 희생자 / 축적하도록 / 심미적이고 / 속고 / 명령

진짜 기출로 확인! 네모 안에서 문맥에 알맞은 단어를 고르시오.
고2 학평

Just as becoming literate is a basic goal of education, one of the key goals of all creative early childhood programs is to help young children develop the ability to speak freely about their own attitudes, feelings, and ideas about art. Each child has a right to a personal choice of beauty, joy, and wonder. (1) Aesthetic / Geographic / Intense development takes place in (2) false / secure / insecure settings free of competition and adult judgment.

ANSWERS p.475

0658 □□ **converse** [kənvə́:rs]

[동] 대화를 나누다 [형] 정반대의

He wanted something to enable his soldiers to **converse** silently and even in the dark. [학평]
그는 그의 병사들이 심지어 어둠 속에서도 조용하게 .... 수 있게 해 주는 무엇인가를 원했다.

[+] conversely [부] 거꾸로, 반대로

the .... effect
역효과

0659 □□ [심경] **desperate** [déspərit]

[형] 필사적인; 절망적인

I murmured a panicked prayer that this **desperate** situation would end quickly. [학평]
나는 이런 .... 상황이 빨리 끝나기를 바라는 겁에 질린 기도를 중얼거렸다.

[+] desperately [부] 자포자기하여; 필사적으로
desperation [명] 자포자기; 필사적임

make .... efforts
필사적인 노력을 하다

0660 □□ **electronic** [ilektrάnik]

[형] 전자의

Electronic calculators made mathematical computations faster. [학평]
.... 계산기는 수학적 계산을 더 빠르게 만들었다.

[+] electronics [명] 전자 공학; (*pl.*) 전자 기기

an .... piano
전자 피아노

0661 □□ **float** [flout]

[동] 뜨다; 떠다니다

Graceful swans **floated** along the crystal clear spring. [학평] 우아한 백조들이 수정처럼 맑은 샘을 따라 ....

[반] sink [동] 가라앉다; 침몰시키다
[유] drift [동] 떠가다, 부유하다

.... on the water
물 위에 뜨다

0662 □□ **grab** [græb]

[동] 움켜잡다; 잡아채다 [명] 움켜쥐기

She **grabbed** the whistle out of her bag and blew it hard three times. [모평]
그녀는 가방에서 호루라기를 .... 그것을 세 번 세게 불었다.

grab a bite 간단히 먹다, 요기하다

[유] seize [동] 움켜잡다

.... one's hand
~의 손을 꼭 잡다

0663 □□ **ingredient** [ingrí:diənt]

[명] 성분; 재료

You'll learn how to make your own cosmetics from natural **ingredients**. [EBS]
여러분은 천연 ....으로 자신만의 화장품을 만드는 법을 배울 것입니다.

the basic ....
기초 성분

해석 완성 대화를 나눌 / 절망적인 / 전자 / 떠다녔다 / 잡아채서 / 성분

0664 insist [insíst]

(통) 주장하다, 고집하다

She **insisted** on wearing her favorite sandals to school. 모평
그녀는 학교에 가장 좋아하는 샌들을 신고 가겠다고 _____.

➕ insistently (부) 끈덕지게   insistence (명) 주장, 고집; 강요

_____ on one's innocence
~의 무죄를 주장하다

0665 justice [dʒʌ́stis]
빈칸

(명) 정의; 정당성; 사법

My preference for **justice** or a moral life is essentially no different from my preference for an apple. EBS
_____ 나 도덕적 생활에 대한 나의 선호는 사과에 대한 선호와 본질적으로 다르지 않다.

➖ injustice (명) 부정, 불의; 부당함

the criminal system
형사 사법 제도

0666 myth [miθ]

(명) 신화; (신화 같은) 통념

You may know the classic **myth** of Icarus and Daedalus. 학평
당신은 이카로스와 다이달로스에 대한 고전 _____ 를 알 것이다.

➕ mythical (형) 신화의; 가공의   mythology (명) (집합적) 신화

the heroes of Greek
그리스 신화 속 영웅들

0667 pierce [piərs]

(통) 꿰뚫다, 찌르다; (구멍을) 뚫다

The arrow **pierced** through the warrior's armor.
화살이 그 전사의 갑옷을 _____.

_____ one's ear
~의 귀를 뚫다

0668 recommend [rèkəménd]
실용문

(통) 추천하다; 권고하다

Popular dates sell out early, so advance reservations are **recommended**. 학평
인기 있는 날짜들은 일찍 매진되니 사전 예약을 _____.

➕ recommendation (명) 추천; 권고; 장점

_____ a good hotel
좋은 호텔을 추천하다

해석 완성 고집했다 / 정의 / 신화 / 꿰뚫었다 / 권합니다

진짜 기출로 확인! 우리말과 일치하도록 빈칸에 알맞은 단어를 고르시오.   고3 학평

Even a(n) (1)_____ car key can fight crime. After a thief broke into a car, the owner, alerted to the break-in by a neighbor, (2)_____ her car keys and hurried outside. When the burglar saw the owner approaching, he tried to exit the car.
(심지어 자동차의 전자키를 이용해서도 범죄와 싸울 수 있다. 도둑이 차에 침입한 후, 이웃 주민이 누가 침입했다고 경고해 주자, 자동차 주인은 열쇠를 집어 들고 밖으로 급히 나갔다. 도둑은 주인이 다가오는 것을 보고 차에서 나가려고 했다.)

① pierced   ② insisted   ③ grabbed   ④ desperate   ⑤ electronic

ANSWERS p.475

0669 **refuse**
[rifjúːz]

(동) 거절하다; 거부하다

He can take what's offered or **refuse** to take anything. (모평) 그는 주어진 것을 받거나 무엇이든 받는 것을 .... 수 있다.

➕ **refusal** (명) 거절; 거부; 사퇴

.... a request
요청을 거절하다

0670 **relevant**
[réləvənt]

(형) 관련된; 적절한

When facing a problem, we should always have an open mind, and should consider all **relevant** information. (학평) 문제에 직면할 때 우리는 항상 열린 마음을 갖고 .... 모든 정보를 숙고해야 한다.

➕ **relevance** (명) 관련성; 타당성
➖ **irrelevant** (형) 관계가 없는; 부적절한

documents ....
to the subject
그 주제에 관련된 문서들

0671 **superior**
[səpíəriər]

(형) (~보다 더) 우수한; 상급의   (명) 윗사람, 상관

Which species is competitively **superior** sometimes depends on the conditions. (모평) 어떤 종이 경쟁적으로 더 .... 하는 것은 때때로 상황에 의해 좌우된다.

be superior to ~보다 더 뛰어나다

➕ **superiority** (명) 우월, 우수
➖ **inferior** (형) 열등한; 손아랫사람의

.... in numbers
수적으로 우세한

0672 **abundance**
[əbʌ́ndəns]

(명) 풍부, 많음

Resource **abundance** in itself need not do any harm. (학평) 자원의 .... 그 자체는 아무런 해가 되지 않는다.

➕ **abundant** (형) 풍부한, 많은

an .... of food
풍부한 식량

0673 **rust**
[rʌst]

(동) 녹슬다, 부식하다   (명) 녹

The flat roof leaked in wet climate while the metal railings and window frames **rusted**. 습한 기후에서 평평한 지붕이 새는 동안 금속 난간과 창틀이 ....

➕ **rusty** (형) 녹슨, 녹투성이의

a pipe covered with
....
녹으로 덮여 있는 배관

0674 **approximate**
(동)[əpráksəmèit]
(형)[əpráksəmit]

(동) ~와 비슷하다   (형) (목표 등에) 가까운; 대략의

All art is creation, regardless of how closely the imitation **approximates** the original. (모평) 모방이 원본과 얼마나 흡사하게 .... 에 상관없이 모든 미술은 창조이다.

the .... cost
대략의 비용

해석 완성 거절할 / 관련된 / 우수한가 / 풍부 / 녹슬었다 / 비슷한지

| 0675 **artistic**
□□
[ɑːrtístik] | (형) 예술의, 미술의; 예술적인
Architects need a strong **artistic** sense and drawing skills. (학평)
건축가는 뛰어난 _____ 감각과 그림 실력이 필요하다. | _____ talent
예술적 재능 |

| 0676 **barrier**
□□
[bǽriər] | (명) 장벽; 경계(선); 장애물
She became the first woman pilot to break the sound **barrier**. (학평)
그녀는 단단한 _____을 깬 최초의 여성 조종사가 되었다. | a language _____
언어 장벽 |

| 0677 **blame**
□□
빈칸 [bleim] | (동) 비난하다; ~의 탓으로 돌리다 (명) 비난; 책임
A bad workman **blames** his tools. (학평)
서투른 일꾼이 연장을 _____.

blame A for B = blame B on A B(일)에 대해 A(사람)를 비난하다
put the blame on ~에게 책임을 씌우다 | _____ a person for neglect of duty
직무 태만으로 ~을 비난하다 |

| 0678 **budget**
□□
목적 [bʌ́dʒit] | (명) 예산(안); 경비
Many city services will not open for some days because of the **budget** problems of the city. (학평)
시의 _____ 문제 때문에 많은 시의 서비스들이 며칠 동안 제공되지 않을 것입니다. | a tight _____
빠듯한 예산 |

| 0679 **compensate**
□□
[kɑ́mpənsèit] | (동) 보상하다; 보충[보완]하다
AIs could **compensate** for a decline in human intelligence. (수능)
인공지능은 인간 지능의 쇠퇴를 _____ 수도 있다.

➕ compensation (명) 배상, 변상; 보상금 | _____ for the loss
손실을 보상하다 |

| 0680 **complicated**
□□
[kɑ́mpləkèitid] | (형) 복잡한
It upsets me to go into **complicated** situations. (학평)
_____ 상황으로 가는 것은 나를 화나게 한다.

➕ complication (명) 복잡 | a _____ system
복잡한 시스템 |

해석 완성 예술적 / 장벽 / 탓한다 / 예산 / 보완할 / 복잡한

진짜 기출로 확인! 밑줄 친 단어의 뜻을 문맥에 맞게 찾으시오.   고3 모평

This kind of approach has contributed important knowledge but has also influenced the way we view marine life. It leads us to focus on (1)abundances, production rates, and distribution patterns. Such a perspective is very (2)relevant in the context of the ocean as a resource for fisheries.

① 풍부함   ② 장애물   ③ 적절한   ④ 복잡한   ⑤ 예술적인

ANSWERS p.475

3-Minute Check

		check
0641 **conceal**	동 숨기다	☐
0642 **cope**	동 대처하다, 극복하다	☐
0643 **cultivate**	동 경작하다; 재배하다; (재능·품성 등을) 기르다	☐
0644 **electricity**	명 전기; 전력	☐
0645 **expense**	명 지출, 비용; 부담	☐
0646 **false**	형 틀린, 잘못된; 거짓의	☐
0647 **geography**	명 지리; 지리학	☐
0648 **intense**	형 격렬한, 극심한; 격앙된	☐
0649 **secure**	형 안전한; 안정된 동 안전하게 하다; 확보하다	☐
0650 **stretch**	동 늘이다; 뻗다; 펼쳐지다 명 뻗기; 신축성	☐
0651 **transport**	명 수송, 운송 동 수송하다, 운반하다	☐
0652 **ultimately**	부 궁극적으로; 결국, 최후로	☐
0653 **victim**	명 희생(자), 피해자	☐
0654 **accumulate**	동 모으다, 축적하다	☐
0655 **aesthetic**	형 미의, 심미적인 명 미학	☐
0656 **cheat**	동 속이다; 부정행위를 하다 명 사기(꾼)	☐
0657 **command**	명 명령; 지휘 동 명령하다; 지휘하다	☐
0658 **converse**	동 대화를 나누다 형 정반대의	☐
0659 **desperate**	형 필사적인; 절망적인	☐
0660 **electronic**	형 전자의	☐

		check
0661 **float**	동 뜨다; 떠다니다	☐
0662 **grab**	동 움켜잡다; 잡아채다 명 움켜쥐기	☐
0663 **ingredient**	명 성분; 재료	☐
0664 **insist**	동 주장하다, 고집하다	☐
0665 **justice**	명 정의; 정당성; 사법	☐
0666 **myth**	명 신화; (신화 같은) 통념	☐
0667 **pierce**	동 꿰뚫다, 찌르다; (구멍을) 뚫다	☐
0668 **recommend**	동 추천하다; 권고하다	☐
0669 **refuse**	동 거절하다; 거부하다	☐
0670 **relevant**	형 관련된; 적절한	☐
0671 **superior**	형 (~보다 더) 우수한; 상급의 명 윗사람, 상관	☐
0672 **abundance**	명 풍부, 많음	☐
0673 **rust**	동 녹슬다, 부식하다 명 녹	☐
0674 **approximate**	동 ~와 비슷하다 형 (목표 등에) 가까운; 대략의	☐
0675 **artistic**	형 예술의, 미술의; 예술적인	☐
0676 **barrier**	명 장벽; 경계(선); 장애물	☐
0677 **blame**	동 비난하다; ~의 탓으로 돌리다 명 비난; 책임	☐
0678 **budget**	명 예산(안); 경비	☐
0679 **compensate**	동 보상하다; 보충[보완]하다	☐
0680 **complicated**	형 복잡한	☐

외우지 못한 단어가 있으면 **미니 단어장**에서 다시 한번 정리해 보세요.

DRILLS

0681 목적
convenience
[kənví:njəns]

명 편리, 편의; 편의 시설

Feel free to visit our shop at your **convenience**. 학평
......................하신 시간에 저희 가게에 언제든지 방문해 주십시오.

at your convenience 당신이 편리한 시간에
for the convenience of ~의 편의를 도모하여
at the earliest convenience 형편 닿는 대로, 조속히

➕ inconvenience 명 불편(한 것)

a .... store
편의점

0682
correlation
[kɔ̀:rəléiʃən]

명 상관(관계), 연관성

The typical **correlation** between personality traits and behavior was quite modest. 학평
성격 특성과 행동 사이의 전형적인 ....는 상당히 낮았다.

a significant ....
유의미한 상관관계

0683
educate
[édʒukèit]

동 교육하다, 훈육하다

The media began to **educate** us about the dangers of processed foods. 학평
매체는 우리에게 가공 식품의 위험성에 대해 .... 시작했다.

➕ educator 명 교육자; 교육 전문가

.... people about drug addiction
약물 중독에 대해 사람들을 교육하다

0684
execute
[éksikjù:t]

동 실행[수행]하다; (법률 등을) 집행하다; 처형하다

They have to sit still to **execute** such tasks. EBS
그들은 그런 일을 .... 위해 가만히 앉아 있어야 한다.

➕ execution 명 실행, 수행; 집행; 처형

.... the plan
계획을 실행하다

0685
exhaust
[igzɔ́:st]

동 다 써버리다; 기진맥진하게 만들다

We have nearly **exhausted** the Earth's finite carrying capacity. 모평
우리는 지구의 한정된 환경 수용력을 거의 ....

➕ exhausted 형 다 써버린; 기진맥진한

.... oneself
기진맥진해지다

0686
guarantee
[gæ̀rəntí:]

명 보증(서) 동 보증하다

Enclosed are copies of my receipts and **guarantees** concerning this purchase. 학평
이 구매에 관한 제 영수증과 .... 사본이 동봉되어 있습니다.

a .... on a camera
카메라의 보증서

해석 완성 편리 / 상관관계 / 교육하기 / 수행하기 / 다 써버렸다 / 보증서

0687 immune
[imjúːn]

(형) 면역의; 면역성이 있는

The **immune** system can usually prevent these germs from taking over the whole body. 학평
.... 체계는 보통 이 세균들이 온몸을 차지하는 것을 막을 수 있다.

be immune to ~에 면역이 되다; ~의 영향을 받지 않다

➕ **immunity** (명) 면역; 면제

an .... reaction
면역 반응

0688 motion
[móuʃən]

(명) 운동, 움직임; 동작　(동) 몸짓으로 알리다

The pitcher is the sender in the sense that his activity initiates the **motion** of the ball. 학평
투수는 그의 활동이 공의 ....을 시작한다는 의미에서 보내는 사람이다.

➕ **motionless** (형) 움직이지 않는

the laws of ....
운동의 법칙

0689 overlook
[óuvərlùk]
주제

(동) 간과하다; 눈감아주다

We often **overlook** the fact that people have last names and titles. 학평
우리는 종종 사람들이 성과 직함을 가지고 있다는 사실을 ....

.... a person's mistake
~의 실수를 눈감아주다

0690 patent
[pǽtənt]

(명) 특허(권); 특허품　(동) 특허를 받다

His first **patent** was issued for improvements to the fountain pen on April 18, 1922. 학평
그의 첫 번째 ....는 1922년 4월 18일 만년필 개선을 위해 발급되었다.

apply[ask] for a patent 특허를 출원하다

the .... law
특허법

0691 pretend
[priténd]

(동) ~인 체하다; 주장하다

She sometimes **pretended** not to recognize me. 모평
그녀는 때때로 나를 못 알아보는 ....

.... to be asleep
자는 체하다

0692 random
[rǽndəm]

(형) 임의의, 무작위의

Suppose you threw darts at **random** on a map of the United States. 학평
미국 지도 위에 .... 다트를 던졌다고 가정해 보라.

➕ **randomly** (부) 무작위로　**randomness** (명) 무작위

in a .... order
무작위 순으로

해석 완성 면역 / 움직임 / 간과한다 / 특허 / 체했다 / 무작위로

0693 rural
[rúərəl]

(형) 시골의, 전원의

He was assigned to a small school in a poor **rural** county in North Carolina. 수능

그는 노스캐롤라이나의 가난한 .... 지방의 작은 학교에 배정되었다.

🔄 urban (형) 도시의

.... areas
시골 지역

0694 admire
[ədmáiər]

(동) 감탄하다, 존경하다

She told him honestly that she **admired** how family-oriented he was. 학평

그녀는 그가 얼마나 가족을 우선시하는지에 .... 그에게 솔직히 말했다.

➕ admiration (명) 감탄; 존경

.... the scenery
경치에 감탄하다

0695 anxious
[æŋkʃəs]
심경

(형) 걱정하는, 불안한; 열망하는

I grew **anxious** because the time for surgery was drawing closer. 학평

수술 시간이 가까이 다가오고 있었기 때문에 나는 ....졌다.

➕ anxiously (부) 근심하여; 열망하여

an .... look
불안한 표정

0696 breakthrough
[bréikθrù:]

(명) 돌파구; (과학 등의) 획기적 발전

One's genius is a key element of a series of **breakthroughs**. 모평

사람의 천재성은 일련의 .... 의 핵심 요소이다.

make a ....
돌파구를 찾다

0697 crisis
[kráisis]

(명) 위기; 중대 국면

When photography came along in the nineteenth century, painting was put in **crisis**. 수능

19세기에 사진이 등장했을 때, 그림이 .... 에 처했다.

a financial ....
금융 위기

해석 완성 시골 / 감탄하고 있다고 / 불안해 / 획기적 발전 / 위기

진짜 기출로 확인! 우리말과 일치하도록 빈칸에 알맞은 단어를 고르시오.   고3 학평

A study by Terry A. Hartig, a psychology professor at Uppsala University in Sweden, tested a (1)_____ group of individuals. He asked them to carry out a forty-minute sequence of tasks designed to (2)_____ their "directed attention capacity."

(스웨덴 Uppsala 대학교의 심리학 교수인 Terry A. Hartig에 의한 연구는 무작위로 선택된 한 그룹의 사람들을 대상으로 실험을 실시했다. 그는 그들의 '집중력'을 소진시키도록 고안된, 40분짜리의 일련의 과제들을 수행하라고 그들에게 요구했다.)

① anxious   ② random   ③ admire   ④ exhaust   ⑤ pretend

ANSWERS p.475

0698 □□ 실용문	**deadline** [dédlàin]	명 기한, 마감 시간 The **deadline** for registration is June 10. 모평 등록 ....은 6월 10일입니다. **meet a deadline** 마감 시간을 맞추다	the .... for application 지원 기한
0699 □□ 내용 일치	**devote** [divóut]	동 (노력 등을 ~에) 바치다; 전념하다 He decided to **devote** himself to writing. 학평 그는 글쓰기에 .... 결심했다. 🔁 **devoted** 형 헌신적인 **devotion** 명 헌신, 전념	.... one's life to education 교육에 ~의 일생을 바치다
0700 □□	**exert** [igzɔ́:rt]	동 (힘·노력을) 쓰다, 발휘하다, 행사하다 Beavers **exert** their influence by physically altering the landscape. 모평 비버는 물리적으로 풍경을 변화시킴으로써 영향력을 .... **exert influence on** ~에 영향을 미치다 **exert pressure on** ~에 압력을 행사하다	.... intelligence 지성을 발휘하다
0701 □□ 심화	**fascinated** [fǽsənèitid]	형 매료된, 마음을 빼앗긴 I was **fascinated** by the beautiful leaves and flowers of the mangroves. 수능 나는 맹그로브의 아름다운 잎과 꽃에 .... 🔁 **fascinating** 형 매혹적인 **fascinate** 동 매혹하다, 마음을 사로잡다	.... by one's beauty ~의 아름다움에 매료된
0702 □□	**fossil** [fásl]	명 화석 형 화석의 The world is struggling to reduce its reliance on **fossil** fuels. 수능 세계는 .... 연료에 대한 의존을 줄이려고 분투하고 있다. **fossil fuel** 화석 연료	a .... of dinosaur 공룡 화석
0703 □□	**liquid** [líkwid]	명 액체 형 액체의; 유동성의 The fish needs continually to drink water to refill the **liquid** being drawn out of its body. 학평 그 물고기는 몸 밖으로 빠져나가고 있는 ....를 보충하기 위 해 끊임없이 물을 마실 필요가 있다. 🔁 **liquidity** 명 유동성 **liquify** 동 액체로 만들다 **TIP** 물질 관련 표현 » **solid** 명 고체 형 고체의 » **gas** 명 기체 » **fluid** 명 유동체 형 유동체의	.... soap 액상 비누

해석 완성 기한 / 전념하기로 / 행사한다 / 매료되었다 / 화석 / 액체

0704 marine
[mərí:n]

(형) 바다의, 해양의; 항해의

He gradually developed an interest in **marine** biology.
(학평) 그는 점차 .... 생물학에 관심을 갖게 되었다.

.... life
해양 생물

0705 military
[mílitèri]
내용일치

(형) 군(대)의, 군사의; 육군의   (명) 군대

A charitable lady helped him attend a local **military** school. (수능)
한 자비로운 여인이 그가 지역 .... 학교에 다니도록 도와주었다.

.... service
군복무

> **TIP** 군 관련 표현
> » civilian (명) 민간인   » army (명) 군대, 육군   » navy (명) 해군
> » air force 공군   » soldier (명) 군인, 사병

0706 ordinary
[ɔ́:rdənèri]

(형) 보통의, 평범한   (명) 보통 사람[물건]

The artist sees inspiration where the **ordinary** person sees only a limitation or an obstacle. (학평)
예술가는 .... 사람이 단지 한계나 장애를 보는 곳에서 영감을 본다.

an .... life
평범한 생활

🔄 extraordinary (형) 특별한; 비범한

0707 possess
[pəzés]

(동) 소유하다, 지니다; 사로잡다

Not every Arab country **possesses** oil. (학평)
모든 아랍 국가가 석유를 .... 것은 아니다.

.... a sense of humor
유머 감각을 지니다

➕ possession (명) 소유; 소지품; 사로잡힘

0708 precise
[prisáis]

(형) 정밀한, 정확한

He gave me a very thorough and **precise** training in baking. (EBS)
그는 나에게 제빵에 대한 아주 철저하고 .... 교육을 해 주었다.

.... measurements
정밀한 측정

➕ precisely (부) 정밀하게, 정확하게   precision (명) 정확; 꼼꼼함

해석 완성 해양 / 군사 / 평범한 / 소유하고 있는 / 정확한

진짜 기출로 확인! 밑줄 친 단어의 뜻을 문맥에 맞게 찾으시오.   고3 학평

The problem of at sea was finally cracked in the middle of the eighteenth century by John Harrison, who invented a clock — a (1)marine chronometer — which could go on (2)precisely telling the time in spite of the constant movement of a ship, thus making it possible for the first time for ships anywhere to establish their longitude.

① 군대의   ② 항해의   ③ 액체의   ④ 평범하게   ⑤ 정확하게

ANSWERS p.475

0709 resolution
☐☐
[rèzəljúːʃən]

(명) 결심; 결의(안); 해결

I look forward to your reply and a **resolution** to my problem. 학평
저는 귀하의 답변과 제 문제에 대한 ....을 고대합니다.

➕ **resolve** (동) 결심하다; 해결하다; 용해하다

pass a ....
결의안을 통과시키다

0710 sufficient
☐☐
[səfíʃənt]

(형) 충분한, 족한

It is necessary for the government to make a **sufficient** welfare budget for the elderly. 학평
정부는 노인들을 위한 .... 복지 예산을 편성할 필요가 있다.

➖ **insufficient** (형) 불충분한

.... nutrition
충분한 영양

0711 symptom
☐☐
[símptəm]

(명) 징후, 조짐; 증상

Symptoms of hay fever are worse in the morning than at night. 학평
꽃가루 알레르기의 ....은 밤보다 아침에 더 심하다.

the most common .... of a cold
감기의 가장 흔한 증상

0712 toss
☐☐
[tɔ(ː)s]

(동) (가볍게) 던지다   (명) 던지기

She hadn't even **tossed** her bouquet yet. 학평
심지어 그녀는 아직 부케를 .... 않았었다.

toss and turn (잠을 못 자고) 뒤척이다
toss up for ~을 위해 동전 던지기를 하다

.... a ball
공을 토스하다[던지다]

0713 transfer
☐☐
(동)[trænsfə́ːr]
(명)[trǽnsfər]

(동) 옮기다; 전학[전근]하다; 갈아타다   (명) 이동; 환승

I will seriously consider **transferring** my home loan to another bank. EBS
저는 주택 대출을 다른 은행으로 .... 것을 진지하게 고려할 것입니다.

.... from a train to a bus
기차에서 버스로 갈아타다

0714 absorb
☐☐
[əbsɔ́ːrb]

(동) 흡수하다; 몰두시키다

Greenhouse gases have been known to **absorb** heat. 수능
온실 가스는 열을 .... 것으로 알려져 왔다.

be absorbed in ~에 열중하다

➕ **absorption** (명) 흡수; 몰두

.... oneself in a book
책에 몰두하다

0715 bond
☐☐
[band]

(동) 접착시키다; 유대감이 형성되다   (명) 유대

Military groups who experience combat seem to **bond** with each other from the experience. 학평
전투를 경험하는 군사 단체들은 그 경험으로부터 서로 .... 것 같다.

the .... of friendship
우정의 유대

해석 완성 해결 / 충분한 / 증상 / 던지지도 / 옮기는 / 흡수하는 / 유대감이 형성되는

0716 **brief**
[bri:f]

(형) 짧은; 간결한, 간단한

After a **brief** skills test, participants will be trained based on their levels. (수능)
_____ 기량 테스트 후, 참가자들은 수준에 따라 훈련을 받게 될 것입니다.

a _____ description
간결한 묘사

0717 **ecology**
[ikáləʤi]

(명) 생태학; 생태계

The lesson of **ecology** is that, as species of the planet, we are all connected in a web of life. (EBS)
_____의 교훈은 지구의 종으로서 우리는 모두 생명의 거미줄에 연결되어 있다는 것이다.

➕ **ecological** (형) 생태학[생태계]의; 환경 친화적인
ecologist (명) 생태학자

marine _____
해양 생태계

0718 **envious**
[énviəs]

(형) 부러워하는, 샘내는

With **envious** eyes Nicholas looked at the cart full of corn. (학평)
Nicholas는 옥수수로 가득 찬 손수레를 _____ 눈길로 바라보았다.

_____ of a person
~을 부러워하는

0719 **extinct**
[ikstíŋkt]

(형) 멸종된; 사라진

Dodo birds became **extinct** during the late 19th century. (학평)
도도새는 19세기 후반에 _____.

➕ **extinction** (명) 멸종; 소멸

an _____ species
멸종된 종

0720 **facilitate**
[fəsílətèit]

(동) 용이하게 하다; 촉진하다

His contribution included improvements and patents to **facilitate** mass production. (모평)
그의 기여는 대량 생산을 _____ (기술)향상과 특허들을 포함했다.

_____ cooperation
협력을 용이하게 하다

해석 완성 간단한 / 생태학 / 부러워하는 / 멸종되었다 / 촉진하는

진파 기출로 확인! 우리말과 일치하도록 빈칸에 알맞은 단어를 고르시오.　　　　　　　고3 학평

Advertising in developing countries may (1)_____ the (2)_____ of consumption patterns of developed countries to developing ones, by introducing needs which may not be appropriate, given the income and demand structure in these countries.
(개발도상국에서의 광고는 이 나라들의 소득과 수요 구조를 고려할 때 적절하지 않을지도 모르는 필요를 만들어 냄으로써 선진국의 소비 형태를 개발도상국으로 이동하는 것을 촉진할 수 있다.)

① toss　　　② bond　　　③ transfer　　　④ symptom　　　⑤ facilitate

ANSWERS p.475

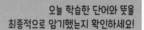

			check
0681	**convenience**	圀 편리, 편의; 편의 시설	☐
0682	**correlation**	圀 상관(관계), 연관성	☐
0683	**educate**	冬 교육하다, 훈육하다	☐
0684	**execute**	冬 실행[수행]하다; (법률 등을) 집행하다; 처형하다	☐
0685	**exhaust**	冬 다 써버리다; 기진맥진하게 만들다	☐
0686	**guarantee**	圀 보증(서) 冬 보증하다	☐
0687	**immune**	囵 면역의; 면역성이 있는	☐
0688	**motion**	圀 운동, 움직임; 동작 冬 몸짓으로 알리다	☐
0689	**overlook**	冬 간과하다; 눈감아주다	☐
0690	**patent**	圀 특허(권); 특허품 冬 특허를 받다	☐
0691	**pretend**	冬 ~인 체하다; 주장하다	☐
0692	**random**	囵 임의의, 무작위의	☐
0693	**rural**	囵 시골의, 전원의	☐
0694	**admire**	冬 감탄하다, 존경하다	☐
0695	**anxious**	囵 걱정하는, 불안한; 열망하는	☐
0696	**breakthrough**	圀 돌파구; (과학 등의) 획기적 발전	☐
0697	**crisis**	圀 위기; 중대 국면	☐
0698	**deadline**	圀 기한, 마감 시간	☐
0699	**devote**	冬 (노력 등을 ~에) 바치다; 전념하다	☐
0700	**exert**	冬 (힘·노력을) 발휘하다; 행사하다	☐

			check
0701	**fascinated**	囵 매료된, 마음을 빼앗긴	☐
0702	**fossil**	圀 화석 囵 화석의	☐
0703	**liquid**	圀 액체 囵 액체의; 유동성의	☐
0704	**marine**	囵 바다의, 해양의; 항해의	☐
0705	**military**	囵 군(대)의, 군사의; 육군의 圀 군대	☐
0706	**ordinary**	囵 보통의, 평범한 圀 보통 사람[물건]	☐
0707	**possess**	冬 소유하다, 지니다; 사로잡다	☐
0708	**precise**	囵 정밀한, 정확한	☐
0709	**resolution**	圀 결심; 결의(안); 해결	☐
0710	**sufficient**	囵 충분한, 족한	☐
0711	**symptom**	圀 징후, 조짐; 증상	☐
0712	**toss**	冬 (가볍게) 던지다 圀 던지기	☐
0713	**transfer**	冬 옮기다; 갈아타다 圀 이동; 환승	☐
0714	**absorb**	冬 흡수하다; 몰두시키다	☐
0715	**bond**	冬 접착시키다; 유대감이 형성되다 圀 유대	☐
0716	**brief**	囵 짧은; 간결한, 간단한	☐
0717	**ecology**	圀 생태학; 생태계	☐
0718	**envious**	囵 부러워하는, 샘내는	☐
0719	**extinct**	囵 멸종된; 사라진	☐
0720	**facilitate**	冬 용이하게 하다; 촉진하다	☐

외우지 못한 단어가 있으면 미니 단어장에서 다시 한번 정리해 보세요.

A 영어는 우리말로, 우리말은 영어로 쓰시오.

01 absolute

02 cultivate

03 universal

04 ordinary

05 accumulate

06 satisfaction

07 convenience

08 ultimately

09 cognitive

10 devote

11 immune

12 endure

13 guarantee

14 retail

15 envious

16 merely

17 relevant

18 barrier

19 abundance

20 sufficient

21 생각나게 하다, 상기시키다

22 지리; 지리학

23 예산(안); 경비

24 본질, 정수

25 먼저의, 이전의; 전자의

26 시골의, 전원의

27 위기; 중대 국면

28 인공의; 인조의

29 흡수하다; 몰두시키다

30 정의; 정당성; 사법

31 주장하다, 고집하다

32 멸종된; 사라진

33 숨; 입김

34 성분; 재료

35 액체; 액체의; 유동성의

36 침입[침략]하다; 침해하다

37 화석; 화석의

38 징후, 조짐; 증상

39 보상; 보답; 보답하다

40 소유하다; 사로잡다

B 우리말과 일치하도록 빈칸에 알맞은 말을 쓰시오.

01 A bad workman .... his tools.
→ 서투른 일꾼이 연장을 탓한다.

02 Suppose you threw darts at .... on a map of the United States.
→ 미국 지도 위에 무작위로 다트를 던졌다고 가정해 보라.

03 Graceful swans .... along the crystal clear spring.
→ 우아한 백조들이 수정처럼 맑은 샘을 따라 떠다녔다.

04 There is no free lunch: doing one thing makes us .... other opportunities.
→ 세상에 공짜는 없다. 한 가지 일을 하는 것은 우리에게 다른 기회들을 희생하게 한다.

05 If you expect to remember what you read, you have to .... fully with its meaning.
→ 당신이 읽은 것을 기억하기를 기대한다면, 당신은 그것의 의미와 충분히 씨름해야 한다.

C 우리말과 일치하도록 빈칸에 알맞은 단어를 〈보기〉에서 골라 쓰시오.

보기				
brief	exert	inherent	refuse	superior

01 Language is an ability, ... in us.
언어는 우리 안에 내재하는 능력이다.

02 He can take what's offered or .... to take anything.
그는 주어진 것을 받거나 무엇이든 받는 것을 거절할 수 있다.

03 Beavers .... their influence by physically altering the landscape.
비버는 물리적으로 풍경을 변화시킴으로써 영향력을 행사한다.

04 After a .... skills test, participants will be trained based on their levels.
간단한 기량 테스트 후, 참가자들은 수준에 따라 훈련을 받게 될 것입니다.

05 Which species is competitively .... sometimes depends on the conditions.
어떤 종이 경쟁적으로 더 우수한가 하는 것은 때때로 상황에 의해 좌우된다.

가리개를 사용하여 뜻을 암기했는지 확인하세요.

DRILLS

0721 □□ **heal** [hiːl]

[동] 고치다; 낫다; 치료하다

Evidence of using food to **heal** dates back thousands of years. [학평]

.... 위해 음식을 사용한 증거는 수천 년 전으로 거슬러 올라간다.

.... disease
병을 고치다

0722 □□ **hypothesis** [haipάθəsis]

[명] 가설, 가정

Scientific experiments should be designed to show that your **hypothesis** is wrong. [모평]

과학적 실험은 당신의 ....이 틀렸다는 것을 보여 주기 위해 고안되어야 한다.

[+] **hypothesize** [동] 가설을 세우다, 가정하다

examine a ....
가설을 검증하다

0723 □□ **imply** [implái]

[동] 암시[시사]하다; 수반하다

Rights **imply** obligations, but obligations need not **imply** rights. [학평]

권리는 의무를 .... 의무는 권리를 .... 필요가 없다.

[+] **implication** [명] 함축; 암시; 관련

.... a bright future
밝은 미래를 암시하다

0724 □□ **interfere** [ìntərfíər]

[동] 방해하다; 간섭[참견]하다

Digital signals do not **interfere** with one another and can therefore be packed closer together. [학평]

디지털 신호는 서로 .... 않으므로 서로 더 가깝게 압축될 수 있다.

[+] **interference** [명] 방해; 간섭, 참견

.... in private concerns
개인적 일에 간섭하다

0725 □□ **veteran** [vétərən]

[명] 베테랑, 전문가; 노병 [형] 노련한, 숙련된

The old **veteran**'s body ached from marching. [학평]

그 나이든 ....은 행군하느라 몸이 아팠다.

a .... golfer
베테랑 골프 선수

0726 □□ **maximize** [mǽksəmàiz]

[동] 극대화하다; 최대한 활용하다

Plants can **maximize** their ability to survive and thrive in almost any condition. [EBS]

식물들은 생존 능력을 .... 거의 어떤 환경에서도 잘 자랄 수 있다.

[↔] **minimize** [동] 최소화하다; 축소하다

.... profits
수익을 극대화하다

해석 완성 치료하기 / 가설 / 수반하지만, 수반할 / 간섭하지 / 노병 / 극대화하여

0727 metaphor
[métəfɔ̀ːr]
(명) 은유, 비유
As a counselor, I often use the North Star as a **metaphor**. 학평
상담가로서, 나는 종종 북극성을 ....로 사용한다.

a .... for love
사랑에 대한 은유

0728 passion
[pǽʃən]
(명) 열정, 열광
The problem was that she didn't have much of a **passion** for law. 학평
문제는 그녀에게 법에 대한 ....이 별로 없다는 것이었다.

➕ **passionate** (형) 열렬한, 정열적인

a .... for painting
그림에 대한 열정

0729 physics
[fíziks]
(명) 물리학; 물리적 현상
Think of how you solve **physics** problems or answer questions about cellular division. EBS
당신이 어떻게 .... 문제를 푸는지 또는 세포 분열에 관한 질문에 답하는지 생각해 보라.

➕ **physicist** (명) 물리학자

a degree in ....
물리학 학위

0730 pour
[pɔːr]
(동) 따르다, 붓다; (비가) 쏟아지다
When the tea was ready, the old man began to **pour** it into the visitor's cup. 학평
차가 준비되자 그 노인은 손님의 컵에 그것을 .... 시작했다.

.... the sauce over the pasta
파스타에 소스를 붓다

0731 quantity
[kwántəti]
(명) 양, 분량
It's not **quantity** but quality that counts. 학평
중요한 것은 ....이 아니라 질이다.

🔁 **quality** (명) 질

a small .... of water
소량의 물

0732 reliable
[riláiəbl]
(형) 신뢰성 있는, 믿을 만한
Lie detector tests have not proven particularly **reliable**. 학평
거짓말 탐지기 시험은 특별히 .... 것으로 증명되지 않았다.

➕ **reliability** (명) 신빙성, 확실성
🟰 **dependable** (형) 믿을 수 있는

a .... source
믿을 만한 출처

0733 rush
[rʌʃ]
(동) 급히 가다[하다], 돌진하다
He **rushed** down to the street to try to catch the child. 학평
그는 그 아이를 잡으려고 거리로 ....

.... to a conclusion
성급하게 결론을 내리다

해석 완성 비유 / 열정 / 물리학 / 따르기 / 양 / 신뢰성 있는 / 급히 달려갔다

0734 slip
[slip]

(동) 미끄러지다; 빠지다   (명) 작은 실수; 종잇조각

A boy riding a bicycle **slipped** on the damp wooden surface. (모평)
자전거를 탄 한 소년이 축축한 목재 표면 위에 ....

➕ **slippery** (형) 미끄러운; 미덥지 못한; 불안정한

> **TIP** slip / slide
> » **slip** (동) (갑자기 중심을 잃고) 미끄러지다
>   ex. **slip** and fall 미끄러져 구르다
> » **slide** (동) (표면 위로 보통은 부드럽게) 미끄러지다
>   ex. **slide** down a hillside 언덕 비탈을 미끄러져 내려오다

.... on the ice
얼음 위에서 **미끄러지다**

0735 transform
[trænsfɔ́:rm]

(동) 변형시키다; 바꾸다

You **transform** your inner fear into a motivational force. (EBS)
당신은 내면의 두려움을 동기 부여의 힘으로 ....

➕ **transformation** (명) 변화, 변신

.... the world
세상을 **바꾸다**

0736 vast
[væst]

(형) 광대한; 막대한

We have to give up the **vast** underwater world as a land-based species. (학평)
우리는 육지에 기반을 둔 종으로서 .... 수중 세계를 포기해야 한다.

🟰 **huge, massive, enormous** (형) 광대한; 거대한

a .... plain
광대한 평야

0737 central
[séntrəl]

(형) 중심의, 중앙의; 주요한

Over the last fifty years computer modeling has become a **central** part of scientific research. (학평)
지난 50년 동안 컴퓨터 모델링은 과학 연구의 .... 부분이 되어 왔다.

the .... figure
주요 인물

해석 완성 미끄러졌다 / 바꾼다 / 광대한 / 중심

진짜 기출로 확인! 문맥에 맞도록 빈칸에 알맞은 단어를 고르시오. (대소문자 무시)   고2 학평

(1)_____ such as 'icy stares' and 'cold shoulders' describe social rejection using cold related concepts; they are not to be taken literally and certainly do not (2)_____ reduced temperature. Two experiments, however, revealed that those expressions are more than mere (1)_____.

① heal   ② imply   ③ interfere   ④ quantities   ⑤ metaphors

ANSWERS p.476

0738 critic
[krítik]

명 평론가　형 비판적인

Music albums landed exclusively in the hands of music **critics** before their release. 수능
음악 앨범들이 발매되기 전에 음악 ....의 손에 독점적으로 도착했다.

➕ **critical** 형 비평의; 비판적인; 중요한
　criticism 명 비평; 비판

a movie ....
영화 평론가

0739 debate
[dibéit]

동 토의[논쟁]하다　명 토론, 논쟁, 토의

As communities became larger, some people had time to reflect and **debate**. 수능
공동체가 커짐에 따라, 일부 사람들은 반성하고 .... 시간을 가졌다.

🟰 **discussion** 명 토의, 토론　**discuss** 동 토론하다, 토의하다

a heated ....
열띤 논쟁

0740 derive
[diráiv]

동 이끌어내다, 얻다; ~에서 비롯되다

A person may **derive** intrinsic satisfaction from helping others. 학평
어떤 사람은 남을 돕는 것으로부터 본질적인 만족을 .... 수 있다.

.... knowledge from reading books
독서에서 지식을 얻다

0741 digest
[daidʒést]

동 소화하다; 잘 이해하다; 요약하다

When we eat chewier, less processed foods, it takes us more energy to **digest** them. 학평
우리가 더 질기고 덜 가공된 음식을 먹을 때, 그것들을 .... 데 더 많은 에너지가 필요하다.

➕ **digestion** 명 소화(력)　**digestive** 형 소화의; 소화력 있는

.... food
음식을 소화하다

0742 discount
명[dískaunt]
동[diskáunt]
실 여마어휘

명 할인　동 할인하다; 가치를 떨어뜨리다

A parking **discount** is available to museum visitors. 수능 박물관 방문객들에게는 주차 ....이 가능합니다.

get[give, offer] a discount 할인을 받다[해 주다]

.... 10% for cash
현금에는 10%를 할인하다

0743 congestion
[kəndʒéstʃən]

명 혼잡, 붐빔; (인구) 과잉

Dependence on automobile travel contributes to insufficient physical activity and traffic **congestion**. 학평 자동차 여행에 대한 의존은 불충분한 신체적 활동과 교통 ....에 기여한다.

🟰 **jam, overcrowding** 명 혼잡; 과밀; (교통) 체증

.... of population
인구 과잉

해석 완성　평론가 / 토의하는 / 얻을 / 소화하는 / 할인 / 혼잡

0744 fault
[fɔːlt]

(명) 과실, 잘못; 결점

Many of us spend time finding **faults** in the people we deal with in our lives. 학평

우리 중 많은 사람들은 살면서 상대하는 사람들의 ....을 찾는 데 시간을 보낸다.

commit a ....
잘못을 저지르다

0745 layer
[léiər]

(명) 층, 겹

The outer **layers** of the Sun provide a sort of blanket that protects us from its inner fires. 모평

태양의 바깥 ....은 내부의 불로부터 우리를 보호해 주는 일종의 담요를 제공한다.

the ozone ....
오존층

0746 legal
[líːgəl]
빈칸

(형) 법률의; 합법적인

People believe in the **legal** authority of their superior. EBS 사람들은 그들의 상사의 .... 권위를 믿는다.

➕ **legally** (부) 법률상; 합법적으로 **legalize** (동) 합법화하다
➖ **illegal** (형) 불법의

the .... system
법 제도

0747 leisure
[líːʒər]

(형) 한가한; 여가용의 (명) 여가; 자유 시간

Even today the horse is still used for traditional farm work, as well as for **leisure** activities. 학평

오늘날에도 그 말은 .... 활동뿐만 아니라 전통적인 농장 일을 위해 여전히 사용된다.

➕ **leisurely** (형) 느긋한 (부) 천천히, 유유히

in .... time
여가 시간에

0748 machinery
[məʃíːnəri]

(명) 기계(류)

All dangerous equipment and **machinery** are safely stored. 모평

모든 위험한 장비와 ....는 안전하게 보관된다.

industrial ....
공업용 기계류

해석 완성 결점 / 층 / 법적인 / 여가 / 기계류

진짜 기출로 확인! 우리말과 일치하도록 네모 안에서 문맥에 알맞은 단어를 고르시오.   고3 학평

The deep oceans contain quite high levels of oxygen, though not generally as high as in the surface (1) layer / leisure / fault . The higher levels of oxygen in the deep oceans reflect in part the origin of deep-ocean seawater masses, which are (2) debated / derived / discounted from cold, oxygen-rich seawater in the surface of polar oceans.

(깊은 바다는 비록 일반적으로 표층에서만큼 높지는 않지만 그래도 꽤 높은 산소 수치를 포함한다. 깊은 바다에서의 높아진 산소 수치는 다량의 심해수의 출처를 일부 반영하는데, 그것은 극지방 바다 표면의 차갑고 산소가 풍부한 해수로부터 나온 것이다.)

ANSWERS p.476

0749 **neglect**
[niglékt]

명 태만; 방치　동 게을리 하다; 방치하다

Too many more people will suffer an early death from **neglect** and bad personal practices. EBS
너무 많은 사람들이 ....와 나쁜 개인적 습관들로 조기 사망할 것이다.

➕ **negligence** 명 부주의, 태만

.... one's duties
~의 의무를 게을리 하다

0750 **occasion**
[əkéiʒən]

명 경우, 때; 기회; 행사

One must select a particular strategy appropriate to the **occasion**. 모평
사람들은 ....에 맞는 특정 전략을 선택해야 한다.

➕ **occasional** 형 때때로의; 임시의

a memorable ....
기억할 만한 행사

0751 **output**
[áutpùt]

명 산출; 생산(량)

When the supply of a manufactured product exceeds the demand, the manufacturer cuts back on **output**. 모평 제조된 제품의 공급이 수요를 초과할 때, 제조자는 ....을 줄인다.

manufacturing ....
제조업 생산량

0752 **package**
[pǽkidʒ]

명 소포, 꾸러미; 포장　동 포장하다

Dinner consists of a freeze-dried meal, "cooked" by pouring hot water into the **package**. 수능
저녁은 ....에 뜨거운 물을 부어 '조리한' 동결 건조된 식사로 구성된다.

a .... of goods
한 꾸러미의 상품

0753 **pleasure**
[pléʒər]

명 기쁨, 즐거움; 오락

We all enjoy the **pleasure** of being left alone with a good book. 학평
우리 모두는 좋은 책을 가지고 혼자 남겨지는 ....을 즐긴다.

➕ **please** 동 (남을) 기쁘게 하다　**pleasant** 형 즐거운, 유쾌한

read for ....
즐거움을 위해 독서하다

0754 **plenty**
[plénti]

명 많음, 풍부(한 양)　형 많은

There is **plenty** of evidence that it is not the whole truth. EBS
그것이 온전한 진실은 아니라는 .... 증거가 있다.

➕ **plentiful** 형 많은, 풍부한

.... of money
풍부한 돈

0755 **proportion**
[prəpɔ́ːrʃən]

명 비율; (일정) 부분

A **proportion** of agricultural land is left completely uncultivated. 모평
농경지의 ....은 완전히 경작되지 않은 채 방치되어 있다.

in the .... of
~의 비율로

해석 완성 방치 / 경우 / 생산량 / 포장 / 기쁨 / 많은 / 일부분

0756 □□ **propose** [prəpóuz]

[동] 제안하다; 청혼하다

It has been **proposed** that sleep functions to conserve energy. [학평]
수면이 에너지를 절약하는 기능을 한다고 …………….

⊞ **proposal** [명] 제안; 청혼

…………… a new method
새로운 방법을 **제안하다**

0757 □□ **pure** [pjuər]

[형] 순수한; 깨끗한, 맑은

In academic circles, many are naive enough to believe in **pure** science. [학평]
학계에서는 많은 이들이 …………… 과학을 믿을 만큼 순진하다.

⊞ **purity** [명] 순수성; 순도

…………… gold
순금

0758 □□ **remark** [rimáːrk]

[동] 주목하다; 의견을 말하다 [명] 주목; 발언

Dad **remarked** that he hoped I had learned my lesson. [학평]
아빠는 내가 교훈을 배웠기를 바란다고 (의견을) …………….

⊞ **remarkable** [형] 주목할 만한, 현저한

a rude …………… about the food
그 음식에 대한 무례한 **발언**

0759 □□ **shelter** [ʃéltər]

[명] 피난(처); 보호 시설 [동] 피난처를 제공하다

The animals do not have to worry about finding food, **shelter**, or safety from predators. [모평]
그 동물들은 음식, ……………, 또는 포식자로부터 안전을 찾는 것에 대해 걱정할 필요가 없다.

a …………… for the homeless
집 없는 사람들을 위한 **보호 시설**

0760 □□ **silence** [sáiləns]

[명] 침묵; 고요함

Silence is better than meaningless words. [학평]
……………은 무의미한 말들보다 낫다.

an awkward ……………
어색한 **침묵**

해석 완성 제안되어 왔다 / 순수 / 말씀하셨다 / 피난처 / 침묵

진짜 기출로 확인! 밑줄 친 단어의 뜻을 문맥에 맞게 찾으시오. 18년 수능

For example, the energy (1) output from solar panels or wind power engines, where most investment happens before they begin producing, may need to be assessed differently when compared to most fossil fuel extraction technologies, where a large (2) proportion of the energy (1) output comes much sooner, and a larger (relative) (2) proportion of inputs is applied during the extraction process, and not upfront.

① 풍부 ② 비율 ③ 주목 ④ 생산 ⑤ 행사

ANSWERS p.476

3-Minute Check

			check
0721	heal	동 고치다; 낫다; 치료하다	☐
0722	hypothesis	명 가설, 가정	☐
0723	imply	동 암시[시사]하다; 수반하다	☐
0724	interfere	동 방해하다; 간섭[참견]하다	☐
0725	veteran	명 베테랑, 전문가; 노병 형 노련한, 숙련된	☐
0726	maximize	동 극대화하다; 최대한 활용하다	☐
0727	metaphor	명 은유, 비유	☐
0728	passion	명 열정, 열광	☐
0729	physics	명 물리학; 물리적 현상	☐
0730	pour	동 따르다, 붓다; (비가) 쏟아지다	☐
0731	quantity	명 양, 분량	☐
0732	reliable	형 신뢰성 있는, 믿을 만한	☐
0733	rush	동 급히 가다[하다]; 돌진하다	☐
0734	slip	동 미끄러지다; 빠지다 명 작은 실수; 종잇조각	☐
0735	transform	동 변형시키다; 바꾸다	☐
0736	vast	형 광대한; 막대한	☐
0737	central	형 중심의, 중앙의; 주요한	☐
0738	critic	명 평론가 형 비판적인	☐
0739	debate	동 토의[논쟁]하다 명 토론, 논쟁, 토의	☐
0740	derive	동 이끌어내다, 얻다; ~에서 비롯되다	☐

			check
0741	digest	동 소화하다; 잘 이해하다; 요약하다	☐
0742	discount	명 할인 동 할인하다; 가치를 떨어뜨리다	☐
0743	congestion	명 혼잡, 붐빔; (인구) 과잉	☐
0744	fault	명 과실, 잘못; 결점	☐
0745	layer	명 층, 겹	☐
0746	legal	형 법률의; 합법적인	☐
0747	leisure	형 한가한; 여가용의 명 여가; 자유 시간	☐
0748	machinery	명 기계(류)	☐
0749	neglect	명 태만; 방치 동 게을리 하다; 방치하다	☐
0750	occasion	명 경우, 때; 기회; 행사	☐
0751	output	명 산출; 생산(량)	☐
0752	package	명 소포, 꾸러미; 포장 동 포장하다	☐
0753	pleasure	명 기쁨, 즐거움; 오락	☐
0754	plenty	명 많음, 풍부(한 양) 형 많은	☐
0755	proportion	명 비율; (일정) 부분	☐
0756	propose	동 제안하다; 청혼하다	☐
0757	pure	형 순수한; 깨끗한, 맑은	☐
0758	remark	동 주목하다; 의견을 말하다 명 주목; 발언	☐
0759	shelter	명 피난(처); 보호 시설 동 피난처를 제공하다	☐
0760	silence	명 침묵; 고요함	☐

외우지 못한 단어가 있으면 미니 단어장에서 다시 한번 정리해 보세요.

📖 가리개를 사용하여 뜻을 암기했는지 확인하세요.

DRILLS

0761 ease
[iːz]

(동) 진정[완화]시키다; 편해지다   (명) 쉬움; 편함

As you **ease** your exhausted senses, do not forget your sense of smell. 모평
당신의 지쳐버린 감각을 .... 때 후각을 잊지 말라.

.... the pain
통증을 완화시키다

0762 campaign
[kæmpéin]

(명) (사회적·정치적) 운동, 캠페인   (동) 캠페인을 벌이다

To create interest in the product, companies will often launch pre-market advertising **campaigns**. 모평
제품에 대한 관심을 불러일으키기 위해, 회사들은 종종 사전 시장 광고 ....을 개시할 것이다.

an election
선거 운동

0763 clue
[kluː]

(명) 실마리; 단서

Clues to past environmental change are well preserved in many different kinds of rocks. 모평
과거의 환경 변화에 대한 ....는 많은 다른 종류의 암석에 잘 보존되어 있다.

find a
실마리를 찾다

0764 collaborate
[kəlǽbərèit]

(동) 협력하다, 합작하다

Collaborate with others to solve a real-world aviation challenge. EBS
실제 비행술의 문제들을 해결하기 위해 다른 이들과 ....

⊞ collaboration (명) 협력, 합작

.... on the project
프로젝트에서 협력하다

0765 comprehend
[kàmprihénd]

(동) (완전히) 이해하다; 포함하다

The human brain cannot completely **comprehend** or appreciate all that it encounters in its lifespan. 학평
인간의 뇌는 그 수명 동안 마주치는 모든 것을 완전히 .... 감상할 수 없다.

> **TIP** comprehend / understand
> » **comprehend** (동) (복잡하고 힘이 드는 과정을 충분히) 이해하다
> » **understand** (동) (남의 말·단어의 의미 등을) 이해하다, 알아듣다

.... one's meaning
~의 의미를 이해하다

0766 confront
[kənfrʌ́nt]

(동) ~에 직면하다; 대항하다

In one study, chimps were **confronted** by a simple choice. 모평
한 연구에서, 침팬지들은 단순한 선택에 ....

.... the enemy
적에 대항하다

해석 완성 진정시킬 / 캠페인 / 단서 / 협력하라 / 이해하거나 / 직면했다

0767 crash
[kræʃ]

(명) 굉음; 충돌　(동) 충돌[추락]하다

The force of the horrific **crash** damaged every major organ in his body. (학평)
그 무시무시한 ....의 힘은 그의 몸의 모든 주요 장기를 손상시켰다.

the train ....
열차 충돌 사고

0768 defense
[diféns]

(명) 방어, 수비; 변호　(동) 수비하다

The immune system is the body's **defense** against foreign invaders such as bacteria. (EBS)
면역 체계는 박테리아와 같은 외래 침입자들에 대한 인체의 ....이다.

national ....
국방

➕ **defensive** (형) 방어의; 변호의
🔄 **offense** (명) 공격; 위반

0769 enthusiasm
[inθjú:ziæzəm]

(명) 열심, 열정, 열중

John went back to work with tremendous **enthusiasm** and confidence and energy. (모평)
John은 엄청난 ....과 자신감과 에너지를 가지고 다시 일을 시작했다.

with ....
열심히[열중하여]

➕ **enthusiastic** (형) 열광적인, 열렬한
🟰 **passion** (명) 열심. 열중. 열정

0770 formation
[fɔ:rméiʃən]

(명) 형성(물); 구조; (군사) 대형

This information frequently helps in the process of policy **formation**. (EBS)
이 정보는 종종 정책 .... 과정에 도움이 된다.

the .... of character
인격 형성

0771 generous
[dʒénərəs]

(형) 후한; 넉넉한; 관대한

His father applied **generous** amounts of paint to the wall. (학평)
그의 아버지는 벽에 .... 양의 페인트를 발랐다.

a .... gift
후한 선물

➕ **generosity** (명) 후함; 관대

0772 grain
[grein]

(명) 곡물, 곡류; 낟알

The bread was made of **grains** ground on rough stones. (학평)
그 빵은 거친 돌 위에 빻은 ....로 만들어졌다.

a .... of rice
쌀 한 알

해석 완성 충돌 / 방어 / 열정 / 형성 / 넉넉한 / 곡물

0773 gravity
[grǽvəti]

(명) 중력; 중대성

A stone falling through the air is due to the stone having the property of "**gravity**." 수능
허공을 가르며 떨어지는 돌은 '＿＿＿＿＿'의 특성을 가진 돌 때문이다.

➕ gravitation (명) 중력, 인력

Newton's law of ＿＿＿＿
뉴턴의 중력 법칙

0774 harvest
[háːrvist]

(동) 수확하다 (명) 수확, 추수; 결과물

This crop is **harvested** throughout the year. 모평
이 작물은 일 년 내내 ＿＿＿＿＿.

🟰 reap (동) 수확하다   crop (명) 수확물

＿＿＿＿ time
수확기

0775 import
(명)[ímpɔːrt]
(동)[impɔ́ːrt]

(명) 수입(품) (동) 수입하다

Mexico actually became increasingly dependent on **imports** from other countries. 학평
멕시코는 실제로 다른 나라들로부터의 ＿＿＿＿＿에 점점 더 의존하게 되었다.

➕ export (명) 수출(품) (동) 수출하다

＿＿＿＿ cotton from India
인도에서 면화를 수입하다

0776 incentive
[inséntiv]

(명) 동기; 장려[우대]책 (형) 자극적인, 고무하는

You receive financial **incentives** from the local government. EBS
당신은 지방 정부로부터 재정적 ＿＿＿＿＿을 받는다.

a tax ＿＿＿＿
세금 우대책

0777 incident
[ínsədənt]

(명) 일, 사건; 분쟁 (형) 일어나기 쉬운

You will want to use your life more directly in your fiction, dramatizing actual **incidents**. 수능
당신은 실제 ＿＿＿＿＿을 극화하면서 당신의 삶을 소설에 더 직접적으로 사용하고 싶을 것이다.

➕ incidental (형) 부수적인 (명) 부수적인 일

a shooting ＿＿＿＿
총격 사건

해석 완성 중력 / 수확된다 / 수입 / 장려금 / 사건

문맥에 맞도록 빈칸에 알맞은 단어를 고르시오.   고3 학평

The bones of early farmers show evidence of vitamin deficiencies, probably caused by regular periods of starvation between (1)＿＿＿＿. They also show signs of stress, associated, perhaps, with the intensive labor required for plowing, harvesting crops, felling trees, maintaining buildings and fences, and grinding (2)＿＿＿＿.

① clues   ② grains   ③ imports   ④ harvests   ⑤ incidents

ANSWERS p.476

0778 **infinite**
[ínfənit]

[형] 무한한; 막대한

Remember when you were little and you imagined that adults had **infinite** power? [수능]
어렸을 때 어른들이 .... 힘을 가졌다고 상상했던 것을 기억하나요?

[+] **infinity** [명] 무한대
[↔] **finite** [형] 한정된, 유한한

an .... universe
무한한 우주

0779 **justify**
[dʒʌ́stəfài]

[동] 정당화하다

Many people use their cleverness to **justify** and excuse themselves for the messiness of their workspaces. [수능]
많은 사람들이 그들의 작업 공간의 지저분함을 .... 변명하기 위해 그들의 영리함을 사용한다.

[+] **justification** [명] 정당화

.... the means
수단을 정당화하다

0780 **landscape**
[lǽndskèip]

[명] 풍경, 경치; 조망

He began to paint **landscapes** in a fresh new style. [학평]
그는 신선하고 새로운 스타일로 ....을 그리기 시작했다.

[=] **scenery** [명] 풍경, 경치 **view** [명] 경치; 조망

[TIP] **landscape / scenery**
» **landscape** [명] (경관·경치·건물의 조경 등의) 풍경
» **scenery** [명] (산·숲·강·계곡이 있는, 눈에 보이는) 풍경

the beautiful .... of mountains
아름다운 산 풍경

0781 **notion**
[nóuʃən]

[명] 관념, 개념, 생각

Multiple and often conflicting **notions** of truth coexist in Internet situations. [학평]
인터넷 환경에서는 복합적이고 종종 상충되는 진리의 ....이 공존한다.

[+] **notional** [형] 관념적인, 추상적인

the .... of law
법의 개념

0782 **oppose**
[əpóuz]

[동] 반대하다; 대항하다

I had no reason to **oppose** my friend. [수능]
나는 내 친구에게 .... 이유가 없었다.

[+] **opposite** [형] 반대쪽의, 맞은편의; 반대의

.... the enemy
적에게 대항하다

0783 **primitive**
[prímətiv]

[형] 원시의; 초기의; 미개의

Primitive people were constantly observing the behavior of other animals. [학평]
............인들은 끊임없이 다른 동물들의 행동을 관찰하고 있었다.

a .... society
원시 사회

해석 완성 무한한 / 정당화하고 / 풍경 / 개념 / 반대할 / 원시

0784 principal

[prínsəpəl]

[명] 교장; 우두머리 [형] 주요한, 주된

High school life soon proved as challenging as the **principal** had predicted. [수능]

고등학교 생활은 곧 ....이 예측했던 대로 매우 어려운 것으로 증명되었다.

[동] **chief** [형] 주된; 최고의 **main** [형] 중요한, 주된

the .... reason
주된 원인

0785 scream

[skriːm]

[심경]

[동] 소리치다; 비명을 지르다 [명] 비명; 외침

Suddenly, I heard the lifeguard **scream**, "Get out of the water!" [수능]

갑자기, 나는 그 인명 구조원이 "물에서 나오세요!"라고 .... 것을 들었다.

scream for help 도와 달라고 소리치다
let out a scream of pain 고통에 찬 비명을 지르다

.... in anger
화가 나서 비명을 지르다

0786 spirit

[spírit]

[명] 정신, 영혼; 기분

Many of them felt that the uniform enhanced school **spirit** and solidarity. [학평]

그들 중 다수는 교복이 애교..................과 결속을 높인다고 느꼈다.

[+] **spiritual** [형] 정신의; 영적인; 신성한

an evil ....
악령

0787 treasure

[tréʒər]

[동] 소중히 여기다 [명] 보물

He told the boy that he could keep them, and **treasure** them, throughout his life. [학평]

그는 그 소년에게 자신이 그것들을 평생 간직하고 .... 수 있다고 말했다.

a .... hunter
보물을 찾는 사람

0788 trigger

[trígər]

[동] 방아쇠를 당기다; 유발하다 [명] 방아쇠; 계기

Lack of sleep **triggers** a stress response. [EBS]

수면 부족은 스트레스 반응을 ....

pull the .... at
~을 겨냥하여 방아쇠를 당기다

해석 완성 교장 선생님 / 소리치는 / 심 / 소중히 여길 / 유발한다

진짜 기출로 확인! 밑줄 친 단어의 뜻을 문맥에 맞게 찾으시오. 고2 학평

Nature had to be challenged, usually with some form of magic or by means that were above nature — that is, supernatural. Science does just the (1) <u>opposite</u>, and it works within nature's laws. The methods of science have largely taken away reliance on the supernatural — but not entirely. The old ways persist full force in (2) <u>primitive</u> cultures.

① 무한한 ② 반대의 ③ 주요한 ④ 영적인 ⑤ 원시적인

ANSWERS p.476

0789 accelerate
☐☐
[əksélərèit]

(동) 가속하다; 촉진하다; 가속화되다

The pace and impact of international trade **accelerated**. 학평
국제 무역의 속도와 영향이 ....

.... growth
성장을 촉진하다

➕ **acceleration** (명) 가속; 촉진　**accelerator** (명) 가속 장치
➖ **decelerate** (동) 감속하다, 속도를 줄이다

0790 altitude
☐☐
[ǽltətjùːd]

(명) 고도, 높이

In the aircraft cockpit a separate display was provided for **altitude**, airspeed, engine temperature, etc. 학평
항공기 조종석에는 ...., 공기 속도, 엔진 온도 등을 위한 별도의 디스플레이가 제공되었다.

an .... flight
고도 비행

0791 assert
☐☐
[əsə́ːrt]

(동) 단언하다; 주장하다

They **assert** that color photographs are more "real" than black-and-white photographs. 학평
그들은 컬러 사진이 흑백 사진보다 더 '실제적'이라고 ....

.... one's innocence
~의 결백을 주장하다

➕ **assertion** (명) 단언; 주장　**assertive** (형) 단언적인; 독단적인

0792 breed
☐☐
[briːd]

(동) (-bred-bred) 낳다; 번식하다; 사육하다

This tiny animal, called the spiny water flea, **breeds** quickly, and it eats the same food that many young fish eat. 학평
가시물벼룩이란 이 작은 동물은 빨리 ...., 많은 어린 물고기들이 먹는 것과 같은 먹이를 먹는다.

.... eggs in the water
물속에 알을 낳다

➕ **breeding** (명) 사육; 번식

0793 combat
☐☐
(명)[kámbæt]
(동)[kəmbǽt]

(명) 전투, 싸움　(동) 싸우다, 격투하다

For soldiers, the wound meant surviving **combat** and returning home. 학평
병사들에게 있어서, 그 상처는 ....로부터 살아남고 집으로 돌아가는 것을 의미했다.

be killed in
전투에서 죽다

0794 constitute
☐☐
[kánstətjùːt]

(동) 구성하다; 임명하다; 제정[설립]하다

Sports **constitute** a different sort of art form to be sure. EBS
스포츠는 확실히 다른 종류의 예술 형태를 ....

.... a system
하나의 체계를 구성하다

➕ **constitution** (명) 구성; 헌법; 체질
　constitutional (형) 구조상의; 헌법의; 체질상의

해석 완성　가속화되었다 / 고도 / 주장한다 / 번식하고 / 전투 / 구성한다

0795 ☐☐	**democracy** [dimάkrəsi]	(명) 민주주의; 민주 국가 Competition is the engine of evolution and the foundation of **democracy**. (학평) 경쟁은 진화의 엔진이며 ＿＿＿＿＿의 기초이다. ➕ **democratic** (형) 민주주의의　**democrat** (명) 민주주의자	liberal ＿＿＿＿＿ 자유 민주주의
0796 ☐☐	**density** [dénsəti]	(명) 밀도; 농도 You need to consider the type and **density** of the book. (학평) 당신은 책의 종류와 ＿＿＿＿＿를 고려할 필요가 있다.	the ＿＿＿＿＿ of a gas 가스의 농도
0797 ☐☐ 빈칸	**disagreement** [dìsəgríːmənt]	(명) 불일치, 부조화; 의견 차이 Debates cause **disagreements** to evolve, often for the better. (모평) 논쟁은 ＿＿＿＿＿를 자주 더 나은 쪽으로 진전시킨다.	＿＿＿＿＿ between theory and practice 이론과 실제 사이의 불일치
0798 ☐☐	**dispose** [dispóuz]	(동) 처리[처분]하다; 배치하다; ~의 경향을 갖게 하다 Being able so easily to **dispose** of things makes us insensitive to the actual objects we possess. (학평) 물건을 그렇게 쉽게 ＿＿＿＿＿ 수 있다는 것은 우리가 가지고 있는 실제 물건에 대해 우리를 무감각하게 만든다. ➕ **disposal** (명) 처분, 처리　**disposable** (형) 처분 가능한	＿＿＿＿＿ of waste 쓰레기를 처리하다[버리다]
0799 ☐☐	**domain** [douméin]	(명) 영역, 분야; 영토 In many other **domains** expertise requires considerable training and effort. (수능) 다른 많은 ＿＿＿＿＿에서 전문 지식은 상당한 훈련과 노력을 필요로 한다.	the ＿＿＿＿＿ of medicine 의학 분야
0800 ☐☐	**barter** [báːrtər]	(명) 물물교환; 교역품　(동) (물물)교환하다 **Barter** depends on the double coincidence of wants. (학평) ＿＿＿＿＿은 원하는 것의 이중적 우연에 의존한다.	＿＿＿＿＿ rice for salt 쌀과 소금을 교환하다

해석 완성 민주주의 / 밀도 / 의견 차이 / 처리할 / 영역 / 물물교환

진짜 기출로 확인! 네모 안에서 문맥에 알맞은 단어를 고르시오.　고3 모평

Certain animals and plants have a built-in sense of carrying capacity, so that instead of overshooting and having a die-off, they remain within the limits of their habitat's ability to support them. Lake trout, for instance, stop (1) accelerating / breeding / disposing as prolifically when the population (2) combat / altitude / density increases too dramatically.

ANSWERS p.476

3-Minute Check

			check
0761	ease	(동) 진정[완화]시키다; 편해지다 (명) 쉬움; 편함	
0762	campaign	(명) (사회적·정치적) 운동, 캠페인 (동) 캠페인을 벌이다	
0763	clue	(명) 실마리; 단서	
0764	collaborate	(동) 협력하다, 합작하다	
0765	comprehend	(동) (완전히) 이해하다; 포함하다	
0766	confront	(동) ~에 직면하다; 대항하다	
0767	crash	(명) 굉음; 충돌 (동) 충돌[추락]하다	
0768	defense	(명) 방어, 수비; 변호 (동) 수비하다	
0769	enthusiasm	(명) 열심, 열정, 열중	
0770	formation	(명) 형성(물); 구조; (군사) 대형	
0771	generous	(형) 후한; 넉넉한; 관대한	
0772	grain	(명) 곡물, 곡류; 낟알	
0773	gravity	(명) 중력; 중대성	
0774	harvest	(동) 수확하다 (명) 수확, 추수; 결과물	
0775	import	(명) 수입(품) (동) 수입하다	
0776	incentive	(명) 동기; 장려[우대]책 (형) 자극적인, 고무하는	
0777	incident	(명) 일, 사건; 분쟁 (형) 일어나기 쉬운	
0778	infinite	(형) 무한한; 막대한	
0779	justify	(동) 정당화하다	
0780	landscape	(명) 풍경, 경치; 조망	

			check
0781	notion	(명) 관념, 개념, 생각	
0782	oppose	(동) 반대하다; 대항하다	
0783	primitive	(형) 원시의; 초기의; 미개의	
0784	principal	(명) 교장; 우두머리 (형) 주요한, 주된	
0785	scream	(동) 소리치다; 비명을 지르다 (명) 비명; 외침	
0786	spirit	(명) 정신, 영혼; 기분	
0787	treasure	(동) 소중히 여기다 (명) 보물	
0788	trigger	(동) 방아쇠를 당기다; 유발하다 (명) 방아쇠; 계기	
0789	accelerate	(동) 가속하다; 촉진하다; 가속화되다	
0790	altitude	(명) 고도, 높이	
0791	assert	(동) 단언하다; 주장하다	
0792	breed	(동) 낳다, 번식하다; 사육하다	
0793	combat	(명) 전투, 싸움 (동) 싸우다, 격투하다	
0794	constitute	(동) 구성하다; 임명하다; 제정[설립]하다	
0795	democracy	(명) 민주주의; 민주 국가	
0796	density	(명) 밀도; 농도	
0797	disagreement	(명) 불일치, 부조화; 의견 차이	
0798	dispose	(동) 처리[처분]하다; 배치하다; ~의 경향을 갖게 하다	
0799	domain	(명) 영역, 분야; 영토	
0800	barter	(명) 물물교환; 교역품 (동) (물물)교환하다	

외우지 못한 단어가 있으면 미니 단어장에서 다시 한번 정리해 보세요.

📖 가리개를 사용하여 뜻을 암기했는지 확인하세요.

> DRILLS

0801 enormous
[inɔ́ːrməs]

📍 거대한; 막대한

The brain has to perform an **enormous** amount of work. 학평
뇌는 .... 양의 일을 수행해야 한다.

🔁 huge, immense 📍 거대한; 막대한

.... profits
막대한 이익

0802 hazard
[hǽzərd]

📍 위험; 모험

The lack of sidewalks is a very clear safety **hazard**.
학평 인도의 부족은 매우 명확한 안전의 ....이다.

at all hazards, at every hazard 어떤 위험을 무릅쓰고

➕ hazardous 📍 위험한

a safety ....
안전 위험

0803 insure
[inʃúər]

📍 보험에 들다; 보증하다

Northern Bank was not **insured** against the crime.
Northern 은행은 범죄에 대비해 .... 않았다.

➕ insurance 📍 보험

.... one's life
생명 보험에 들다

0804 intake
[íntèik]

📍 섭취(량); 흡입(구)

Food **intake** is essential for the survival of every living organism. 수능
음식 ....는 모든 살아있는 유기체의 생존에 필수적이다.

🔁 ingestion 📍 섭취

an .... of oxygen
산소 흡입

0805 intensify
[inténsəfài]

📍 강화하다; 격렬해지다

The brains of both humans and dogs tend to **intensify** one sense at a time. 수능
인간과 개 모두의 뇌는 한 번에 하나의 감각을 .... 경향이 있다.

.... one's pressure on
압박을 강화하다

0806 intuition
[ìntjuíʃən]

📍 직관; 직감

To play poker well, you need other things like **intuition** and creativity. 학평
포커 게임을 잘 하기 위해서는 ....과 창의력 같은 다른 것들이 필요하다.

➕ intuitive 📍 직관적인, 직관력 있는

know by ....
직감으로 알다

해석 완성 막대한 / 위험 / 보험에 들지 / 섭취 / 강화시키는 / 직감

0807 logic
[ládʒik]

(명) 논리; 논리학

Logic must be learned through the use of examples and actual problem solving. (수능)
.... 는 예시의 사용과 실제 문제 해결을 통해 배워야 한다.

➕ **logical** (형) 논리적인

the rules of ....
논리학 법칙

0808 minimize
[mínəmàiz]

(동) 최소화하다; 축소하다

Our constant goal is to maximize rewards and **minimize** costs. (학평)
우리의 변함없는 목표는 보상을 최대화하고 비용을 .... 것이다.

➕ **minimum** (형) 최소의, 최저의
🔁 **maximize** (동) 최대화하다

.... the risk
위험을 최소화하다

0809 narrative
[nǽrətiv]

(형) 이야기체의; 서술의   (명) 이야기; 서술

Each episode had a **narrative** structure of its own. (학평) 각 에피소드는 그 나름의 .... 구조를 가지고 있었다.

➕ **narrate** (동) 이야기하다; 서술하다
narration (명) 이야기하기; 내레이션

the .... of the book
그 책의 이야기

0810 odd
[ɑd]

(형) 이상한; 홀수의

You might think this is **odd** but would have no difficulty understanding it. (모평)
당신은 이것이 .... 생각할지도 모르지만 그것을 이해하는 것은 어렵지 않을 것이다.

🔁 **even** (형) 짝수의
🟰 **eccentric, weird, peculiar, queer** (형) 이상한

┌─ **TIP** odd 관련 표현
│ » an **odd** person 이상한 사람, 괴짜
│ » an **odd** glove 장갑 한 짝
└─ » three pounds **odd** 3파운드 남짓

.... numbers
홀수

0811 rescue
[réskjuː]

(명) 구조, 구출   (동) 구하다, 구조하다

All **rescue** efforts were eventually abandoned. (학평)
결국 모든 .... 노력을 포기했다.

.... a child from drowning
물에 빠진 아이를 구하다

0812 row
[rou]

(명) 열; (좌석) 줄   (동) 노를 젓다

They planted a single **row** of trees in front of the apartment house. (학평)
그들은 아파트 앞에 나무를 일.................... 로 심었다.

in a row 잇달아, 계속해서

sit in the back ....
뒷줄에 앉다

해석 완성 논리 / 최소화하는 / 이야기 / 이상하다고 / 구조 / 렬

0813 **severe** □□
[sivíər]

[형] **가혹한; 극심한; 엄격한**

The children grew up in environments with **severe** poverty, alcohol abuse, or mental illness. [학평]
그 아이들은 .... 가난, 알코올 남용, 또는 정신 질환이 있는 환경에서 자랐다.

[+] **severity** [명] 가혹; 엄정

a .... punishment
엄벌

0814 **stem** □□
[stem]

[명] **줄기** [동] **유래하다**

In June, clusters of red flowers sprout from the **stem** tips, attracting hummingbirds. [학평]
6월에는 .... 끝에서 붉은 꽃 군락이 돋아 벌새를 유혹한다.

stem from ~에서 유래하다[생겨나다]

.... cell
줄기 세포

0815 **straight** □□
[streit]

[형] **곧은, 일직선의; 솔직한**

We are accustomed to thinking of light as always going in **straight** lines. [학평]
우리는 빛을 항상 ....선으로 가는 것으로 생각하는 것에 익숙하다.

[+] **straightforward** [형] 솔직한; 간단한

a .... road
직선 도로

0816 **structural** □□
[strʌ́ktʃərəl]

[형] **구조의; 조직의**

Good **structural** design can provide a huge amount of savings in the cost of construction. [학평]
훌륭한 .... 설계는 건설 비용에서 엄청난 절감을 제공할 수 있다.

[+] **structure** [명] 구조; 구조물, 건축물

.... linguistics
구조 언어학

0817 **subtle** □□
[sʌ́tl]

[형] **미묘한; 교묘한**

This **subtle** progress is not dramatic, not exciting. [모평]
이 .... 진보는 극적이지도, 흥미진진하지도 않다.

a .... difference
미묘한 차이

해석 완성 극심한 / 줄기 / 직 / 구조 / 미묘한

진짜 기출로 확인! 우리말과 일치하도록 네모 안에서 문맥에 알맞은 단어를 고르시오. 12년 수능

Apologies often fail. One reason apologies fail is that the "offender" and the "victim" usually see the event differently. Examining personal (1) [hazards / narratives / logics], researchers have found that those who cause harm tend to (2) [rescue / minimize / stem] the offense — probably to protect themselves from shame and guilt.
(사과는 흔히 실패한다. 사과가 실패하는 한 가지 이유는 '가해자'와 '피해자'가 보통 사건을 다르게 보기 때문이다. 개인의 이야기들을 조사함으로써, 연구자들은 해를 가한 사람들이 아마도 수치심과 죄책감으로부터 스스로를 보호하기 위해, 잘못된 행위를 축소하려는 경향이 있다는 것을 알아냈다.)

ANSWERS p.476

0818 □□ **sum** [sʌm]

[명] 합계; 금액, 액수 [동] 합계하다; 요약하다

Large **sums** of money were spent on delicacies such as caviar, lavish clothing and jewelry. [학평]
많은 ....의 돈이 캐비아 같은 진미, 호화로운 옷, 보석에 쓰였다.

sum up ~을 요약하다

a good ....
상당한 금액

0819 □□ **surgery** [sə́ːrdʒəri] [내용 일치]

[명] 외과; (외과) 수술

She graduated from medical school and completed an internship in **surgery**. [학평]
그녀는 의대를 졸업하고 ....에서 인턴을 마쳤다.

[+] **surgeon** [명] 외과의

undergo heart ....
심장 수술을 받다

0820 □□ **technical** [téknikəl]

[형] (과학) 기술의; 전문적인

Roman wine glasses were the height of **technical** and cultural sophistication in their time. [학평]
로마의 와인 잔은 그 시대에 ...., 문화적 세련미의 극치였다.

[+] **technique** [명] 기술, 기법 **technician** [명] 기술자; 전문가

a .... advisor
기술 고문

0821 □□ **threaten** [θrétn]

[동] 협박[위협]하다

Millions of people make choices every day that clearly **threaten** their own health. [EBS]
수백만의 사람들이 매일 명백히 그들의 건강을 .... 선택을 한다.

.... an opponent
상대방을 위협하다

0822 □□ **translate** [trænsléit]

[동] 번역[통역]하다; 해석하다

Not one of the terms can be directly **translated** into English. [학평]
그 용어들 중 어떠한 것도 영어로 직접적으로 .... 수 없다.

[+] **translation** [명] 번역; 해석 **translator** [명] 번역가; 번역기
[=] **interpret** [동] 통역하다; 해석하다

.... one's silence as a refusal
~의 침묵을 거절로 해석하다

0823 □□ **wage** [weidʒ]

[명] 임금, 급료 [형] 임금의

They work for a little over minimum **wage**. [학평]
그들은 최저 ....을 약간 초과해서 일한다.

[TIP] **wage / salary / fee / pay**
» **wage** [명] (보통 신체 노동에 대한) 임금[급료]
» **salary** [명] (보통 사무직에 대한) 급여[봉급]
» **fee** [명] (전문적인 일에 대한) 급료
» **pay** [명] (일반적인 모든) 급료[보수]

a .... increase
임금 인상

해석 완성 액수 / 외과 / 기술적 / 위협하는 / 번역될 / 임금

0824 widespread
[wáidsprèd]

(형) 널리 퍼진, 광범위한

The discovery of the pendulum in the seventeenth century led to the **widespread** use of clocks. 학평
17세기에 진자의 발견은 시계의 .... 사용으로 이어졌다.

🔁 prevalent (형) 널리 퍼진   broad, extensive (형) 광범위한

a .... superstition
널리 퍼진 미신

0825 yield
[ji:ld]

(동) 산출하다; 양보하다; 굴복하다   (명) 산출[수확]량

Computers may **yield** important predictions about complex phenomena. 학평
컴퓨터는 복잡한 현상에 대한 중요한 예측을 .... 수도 있다.

.... high profits
높은 수익을 내다(산출하다)

0826 afford
[əfɔ́:rd]

(동) ~할 여유가 있다

He was so rich that he could **afford** to hire the sharpest lawyers. 학평
그는 매우 부유해서 가장 영리한 변호사를 고용할 ....

can[be able to] afford to ~할 (금전적·시간적) 여유가 있다

➕ affordable (형) 알맞은, 감당할 수 있는

can .... a new car
새로운 차를 살 여유가 있다

0827 bitter
[bítər]

(형) (맛이) 쓴; 쓰라린, 혹독한   (명) 쓴맛

Getting negative reviews can be a **bitter** experience. 학평 부정적인 평가를 받는 것은 .... 경험일 수 있다.

➕ bitterness (명) 쓴맛; 괴로움; 신랄함
🔁 painful (형) 쓰라린   severe, harsh (형) 혹독한

.... criticism
혹독한 비평

0828 consult
[kənsʌ́lt]

(동) 상담하다; 참고하다

You need to **consult** a counselor to cope with job stress. EBS
당신은 직무 스트레스에 대처하기 위해 상담 전문가와 .... 한다.

➕ consultant (명) 상담가; 자문 위원   consultation (명) 상담; 자문

.... a lawyer
변호사와 상담하다

해석 완성 광범위한 / 산출할 / 여유가 있었다 / 쓰라린 / 상담해야

진짜 기출로 확인 ! 우리말과 일치하도록 빈칸에 알맞은 단어를 고르시오.   고3 모평

One of the surest cures for scientific illiteracy is great scientific literature, writing that does not merely
(1)_____ (2)_____ terms into plain English or explain complicated ideas simply.
(과학 문맹에 대한 가장 확실한 치료법 중의 하나는 방대한 과학 저술인데, 이것은 단지 기술적인 용어들을 쉬운 영어로 번역하거나 복잡한 개념을 간단히 설명하는 데만 그치지 않는 글이다.)

① consult   ② threaten   ③ translate   ④ widespread   ⑤ technical

ANSWERS p.476

0829 emphasis
[émfəsis]

명 강조; 강세

The growing **emphasis** on ethical consumption is a trend that cannot be ignored. 학평
윤리적 소비에 대한 증가하는 ....는 무시할 수 없는 추세이다.

put[place, lay] emphasis on ~을 강조하다

➕ **emphasize** 동 강조하다

speak with ....
강조해 말하다[역설하다]

0830 extension
[iksténʃən]

명 연장; 확장

If technology is an **extension** of humans, it is not an **extension** of our genes but of our minds. 모평
만약 기술이 인간의 ....이라면, 그것은 우리 유전자의 ....이 아니라 우리 마음의 ....이다.

the .... of the expressway
고속도로의 확장

0831 faith
[feiθ]

명 신뢰, 믿음; 신념

I appreciate your support of my tuition and your **faith** in me. 모평
제 학비 지원과 저에 대한 ....에 감사드립니다.

➕ **faithful** 형 신뢰할 수 있는; 충실한 **faithfulness** 명 충실; 신의

lose ....
신뢰를 잃다

0832 greet
[gri:t]

동 (~에게) 인사하다; 맞이하다

Elephants may **greet** each other simply by reaching their trunks into each other's mouths. 수능
코끼리는 단순히 코를 서로의 입 안에 갖다 대는 것으로 서로 .... 수도 있다.

.... the guests warmly
손님들을 따뜻하게 맞이하다

0833 hierarchical
[hàiərá:rkikəl]

형 계급[계층]의

The social structures of many traditional societies are **hierarchical**.
많은 전통적 사회의 사회 구조는 ....이다.

➕ **hierarchy** 명 계급; 지배층

a .... society
계급 사회

0834 imaginary
[imædʒənèri]

형 상상의, 가상의

Children may develop **imaginary** friends around three or four years of age. 학평
아이들은 서너 살 무렵에 .... 친구를 사귈 수도 있다.

an .... enemy
가상의 적

0835 interrupt
[ìntərʌ́pt]

동 방해하다; 중단하다

Office workers are regularly **interrupted** by ringing phones. 수능
사무실 근무자들은 울리는 전화에 자주 ....

➕ **interruption** 명 중단; 방해

.... conversation
대화를 방해하다

해석 완성 강조 / 확장, 확장, 확장 / 신뢰 / 인사할 / 계층적 / 상상의 / 방해를 받는다

0836 numerous
[njúːmərəs]

(형) 무수한, 수많은

Numerous animal and plant species may become extinct soon because of luxury tourism. 학평
.... 동식물 종들이 호화 관광 때문에 곧 멸종될지도 모른다.

on .... occasions
수많은 경우에

0837 optimal
[ɑ́ptəməl]

(형) 최선의, 최적의

To arrive at the **optimal** decision, individuals needed to share their privately held information. 학평
.... 결정에 도달하기 위해 개인은 개인 소유의 정보를 공유할 필요가 있었다.

the .... conditions
최적의 조건

0838 reinforce
[riːinfɔ́ːrs]

(동) 강화하다; 보강하다

Higher-ability students can **reinforce** their own knowledge by teaching those with lower ability. 모평
능력이 더 높은 학생들은 더 낮은 능력을 가진 학생들을 가르침으로써 자신의 지식을 .... 수 있다.

➕ **reinforcement** (명) 강화; 보강(재)

.... national defense
국방을 강화하다

0839 repetition
[rèpətíʃən]

(명) 반복; 재현

Practice and active **repetition** make the master. 학평
실행과 적극적인 ....이 숙련자를 만든다.

➕ **repetitive** (형) 반복적인

learning by ....
반복에 의한 학습

0840 stable
[stéibl]

(형) 안정된

After the end of the last ice age, the **stable** and well-balanced way of human life began to change. EBS 마지막 빙하기가 끝나고 난 후 .... 균형 잡힌 인간의 생활방식이 변하기 시작했다.

➕ **stability** (명) 안정(성)

.... foundations
안정된 토대

해석 완성 수많은 / 최선의 / 강화할 / 반복 / 안정되고

With a power gap, the more (1)hierarchical your culture or background, the greater the power gap is apt to be. This is because hierarchical cultures (2)reinforce the differences between managers and employees.

① 안정된　　② 수많은　　③ 계층적인　　④ 강화하다　　⑤ 중단하다

ANSWERS p.476

3-Minute Check

오늘 학습한 단어와 뜻을 최종적으로 암기했는지 확인하세요!

			check
0801	enormous	[형] 거대한; 막대한	☐
0802	hazard	[명] 위험; 모험	☐
0803	insure	[동] 보험에 들다; 보증하다	☐
0804	intake	[명] 섭취(량); 흡입(구)	☐
0805	intensify	[동] 강화하다; 격렬해지다	☐
0806	intuition	[명] 직관; 직감	☐
0807	logic	[명] 논리; 논리학	☐
0808	minimize	[동] 최소화하다; 축소하다	☐
0809	narrative	[형] 이야기체의; 서술의 [명] 이야기; 서술	☐
0810	odd	[형] 이상한; 홀수의	☐
0811	rescue	[명] 구조, 구출 [동] 구하다, 구조하다	☐
0812	row	[명] 열; (좌석) 줄 [동] 노를 젓다	☐
0813	severe	[형] 가혹한; 극심한; 엄격한	☐
0814	stem	[명] 줄기 [동] 유래하다	☐
0815	straight	[형] 곧은, 일직선의; 솔직한	☐
0816	structural	[형] 구조의; 조직의	☐
0817	subtle	[형] 미묘한; 교묘한	☐
0818	sum	[명] 합계; 금액, 액수 [동] 합계하다; 요약하다	☐
0819	surgery	[명] 외과; (외과) 수술	☐
0820	technical	[형] (과학) 기술의; 전문적인	☐

			check
0821	threaten	[동] 협박[위협]하다	☐
0822	translate	[동] 번역[통역]하다; 해석하다	☐
0823	wage	[명] 임금, 급료 [형] 임금의	☐
0824	widespread	[형] 널리 퍼진, 광범위한	☐
0825	yield	[동] 산출하다; 양보하다; 굴복하다 [명] 산출[수확]량	☐
0826	afford	[동] ~할 여유가 있다	☐
0827	bitter	[형] (맛이) 쓴; 쓰라린, 혹독한 [명] 쓴맛	☐
0828	consult	[동] 상담하다; 참고하다	☐
0829	emphasis	[명] 강조; 강세	☐
0830	extension	[명] 연장; 확장	☐
0831	faith	[명] 신뢰, 믿음; 신념	☐
0832	greet	[동] (~에게) 인사하다; 맞이하다	☐
0833	hierarchical	[형] 계급[계층]의	☐
0834	imaginary	[형] 상상의, 가상의	☐
0835	interrupt	[동] 방해하다; 중단하다	☐
0836	numerous	[형] 무수한, 수많은	☐
0837	optimal	[형] 최선의, 최적의	☐
0838	reinforce	[동] 강화하다; 보강하다	☐
0839	repetition	[명] 반복; 재현	☐
0840	stable	[형] 안정된	☐

외우지 못한 단어가 있으면 미니 단어장에서 다시 한번 정리해 보세요.

A 영어는 우리말로, 우리말은 영어로 쓰시오.

01 collaborate		21 정신, 영혼; 기분	
02 pure		22 극대화하다	
03 hierarchical		23 상상의, 가상의	
04 heal		24 양, 분량	
05 surgery		25 물물교환; (물물)교환하다	
06 accelerate		26 은유, 비유	
07 repetition		27 방어, 수비; 수비하다	
08 physics		28 열; (좌석) 줄; 노를 젓다	
09 reinforce		29 피난(처); 피난처를 제공하다	
10 hypothesis		30 협박[위협]하다	
11 technical		31 무한한; 막대한	
12 altitude		32 강조; 강세	
13 harvest		33 베테랑, 전문가; 숙련된	
14 generous		34 중력; 중대성	
15 layer		35 구조; 구하다, 구조하다	
16 intuition		36 혼잡, 붐빔; (인구) 과잉	
17 interfere		37 정당화하다	
18 density		38 상담하다; 참고하다	
19 critic		39 제안하다; 청혼하다	
20 trigger		40 (맛이) 쓴; 쓰라린; 쓴맛	

B 우리말과 일치하도록 빈칸에 알맞은 말을 쓰시오.

01 Competition is the engine of evolution and the foundation of ....
→ 경쟁은 진화의 엔진이며 민주주의의 기초이다.

02 .... is better than meaningless words.
→ 침묵은 무의미한 말들보다 낫다.

03 High school life soon proved as challenging as the .... had predicted.
→ 고등학교 생활은 곧 교장 선생님이 예측했던 대로 매우 어려운 것으로 증명되었다.

04 When the tea was ready, the old man began to .... it into the visitor's cup.
→ 차가 준비되자 그 노인은 손님의 컵에 그것을 따르기 시작했다.

05 We are accustomed to thinking of light as always going in .... lines.
→ 우리는 빛을 항상 직선으로 가는 것으로 생각하는 것에 익숙하다.

C 밑줄 친 단어와 뜻이 가장 유사한 단어를 고르시오.

01 They work for a little over minimum <u>wage</u>.
① domain   ② intake   ③ leisure   ④ faith   ⑤ salary

02 You <u>transform</u> your inner fear into a motivational force.
① confront   ② change   ③ derive   ④ remark   ⑤ constitute

03 John went back to work with tremendous <u>enthusiasm</u> and confidence and energy.
① fault   ② passion   ③ extension   ④ proportion   ⑤ occasion

04 To arrive at the <u>optimal</u> decision, individuals needed to share their privately held information.
① legal   ② vast   ③ best   ④ severe   ⑤ odd

05 <u>Clues</u> to past environmental change are well preserved in many different kinds of rocks.
① Hints   ② Imports   ③ Logics   ④ Notions   ⑤ Combats

[책] 가리개를 사용하여 뜻을 암기했는지 확인하세요.

DRILLS

0841 **stimulate** [stímjəlèit]

[동] 자극하다; 고무하다

Scents have the power to **stimulate** states of well-being. [학평]
향기는 행복 상태를 .... 힘이 있다.

[+] **stimulation** [명] 자극; 고무

.... the national economy
국가 경제를 자극하다

0842 **verbal** [və́ːrbəl]

[형] 말의, 구두의

It is widely believed that **verbal** rehearsal improves our memory. [학평]
.... 표현하는 연습이 우리의 기억을 향상시킨다고 널리 믿어지고 있다.

[+] **verbally** [부] 말로, 구두로

a .... agreement
구두 합의

0843 **versus** [və́ːrsəs]

[전] ~ 대(對)(= *vs.*); ~와 대비하여

We understand that man **versus** fish in the water, fish wins. [EBS]
우리는 물속에서 사람 .... 물고기는 물고기가 이긴다고 생각한다.

France .... Brazil
프랑스 대 브라질

0844 **administration** [ədmìnistréiʃən]

[명] 관리; 행정(부); 집행

The university **administration** took their demands seriously.
대학 ....는 그들의 요구를 진지하게 받아들였다.

[+] **administer** [동] 관리하다; 집행하다
administrator [명] 관리자; 행정관

the .... of justice
법의 집행

0845 **alarm** [əláːrm]

[동] 경보를 발하다; 놀라게 하다 [명] 경보

Nothing **alarms** a child more than a parent who is alarmed. [학평]
깜짝 놀란 부모보다 아이를 .... 것은 없다.

a fire ....
화재 경보

0846 **ambiguous** [æmbígjuəs]

[형] 애매[모호]한, 불명료한

An **ambiguous** term is one which has more than a single meaning. [학평]
.... 용어는 한 가지 뜻 이상의 뜻을 가진 용어이다.

[+] **ambiguity** [명] 애매[모호]함 **ambiguously** [부] 애매모호하게
[=] **vague** [형] 애매[모호]한

an .... answer
모호한 대답

해석 완성 자극하는 / 말로 / 대 / 행정부 / 놀라게 하는 / 애매한

0847 apologize
[əpάlədʒàiz]

(동) 사과하다; 변명하다

When I arrived at the restaurant, I **apologized** and told my wife I didn't mean to be late. 학평
식당에 도착했을 때, 나는 아내에게 .... 늦을 의도는 없었다고 말했다.

apologize for A A[행위]에 대해 사과하다
apologize to A A[대상]에게 사과하다

➕ apology (명) 사과   apologetic (형) 미안해하는, 사과하는

.... for one's mistake
~의 실수에 대해 사과하다

0848 approve
[əprú:v]

(동) 찬성하다; 승인하다, 허가하다

When there is no immediate danger, it is usually best to **approve** of the child's play without interfering. 수능
당장의 위험이 없다면, 간섭 없이 아이의 놀이를 .... 것이 대개 최선이다.

➕ approval (명) 찬성; 승인
➖ disapprove (동) 찬성하지 않다; 승인하지 않다

.... the budget
예산을 승인하다

0849 aquatic
[əkwǽtik]

(형) 물의; 수생의

Dive into the ocean and discover thousands of amazing **aquatic** creatures. 학평
바다에 뛰어들어 수천 가지의 놀라운 .... 생물들을 발견하라.

.... sports
수상[수중] 스포츠

0850 attain
[ətéin]

(동) 이르다, 도달하다; 달성하다

Most believe **attaining** true happiness is like winning the lottery. EBS
대부분의 사람들은 진정한 행복에 .... 것은 복권에 당첨되는 것과 같다고 믿는다.

➕ attainment (명) 성과; 성취
🟰 reach (동) 이르다   accomplish, achieve (동) 달성하다

.... one's aims
~의 목표를 달성하다

0851 bare
[bɛər]

(형) 맨~, 헐벗은; 기본적인

The **bare** hillside was steep and already snow covered. EBS
.... 언덕은 가파르고 이미 눈에 덮여 있었다.

a .... floor
맨바닥

0852 block
[blɑk]

(동) 막다, 차단하다   (명) (큰) 덩어리; 블록; 구역

The trees **block** the view of the highway. 학평
그 나무들은 고속도로의 조망을 ....

a .... of concrete
콘크리트 덩어리

해석 완성 사과하며 / 허가하는 / 수생 / 이르는 / 헐벗은 / 차단한다

0853 boost [buːst]

[동] 신장시키다; 북돋우다 [명] 격려; 증가

Reading helps you to shape your character and **boosts** your confidence and personality. [학평]
책읽기는 당신의 인격 형성을 돕고 자신감과 개성을 ....

.... exports
수출을 신장시키다

0854 boundary [báundəri] [빈칸]

[명] 경계(선); 한계, 범위

The **boundary** between reason and instinct is unclear.
[학평] 이성과 본능 사이의 ....는 명확하지 않다.

[동] border [명] 경계

.... of one's knowledge
~의 지식의 범위

0855 companion [kəmpǽnjən]

[명] 동료, 친구; 동반자

Tickling is partly a mechanism for social bonding between close **companions**. [학평]
간지럼을 태우는 것은 부분적으로 친한 .... 사이의 사회적 유대감을 위한 메커니즘이다.

[동] associate [명] 동료 partner [명] 동반자

a traveling ....
여행 동반자

0856 custom [kʌ́stəm]

[명] 관습, 풍습; (*pl.*) 세관

Sometimes we obey an order because of tradition or **custom**. [EBS]
때때로 우리는 전통이나 ....때문에 명령에 복종한다.

[+] customary [형] 습관적인; 관례의
[동] convention [명] 관습

follow a ....
관습에 따르다

0857 diminish [dimíniʃ]

[동] 줄이다; 감소하다

As evening approached, the flow of people **diminished**. [EBS]
저녁이 다가오자 사람들의 흐름이 ....

[동] decrease, lessen [동] 줄이다; 감소하다

.... the risk
위험을 줄이다

해석 완성 신장시킨다 / 경계 / 친구 / 관습 / 줄어들었다

진짜 기출로 확인! 네모 안에서 문맥에 알맞은 단어를 고르시오. 15년 수능

Money — beyond the (1) [aquatic / bare / ambiguous] minimum necessary for food and shelter — is nothing more than a means to an end. Yet so often we confuse means with ends, and sacrifice happiness(end) for money(means). This is not to say that the accumulation and production of material wealth is in itself wrong. Material prosperity can help individuals, as well as society, (2) [attain / approve / diminish] higher levels of happiness.

ANSWERS p.477

0858 eager
[íːgər]

(형) 열망하는; 열심인

I was **eager** to upload the photos to my blog. 학평
나는 내 블로그에 그 사진들을 올리기를 ....

be eager to ~을 몹시 하고 싶어 하다

.... for success
성공을 열망하는

0859 envelope
[énvəlòup]

(명) 봉투; 외피

I received an **envelope** with a copy of a restaurant receipt. 학평
나는 식당 영수증 한 부가 동봉된 ....를 받았다.

open an ....
봉투를 열다

0860 existence
[igzístəns]

(명) 존재, 현존

After identifying the **existence** of a problem, we must define its scope and goals. 학평
문제의 ....를 확인한 후, 우리는 문제의 범위와 목표를 정의해야 한다.

come into existence ~이 생기다[태어나다; 성립하다]
go out of existence ~이 소멸하다[없어지다]

➕ **exist** (동) 존재하다, 실존하다   **existent** (형) 존재하는
   existing (형) 현존하는

the struggle for ....
생존 경쟁

0861 fade
[feid]

(동) 희미해지다; 사라지다

I became severely depressed as one dream after another **faded** from me. 모평
내게서 꿈이 잇달아 .... 나는 심하게 우울해졌다.

joys that never ....
결코 사라지지 않을 즐거움

0862 favorable
[féivərəbl]

(형) 호의적인; 유리한

People generally try to present the best possible appearance to others and to make a **favorable** impression. EBS
사람들은 대개 다른 사람들에게 가능한 최상의 모습을 보여 주고 .... 인상을 주기 위해 노력한다.

➖ **unfavorable** (형) 알맞지[바람직하지] 않은; 불리한

a .... response
호의적인 반응

0863 illusion
[ilúːʒən]

(명) 환각, 환상; 착각

Clever technicians create the **illusion** of control by installing fake temperature dials in offices. 학평
영리한 기술자들은 사무실에 가짜 온도 다이얼을 설치함으로써 통제에 대한 ....을 만들어낸다.

➕ **illusionist** (명) 환상가; 마술사   **illusionary** (형) 환각의; 착각의

an optical ....
착시

해석 완성 열망했다 / 봉투 / 존재 / 사라지면서 / 호의적인 / 환상

0864 □□ **insufficient** [ìnsəfíʃənt]	형 불충분한; 부적당한 Dependence on automobile travel contributes to **insufficient** physical activity. (학평) 자동차 여행에 대한 의존은 .... 신체 활동에 기여한다.	.... evidence 불충분한 증거
0865 □□ **irony** [áiərəni]	명 반어(법), 아이러니, 역설 The most impressive thing about your story is that it has **irony**. (학평) 당신의 이야기에서 가장 인상적인 점은 그것에 ....가 있다는 것입니다. ➕ **ironic** 형 반어의, 비꼬는 **ironical** 형 반어적인, 풍자적인	the ....of fate 운명의 아이러니
0866 □□ **mention** [ménʃən]	명 언급 동 말하다, 언급하다 In the magazine, there was no **mention** of the floods in Pakistan. (학평) 그 잡지에는 파키스탄의 홍수에 관한 ....이 전혀 없었다. **Don't mention it.** 천만에요. **not to mention** ~은 말할 것도 없고	...............an example 예를 들어 말하다
0867 □□ **metal** [métl]	명 금속 He created works in a variety of styles and mastered bronze, **metal**, and stone sculpture. (학평) 그는 다양한 스타일의 작품을 만들었고 청동, ..., 석조 조각에 통달했다.	made of .... 금속으로 만든
0868 □□ **modify** [mάdəfài]	동 수정[변경]하다 The fact that a trait is heritable does not mean we cannot **modify** it. (EBS) 특성이 유전적이라는 사실이 우리가 그것을 .... 수 없다는 것을 의미하지는 않는다. ➕ **modification** 명 수정, 변경	...............a contract 계약을 수정하다

해석 완성 불충분한[부족한] / 아이러니 / 언급 / 금속 / 수정할

진짜 기출로 확인 ! 밑줄 친 단어의 뜻을 문맥에 맞게 찾으시오. 고3 학평

Other (1)<u>unfavorable</u> implications can arise for the developing countries as a result of misleading advertising which does not reveal the harmful effects of some products of transnational firms which, although banned in the developed market economies, are available in the developing countries because of (2)<u>insufficient</u> regulation.

① 반어적인   ② 열망하는   ③ 불충분한   ④ 존재하는   ⑤ 바람직하지 않은

ANSWERS p.477

0869 pedestrian
[pədéstriən]

몡 보행자 혱 보행자의

This issue affects the safety of every driver or **pedestrian** who uses that intersection. 모평
이 문제는 그 교차로를 이용하는 모든 운전자나 ....의 안전에 영향을 준다.

a .... zone
보행자 전용 구역

0870 persuade
[pərswéid]

동 설득하다; 납득시키다

Some of his friends attempted to **persuade** him to be a lawyer or businessman. 모평
그의 친구들 중 몇몇은 그에게 변호사나 사업가가 되라고 .... 애썼다.

persuade A of B A에게 B라는 사실을 납득시키다

➕ **persuasion** 몡 설득 **persuasive** 혱 설득력 있는
🟰 **convince, induce** 동 설득하다; 납득시키다

.... a person to work
~을 일하도록 설득하다

0871 president
[prézidənt]

몡 대통령; 장(長)

He wanted to run for student **president**. 수능
그는 학생 ....에 출마하기를 원했다.

➕ **presidential** 혱 대통령의; 지배하는

be elected ....
대통령에 당선되다

0872 procedure
[prəsí:dʒər]

몡 절차; 진행

A learner acquires new knowledge or skills by building on more basic information and **procedures**. 모평
학습자는 보다 기본적인 정보와 ....를 축적하여 새로운 지식이나 기술을 습득한다.

➕ **procedural** 혱 절차(상)의
🟰 **process** 몡 과정, 절차

legal ....
소송 절차

0873 prompt
[prɑmpt]

혱 즉각적인; 신속한 동 촉발하다

Thank you for your **prompt** attention in advance. 학평
귀하의 .... 관심에 미리 감사드립니다.

➕ **promptly** 뷔 신속히; 즉석에서, 즉시
🟰 **immediate** 혱 즉각적인, 지체 없는

a .... action
즉각적인 행동

0874 border
[bɔ́:rdər]
내용일치

몡 테두리; 경계, 국경 동 ~에 접하다

Tibetan government opened its **borders** to foreigners, while Nepal remained off limits. 수능
티베트 정부는 ....을 외국인들에게 개방한 반면에, 네팔은 출입 금지 상태였다.

➕ **borderless** 혱 경계 없는, 국경 없는

cross the ....
국경을 넘다

해석 완성 보행자 / 설득하려 / 회장 / 절차 / 즉각적인 / 국경

0875 swing
[swiŋ]

(동) 흔들(리)다; 매달리다   (명) 그네

Galileo discovered that a pendulum always takes the same amount of time to **swing**. 학평
갈릴레오는 진자가 .... 데 항상 같은 시간이 걸린다는 것을 발견했다.

be in full swing 한창 진행 중에 있다

.... in the wind
바람에 흔들리다

0876 witness
[wítnis]

(동) 목격하다; 증명[증언]하다   (명) 목격자; 증인

At the zoo, visitors may **witness** a great beast pacing behind the bars of its cage. 모평
동물원에서 방문객들은 큰 짐승이 우리의 창살 뒤에서 서성거리는 것을 .... 수도 있다.

.... the accident
사고를 목격하다

0877 addiction
[ədíkʃən]

(명) 중독; 열중

To break planning **addiction**, allow yourself one freedom. 모평
계획 ....을 끊기 위해 자신에게 하나의 자유를 허락해라.

game ....
게임 중독

0878 allocate
[æləkèit]

(동) 할당하다, 배분하다

It's how we use, or **allocate**, our resources that truly matters. EBS
정말로 중요한 것은 우리가 우리의 자원을 어떻게 사용하거나 .... 이다.

➕ **allocation** (명) 할당; 배당(금)

.... funds for housing
자금을 주택 공급에 할당하다

0879 analogy
[ənǽlədʒi]

(명) 유사(성), 비슷함; 유추, 비유

There is an **analogy** between human heart and pump.
인간의 심장과 펌프 사이에는 .... 이 있다.

➕ **analogous** (형) 유사한

learn by ....
유추를 통해 배우다

0880 refund
(명)[ríːfʌnd]
(동)[rifʌ́nd]

(명) 환불(금); 반환   (동) 환불하다; 반환하다

No **refunds** will be given after a class begins. EBS
수업이 시작된 후에는 .... 이 되지 않을 것입니다.

➕ **refundable** (형) 환불 가능한

ask for a ....
환불을 요청하다

해석 완성 흔들리는 / 목격할 / 중독 / 배분하는가 / 유사성 / 환불

진짜 기출로 확인! 문맥에 맞도록 빈칸에 알맞은 단어를 고르시오.   고2 학평

In 1912, the U.S. (1)_____ election was in full (2)_____. Theodore Roosevelt was in the middle of a tough campaign, and every day seemed to present a new challenge. But here was a challenge that no one had anticipated.

① swing   ② refund   ③ border   ④ prompt   ⑤ presidential

ANSWERS p.477

		check				check
0841 stimulate	동 자극하다; 고무하다	☐	0861 fade	동 희미해지다, 사라지다	☐
0842 verbal	형 말의, 구두의	☐	0862 favorable	형 호의적인; 유리한	☐
0843 versus	전 ~ 대(對)(= vs.); ~와 대비하여	☐	0863 illusion	명 환각, 환상; 착각	☐
0844 administration	명 관리; 행정(부); 집행	☐	0864 insufficient	형 불충분한; 부적당한	☐
0845 alarm	동 경보를 발하다; 놀라게 하다 명 경보	☐	0865 irony	명 반어(법), 아이러니, 역설	☐
0846 ambiguous	형 애매[모호]한, 불명료한	☐	0866 mention	명 언급 동 말하다, 언급하다	☐
0847 apologize	동 사과하다; 변명하다	☐	0867 metal	명 금속	☐
0848 approve	동 찬성하다; 승인하다, 허가하다	☐	0868 modify	동 수정[변경]하다	☐
0849 aquatic	형 물의; 수생의	☐	0869 pedestrian	명 보행자 형 보행자의	☐
0850 attain	동 이르다, 도달하다; 달성하다	☐	0870 persuade	동 설득하다; 납득시키다	☐
0851 bare	형 맨~, 헐벗은; 기본적인	☐	0871 president	명 대통령; 장(長)	☐
0852 block	동 막다, 차단하다 명 (큰) 덩어리, 블록; 구역	☐	0872 procedure	명 절차; 진행	☐
0853 boost	동 신장시키다; 북돋우다 명 격려; 증가	☐	0873 prompt	형 즉각적인; 신속한 동 촉발하다	☐
0854 boundary	명 경계(선); 한계, 범위	☐	0874 border	명 테두리; 경계, 국경 동 ~에 접하다	☐
0855 companion	명 동료, 친구; 동반자	☐	0875 swing	동 흔들(리)다; 매달리다 명 그네	☐
0856 custom	명 관습, 풍습; (pl.) 세관	☐	0876 witness	동 목격하다; 증명[증언]하다 명 목격자; 증인	☐
0857 diminish	동 줄이다; 감소하다	☐	0877 addiction	명 중독; 열중	☐
0858 eager	형 열망하는; 열심인	☐	0878 allocate	동 할당하다, 배분하다	☐
0859 envelope	명 봉투; 외피	☐	0879 analogy	명 유사(성), 비슷함; 유추, 비유	☐
0860 existence	명 존재, 현존	☐	0880 refund	명 환불(금); 반환 동 환불하다; 반환하다	☐

외우지 못한 단어가 있으면 MINI 단어장에서 다시 한번 정리해 보세요.

가리개를 사용하여 뜻을 암기했는지 확인하세요.

DRILLS

0881 **cast**
[kæst]

[명] 던지기; 깁스; 배역
[동] 던지다; (빛 등을) 발하다

In the airplane, the woman sitting next to me had both arms in **casts**. [학평]
비행기에서 내 옆에 앉은 여자는 양 팔에 ....를 하고 있었다.

put a cast on ~에 깁스를 대다
cast an eye on ~에 시선을 던지다

.... a dice
주사위를 던지다

0882 **contradict**
[kɑ̀ntrədíkt]

[동] 부인하다, 반박하다; (~와) 모순되다

Theories that are **contradicted** by observation do still get sifted out. [EBS]
관찰에 의해 .... 이론들은 여전히 걸러지고 있다.

[+] **contradiction** [명] 부인, 반박; 모순
contradictory [형] 모순된; 반박하는 [명] 정반대의 것
[=] **deny** [동] 부인하다

.... a statement
진술을 반박하다

0883 **departure**
[dipɑ́ːrtʃər]

[명] 출발

Times for each school bus during the morning commute are **departure** times. [학평]
아침 통학 시간 동안 각 스쿨버스의 시각은 .... 시간입니다.

[+] **depart** [동] 출발하다
[↔] **arrival** [명] 도착

a .... gate
출발 탑승구

0884 **elevate**
[éləvèit]

[동] 올리다, 높이다; 승진시키다

The dancers stood on a two-step **elevated** stage. [수능]
무용수들은 두 계단 .... 무대에 서 있다.

[+] **elevation** [명] 높이, 고도; 승진
[=] **raise** [동] 올리다 **promote** [동] 승진시키다

.... one's voice
목소리를 높이다

0885 **extract**
[동][ikstrǽkt]
[명][ékstrækt]

[동] 추출하다; 발췌하다 [명] 추출물; 발췌

They tried to **extract** knowledge by devising theories. [학평]
그들은 이론을 고안함으로써 지식을 .... 노력했다.

[+] **extraction** [명] 뽑아냄; 추출

.... examples from a book
책에서 예를 발췌하다

해석 완성 깁스 / 반박되는 / 출발 / 높은 / 추출하려고

0886 fabric
[fǽbrik]

(명) 직물, 천; 구조

The **fabric** is partially made from recycled plastic bottles. 모평
그 ....은 부분적으로 재활용 플라스틱 병으로 만들어진다.

➕ **fabricate** (동) 제작하다; 조작하다 **fabricated** (형) 허구의, 날조된

cotton ....
면직물

0887 filter
[fíltər]

(동) 여과하다, 거르다 (명) 여과기

Houseplants are by far the best way to **filter** indoor air. 학평
실내용 화초는 실내 공기를 .... 가장 좋은 방법이다.

➕ **filtration** (명) 여과 (과정)

.... something out
~을 거르다

0888 flexible
[fléksəbl]

(형) 잘 구부러지는; 융통성 있는

One of these patents was his most successful invention — the **flexible** drinking straw. 학평
이러한 특허품들 중 하나는 그의 가장 성공적인 발명품인 ....
빨대였다.

➕ **flexibility** (명) 유연성; 융통성

a .... rule
융통성 있는 규칙

0889 garbage
[gáːrbidʒ]
실용문

(명) 쓰레기

There is no place for you to drop off **garbage**. 학평
.................를 놓고 갈 곳은 없습니다.

TIP garbage / trash
» garbage (명) (주로 부엌에서 나오는 음식물 찌꺼기 등의) 쓰레기
» trash (명) (주로 헌 종이나 빈병, 깡통 등과 같은 물기 없는) 쓰레기

take out the ....
쓰레기를 내다버리다

0890 gear
[giər]

(동) 맞게 하다 (명) 기어; 장비; 복장

Our senses are not **geared** toward detecting the underlying dangers. 학평
우리의 감각은 숨은 위험을 감지하는 데 .... 있지 않다.

sports ....
운동 장비[복장]

0891 genius
[dʒíːnjəs]

(명) 천재(성)

Geniuses don't necessarily have a higher success rate than other creators. 모평
...................가 반드시 다른 창작자들보다 더 높은 성공률을 갖는 것은 아니다.

a .... in mathematics
수학의 천재

0892 grand
[grænd]

(형) 웅장한; 위엄 있는; 원대한

He married well, and as a result lived in a **grand** mansion. 학평
그는 결혼을 잘 했고, 그 결과 .... 저택에 살았다.

a .... plan
원대한 계획

해석 완성 천 / 여과하기 위한 / 잘 구부러지는 / 쓰레기 / 맞춰져 / 천재 / 웅장한

0893 **herd**
[hə:rd]

[명] (짐승의) 떼, 무리; 군중 [동] 떼짓다; 모으다

A **herd** of zebras can become a dazzling display of black and white stripes. [모평]
얼룩말 ________는 검은색과 흰색 줄무늬의 현란한 광경으로 보일 수 있다.

[+] **herder** [명] 목자, 목동

a ________ of cows
소떼

0894 **impulse**
[ímpʌls]

[명] 충동; 추진(력); 자극

The research may help explain the link between touch and **impulse** purchasing. [학평]
그 조사는 (물건을) 만지는 것과 ________ 구매 사이의 연관성을 설명하는 데 도움이 될 수도 있다.

[+] **impulsive** [형] 충동적인; 추진적인

a man of ________
충동적인 사람

0895 **latitude**
[lǽtətjù:d]

[명] 위도(緯度); (위도상의) 지역, 지대

It is relatively easy to calculate **latitude** by measuring the height of the Sun above the horizon at noon. [학평]
정오에 수평선 위의 태양의 높이를 측정함으로써, ________를 측정하는 것은 상대적으로 쉽다.

[반] **longitude** [명] 경도

a north[south] ________
북[남]위

0896 **launch**
[lɔ:ntʃ]

[동] 시작[개시]하다; 출시하다; 발사하다

It takes time to develop and **launch** products. [모평]
제품을 개발하고 ________ 데는 시간이 걸린다.

________ a satellite
위성을 발사하다

0897 **mislead**
[mislí:d]

[동] (-misled-misled) 잘못 인도하다; 오해[현혹]시키다

The average person is often **misled** into believing false. [모평]
보통 사람들은 종종 거짓을 믿게끔 ________.

[+] **misleading** [형] 오해하게 하는, 현혹시키는

________ public opinion
여론을 현혹시키다

해석 완성 무리 / 충동 / 위도 / 출시하는 / 현혹된다

진짜 기출로 확인! 문맥에 맞도록 빈칸에 알맞은 단어를 고르시오. 고3 학평

Photocopiers need periodic maintenance — tasks that require specialized knowledge (such as how to install a toner cartridge or (1)________ jammed paper) that tends to be unevenly distributed among users. These characteristics are wonderful stimuli for informal interactions, because they give people natural reasons to (2)________ into conversation.

① filter ② herd ③ launch ④ extract ⑤ mislead

ANSWERS p.477

0898 mobile
[móubəl]

(형) 이동할 수 있는 (명) 휴대 전화

Ensure that your **mobile** phone is on silent. 학평
당신의 .... 전화가 무음 상태인지 확인하라.

➕ **mobility** (명) 이동성; 유동성 **mobilize** (동) 동원하다; 동원되다

a .... home
이동 주택

0899 philosophy
[filásəfi]

(명) 철학; 원리

Aesthetics is the branch of **philosophy** that deals with beauty. 모평
미학은 아름다움을 다루는 .... 분야이다.

➕ **philosophic(al)** (형) 철학의, 철학에 관한
philosopher (명) 철학자

a .... of life
인생철학

0900 phrase
[freiz]

(명) 구(句); 구절, 관용구

The **phrase** "the bluebird of happiness" derives from an enormously popular story. 학평
'행복의 파랑새'라는 ....는 한 대단히 인기 있는 이야기에서 유래한다.

> **TIP** word / phrase / clause
> » **word** (명) 단어, 낱말
> » **phrase** (명) 구(주어, 술어를 갖지 않는 어군)
> » **clause** (명) 절(주어, 술어를 갖춘 어군)

a noun ....
명사구

0901 poet
[póuit]

(명) 시인

Though **poets** do depend on printers and publishers, one can produce poetry without them. 학평
...................이 인쇄업자와 출판사들에 의지하기는 하지만, 어떤 이는 그들 없이도 시를 창작할 수 있다.

➕ **poetic** (형) 시의, 시적인 **poetry** (명) (집합적) 시, 운문; 시집

a lyric ....
서정시인

0902 prior
[práiər]
실용문

(형) (– to) ~보다 전에; ~보다 우선하는

Box office closes one hour **prior** to the end of the show each day. 학평
매표소는 매일 쇼가 끝나기 한 시간 .... 닫습니다.

➕ **priority** (명) 먼저임; 우선 사항

a .... approval
사전 승인

0903 sequence
[síːkwəns]

(명) 연속; 순서; (영화의 연속된 한) 장면

Compare how this film **sequence** impacts you differently with and without music. 학평
이 영화 ....이 음악이 있을 때와 없을 때 어떻게 다르게 당신에게 영향을 주는지 비교해 보라.

➕ **sequent** (형) 다음에 오는, 연속적인

in chronological ....
연대순으로

해석 완성 휴대 / 철학 / 관용구 / 시인 / 전에 / 장면

0904 solitary
[sálitèri]

(형) 혼자의; 고독한; 외딴

Nobel was an unattractive, dull, **solitary** bachelor. 학평
Nobel은 매력 없고, 둔하고, ... 총각이었다.

➕ solitude (명) 고독

a .... house
외딴 집

0905 steady
[stédi]

(형) 꾸준한; 안정된

Large organizations are designed to make **steady** progress. 학평
대규모의 조직들은 .... 성장을 하도록 설계된다.

➕ steadily (부) 착실하게, 끊임없이
🟰 constant (형) 꾸준한   stable (형) 안정된

a .... job
안정된 직업

0906 suppress
[səprés]

(동) 진압하다; 억누르다, 억제하다

Even immoral people try to justify their acts to themselves to **suppress** the guilt inside. EBS
심지어 부도덕한 사람들도 내면의 죄책감을 .... 위해 자신의 행위를 정당화하려고 노력한다.

➕ suppression (명) 진압; 억제

.... a riot
폭동을 진압하다

0907 suspect
(명)[sáspekt]
(동)[səspékt]

(명) 용의자   (동) 의심하다; 추측하다

You will learn how to find traces of **suspects**. 모평
당신은 .... 의 흔적을 찾는 법을 배우게 될 것이다.

➕ suspicion (명) 의심; 혐의   suspicious (형) 의심스러운

.... the hidden motives
숨겨진 동기를 추측하다

0908 urgent
[ə́:rdʒənt]

(형) 긴급한, 절박한; 재촉하는

I began to feel an **urgent** need for a change. 모평
나는 변화에 대한 .... 필요를 느끼기 시작했다.

an .... call
긴급 전화

해석 완성 고독한 / 꾸준한 / 억제하기 / 용의자 / 절박한

진짜 기출로 확인! 밑줄 친 단어의 뜻을 문맥에 맞게 찾으시오.   고3 학평

The bank grouped employees into teams of about twenty, but they didn't interact much, in part because their work was entirely (1)<u>solitary</u>, sitting in a cubicle with a phone and a computer. They were unlikely to run into each other very often anyway because the bank staggered break times in order to keep staffing levels (2)<u>steady</u>.

① 긴급한   ② 혼자의   ③ 우선하는   ④ 안정된   ⑤ 이동할 수 있는

ANSWERS p.477

0909
□□
목적
warn
[wɔːrn]

(동) 경고하다; 강력히 충고하다

You should adequately **warn** customers not to microwave the bowl. 학평
당신은 고객들에게 그 그릇을 전자레인지에 데우지 않도록 충분히 .... 합니다.

➕ **warning** (명) 경고 (형) 경고의

.... a person of danger
~에게 위험을 경고하다

0910
□□
목적
accommodate
[əkámədèit]

(동) 편의를 도모하다; 수용하다; 숙박시키다

We are wondering if you will be able to **accommodate** our guests for that night. 학평
저희는 귀하가 그날 밤 저희 손님들에게 .... 수 있는지 궁금합니다.

➕ **accommodation** (명) 숙박 시설; 편의; 적응

.... up to 500 guests
500명까지 손님을 수용하다

0911
□□
내용일치
appoint
[əpɔ́int]

(동) 임명[지명]하다; (시간·장소를) 지정하다

Later in his life, he was **appointed** the U.S. Ambassador to the Republic of Seychelles. 모평
만년에 그는 Seychelles 공화국의 미국 대사로 ....

➕ **appointment** (명) 약속; 임명; 지정

.... a new manager
새 지배인을 임명하다

0912
□□
bend
[bend]

(동) (–bent–bent) 구부리다; 굽히다   (명) 굽음

They saw that she would **bend** down and pick up one of the sea creatures. 학평
그들은 그녀가 몸을 .... 바다 생물들 중 하나를 집어 올리는 것을 보았다.

.... one's knees
무릎을 구부리다

0913
□□
biodiversity
[bàioudaivə́rsəti]

(명) 생물 다양성

Global marine **biodiversity** is increasingly endangered. 모평 전 세계의 해양 .... 이 점점 더 멸종 위기에 처해 있다.

➕ **biodiverse** (형) 생물이 다양한

threaten the ....
생물 다양성을 위협하다

0914
□□
bother
[báðər]

(동) 귀찮게 하다; 신경 쓰다

Felix was mad because his little brother was **bothering** him. 수능
Felix는 남동생이 그를 .... 화가 났다.

➕ **bothersome** (형) 귀찮은, 성가신

.... a person with questions
~에게 질문하여 귀찮게 하다

0915
□□
chase
[tʃeis]

(명) 추격; 추구   (동) 쫓다; 추적하다; 추구하다

When you watch a **chase** scene in an action movie, your heart races as well. 학평
액션 영화에서 .... 장면을 볼 때 심장도 함께 뛴다.

.... the thief
도둑을 쫓다

해석 완성 경고해야 / 숙박을 제공할 / 임명되었다 / 굽혀 / 생물 다양성 / 귀찮게 해서 / 추격

0916 ☐☐ 내용일치	**civil** [sívəl]	(형) 시민의; 민간의; 문명의 She was director of **civil** rights and urban affairs. (학평) 그녀는 ....권과 도시 문제 관리 책임자였다. ➕ civilian (명) 민간인	a .... airport 민간 비행장
0917 ☐☐	**compose** [kəmpóuz]	(동) 구성하다; 작곡하다; 작문하다 He is believed to have **composed** more than 70 works. (학평) 그는 70곡 이상을 .... 것으로 여겨진다.	.... the committee 위원회를 구성하다
0918 ☐☐	**conservation** [kʌ̀nsərvéiʃən]	(명) 보호; 보존 **Conservation** of cultural heritage is combined with economic benefit. (EBS) 문화유산의 ....은 경제적 혜택과 결합된다.	wildlife .... 야생 생물의 보호
0919 ☐☐	**constraint** [kənstréint]	(명) 제약; 제한 There are no legal **constraints** on the number of phone calls a citizen can make to public officials. (학평) 시민이 공무원에게 걸 수 있는 전화 통화 수에 대한 법적 ....은 없다.	.... of time 시간적 제약
0920 ☐☐	**contemporary** [kəntémpərèri]	(형) 동시대의; 현대의 (명) 동시대 사람 Many traditional sports remain important elements of **contemporary** national sporting cultures. (EBS) 많은 전통 스포츠는 .... 국가적인 스포츠 문화의 중요한 요소로 남아 있다.	the .... novel 현대 소설

해석 완성 시민 / 작곡한 / 보존 / 제한 / 현대의

진짜 기출로 확인!   우리말과 일치하도록 빈칸에 알맞은 단어를 고르시오.   고3 학평

In general, the smaller the protected area, the more it depends on unprotected neighboring lands for the long-term maintenance of (1)_____. Unprotected areas, including those immediately outside protected areas, are thus crucial to an overall (2)_____ strategy.

(일반적으로 보호구역이 작으면 작을수록 그것은 생물 다양성의 장기적인 유지를 위해 보호되지 않는 인근 지역에 더욱 의존하게 된다. 그러므로 보호 구역 바로 바깥에 있는 지역들을 포함하는 비보호구역들은 전반적인 보존 전략에 있어 매우 중요하다.)

① chase   ② contemporary   ③ constraint   ④ conservation   ⑤ biodiversity

ANSWERS p.477

		check
0881 **cast**	(명) 던지기; 깁스; 배역 (동) 던지다; (빛 등을) 발하다	
0882 **contradict**	(동) 부인하다, 반박하다; (~와) 모순되다	
0883 **departure**	(명) 출발	
0884 **elevate**	(동) 올리다, 높이다; 승진시키다	
0885 **extract**	(동) 추출하다; 발췌하다 (명) 추출물; 발췌	
0886 **fabric**	(명) 직물, 천; 구조	
0887 **filter**	(동) 여과하다, 거르다 (명) 여과기	
0888 **flexible**	(형) 잘 구부러지는; 융통성 있는	
0889 **garbage**	(명) 쓰레기	
0890 **gear**	(동) 맞게 하다 (명) 기어; 장비; 복장	
0891 **genius**	(명) 천재(성)	
0892 **grand**	(형) 웅장한; 위엄 있는; 원대한	
0893 **herd**	(명) (짐승의) 떼, 무리; 군중 (동) 떼짓다; 모으다	
0894 **impulse**	(명) 충동; 추진(력); 자극	
0895 **latitude**	(명) 위도(緯度); (위도상의) 지역, 지대	
0896 **launch**	(동) 시작[개시]하다; 출시하다; 발사하다	
0897 **mislead**	(동) 잘못 인도하다; 오해[현혹]시키다	
0898 **mobile**	(형) 이동할 수 있는 (명) 휴대 전화	
0899 **philosophy**	(명) 철학; 원리	
0900 **phrase**	(명) 구(句); 구절, 관용구	

		check
0901 **poet**	(명) 시인	
0902 **prior**	(형) (- to) ~보다 전에; ~보다 우선하는	
0903 **sequence**	(명) 연속; 순서; (영화의 연속된 한) 장면	
0904 **solitary**	(형) 혼자의; 고독한; 외딴	
0905 **steady**	(형) 꾸준한; 안정된	
0906 **suppress**	(동) 진압하다; 억누르다, 억제하다	
0907 **suspect**	(명) 용의자 (동) 의심하다; 추측하다	
0908 **urgent**	(형) 긴급한, 절박한; 재촉하는	
0909 **warn**	(동) 경고하다; 강력히 충고하다	
0910 **accommodate**	(동) 편의를 도모하다; 수용하다; 숙박시키다	
0911 **appoint**	(동) 임명[지명]하다; (시간·장소를) 지정하다	
0912 **bend**	(동) 구부리다; 굽히다 (명) 굽음	
0913 **biodiversity**	(명) 생물 다양성	
0914 **bother**	(동) 귀찮게 하다; 신경 쓰다	
0915 **chase**	(명) 추격; 추구 (동) 쫓다; 추적하다; 추구하다	
0916 **civil**	(형) 시민의; 민간의; 문명의	
0917 **compose**	(동) 구성하다; 작곡하다; 작문하다	
0918 **conservation**	(명) 보호; 보존	
0919 **constraint**	(명) 제약; 제한	
0920 **contemporary**	(형) 동시대의; 현대의 (명) 동시대 사람	

외우지 못한 단어가 있으면 MINI 단어장에서 다시 한번 정리해 보세요.

가리개를 사용하여 뜻을 암기했는지 확인하세요.

DRILLS

0921 **convince** [kənvíns]

[동] 납득시키다, 확신시키다; 설득하다

Argument is "reason giving", trying to **convince** others of your side of the issue. [학평]
논쟁은 다른 사람들에게 쟁점에 관한 당신의 입장을 ______ 노력하면서 '이유를 대는' 것이다.

be convinced of[that ...] ~을 (…라고) 확신하다

______ a person to study economics
~에게 경제학을 공부하라고 설득하다

0922 **counsel** [káunsəl]

[동] 상담하다; 조언하다 [명] 상담; 조언

She has **counseled** children facing severe emotional and physical abuse.
그녀는 심각한 정서적, 신체적 학대를 겪는 아이들을 ______.

[+] **counselor** [명] 고문; 카운슬러 **counselling** [명] 상담, 카운슬링

give ______
조언하다

0923 **credible** [krédəbl]

[형] 신뢰할 수 있는, 확실한

They can predict the outcome with **credible** information. [수능]
그들은 ______ 정보를 가지고 그 결과를 예측할 수 있다.

[+] **credibility** [명] 신용, 신뢰성
[↔] **incredible** [형] 믿을 수 없는; (믿기 어려울 만큼) 훌륭한

a ______ witness
신뢰할 수 있는 증인

0924 **duty** [djúːti] [목적]

[명] 의무; 임무; 관세

The staff on **duty** at the time did not reflect our customer service policy. [학평]
그 당시 ______ 중이던 직원들이 우리의 고객 서비스 방침을 반영하지 않았다.

on[off] duty 근무 중인[비번의]
do one's duty 의무를 다하다
duty free 면세의, 면세품

military ______
병역 의무

0925 **election** [ilékʃən] [내용 일치]

[명] 선거; 당선

Thomas Nast played an important role in the **election** of Abraham Lincoln in 1864. [학평]
Thomas Nast는 1864년 Abraham Lincoln의 ______에서 중요한 역할을 했다.

an ______ campaign
선거 운동

해석 완성 납득시키려고 / 상담해 왔다 / 신뢰할 수 있는 / 근무 / 선거

0926 **expectancy**
[ikspéktənsi]

⦿명 기대; 예상

In the 20th century, average life **expectancy** in the United States rose by nearly 30 years. 학평
20세기에, 미국의 평균 .... 수명은 거의 30년 증가했다.

with a look of ....
기대하는 표정으로

0927 **formal**
[fɔ́:rməl]

⦿형 공식적인; 격식을 차린

Her **formal** education lasted only two years; she learned to read and write on her own. 학평
그녀의 .... 교육은 단 2년만 지속되었고 그녀는 읽고 쓰기를 독학했다.

➕ **formality** 명 형식적임; 격식을 차림; 정식 절차
➖ **informal** 형 비공식의; 격식을 차리지 않는

.... legal processes
공식적인 법적 절차

0928 **foster**
[fɔ́(:)stər]

⦿동 기르다; 육성[조성]하다

Parents and coaches should help hand in hand to **foster** a positive athletic atmosphere for players. 학평
부모와 코치들은 서로 손 잡고 선수들을 위해 긍정적인 운동 분위기를 .... 도와야 한다.

🟰 **bring up** ~을 기르다

.... an abandoned child
버려진 아이를 기르다

0929 **genuine**
[dʒénjuin]

⦿형 진짜의; 진실한

Unless there is a **genuine** need to meet, meetings should not be held. EBS
만약 마주해야 할 .... 필요성이 없다면, 회의는 열리지 말아야 한다.

➕ **genuinely** 부 진실로; 순수하게

a .... diamond
진짜 다이아몬드

0930 **graceful**
[gréisfəl]

⦿형 우아한, 품위 있는; (언동이) 솔직한

They will devote themselves to designing **graceful** and original buildings.
그들은 .... 독창적인 건물을 짓는 데 헌신할 것이다.

🟰 **elegant, delicate** 형 우아한

.... movements
우아한 동작

0931 **grasp**
[græsp]

⦿동 움켜잡다; 파악[이해]하다   ⦿명 꽉 쥐기; 파악

At first the manager didn't seem to **grasp** what I was saying. 학평
처음에 그 지배인은 내가 무슨 말을 하고 있는지 .... 못하는 것 같았다.

.... one's hand and shake it
~의 손을 꽉 잡고 악수하다

0932 **hesitate**
[hézətèit]

⦿동 주저하다, 망설이다

If pain or fatigue does strike, don't **hesitate** to change your workouts. 학평
통증이나 피로가 엄습하면 .... 말고 운동법을 바꾸어라.

➕ **hesitation** 명 주저, 망설임

.... to say
말하기를 주저하다

해석 완성 기대 / 공식적인 / 조성하도록 / 진짜 / 우아하고 / 이해하지 / 주저하지

0933 □□ **intent** [intént]

[명] 의도 [형] 집중된; 몰두하는

Any false statement — regardless of **intent** or belief — is a lie. [학평]
..................나 신념과는 상관없이 어떤 거짓된 진술도 거짓말이다.

be intent on ~에 몰두해 있다

an .... look
몰두한 표정

0934 □□ **license** [láisəns]

[동] 면허를 주다; 허가하다 [명] 면허(증), 허가(증)

All our highly qualified and experienced staff are first aid and CPR **licensed**. [EBS]
우수하고 숙련된 저희 모든 직원들은 응급 처치와 심폐소생술 ....

a driver's ....
운전 면허증

0935 □□ **mood** [muːd]

[명] (일시적인) 기분; 분위기

Andrew arrived at the nursing home in a gloomy **mood**. [모평]
Andrew는 우울한 ....으로 양로원에 도착했다.

be in the mood for ~하고 싶은 기분이다

⊞ **moody** [형] 변덕스러운; 우울한
≡ **atmosphere, air** [명] 분위기

in a good ....
기분이 좋은

0936 □□ **panel** [pǽnl]

[명] 판; 패널, (전문) 위원단

Your artwork will be judged by our **panel**, as well as popular vote. [학평]
여러분의 예술 작품은 일반인 투표뿐만 아니라 저희 ....에 의해서 심사를 받을 것입니다.

a solar ....
태양 (전지) 판

0937 □□ **phase** [feiz]

[명] 단계; 양상 [동] 단계적으로 하다

When will it reach the full moon **phase**? [모평]
그것은 언제 보름달 ....에 도달할까?

phase in[out] 단계적으로 도입하다[폐지하다]

enter on a new ....
새로운 단계[양상]에 들어가다

해석 완성 의도 / 면허를 취득했습니다 / 기분 / 심사위원단 / 양상

진짜 기출로 확인! 우리말과 일치하도록 빈칸에 알맞은 단어를 고르시오. 고3 학평

According to Dr. Paul Ekman, a pioneer of lying research at UC San Francisco, here is an example of how difficult it is for children to (1)________ the qualifying role of (2)________ in telling a lie.
(San Francisco 대학교의 거짓말 연구의 선구자인 Paul Ekman 박사에 따르면, 거짓말하는 데 있어서 의도의 적격성을 부여하는 역할을 아이들이 이해하는 것이 얼마나 어려운지를 보여 주는 예시가 여기 있다.)

① intent ② grasp ③ phase ④ convince ⑤ hesitate

ANSWERS p.477

0938 prescribe
[priskráib]

(동) 처방하다; 규정하다

Some doctors **prescribe** hormone therapy to ease the discomfort of night sweats. EBS
어떤 의사들은 식은땀의 불편을 완화하기 위해 호르몬 치료법을 ....

➕ prescription (명) 처방(전); 처방약; 규정

.... medicine to a patient
환자에게 약을 처방하다

0939 protein
[próuti:n]

(명) 단백질 (형) 단백질의

The milk and meat provide people with much fat and **protein** but few vitamins. 학평
우유와 고기는 사람들에게 많은 지방과 ....을 공급하지만 비타민은 거의 공급하지 않는다.

a source of ....
단백질원

0940 rapid
[rǽpid]

(형) 빠른; 민첩한; 가파른

These foods cause a **rapid** rise in blood sugar level. EBS 이 음식들은 혈당치의 .... 상승을 일으킨다.

➕ rapidly (부) 재빨리; 순식간에   rapidity (명) 급속; 민첩

> **TIP** rapid / fast
> » rapid (형) (주로 어떤 것의 변화와 관련된 속도가) 빠른
>   ex. a **rapid** change[increase] 빠른 변화[상승]
> » fast (형) (특히 사람·사물 등의 움직임이) 빠른
>   ex. a **fast** car[pace] 빠른 자동차[속도]

.... growth
빠른 성장

0941 revolution
[rèvəlú:ʃən]

(명) 혁명; 회전; 공전

Mechanization was the key that unlocked the Industrial **Revolution**. 학평
기계화는 산업 ....의 문을 연 열쇠였다.

➕ revolutionary (형) 혁명의; 혁명적인

a cultural ....
문화 혁명

0942 rough
[rʌf]

(형) 거친; 난폭한; 대강의; 힘든

A ship traveling through **rough** seas lost 12 cargo containers. 수능
.... 바다를 항해 중이던 배 한 척이 12개의 화물 컨테이너를 잃어버렸다.

a .... sketch
대강 그린 스케치

0943 scent
[sent]

(명) 냄새; 향기

The **scent** of the candle may help your friends not overeat. 학평
양초의 ....는 당신의 친구들이 과식하지 않도록 도울 수 있다.

🟰 smell (명) 냄새, 향   odo(u)r (명) 냄새, 악취

the .... of roses
장미 향기

해석 완성 처방한다 / 단백질 / 빠른 / 혁명 / 거친 / 향기

0944 specialized
[spéʃəlàizd]

(형) 전문의; 분화한

Music is a **specialized** branch of learning, at least as it applies to the musician. 학평
음악은 적어도 음악가에게 적용될 때 학문의 .... 분야이다.

➕ **specialize** (동) 전문화하다; 전공하다 **specialist** (명) 전문가

.... knowledge
전문 지식

0945 territory
[térətɔ̀:ri]

(명) 영토; 영역

You don't want to risk a step into unknown **territory**. 모평
당신은 위험을 무릅쓰고 미지의 .... 으로 발걸음을 내딛고 싶어 하지 않는다.

➕ **territorial** (형) 영토의

British ....
영국령

0946 variable
[vɛ́əriəbl]

(형) 변하기 쉬운; 바꿀 수 있는

Financial markets have become more **variable** since exchange rates were freed in 1973. 학평
1973년 환율이 자율화된 후로 금융 시장들은 점점 .... 심해져 왔다.

➕ **variability** (명) 변동성; 가변성

.... weather
변덕스러운 날씨

0947 venture
[véntʃər]

(명) 모험; (벤처) 사업 (동) 위험을 무릅쓰고 ~하다

His task was to explore the possibility of developing joint **ventures** with American firms. 모평
그의 일은 미국 회사들과 합작 .... 을 진전시키는 가능성을 조사하는 것이었다.

➕ **venturous** (형) 모험을 좋아하는; 무모한

.... an investment
위험을 무릅쓰고 투자를 하다

0948 abstract
[ǽbstrækt]

(형) 추상적인; 관념적인

Many disciplines are better learned by entering into the doing than by mere **abstract** study. 수능
많은 교과들은 단순한 .... 공부에 의해서보다 실행함으로써 더 잘 학습된다.

➕ **abstraction** (명) 추상 개념; 추출

an .... concept
추상적 개념

해석 완성 전문 / 영역 / 변동이 / (벤처) 사업 / 추상적인

진짜 기출로 확인! 네모 안에서 문맥에 알맞은 단어를 고르시오.   17년 수능

You have to challenge yourself. You have to (1) abstract / venture / prescribe beyond the boundaries of your current experience and explore new (2) revolution / scent / territory. Those are the places where there are opportunities to improve, innovate, experiment, and grow.

ANSWERS p.478

0949 blow
□□
[blou]
심경

동 (바람이) 불다; (입으로) 불다　명 강타

The wind **blew** with a faint, warm breeze and the sea moved about kindly. 학평
약하고 따스한 산들바람과 함께 바람이 .... 바다는 온화하게 움직였다.

.... a whistle
호루라기를 불다

0950 bounce
□□
[bauns]

동 (공 등이) 튀다; 튀기다; (빛·소리가) 반사하다
명 튀어 오름

The high-pitched scream filled the small room and **bounced** off the cement block walls. 학평
아주 높은 날카로운 소리가 작은 방을 가득 채우고 시멘트 블록 벽에 ....

➕ bouncy 형 잘 튀는; 쾌활한

.... a ball
공을 튀기다

0951 certificate
□□
명 [sərtífəkit]
동 [sərtífəkèit]

명 증명서; 자격증　동 자격증을 교부하다

Have you ever watched children in a toy store with a gift **certificate** in hand? 학평
여러분은 장난감 가게에서 상품...................을 손에 들고 있는 아이들을 본 적이 있나요?

➕ certification 명 증명; 증명서 교부

a birth ....
출생증명서

0952 channel
□□
[tʃǽnl]

명 수로; 경로; (방송) 채널

A complex system of **channels** must be dug from the nearest water source. 학평
가장 가까운 수원지로부터 복잡한 체계의 ....를 파야 한다.

a .... of information
정보 전달 경로

0953 circulate
□□
[sə́ːrkjəlèit]

동 순환하다; 유포되다; 유통하다

The stories that **circulate** in the media can shape a society's perceptions and attitudes. EBS
매체에 .... 이야기들은 한 사회의 인식과 태도를 형성할 수 있다.

➕ circulation 명 순환; 유포; 유통

.... through the pipes
파이프를 통해 순환하다

0954 cooperate
□□
[kouápərèit]

동 협력하다, 협조하다

Each individual needs to **cooperate** with team members in order to compete effectively. 학평
각 개인은 효과적으로 경쟁하기 위해 팀 구성원들과 .... 필요가 있다.

➕ cooperation 명 협력; 협조 cooperative 형 협조적인, 협동의

.... with each other
서로 협력하다

0955 council
□□
[káunsəl]

명 회의; (지방) 의회

This event is hosted by the Student **Council**. 모평
이 행사는 학생..................가 주최합니다.

the U.N. Security ....
유엔 안전 보장 이사회

해석 완성 불었고 / 반사되었다[튕겨 나왔다] / 권 / 수로 / 유포되는 / 협력할 / 회

0956 **craft** [kræft]

[명] (수)공예; 기술 [동] 정교하게 만들다

Fijians have developed their palm mat and shell jewelry **crafts** into profitable tourist businesses. [모평]
피지 사람들은 야자 매트와 조개껍데기 보석 ________을 수익성 있는 관광 사업으로 발전시켜 왔다.

[+] **craftsman** [명] 공예가

spend years perfecting one's ________
~의 **기술**을 완성하는 데 몇 년을 소비하다

0957 **crawl** [krɔːl]

[동] 기어가다; 서행하다 [명] 기어가기; 서행

Something was **crawling** on his belly as he was lying there. [학평]
그가 그곳에 누워 있을 때 뭔가가 그의 배 위로 ________ 있었다.

________ on hands and knees
무릎을 꿇고 엎드려 **기어가다**

0958 **decelerate** [diːsélərèit]

[동] 속도를 줄이다; 속도가 줄다

The train **decelerated** as it approached the station.
기차는 역에 가까워지면서 ________.

[+] **deceleration** [명] 감속
[↔] **accelerate** [동] 가속하다

________ to ten kilometers per hour
시속 10km로 **속도를 줄이다**

0959 **despise** [dispáiz]

[동] 경멸[멸시]하다, (몹시) 싫어하다

He **despised** the cynicism of the early 1960s. [EBS]
그는 1960년대 초반의 냉소주의를 ________.

[=] **look down on** ~을 경멸하다 **detest** [동] 몹시 싫어하다

________ riches
부를 **멸시하다**

0960 **disable** [diséibl]

[동] 무능[무력]하게 하다; 손상하다

The raiders tried to **disable** the alarm system.
그 침입자들은 경보 장치를 ________ 했다.

[+] **disabled** [형] 장애를 가진 **disability** [명] (신체적·정신적) 장애

________ the nuclear facilities
핵시설을 **무력하게 하다**

해석 완성 수공예품 / 기어가고 / 속도를 줄였다 / 경멸했다 / 손상시키려고

진짜 기출로 확인! 우리말과 일치하도록 빈칸에 알맞은 단어를 고르시오. 고3 학평

To say that the artist must have the (1)________ of others *for the art work to occur as it finally does* does not mean that he cannot work without that (1)________. Though poets do depend on printers and publishers, one can produce poetry without them. Russian poets whose work (2)________ in privately copied typescripts do that, as did Emily Dickinson.

('예술 작품이 최종적으로 존재하는 모습대로 존재하기 위해' 예술가가 다른 사람들과 협력해야 한다고 말하는 것은 그가 그 협력 없이는 작업할 수 없다는 것을 의미하지는 않는다. 시인들이 인쇄업자와 출판업자에 의지하기는 하지만, 어떤 이는 그들 없이도 시를 창작할 수 있다. Emily Dickinson이 그랬던 것처럼, 자신들의 작품이 개인적으로 옮겨 적은 타자 인쇄물로 유통되는 러시아 시인들도 그렇게 한다.)

① craft ② disables ③ circulates ④ bounces ⑤ cooperation

ANSWERS p.478

3-Minute Check

			check
0921	convince	(동) 납득시키다, 확신시키다; 설득하다	
0922	counsel	(동) 상담하다; 조언하다 (명) 상담; 조언	
0923	credible	(형) 신뢰할 수 있는, 확실한	
0924	duty	(명) 의무; 임무; 관세	
0925	election	(명) 선거; 당선	
0926	expectancy	(명) 기대; 예상	
0927	formal	(형) 공식적인; 격식을 차린	
0928	foster	(동) 기르다; 육성[조성]하다	
0929	genuine	(형) 진짜의; 진실한	
0930	graceful	(형) 우아한, 품위 있는; (언동이) 솔직한	
0931	grasp	(동) 움켜잡다; 파악[이해]하다 (명) 꽉 쥐기; 파악	
0932	hesitate	(동) 주저하다, 망설이다	
0933	intent	(명) 의도 (형) 집중된; 몰두하는	
0934	license	(동) 면허를 주다; 허가하다 (명) 면허(증), 허가(증)	
0935	mood	(명) (일시적인) 기분; 분위기	
0936	panel	(명) 판; 패널, (전문) 위원단	
0937	phase	(명) 단계; 양상 (동) 단계적으로 하다	
0938	prescribe	(동) 처방하다; 규정하다	
0939	protein	(명) 단백질 (형) 단백질의	
0940	rapid	(형) 빠른; 민첩한; 가파른	

			check
0941	revolution	(명) 혁명; 회전; 공전	
0942	rough	(형) 거친; 난폭한; 대강의; 힘든	
0943	scent	(명) 냄새; 향기	
0944	specialized	(형) 전문의; 분화한	
0945	territory	(명) 영토; 영역	
0946	variable	(형) 변하기 쉬운; 바꿀 수 있는	
0947	venture	(명) 모험; (벤처) 사업 (동) 위험을 무릅쓰고 ~하다	
0948	abstract	(형) 추상적인; 관념적인	
0949	blow	(동) (바람이) 불다; (입으로) 불다 (명) 강타	
0950	bounce	(동) (공 등이) 튀다; 튀기다; (빛·소리가) 반사하다 (명) 튀어 오름	
0951	certificate	(명) 증명서; 자격증 (동) 자격증을 교부하다	
0952	channel	(명) 수로; 경로; (방송) 채널	
0953	circulate	(동) 순환하다; 유포되다; 유통하다	
0954	cooperate	(동) 협력하다, 협조하다	
0955	council	(명) 회의; (지방) 의회	
0956	craft	(명) (수)공예; 기술 (동) 정교하게 만들다	
0957	crawl	(동) 기어가다; 서행하다 (명) 기어가기; 서행	
0958	decelerate	(동) 속도를 줄이다; 속도가 줄다	
0959	despise	(동) 경멸[멸시]하다, (몹시) 싫어하다	
0960	disable	(동) 무능[무력]하게 하다; 손상하다	

A 영어는 우리말로, 우리말은 영어로 쓰시오.

01	existence	21	중독; 열중
02	urgent	22	여과하다; 여과기
03	stimulate	23	출발
04	contradict	24	철학; 원리
05	cooperate	25	애매〔모호〕한, 불명료한
06	alarm	26	잘못 인도하다
07	constraint	27	봉투; 외피
08	mention	28	(짐승의) 떼; 군중; 떼짓다
09	genius	29	설득하다; 납득시키다
10	insufficient	30	선거; 당선
11	genuine	31	시인
12	appoint	32	처방하다; 규정하다
13	procedure	33	사과하다; 변명하다
14	counsel	34	의무; 임무; 관세
15	specialized	35	변하기 쉬운; 바꿀 수 있는
16	verbal	36	희미해지다; 사라지다
17	certificate	37	(공 등이) 튀다; 튀어 오름
18	illusion	38	공식적인; 격식을 차린
19	flexible	39	귀찮게 하다; 신경 쓰다
20	protein	40	수용하다; 숙박시키다

B 우리말과 일치하도록 빈칸에 알맞은 단어를 〈보기〉에서 골라 쓰시오. (형태 변화 가능)

> **보기**
>
> crawl   cast   fabric   hesitate   witness

01 The .... is partially made from recycled plastic bottles.
그 천은 부분적으로 재활용 플라스틱 병으로 만들어진다.

02 Something was .... on his belly as he was lying there.
그가 그곳에 누워 있을 때 뭔가가 그의 배 위로 기어가고 있었다.

03 In the airplane, the woman sitting next to me had both arms in ....
비행기에서 내 옆에 앉은 여자는 양 팔에 깁스를 하고 있었다.

04 At the zoo, visitors may .... a great beast pacing behind the bars of its cage.
동물원에서 방문객들은 큰 짐승이 우리의 창살 뒤에서 서성거리는 것을 목격할 수도 있다.

05 If pain or fatigue does strike, don't .... to change your workouts.
통증이나 피로가 엄습하면 주저하지 말고 운동법을 바꾸어라.

C 문장의 네모 안에서 문맥에 알맞은 단어를 고르시오.

01 Andrew arrived at the nursing home in a gloomy | craft / mood |.

02 It takes time to develop and | suppress / launch | products.

03 Dive into the ocean and discover thousands of amazing | aquatic / prompt | creatures.

04 When you watch a | chase / phase | scene in an action movie, your heart races as well.

05 The | channel / scent | of the candle may help your friends not overeat.

📖 가리개를 사용하여 뜻을 암기했는지 확인하세요.

DRILLS

0961 disregard
[dìsrigá:rd]

(동) 무시하다; 경시하다　(명) 무시; 경시

There are occasions when we have reasons to **disregard** the demands of self-interest. 학평
사리사욕의 요구를 .... 이유가 있을 때가 있다.

have a disregard for[of] ~을 무시하다

🔁 neglect, ignore (동) 무시하다; 경시하다

.... rules
규칙을 무시하다

0962 dump
[dʌmp]

(동) 버리다; 털썩 내려놓다; (싼 가격에) 팔아치우다

You can take him out and **dump** him in the bathtub.
모평 당신은 그를 데리고 나와 욕조에 .... 수 있다.

.... trash
쓰레기를 버리다

0963 endanger
[indéindʒər]

(동) 위험에 빠뜨리다, 위태롭게 하다

His actions do not **endanger** himself or others. EBS
그의 행동은 자신이나 다른 사람들을 .... 않는다.

.... one's life
생명을 위태롭게 하다

0964 enterprise
[éntərpràiz]

(명) 기업, 회사; (모험적인) 사업

Workers began to pay for leisure activities organized by capitalist **enterprises**. 수능
근로자들은 자본주의 .... 이 조직한 여가 활동에 비용을 지불하기 시작했다.

➕ enterpriser (명) 기업가, 사업가　enterprising (형) 진취적인

a government ....
국영 기업

0965 exploit
[iksplɔ́it]

(동) 이용하다; 착취하다; 개발하다

Employers will be able to **exploit** workers if they are not legally controlled. 학평
고용주들은 법적으로 통제되지 않으면 노동자들을 .... 수 있을 것이다.

➕ exploitation (명) 이용; 착취; 개발

.... one's privileges
~의 특권을 이용하다

0966 fierce
[fiərs]

(형) 사나운; 맹렬한; 치열한

The competition to sell manuscripts to publishers is **fierce**. 학평
출판사에 원고를 판매하려는 경쟁이 ....

➕ fiercely (부) 사납게; 맹렬히; 치열히
🔁 wild (형) 사나운; 맹렬한　violent (형) 맹렬한

a .... tiger
사나운 호랑이

해석 완성 무시할 / 털썩 내려놓을 / 위험에 빠뜨리지 / 기업 / 착취할 / 치열하다

0967 **forbid** [fərbíd]

[동] (-forbade-forbidden) 금(지)하다; 방해하다

Presumably, moral and ethical considerations would **forbid** some genetic experiments. [EBS]
아마, 도덕적, 윤리적 고려가 일부 유전 실험을 .... 것이다.

[반] **allow, permit** [동] 허락하다, 허용하다
[유] **prohibit, ban** [동] 금지하다

.... smoking
흡연을 금하다

0968 **incredible** [inkrédəbl]

[형] 믿을 수 없는; 엄청난

A fundamental trait of human nature is its **incredible** capacity for adaptation. [학평]
인간 본성의 근본적인 특성은 그것의 .... 적응 능력이다.

[파] **incredibly** [부] 믿을 수 없을 만큼, 엄청나게
[유] **unbelievable** 믿을 수 없는

an .... story
믿을 수 없는 이야기

0969 **inevitable** [inévitəbl]

[형] 불가피한, 필연적인

Progress is not **inevitable** and for some it is not even desirable. [학평]
발전은 .... 것이 아니며, 어떤 사람에게는 바람직하지 않기까지 하다.

[파] **inevitably** [부] 불가피하게, 필연적으로
inevitability [명] 불가항력, 필연성
[유] **unavoidable** [형] 불가피한, 어쩔 수 없는

an .... result
필연적인 결과

0970 **innate** [inéit]

[형] 타고난, 선천적인

An animal's hunting behavior is **innate** and further refined through learning. [학평]
동물의 사냥 행동은 .... 학습을 통해 더욱 정교해진다.

[반] **acquired** [형] 습득한, 후천적인
[유] **inborn** [형] 타고난, 선천적인

an .... talent
타고난 재능

0971 **manufacture** [mæ̀njəfǽktʃər]

[동] 제조[생산]하다 [명] 제조, 생산; (*pl.*) 제조품

I bought a decorative bowl **manufactured** by your company. [학평]
저는 귀사에서 .... 장식용 그릇을 구입했습니다.

[파] **manufacturer** [명] 제조업자; 제작자

.... rubber goods
고무 제품을 생산하다

0972 **norm** [nɔːrm]

[명] 기준, 표준; (*pl.*) 규범

The increasing social pressure discourages us from fulfilling the social **norms**. [모평]
증가하는 사회적 압력은 우리가 사회적 ....을 이행하는 것을 단념시킨다.

[유] **standard** [명] 표준

a departure from the ....
표준을 벗어남

해석 완성 금(지)할 / 엄청난 / 불가피한 / 선천적이고 / 제조한 / 규범

0973 nurture
[nə́:rtʃər]

(명) 양육; 육성 (동) 양육하다; 육성하다

The interaction between nature and **nurture** is highly complex. 수능

천성과 .... 사이의 상호작용은 매우 복잡하다.

.... a promising writer
유망 작가를 육성하다

0974 permit
[pəːrmít]

(동) 허락하다; 허용하다

Sitting on lawns is not **permitted**. 수능

잔디밭에 앉는 것은 .... 않습니다.

➕ permission (명) 허가, 허락
🔄 forbid, prohibit, ban (동) 금지하다
🟰 allow, let (동) 허락하다; 허용하다

if circumstances
....
사정이 허락하면

0975 pile
[pail]

(동) 쌓아올리다; 쌓이다 (명) 더미, 무더기

She had sauce stains on her apron and allowed the laundry to **pile** up. 모평

그녀는 앞치마에 소스 얼룩이 있었고 빨랫감이 .... 내버려 두었다.

pile up (양이) 쌓이다; 축적하다, 모으다

a .... of clothes
옷더미

0976 pioneer
[pàiəníər]
빈칸

(명) 개척자; 선구자 (형) 초기의; 개척자의

Australia was colonized by **pioneers** spreading east from Africa along the shore of Asia. 수능

호주는 아시아 해안을 따라 아프리카에서 동쪽으로 퍼져나간 .... 에 의해 식민지화되었다.

the .... spirit
개척자 정신

0977 rational
[ræʃənəl]

(형) 이성적인; 합리적인

Our brains sort through information in the most **rational** way possible. 학평

우리의 뇌는 가능한 가장 .... 방법으로 정보를 분류한다.

➕ rationality (명) 합리성 rationalize (동) 합리화하다
🔄 irrational (형) 비이성적인; 불합리한
🟰 reasonable (형) 합리적인

a .... decision
이성적인 결정

해석 완성 양육 / 허락되지 / 쌓이게 / 개척자 / 합리적인

진짜 기출로 확인! 문맥에 맞도록 빈칸에 알맞은 단어를 고르시오. 고3 모평

Warren originally ventured into furniture design and construction as a hobby, but at age 44, he moved to Los Angeles to design and (1)_____ metal furniture. He was among the (2)_____ in the use of aluminum for furniture, and his contribution included improvements and patents to facilitate mass production.

① forbid ② nurture ③ pioneers ④ piles ⑤ manufacture

ANSWERS p.478

0978 regret
[rigrét]

⟮동⟯ 후회하다; 유감스럽게 생각하다　⟮명⟯ 후회; 유감

He **regretted** being greedy and realized that there were more important things than being rich. 학평
그는 탐욕스러웠던 것을 .... 부유한 것보다 더 중요한 것들이 있다는 것을 깨달았다.

➕ **regretful** ⟮형⟯ 후회하는; 유감스러워 하는
regrettable ⟮형⟯ 유감스러운, 애석한

express .... at the decision
그 결정에 유감을 표하다

0979 religion
[rilídʒən]

⟮명⟯ 종교

Religion plays a role in social control, which does not rely on law alone. 학평
............는 법에만 의존하지 않는 사회적 통제에 역할을 한다.

➕ **religious** ⟮형⟯ 종교의; 종교적인

freedom of ....
종교의 자유

0980 rent
[rent]
목적

⟮동⟯ 임차하다, 빌리다; 임대하다, 빌려주다　⟮명⟯ 임대료

We offer a special service that will **rent** you all the equipment you will ever need for climbing. 모평
저희는 등반에 필요한 모든 장비를 .... 특별 서비스를 제공합니다.

➕ **rental** ⟮명⟯ 임대; 임차

TIP rent / lend
》 **rent** ⟮동⟯ (세나 사용료를 내고[받고] 자동차·집 등을) 빌리다[빌려주다]
》 **lend** ⟮동⟯ (돈이나 물건을) 빌려주다

.... a car
자동차를 빌리다

0981 tragedy
[trǽdʒədi]

⟮명⟯ 비극(적인 사건); 비극 작품

As you are well aware, a great **tragedy** took place in our city last week. 수능
여러분도 잘 아시다시피, 지난주 우리 시에서 큰 ....이 일어났습니다.

➕ **tragic** ⟮형⟯ 비극의, 비극적인

the .... of war
전쟁의 비극

0982 trial
[tráiəl]

⟮명⟯ 재판; 시험, 실험

Scientists can lessen bias by running as many **trials** as possible. 수능
과학자들은 가능한 많은 ....을 진행함으로써 편견을 줄일 수 있다.

go on .... for fraud
사기죄로 재판을 받다

0983 vital
[váitl]

⟮형⟯ 생명의; 필수적인, 매우 중요한

Praise is **vital** for happy and healthy children. 학평
행복하고 건강한 아이들을 위해 칭찬이 ....이다.

➕ **vitality** ⟮명⟯ 생명력; 활기　**vitalize** ⟮동⟯ 생기를 불어넣다

해석 완성 후회하며 / 종교 / 빌려드리는 / 비극 / 실험 / 필수적

.... signs
생명 징후(호흡·체온·혈압 등)

0984 assemble

[əsémbl]

[동] 모으다, 소집하다; 조립하다

The theory of evolution has **assembled** an enormous amount of convincing data. [학평]

진화론은 막대한 양의 설득력 있는 자료를 ....

[+] **assembly** [명] 집회; 의회; 조립(품)

[↔] **disassemble** [동] 분해하다, 해체하다

.... a committee

위원회를 소집하다

0985 beast

[biːst]

[명] 짐승, 야수

You come across a huge **beast** and you manage to kill it. [모평]

당신은 거대한 ....과 마주쳐서 그것을 간신히 죽이게 된다.

a wild ....

야생 짐승[야수]

0986 bless

[bles]

[동] (신의) 가호를 빌다; 축복하다

We all have been **blessed** with intellect. [EBS]

우리 모두는 지성으로 ....

[+] **blessing** [명] 축복, 은총

[↔] **curse** [동] 저주하다

God .... you!

신의 가호가 있기를!

0987 click

[실용문]

[klik]

[동] 찰칵하는 소리를 내다; (마우스를) 클릭하다

[명] 찰칵(하는 소리); 클릭

Just **click** and book your day in WildWood! [학평]

단지 .... WildWood에서의 하루를 예약하세요!

.... the OK button

OK 버튼을 클릭하다

0988 commute

[kəmjúːt]

[동] 통근[통학]하다 [명] 통근, 통학

The percentage of people who **commuted** by cycling was the lowest. [학평]

자전거로 .... 사람들의 비율이 가장 낮았다.

[+] **commuter** [명] 통근자

commutable [형] 통근할 수 있는

a short .... to work

직장까지의 짧은 통근 거리

해석 완성 모아 왔다 / 짐승 / 축복 받아 왔다 / 클릭하여 / 통근하는

진짜 기출로 확인! 우리말과 일치하도록 네모 안에서 알맞은 단어를 고르시오. 고3 학평

Negative rights reflect the (1) [vital / trial] interests that human beings have in being free from outside interference. The rights guaranteed in the Bill of Rights — freedom of speech, (2) [assemble / assembly], religion, and so on — fall within this category, as do the rights to freedom from injury and to privacy.

(소극적 권리는 외부의 방해로부터 자유로워지는 데 있어 인간이 갖는 매우 중요한 이익을 반영한다. 권리 장전에 보장되어 있는 권리, 즉 언론, 집회, 종교, 기타 등등의 자유는 상해로부터의 자유에 대한 권리와 사생활에 대한 권리와 마찬가지로, 이 범주에 속한다.)

ANSWERS p.478

0989 **compel**
□□
[kəmpél]

(동) 억지로 ~시키다; 강요하다

Novelty **compels** both humans and animals to engage with the unfamiliar. EBS
새로움은 인간과 동물 모두에게 낯선 것과 접촉하도록 ....

➕ compulsion (명) 강요   compulsory (형) 강제적인

.... obedience
복종을 강요하다

0990 **compound**
□□
(명)(형)[kámpaund]
(동)[kəmpáund]

(명) 화합물, 혼합물   (형) 합성의   (동) 혼합하다

Plants generate hundreds of **compounds** that they use to protect themselves. 학평
식물은 스스로를 보호하기 위해 사용하는 수백 가지의 ....을 생성한다.

a chemical ....
화학 혼합물

0991 **compress**
□□
[kəmprés]

(동) 압축하다; 요약하다

He **compresses** his lips as I ask the question. 학평
그는 내가 그 질문을 할 때 입술을 ....

➕ compression (명) 압축, 압착; 요약

.... a file
파일을 압축하다

0992 **consequence**
□□
[kánsəkwèns]

(명) 결과, 결론; 중요성

If you want to change your lifestyle, you must accept the **consequences** of that decision. 모평
당신이 생활 방식을 바꾸고 싶다면, 당신은 그 결정의 ....를 받아들여야만 한다.

➕ consequent (형) ~의 결과로 일어나는; 필연의

in ....
결과적으로

0993 **correspond**
□□
[kɔ̀(:)rəspánd]

(동) 일치[부합]하다; (~에) 상당하다

Appearances don't always **correspond** with reality. EBS 겉모습이 항상 현실과 .... 않는다.

➕ correspondence (명) 일치, 부합, 상응

.... with what a person says
~가 말한 것과 일치하다

0994 **destructive**
□□
[distrʌ́ktiv]

(형) 파괴적인

Sea waves, formerly only a **destructive** force to be overcome, have become a major energy resource. 학평
이전에는 단지 극복해야 할 ....력에 불과했던 바다의 물결이 주요 에너지 자원이 되었다.

↔ constructive (형) 건설적인

.... wars
파괴적인 전쟁

0995 **disguise**
□□
[disgáiz]

(동) 변장[위장]하다; 숨기다   (명) 변장, 위장; 기만

Individual ants **disguise** themselves with an alien aroma for survival. 학평
각각의 개미는 생존을 위해 자신을 이국적인 냄새로 ....

.... oneself with a wig
가발을 써서 변장하다

해석 완성 강요한다 / 화합물 / 굳게 다문다 / 결과 / 일치하지는 / 파괴 / 위장한다

0996 disturb
[distə́:rb]

(통) 방해하다; (질서 등을) 어지럽히다

Although she knew caterpillars did harm to cabbages, she didn't wish to **disturb** the natural balance of the environment. 수능
그녀는 애벌레가 양배추에 해를 끼쳤다는 것을 알았지만, 환경의 자연적 균형을 .... 싶지 않았다.

➕ disturbance (명) 방해; 소란, 소동

.... public order
공공질서를 어지럽히다

0997 dull
[dʌl]
시험중요

(형) (날이) 무딘; 둔탁한; 흐릿한

As she was listening to the **dull** tick-tock of the clock, her phone vibrated. 모평
그녀가 시계의 .... 똑딱거리는 소리를 듣고 있었을 때, 그녀의 전화기가 진동했다.

a .... blade
무딘 칼날

0998 duration
[djuəréiʃən]

(명) 지속; 지속 기간

The **duration** of copyright protection has increased steadily over the years. 수능
저작권 보호의 ....이 수년간 꾸준히 증가해 왔다.

of long[short] ....
장기[단기]의

0999 expend
[ikspénd]

(통) (돈·시간·노력 등을) 들이다

The management should **expend** time and effort in devising ways to reduce employee turnover. 학평
경영진은 직원 이직률을 줄이기 위한 방법을 고안하는 데 있어서 시간과 노력을 .... 한다.

➕ expenditure (명) 지출; 소비

.... time on an experiment
실험에 시간을 들이다

1000 entrepreneur
[à:ntrəprənə́:r]

(명) 기업가, 사업가

Internet **entrepreneurs** are creating job-search products. 모평
인터넷 ....가 구직 상품을 만들고 있다.

a successful ....
성공한 기업가

해석 완성 어지럽히고 / 둔탁한 / 지속 기간 / 들여야 / 기업가

진짜 기출로 확인! 밑줄 친 단어의 뜻을 문맥에 맞게 찾으시오. 고3 학평

Even if you don't want to watch, your brain is attracted by that constantly shifting stream of images, because change can have life-or-death (1)consequences. Indeed, if our early African ancestors hadn't been good at fixing all their attention on the just-ripened fruit or the approaching predators, we wouldn't be here. For the same reason, a strong sensitivity to the odd detail that doesn't quite (2)correspond with the way things usually are or ought to be is a major asset for a soldier in a war zone.

① 지속   ② 결과   ③ 강요하다   ④ 방해하다   ⑤ 일치하다

ANSWERS p.478

3-Minute Check

		check
0961 **disregard**	(동) 무시하다; 경시하다 (명) 무시; 경시	☐
0962 **dump**	(동) 버리다; 털썩 내려놓다; (싼 가격에) 팔아치우다	☐
0963 **endanger**	(동) 위험에 빠뜨리다, 위태롭게 하다	☐
0964 **enterprise**	(명) 기업, 회사; (모험적인) 사업	☐
0965 **exploit**	(동) 이용하다; 착취하다; 개발하다	☐
0966 **fierce**	(형) 사나운; 맹렬한; 치열한	☐
0967 **forbid**	(동) 금(지)하다; 방해하다	☐
0968 **incredible**	(형) 믿을 수 없는; 엄청난	☐
0969 **inevitable**	(형) 불가피한, 필연적인	☐
0970 **innate**	(형) 타고난, 선천적인	☐
0971 **manufacture**	(동) 제조[생산]하다 (명) 제조, 생산; (pl.) 제조품	☐
0972 **norm**	(명) 기준, 표준; (pl.) 규범	☐
0973 **nurture**	(명) 양육; 육성 (동) 양육하다; 육성하다	☐
0974 **permit**	(동) 허락하다; 허용하다	☐
0975 **pile**	(동) 쌓아올리다; 쌓이다 (명) 더미, 무더기	☐
0976 **pioneer**	(명) 개척자; 선구자 (형) 초기의; 개척자의	☐
0977 **rational**	(형) 이성적인; 합리적인	☐
0978 **regret**	(동) 후회하다; 유감스럽게 생각하다 (명) 후회; 유감	☐
0979 **religion**	(명) 종교	☐
0980 **rent**	(동) 임차하다, 빌리다; 임대 하다, 빌려주다 (명) 임대료	☐

		check
0981 **tragedy**	(명) 비극(적인 사건); 비극 작품	☐
0982 **trial**	(명) 재판; 시험, 실험	☐
0983 **vital**	(형) 생명의; 필수적인, 매우 중요한	☐
0984 **assemble**	(동) 모으다, 소집하다; 조립하다	☐
0985 **beast**	(명) 짐승, 야수	☐
0986 **bless**	(동) (신의) 가호를 빌다; 축복하다	☐
0987 **click**	(동) 찰칵하는 소리를 내다; 클릭하다 (명) 찰칵; 클릭	☐
0988 **commute**	(동) 통근[통학]하다 (명) 통근, 통학	☐
0989 **compel**	(동) 억지로 ~시키다; 강요하다	☐
0990 **compound**	(명) 화합물, 혼합물 (형) 합성의 (동) 혼합하다	☐
0991 **compress**	(동) 압축하다; 요약하다	☐
0992 **consequence**	(명) 결과, 결론; 중요성	☐
0993 **correspond**	(동) 일치[부합]하다; (~에) 상당하다	☐
0994 **destructive**	(형) 파괴적인	☐
0995 **disguise**	(동) 변장[위장]하다; 숨기다 (명) 변장, 위장; 기만	☐
0996 **disturb**	(동) 방해하다; (질서 등을) 어지럽히다	☐
0997 **dull**	(형) (날이) 무딘; 둔탁한; 흐릿한	☐
0998 **duration**	(명) 지속; 지속 기간	☐
0999 **expend**	(동) (돈·시간·노력 등을) 들이다	☐
1000 **entrepreneur**	(명) 기업가, 사업가	☐

외우지 못한 단어가 있으면 미니 단어장에서 다시 한번 정리해 보세요.

📖 가리개를 사용하여 뜻을 암기했는지 확인하세요.

1001 jar
[dʒɑ:r]

(명) 항아리, 병

Put ten drops of food coloring into the **jar** and stir. 학평
......................에 식용 색소 열 방울을 넣고 휘저으세요.

a storage ....
저장용 병

1002 lonely
[lóunli]

(형) 외로운; 쓸쓸한; 외진

People tend to become **lonely** if they don't make an effort to belong. 학평
사람들은 소속되려고 노력하지 않으면 ....지는 경향이 있다.

➕ loneliness (명) 외로움, 고립

TIP lonely / alone
» lonely 외롭고 쓸쓸한 감정을 강조하여 '외로운, 고독한'의 뜻
» alone 혼자 있다는 객관적 사실을 강조하여 '홀로, 혼자인'의 뜻

a .... life
외로운 생활

1003 mammal
[mǽməl]

(명) 포유동물

Humans are now the most abundant **mammal** on the planet. 학평
인간은 현재 지구상에서 가장 많은 ....이다.

the largest land
....
가장 큰 육상 포유동물

1004 march
[mɑ:rtʃ]

(명) 행진, 행군   (동) 행진[행군]하다

The Memorial Day **march** came to an end. 학평
현충일 ....이 끝났다.

.... into the town
도시로 행진하다

1005 mature
[mətʃúər]

(형) 익은; 성숙한   (동) 익다; 성숙해지다

Brains continue to **mature** and develop throughout adolescence. 학평
뇌는 청소년기 내내 계속해서 .... 발달한다.

➕ maturity (명) 성숙, 숙성
➖ immature (형) 미숙한; 미성년의

.... for one's age
~의 나이에 비해 성숙한

1006 motive
[móutiv]

(명) 동기, 이유; 주제

The superiority of knowing information is the main **motive** for gossiping about well-known figures and superiors. 모평
정보를 알고 있다는 우월감이 유명한 인물과 윗사람에 대해 험담하는 주된 ....이다.

the .... of a crime
범죄의 동기

해석 완성 병 / 외로워 / 포유동물 / 행진 / 성숙해지고 / 동기[이유]

1007 **precious**
[préʃəs]

(형) 귀중한, 값비싼; 소중한

Why is time more **precious** than money? 학평
왜 시간이 돈보다 더 ....?

目 valuable (형) 귀중한, 값비싼; 소중한

.... memories
소중한 추억

1008 **recipe**
[résəpì:]

(명) 조리법, 요리법; 비결

After class, participants can take home all **recipes** and the meals they cooked. 학평
수업 후에 참가자들은 집으로 모든 ....과 요리한 음식을 가져갈 수 있습니다.

目 cuisine (명) 요리법; 요리

a .... for a cake
케이크 요리법

1009 **regulation**
[règjəléiʃən]

(명) 규정; 규제

Regulations covering scientific experiments on human subjects are strict. 수능
인간 대상의 과학적 실험을 다루는 ....은 엄격하다.

➕ regulate (동) 규정하다; 조정하다
　 regulatory (형) 규정하는; 조정하는
目 control, restriction (명) 규제, 제한

the safety ....
안전 규정

1010 **remote**
[rimóut]

(형) 먼; 외딴

In this way, farmers in **remote** areas will be able to access weather data. 모평
이런 식으로, ... 지역의 농부들은 날씨 데이터에 접근할 수 있을 것이다.

目 distant (형) 먼　isolated (형) 외딴

.... from cities
도시에서 멀리 떨어진

1011 **sculpture**
[skʌ́lptʃər]

(명) 조각(품); 조소

Architecture would seem closest to painting or **sculpture**. EBS
건축물은 회화나 ....에 가장 가까운 것으로 보일 것이다.

➕ sculpt (동) 조각하다　sculptural (형) 조각한; 조각술의
　 sculptor (명) 조각가

a marble ....
대리석 조각품

1012 **sophisticated**
[səfístəkèitid]

(형) 세련된, 교양 있는; 정교한

He introduced more and more **sophisticated** equipment to increase his yield. 학평
그는 수확량을 늘리기 위해 점점 더 .... 장비를 도입했다.

目 refined, cultured (형) 세련된, 교양 있는
　 complicated (형) 정교한

a .... young man
세련된 젊은이

해석 완성 귀중한가 / 조리법 / 규정 / 외딴 / 조각 / 정교한

1013 spill
[spil]

(동) 흘리다, 엎지르다   (명) 엎지름; 유출

He continued pouring until the tea **spilled** over the side of the cup. (학평)
그는 차가 컵의 옆면에 .... 때까지 계속 따랐다.

spill ~ out (문제 등을) 털어놓다

.... milk on the desk
책상에 우유를 엎지르다

1014 stimulus
[stímjələs]

(명) 자극(제); 격려 (*pl.* stimuli)

Lip compression during interviews indicates that a very specific question served as a negative **stimulus**.
(학평) 인터뷰 동안에 입술을 꽉 다무는 것은 매우 구체적인 질문이 부정적인 ....으로 작용했다는 것을 나타낸다.

give a .... to a person
~에게 자극을 주다

1015 subjective
[səbdʒéktiv]

(형) 주관적인; 개인적인

Such films are wide open to **subjective** interpretation.
(EBS) 그러한 영화들은 .... 해석에 활짝 열려 있다.

➕ subjectivity (명) 주관성
➖ objective (형) 객관적인

a .... opinion
주관적인 의견

1016 substance
[sʌ́bstəns]

(명) 물질; 실체; 본질

Different **substances** tend to affect the environment differently. (학평)
다른 ....은 환경에 다르게 영향을 주는 경향이 있다.

➕ substantial (형) 상당한, 많은

a chemical ....
화학성 물질

1017 sweat
[swet]

(명) 땀; 노력, 수고   (동) 땀을 흘리다

My hands were wet with **sweat** and I was shaking.
(학평) 내 손은 ....으로 젖었고 나는 떨고 있었다.

➕ sweaty (형) 땀에 젖은
🟰 perspiration (명) 땀; 땀 흘리기   perspire (동) 땀을 흘리다

wipe the ....
땀을 훔치다

해석 완성 흐를 / 자극 / 주관적인 / 물질 / 땀

진짜 기출로 확인! 네모 안에서 문맥에 알맞은 단어를 고르시오.   고3 학평

In the first case, the long sleeves, long pants, and double-breasted jacket are a barrier against burns, (1) recipes / spills , and splatters. Sturdy shoes guard against falling equipment and knives, and they also prevent the chef from slipping on floors made slippery by (2) spilled / sophisticated food and grease. In the second case, the long sleeves, double-breasted jacket, and neckerchief protect the food from a (3) subjective / sweating chef.

ANSWERS p.478

1018 transmit
[trænsmít]

동 전하다; 전염시키다

The myth is **transmitted** in a much more powerful way than by television. 모평
그 신화는 텔레비전보다 훨씬 더 강력한 방법으로 ....

➕ transmission 명 전달; 전염
🔁 pass on ~을 전하다

.... the data
데이터를 전송하다

1019 tuition
[tju:íʃən]

명 수업; 수업료

The **tuition** fee is $50 per person with a free personal locker. 모평
.... 료는 한 사람당 50달러이며, 개인 사물함은 무료입니다.

have private ....
개인 수업을 받다

1020 urge
[ə:rdʒ]

명 (강한) 충동, 욕구 동 강력히 권고[촉구]하다

His **urge** for self-preservation will not down. 모평
그의 자기 보존 .... 은 가라앉지 않을 것이다.

urge A to B A에게 B하라고 강력히 권하다

.... a person to stay
~에게 머무르라고 강력히 권하다

1021 abuse
동 [əbjúːz]
명 [əbjúːs]

동 남용[오용]하다; 학대하다 명 남용, 오용; 학대

The children grew up in environments with severe poverty or alcohol **abuse**. 학평
그 아이들은 극심한 가난과 알코올 .... 환경에서 자랐다.

➕ abusive 형 욕하는; 학대하는; 남용[오용]하는
🔁 misuse 동 남용[오용]하다

drug ....
약물 남용

1022 alert
[ələ́:rt]

형 경계하는; 정신을 바짝 차린 명 경계; 경보 동 경고하다

You're only getting a cup of coffee to keep yourself **alert**. 학평
당신은 .... 위해 커피 한 잔을 마시고 있을 뿐이다.

🔁 watchful 형 경계하는 alarm 명 경보 동 경보를 발하다

on the ....
경계하여

1023 amused
[əmjúːzd]

형 즐거워하는

I am always **amused** at how the fish suddenly seek out the company of their own kind. 학평
어떻게 그 물고기들이 갑자기 자기와 같은 종과 어울리려고 하는지를 보는 것이 나는 늘 ....

➕ amuse 동 재미있게 하다 amusement 명 즐거움; 오락(물)
🔁 delighted 형 즐거워하는

an .... look
즐거워하는 표정

해석 완성 전해진다 / 수업 / 충동 / 남용 / 정신을 바짝 차리기 / 즐겁다

1024 aspire
[əspáiər]

ⓥ 열망하다; 동경하다

You **aspire** to be better or to accomplish more. 학평
당신은 더 잘 되고 더 많은 것을 성취하기를 ....

➕ aspiration ⓝ 열망; 동경
🟰 long, yearn ⓥ 갈망하다

.... to attain
famo
명성을 얻기를 **열망하다**

1025 auditory
[ɔ́ːditɔ̀ːri]

ⓐ 귀의, 청각의

Our visual system and **auditory** system function together. 학평
우리의 시각 체계와 .... 체계는 함께 작용한다.

➕ auditorium ⓝ 청중[방청]석; 강당

.... difficulties
청각 장애

> **TIP** 접두사 audi- 표현
>> audi(듣다)+ence(명사 접미사) → audience(듣고 있는 것 → 관객)
>> audi(듣다)+tion(명사 접미사) → audition(들어보는 것 → 심사, 오디션)

1026 barn
[bɑːrn]

ⓝ 헛간; 외양간, 마구간

A horse's cry came from one of the far **barns**. 학평
멀리 있는 .... 중 한 곳에서 말의 울음소리가 들려왔다.

a hay ....
건초 헛간

1027 blend
[blend]

ⓥ 섞다, 혼합하다   ⓝ 혼합(물)

Your voice is not **blending** in with the other girls at all. 학평
너의 목소리는 다른 소녀들과 전혀 .... 않고 있어.

➕ blender ⓝ 믹서기, 분쇄기
🟰 mix ⓥ 섞다, 혼합하다   mixture ⓝ 혼합(물)

.... flour with
milk
밀가루와 우유를 **섞다**

1028 conquer
[káŋkər]

ⓥ 정복하다; 극복하다; 이기다

These third-world countries were **conquered** by other nations. 학평
이 제3세계 국가들은 다른 나라들에게 ....

➕ conquest ⓝ 정복   conqueror ⓝ 정복자

.... a country
(어느) 국가를 **정복하다**

해석 완성 열망한다 / 청각 / 마구간 / 섞이지 / 정복당했다

진짜 기출로 확인! 우리말과 일치하도록 빈칸에 알맞은 단어를 고르시오.   고2 학평

Being on (1).......... helped ancient people fight predators, flee from enemies, or "freeze," (2).......... in, as if camouflaged, so they wouldn't be noticed. It mobilized them to react to real threats to their survival.

(경계를 유지하는 것은 고대 사람들이 포식 동물들과 싸우거나, 적으로부터 도망치거나, '그 자리에 꼼짝 않고 있으면서' 위장한 것처럼 (주변 환경에) 섞여서 눈에 띄지 않도록 도와주었다. 그것은 그들로 하여금 생존에 대한 진정한 위협에 반응하도록 동원되었다.)

① urge   ② alert   ③ tuition   ④ blending   ⑤ transmitting

ANSWERS p.478

1029 controversy
[kántrəvə̀ːrsi]

(명) 논란, 논쟁; 말다툼

There is now considerable **controversy** surrounding the notion of general intelligence. 학평
현재 일반적 지능의 개념을 둘러싼 상당한 ....이 있다.

➕ controversial (형) 논쟁의; 논란의 여지가 있는

cause ....
논란을 불러일으키다

1030 countless
[káuntlis]

(형) 셀 수 없이 많은, 무수한

Countless studies show that there are many weaknesses of human reasonings. 학평
.... 연구들이 인간의 추론에 많은 약점들이 있음을 보여 준다.

.... times
무수히

1031 crack
[kræk]

(명) (갈라진) 금 (동) 금이 가다; 쪼개지다; 깨뜨리다

A **crack** in the wall looks a little like the profile of a nose. 모평
벽에 간 ....은 약간 코의 측면처럼 보인다.

.... a nut
호두를 깨다

1032 disconnect
[dìskənékt]

(동) 연락[접속]을 끊다; (전화·가스 등의 공급을) 끊다

If you want to do some serious thinking, then you'd better **disconnect** the Internet, phone, and television set. 모평
진지한 생각을 하고 싶다면 인터넷, 전화, 텔레비전 수상기의
.... 편이 좋다.

➕ disconnection (명) 단절; 분리; 단선

.... the electricity
전기를 끊다

1033 dissolve
[dizálv]

(동) 녹다, 용해하다; (효력 등이) 사라지다

Any wealth or any progress is relative, and quickly **dissolves** in a comparison with others. 학평
어떤 부나 진보라도 상대적이고, 다른 사람들과의 비교 속에서 빠르게 효력이 ....

.... salt in water
소금을 물에 녹이다

1034 distress
[distrés]

(명) 고통; 곤란 (동) 괴롭히다; 고통스럽게 하다

When we are unable to set healthy limits, it causes **distress** in our relationships. 수능
우리가 건전한 한계를 설정할 수 없다면 그것은 우리의 관계에
.............을 일으킨다.

economic ....
경제적 곤란

1035 empathy
[émpəθi]

(명) 감정 이입, 공감

Empathy is made possible by a special group of nerve cells called mirror neurons. 학평
.............은 거울 뉴런이라고 불리는 특별한 신경 세포 그룹에 의해 가능해진다.

an .... ability
공감 능력

해석 완성 논란 / 셀 수 없이 많은 / 금 / 연결을 끊는 / 사라진다 / 고통 / 공감

1036 enclose
[inklóuz]
목적

(동) 둘러싸다; 동봉하다

I've **enclosed** a picture to help you recognize him.
EBS 귀하가 그를 알아보는 데 도움이 될 사진 한 장을 ....

➕ enclosure (명) 담; 동봉한 것

.... a garden
with a fence
정원을 울타리로 둘러싸다

1037 explicit
[iksplísit]

(형) 명시된, 뚜렷한, 명백한

We agree that **explicit** instruction benefits students.
학평 우리는 .... 가르침이 학생들에게 유익하다는 것에 동의한다.

➕ explicitly (부) 명백하게

an .... statement
명백한 진술

1038 fatigue
[fətíːg]

(명) 피로; 노고   (동) 피곤하게 하다

With one small, minor imbalance, you get a headache,
fatigue or depression — or even disease. **학평**
작고 사소한 불균형 때문에, 당신은 두통, ... 나 우울증 또는
심지어 질병까지 얻게 된다.

🟰 exhaustion, tiredness (명) 피로

mental ....
정신적 피로

1039 folk
[fouk]

(형) 민속의; 민간의   (명) (pl.) 사람들; 가족, 친척

They earn additional income by performing **folk**
dances and fire walking. **모평**
그들은 .... 무용과 불 속 걷기를 공연함으로써 추가 수입을
번다.

➕ folktale (명) 민간 설화

.... beliefs
민간 신앙

1040 fundamental
[fʌndəméntl]

(형) 근본적인, 기본적인; 필수적인

Scientists must observe one **fundamental** rule of
professional science. **모평**
과학자들은 전문적인 과학의 한 가지 .... 규칙을 지켜야 한다.

➕ fundamentally (부) 근본적으로

a .... difference
근본적인 차이

해석 완성 동봉했습니다 / 명시적 / 피로 / 민속 / 근본적인

진짜 기출로 확인! 밑줄 친 단어의 뜻을 문맥에 맞게 찾으시오.   12년 수능

Martin L. Hoffman, who has focused on the guilt that comes from harming others, suggests that the
motivational basis for this guilt is (1)empathetic (2)distress. (1)Empathetic (2)distress occurs when
people deny that their actions have caused harm or pain to another person.

① 고통   ② 피로   ③ 논란   ④ 공감의   ⑤ 뚜렷한

ANSWERS p.478

3-Minute Check

1001 jar	몡 항아리, 병	☐		

check

1001 jar	몡 항아리, 병	☐
1002 lonely	혱 외로운; 쓸쓸한; 외진	☐
1003 mammal	몡 포유동물	☐
1004 march	몡 행진, 행군 동 행진[행군]하다	☐
1005 mature	혱 익은; 성숙한 동 익다; 성숙해지다	☐
1006 motive	몡 동기, 이유; 주제	☐
1007 precious	혱 귀중한, 값비싼; 소중한	☐
1008 recipe	몡 조리법, 요리법; 비결	☐
1009 regulation	몡 규정; 규제	☐
1010 remote	혱 먼; 외딴	☐
1011 sculpture	몡 조각(품); 조소	☐
1012 sophisticated	혱 세련된, 교양 있는; 정교한	☐
1013 spill	동 흘리다, 엎지르다 몡 엎지름; 유출	☐
1014 stimulus	몡 자극(제); 격려	☐
1015 subjective	혱 주관적인; 개인적인	☐
1016 substance	몡 물질; 실체; 본질	☐
1017 sweat	몡 땀; 노력, 수고 동 땀을 흘리다	☐
1018 transmit	동 전하다; 전염시키다	☐
1019 tuition	몡 수업; 수업료	☐
1020 urge	몡 (강한) 충동, 욕구 동 강력히 권고[촉구]하다	☐

check

1021 abuse	동 남용[오용]하다; 학대하다 몡 남용, 오용; 학대	☐
1022 alert	혱 경계하는 몡 경계; 경보 동 경고하다	☐
1023 amused	혱 즐거워하는	☐
1024 aspire	동 열망하다; 동경하다	☐
1025 auditory	혱 귀의, 청각의	☐
1026 barn	몡 헛간; 외양간, 마구간	☐
1027 blend	동 섞다, 혼합하다 몡 혼합(물)	☐
1028 conquer	동 정복하다; 극복하다; 이기다	☐
1029 controversy	몡 논란, 논쟁; 말다툼	☐
1030 countless	혱 셀 수 없이 많은, 무수한	☐
1031 crack	몡 (갈라진) 금 동 금이 가다; 쪼개지다; 깨뜨리다	☐
1032 disconnect	동 연락[접속]을 끊다; (전화·가스 등의 공급을) 끊다	☐
1033 dissolve	동 녹다, 용해하다; (효력 등이) 사라지다	☐
1034 distress	몡 고통; 곤란 동 괴롭히다; 고통스럽게 하다	☐
1035 empathy	몡 감정 이입, 공감	☐
1036 enclose	동 둘러싸다; 동봉하다	☐
1037 explicit	혱 명시된, 뚜렷한, 명백한	☐
1038 fatigue	몡 피로; 노고 동 피곤하게 하다	☐
1039 folk	혱 민속의; 민간의 몡 (pl.) 사람들; 가족, 친척	☐
1040 fundamental	혱 근본적인, 기본적인; 필수적인	☐

외우지 못한 단어가 있으면 미니 단어장에서 다시 한번 정리해 보세요.

📖 가리개를 사용하여 뜻을 암기했는지 확인하세요.

DRILLS

1041 horizon
[hərάizən]

⊚ 수평선, 지평선; 시야

Go to the deck of the ship and stare at the **horizon**.
학평 배의 갑판으로 가서 ....을 바라보아라.

➕ horizontal ⊚ 수평의; 수평선[지평선]의

below the ....
수평선 아래에

1042 implicit
[implísit]

⊚ 암시적인; 내포된

Your culture maintains an **implicit** "schedule" for the right time to do many important things. 모평
여러분의 문화는 여러 가지 중요한 일을 할 적절한 시기에 대해
.... '일정표'를 갖고 있다.

➕ implicitly ⊛ 암암리에   implication ⊚ 암시; 연루
➖ explicit ⊚ 명시된; 뚜렷한; 명백한

an .... promise
암시적[암묵적] 약속

1043 incorporate
[inkɔ́ːrpərèit]

⊚ 포함하다; 통합하다; 법인으로 만들다

Children perform better in mathematics if music is **incorporated** in it. 모평
아이들은 음악이 수학에 .... 때 수학을 더 잘한다.

➕ incorporation ⊚ 합병; 법인 설립

.... a business
사업을 법인으로 만들다

1044 initiate
[iníʃièit]

⊚ 시작하다, 개시하다

The pitcher's activity **initiates** the motion of the ball.
학평 투수의 행동은 공의 움직임을 ....

➕ initially ⊛ 처음에   initiative ⊚ 시작; 주도권

.... a new business
새 사업을 시작하다

1045 intermediate
[ìntərmíːdiət]

⊚ 중간의; 중급의   ⊚ 중간물; 매개

Some "primitive" languages were **intermediate** between animal languages and civilized ones. 학평
어떤 '원시' 언어들은 동물의 언어와 문명 언어 사이의 ....이
었다.

an .... stage
중간 단계

1046 interpersonal
[ìntərpə́ːrsənəl]

⊚ 개인 간의; 대인 관계의

In the context of an **interpersonal** argument, people sometimes are willing to do anything to save face. 학평
.... 논쟁의 맥락에서, 사람들은 때때로 체면을 차리기 위해
어떤 일이든 기꺼이 한다.

➕ interpersonally ⊛ 대인 관계에서

.... skills
대인 관계 기술

해석 완성 수평선 / 암시적인[잠정적인] / 통합됐을 / 개시한다 / 중간 / 대인 관계

1047 intimate
[íntəmit]

(형) 친밀한; 자세한

Many will use email, at least sometimes, for **intimate** correspondence. 학평
많은 사람들이 .... 연락(서신 왕래)을 위해 적어도 가끔은 이메일을 사용할 것이다.

➕ intimacy (명) 친밀함

become .... with
~와 친해지다

1048 invariable
[invέəriəbl]

(형) 불변의, 일정한

The meanings of words are not **invariable**. 수능
말의 의미는 .... 것이 아니다.

➕ invariability (명) 불변성

.... rules
불변의 규칙

1049 leap
[li:p]

(동) 뛰어오르다; 급증하다   (명) 뜀, 도약; 급증

The dog **leapt** into the room, proudly wagging his tail. 학평
그 개는 꼬리를 자랑스럽게 흔들며 방으로 ....

.... out of the water
물 밖으로 뛰어오르다

1050 offspring
[ɔ́(:)fspriŋ]

(명) 자식; (동식물의) 새끼

The trout will produce more **offspring**. 모평
그 송어는 더 많은 .... 를 낳을 것이다.

pass DNA to one's ....
~의 자식에게 DNA를 전달하다

1051 recycle
[ri:sáikl]

(동) 재활용하다, 재생 이용하다

If people **recycle** as much of their waste as possible, part of the waste problem can be solved. EBS
사람들이 가능한 많이 쓰레기를 .... 쓰레기 문제의 일부는 해결될 수 있을 것이다.

➕ recycling (명) 재활용

.... waste paper
폐지를 재활용하다

1052 reverse
[rivə́:rs]
도표

(동) 뒤집다; 되돌아가다   (형) 반대의   (명) 반대; 후진

Apples were America's number one consumed fruit, followed by bananas, while their ranks were **reversed** in 2010. 모평
사과는 미국에서 최고로 많이 소비되는 과일이었고, 바나나가 그 뒤를 이었지만 그들의 순위는 2010년에 ....

➕ reversely (부) 거꾸로, 반대로
reversible (형) 뒤집을 수 있는; 양면의

a .... drive
후진

1053 storm
[stɔ:rm]

(명) 폭풍(우)   (동) 폭풍이 불다; 기습하다

The sea is ever so much calmer after a **storm**. 학평
....................가 지나간 후 바다는 한층 더 잔잔하다.

➕ stormy (형) 폭풍(우)의; 격렬한

.... the castle
성을 기습하다

해석 완성 친밀한 / 변하지 않는 / 뛰어 들어갔다 / 새끼 / 재활용한다면 / 뒤집혔다 / 폭풍우

1054 **vacuum** □□
[vǽkjuəm]

[명] 진공 [동] 진공청소기로 청소하다

If you want to suck the liquid out of the inner parts of the phone, try using a **vacuum** cleaner. [학평]
전화기 내부에서 밖으로 액체를 빨아들이고 싶다면 ....청소기를 사용해 보라.

a .... cleaner
진공청소기

1055 **virtual** □□
[və́ːrtʃuəl]

[형] 사실상의, 실질적인; 가상의

What lies behind the claim that so many people will take off to **virtual** worlds? [학평]
그렇게 많은 사람들이 .... 세계로 떠날 것이라는 주장의 이면에는 무엇이 있을까?

[+] **virtually** [부] 사실상; 가상으로 **virtuality** [명] 실질, 실제

.... reality
가상현실(=VR)

1056 **visible** □□
[vízəbl]

[형] (눈에) 보이는; 명백한

Personal blind spots are areas that are **visible** to others but not to you. [학평]
개인 사각지대란 다른 사람들에게는 .... 자신에게 보이지 않는 영역이다.

[↔] **invisible** [형] 보이지 않는
[=] **obvious, clear** [형] 명백한, 분명한

a .... ray
가시광선

1057 **wound** □□
[wuːnd]

[명] 부상, 상처 [동] 상처를 입히다

These are the **wounds** from the alligator's teeth. [학평]
이것은 악어 이빨로 생긴 ....입니다.

[=] **injury** [명] 부상, 상처 **injure** [동] 상처를 입히다

해석 완성 진공 / 가상의 / 보이지만 / 상처

a fatal ....
치명상

진짜 기출로 확인! 우리말과 일치하도록 네모 안에서 문맥에 알맞은 단어를 고르시오. 고3 학평

Early human beings had to be good at exploring their surroundings and maintaining an (1) [wounded / intimate / stormy] memory of edible and inedible plants, insects, and small animals, and the seasonal changes that conditioned their own hand-to-mouth survival. Primitive people were constantly observing the behavior of other animals and mimicking their behavior as if to (2) [recycle / reverse / incorporate] it into the making of their own.

(초기 인간들은 주변 환경을 탐색하여 먹을 수 있거나 먹을 수 없는 식물, 곤충, 작은 동물과 그날그날의 생존을 좌우했던 계절의 변화에 대한 자세한 기억을 잘 유지해야 했다. 원시인들은 마치 자신들의 행동을 형성하는 데 동물의 행동을 통합하려는 것처럼 그들의 행동을 끊임없이 관찰하고 모방했다.)

ANSWERS p.479

1058 advocate
동 [ǽdvəkèit]
명 [ǽdvəkit]

동 옹호[변호]하다   명 옹호자; 변호사

Minimalists **advocate** a life without many of the things most of us take for granted. EBS
미니멀리스트들은 우리 대부분이 당연하게 여기는 물건들 중 많은 것들이 없는 삶을 ....

➕ advocacy 명 옹호, 지지; 주장

.... a reform
개혁을 옹호하다

1059 beam
분위기
[bi:m]

명 빛줄기; 기둥   동 밝게 미소 짓다

He saw the wavering **beam** of a flashlight moving up the stairs. 학평
그는 흔들리는 손전등 ....가 계단을 올라가고 있는 것을 보았다.

a .... of light
한 줄기의 빛

1060 blade
[bleid]

명 (칼 등의) 날; (프로펠러 등의) 날개; (풀의) 잎

He had a knife in hand, a very sharp knife with a **blade** almost a foot long.
그는 손에 칼을 들고 있었는데 ....이 1피트 길이의 매우 날카로운 칼이었다.

a razor ....
면도날

1061 bound
[baund]

형 ~할 가능성이 큰; 얽매인; ~행의   동 경계를 이루다

The liquid nature of services means they don't have to be **bound** to materials. 모평
서비스의 유동적인 특성은 그것들이 물질에 .... 필요가 없다는 것을 의미한다.

be bound to ~할 의무가 있다
be bound up with ~와 밀접한 관계가 있다
bound for ~을 향한, ~행의

a train .... for Paris
파리행 기차

1062 burden
[bə́:rdn]

명 짐; 부담   동 부담을 지우다

You look like you're carrying the **burdens** of the world on your back. 학평
너는 등에 세상의 ....을 지고 있는 것처럼 보여.

be a burden on[to] ~에 짐이 되다
lay[put] a burden on[upon] ~에게 부담을 지우다

a .... of responsibilities
책임에 대한 부담

1063 carve
[ka:rv]

동 새기다; 조각하다; 개척하다

Carve out more empty ecological spaces! 수능
더 많은 빈 생태 공간을 ....!

carved in stone 변경 불가능한

➕ carving 명 조각; 조각술
➡ inscribe 동 (이름을) 새기다, 쓰다

.... a name in wood
나무에 이름을 새기다

해석 완성 옹호한다 / 빛줄기 / 날 / 얽매여 있을 / 짐 / 개척하라

1064 **caution**
[kɔ́:ʃən]

[명] 조심; 경고 [동] 주의[경고]를 주다

As we mature, we know that we must balance courage with **caution**. [학평]
성숙해가면서 우리는 용기와 ....의 균형을 잡아야 한다는 것을 안다.

[+] cautious [형] 주의 깊은, 조심하는

use ....
조심하다

1065 **confine**
[kənfáin]

[동] 제한[국한]하다; 가두다

She was **confined** to the house because of a broken leg. [모평]
그녀는 다리가 부러져서 집에 ....

.... a talk to ten minutes
이야기를 10분으로 제한하다

1066 **cosmetic**
[kazmétik]

[명] (*pl.*) 화장품 [형] 화장용의; 성형의

It is not the **cosmetics** that make these women model-like. [학평]
이 여성들을 모델처럼 만드는 것은 그 ....이 아니다.

apply[put on] cosmetics 화장품을 바르다

.... surgery
성형 수술

1067 **costume**
[kástju:m]

[명] 복장, 의상

Ancient Greek and Roman **costume** is essentially draped. [모평]
고대 그리스와 로마의 ....은 기본적으로 주름을 잡아 걸치는 것이다.

Halloween ....
핼러윈 의상

1068 **criterion**
[kraitíəriən]

[명] 기준, 표준 (*pl.* criteria)

Distraction times over 2 seconds are considered unacceptable as general **criteria** for driving. [EBS]
2초 이상의 주의 산만한 시간은 일반적인 운전 ....으로 허용되지 않는다고 여겨진다.

[=] standard [명] 기준

evaluation ....
평가 기준

해석 완성 조심 / 갇혀 있었다 / 화장품 / 의상 / 기준

진짜 기출로 확인! 빈칸에 공통으로 알맞은 단어를 고르시오. 고3 학평

When it comes to medical treatment, patients see choice as both a blessing and a ________. And the ________ falls primarily on women, who are typically the guardians not only of their own health, but that of their husbands and children.

① beam ② burden ③ criteria ④ blade ⑤ advocate

ANSWERS p.479

1069 declare
[dikléər]

(동) 선언하다, 발표하다; (세관·세무서에) 신고하다

A few days later the king had to **declare** bankruptcy.
EBS 며칠 후에 그 왕은 파산을 .... 했다.

➕ **declaration** (명) 선언(서), 공표; (세관) 신고(서)

.... a person
a winner
~을 승자로 선언하다

1070 defeat
[difíːt]

(명) 패배; 좌절 (동) 패배시키다; 좌절시키다

Napoleon's **defeat** was the result of a number of conditions. **학평**
나폴레옹의 .... 는 많은 조건들의 결과였다.

TIP defeat / win
» **defeat** 전쟁·경기·대회 등에서 상대방을 '패배시키다[이기다]'의 뜻으로 목적어로 이긴 대상이 옴
ex. **defeat** him at tennis 테니스에서 그를 이기다
» **win** 전쟁·경기·대회 등에서 '이기다'의 뜻으로 목적어로 승리한 분야나 얻어낸 것이 옴
ex. **win** the race 경주에서 이기다

.... the enemy
적을 패배시키다[이기다]

1071 delicate
[délikit]

(형) 섬세한; 연약한; 정교한

An egg requires a more **delicate** touch than a rock.
모평 달걀은 바위보다 더 .... 손길을 필요로 한다.

➕ **delicacy** (명) 섬세함; 정교함

.... skin of a
baby
아기의 연약한 피부

1072 dense
[dens]

(형) 밀집한, 빽빽한; 짙은

Light travels faster in warmer, less **dense** air than it does in colder air. **학평**
빛은 더 차가운 공기에서보다 더 따뜻하고 더 낮은 .... 공기
에서 더 빨리 이동한다.

➕ **densely** (부) 밀집하여, 짙게

a .... fog
짙은 안개

1073 diagnose
[dáiəgnòus]

(동) 진단하다; 원인을 규명하다

Amy learned that her mother had been **diagnosed** with a serious illness. **학평**
Amy는 그녀의 어머니가 중병을 .... 것을 알았다.

➕ **diagnosis** (명) 진단

.... a variety
of diseases
다양한 병을 진단하다

1074 distort
[distɔ́ːrt]

(동) 일그러뜨리다, 비틀다; 왜곡하다

How does your brain **distort** memories? **EBS**
당신의 뇌는 어떻게 기억을 ....?

➕ **distortion** (명) 왜곡

.... the facts
사실을 왜곡하다

1075 donor
[dóunər]

(명) 기부자, 기증자; 헌혈자

The first 200 donors will receive a mug. **학평**
처음 200명의 .... 는 머그잔을 받을 것이다.

a blood ....
헌혈자

해석 완성 선언해야 / 패배 / 섬세한 / 밀도의 / 진단받은 / 왜곡하는가 / 기부자

1076 **emission** [imíʃən]	몡 (빛·열 등의) 배출; 배기가스, 배출물 In the early 1990s Norway introduced a carbon tax on **emissions** from energy. (수능) 1990년대 초반에 노르웨이는 에너지로부터 나오는 .... 에 탄소세를 도입했다.	the .... of carbon dioxide 이산화탄소 배출
1077 **endeavor** [indévər]	몡 노력; 시도　동 노력하다; 시도하다 Earning the trust of our clients is a permanent and ongoing **endeavor**. (학평) 저희 고객들의 신뢰를 얻는 것은 영구적이고 지속적인 .... 입니다. 📘 **effort** 몡 노력; 시도　**try, strive** 동 노력하다	.... to do one's duty 의무를 다하려고 노력하다
1078 **equation** [ikwéiʒən]	몡 동일시; 균등화; 방정식 From a cross-cultural perspective the **equation** between public leadership and dominance is questionable. (수능) 비교 문화적 관점에서 볼 때 대중적인 지도력과 지배력 사이의 ....는 의심스럽다. ➕ **equate** 동 동일시하다; 균등하게 하다	the .... of imports and exports 수출입의 균등화
1079 **extraordinary** [ikstrɔ́:rdənèri]	혱 비범한, 엄청난; 기이한 Over the past century, society has witnessed **extraordinary** advances in technology. (학평) 지난 세기 동안 사회는 기술의 .... 향상을 목격해 왔다.	a man of .... genius 비범한 천재
1080 **gentle** [dʒéntl]	혱 상냥한; 온순한; 부드러운 In her soft, **gentle** voice, she welcomed us. (EBS) 부드럽고 .... 목소리로 그녀는 우리를 맞이했다. ➕ **gently** 뿐 상냥하게; 부드럽게	a .... breeze 부드러운 미풍

해석 완성 배기가스 / 노력 / 균등화[방정식] / 엄청난 / 상냥한

진짜 기출로 확인! 밑줄 친 단어의 뜻을 문맥에 맞게 찾으시오.　　　　고3 모평

Since human beings are at once both similar and different, they should be treated equally because of both. Such a view, which grounds equality not in human uniformity but in the interplay of uniformity and difference, builds difference into the very concept of equality, breaks the traditional (1) equation of equality with similarity, and is immune to monist (2) distortion.

① 왜곡　　　② 시도　　　③ 선언　　　④ 진단　　　⑤ 동일시

ANSWERS p.479

3-Minute Check

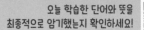

			check
1041	horizon	명 수평선, 지평선; 시야	☐
1042	implicit	형 암시적인; 내포된	☐
1043	incorporate	동 포함하다; 통합하다; 법인으로 만들다	☐
1044	initiate	동 시작하다, 개시하다	☐
1045	intermediate	형 중간의; 중급의 명 중간물; 매개	☐
1046	interpersonal	형 개인 간의; 대인 관계의	☐
1047	intimate	형 친밀한; 자세한	☐
1048	invariable	형 불변의, 일정한	☐
1049	leap	동 뛰어오르다; 급증하다 명 뜀, 도약; 급증	☐
1050	offspring	명 자식; (동식물의) 새끼	☐
1051	recycle	동 재활용하다, 재생 이용하다	☐
1052	reverse	동 뒤집다; 되돌아가다 형 반대의 명 반대; 후진	☐
1053	storm	명 폭풍(우) 동 폭풍이 불다; 기습하다	☐
1054	vacuum	명 진공 동 진공청소기로 청소하다	☐
1055	virtual	형 사실상의, 실질적인; 가상의	☐
1056	visible	형 (눈에) 보이는; 명백한	☐
1057	wound	명 부상, 상처 동 상처를 입히다	☐
1058	advocate	동 옹호[변호]하다 명 옹호자; 변호사	☐
1059	beam	명 빛줄기; 기둥 동 밝게 미소 짓다	☐
1060	blade	명 (칼 등의) 날; (프로펠러 등의) 날개; (풀의) 잎	☐

			check
1061	bound	형 얽매인; ~행의 동 경계를 이루다	☐
1062	burden	명 짐; 부담 동 부담을 지우다	☐
1063	carve	동 새기다; 조각하다; 개척하다	☐
1064	caution	명 조심; 경고 동 주의[경고]를 주다	☐
1065	confine	동 제한[국한]하다; 가두다	☐
1066	cosmetic	명 (pl.) 화장품 형 화장용의; 성형의	☐
1067	costume	명 복장, 의상	☐
1068	criterion	명 기준, 표준	☐
1069	declare	동 선언하다, 발표하다; (세관·세무서에) 신고하다	☐
1070	defeat	명 패배; 좌절 동 패배시키다; 좌절시키다	☐
1071	delicate	형 섬세한; 연약한; 정교한	☐
1072	dense	형 밀집한, 빽빽한; 짙은	☐
1073	diagnose	동 진단하다; 원인을 규명하다	☐
1074	distort	동 일그러뜨리다, 비틀다; 왜곡하다	☐
1075	donor	명 기부자, 기증자; 헌혈자	☐
1076	emission	명 (빛·열 등의) 배출; 배기가스, 배출물	☐
1077	endeavor	명 노력; 시도 동 노력하다; 시도하다	☐
1078	equation	명 동일시; 균등화; 방정식	☐
1079	extraordinary	형 비범한, 엄청난; 기이한	☐
1080	gentle	형 상냥한, 온순한; 부드러운	☐

외우지 못한 단어가 있으면 미니 단어장에서 다시 한번 정리해 보세요.

A 영어는 우리말로, 우리말은 영어로 쓰시오.

01 caution ....

02 countless ....

03 disregard ....

04 distort ....

05 sculpture ....

06 fierce ....

07 auditory ....

08 recipe ....

09 consequence ....

10 stimulus ....

11 incredible ....

12 regulation ....

13 interpersonal ....

14 duration ....

15 offspring ....

16 fatigue ....

17 compel ....

18 burden ....

19 inevitable ....

20 aspire ....

21 종교 ....

22 항아리, 병 ....

23 둘러싸다; 동봉하다 ....

24 기부자, 기증자; 헌혈자 ....

25 위험에 빠뜨리다 ....

26 밀집한; 빽빽한; 짙은 ....

27 비극(적인 사건); 비극 작품 ....

28 포유동물 ....

29 행진, 행군; 행진하다 ....

30 땀; 수고; 땀을 흘리다 ....

31 통근(통학)하다; 통근, 통학 ....

32 수평선, 지평선; 시야 ....

33 사실상의, 실질적인; 가상의 ....

34 파괴적인 ....

35 익은; 성숙한; 성숙해지다 ....

36 진공; 진공청소기로 청소하다 ....

37 남용(오용)하다; 남용, 오용 ....

38 타고난, 선천적인 ....

39 옹호(변호)하다; 옹호자 ....

40 개척자; 선구자; 개척하다 ....

B 우리말과 일치하도록 빈칸에 알맞은 말을 쓰시오.

01 The sea is ever so much calmer after a ....
→ 폭풍우가 지나간 후 바다는 한층 더 잔잔하다.

02 You come across a huge .... and you manage to kill it.
→ 당신은 거대한 짐승과 마주쳐서 그것을 간신히 죽이게 된다.

03 They earn additional income by performing .... dances and fire walking.
→ 그들은 민속 무용과 불 속 걷기를 공연함으로써 추가 수입을 번다.

04 Individual ants .... themselves with an alien aroma for survival.
→ 각각의 개미는 생존을 위해 자신을 이국적인 냄새로 위장한다.

05 You're only getting a cup of coffee to keep yourself ....
→ 당신은 정신을 바짝 차리기 위해 커피 한 잔을 마시고 있을 뿐이다.

C 우리말과 일치하도록 빈칸에 알맞은 단어를 〈보기〉에서 골라 쓰시오. (형태 변화 가능)

보기				
confine	correspond	fundamental	precious	wound

01 Why is time more .... than money?
왜 시간이 돈보다 더 귀중한가?

02 These are the .... from the alligator's teeth.
이것은 악어 이빨로 생긴 상처입니다.

03 Appearances don't always .... with reality.
겉모습이 항상 현실과 일치하지는 않는다.

04 She was .... to the house because of a broken leg.
그녀는 다리가 부러져서 집에 갇혀 있었다.

05 Scientists must observe one .... rule of professional science.
과학자들은 전문적인 과학의 한 가지 기본적인 규칙을 지켜야 한다.

📖 가리개를 사용하여 뜻을 암기했는지 확인하세요.

DRILLS

1081 greed
[griːd]

ⓜ 탐욕, 욕심

Many talented individuals give in to their **greed** and pride. 학평

재능 있는 많은 개인들이 ....과 자만심에 항복한다.

➕ **greedy** ⓗ 욕심 많은; 탐욕스러운   **greedily** ⓟ 탐욕스럽게

.... for money
금전욕

1082 hardship
[háːrdʃip]

ⓜ 고난, 어려움

Many parents who have experienced personal **hardship** desire a better life for their children. 학평

개인적 ....을 겪은 많은 부모들이 자신의 자녀를 위해 더 나은 인생을 열망한다.

bear ....
고난을 견디다

1083 hemisphere
[hémisfiər]

ⓜ (지구·천체·뇌의) 반구

Many birds have the ability to sleep with only one **hemisphere** of the brain at a time. EBS

많은 조류는 한 번에 뇌의 한쪽 ....만 사용하여 잠을 자는 능력이 있다.

the northern ....
북반구

1084 hostile
[hástil]

ⓗ 적대적인; 반대하는

The book received a **hostile** reaction in Russia. 학평

그 책은 러시아에서 .... 반응을 얻었다.

➕ **hostility** ⓜ 적개심; 반감

.... criticism
적대적인 비판

1085 hug
[hʌɡ]
심경

ⓥ 껴안다   ⓜ 포옹

She went toward her son and, with tears of delight, **hugged** him tightly. 모평

그녀는 아들 쪽으로 가서 기쁨의 눈물을 흘리며 그를 꼭 ....

🟰 **embrace** ⓥ 껴안다, 포옹하다

.... each other
서로 끌어안다

1086 imaginative
[imǽdʒənətiv]

ⓗ 창의적인, 상상력이 풍부한

Being **imaginative** gives us feelings of happiness and adds excitement to our lives. 학평

.... 것은 우리에게 행복감을 주고 우리 삶에 흥분을 더해 준다.

➕ **imagine** ⓥ 상상하다   **imagination** ⓜ 상상, 상상력; 창의력
➖ **unimaginative** ⓗ 상상력이 부족한
🟰 **inventive** ⓗ 창의적인, 독창적인

an .... writer
상상력이 풍부한 작가

해석 완성 탐욕 / 고난 / 반구 / 적대적인 / 껴안았다 / 상상력이 풍부한

1087 inhabit
[inhǽbit]

(동) ~에 살다, 거주하다; 서식하다

People may **inhabit** very different worlds even in the same city, according to their wealth or poverty. 학평
사람들은 그들의 부 또는 가난에 따라 같은 도시 안에서조차 아주 다른 세상에 ....지도 모른다.

➕ inhabitant (명) 거주자; 서식 동물
🟰 reside, dwell (동) 살다, 거주하다

.... the sea
바다에 서식하다

1088 intervene
[ìntərvíːn]

(동) 중재하다, 개입하다; 방해하다

The government has to **intervene** to prevent further crisis.
더 이상의 위기를 막기 위해 정부가 .... 한다.

➕ intervention (명) 중재, 개입; 간섭
🟰 mediate (동) 중재하다   interfere (동) 방해하다

.... a fight
싸움을 중재하다

1089 mineral
[mínərəl]

(명) 광물; 무기물   (형) 광물의; 무기물의

The cleared soil was rich in **minerals** and nutrients. 수능
깨끗한 토양은 .... 과 영양분이 풍부했다.

.... extraction
광물 채취

1090 minor
[máinər]

(형) 사소한; 소수의   (동) 부전공하다

Indeed, lying is only a **minor** aspect of my life. EBS
사실, 거짓말은 내 인생의 .... 측면에 불과하다.

minor in (대학에서 ~을) 부전공하다

➕ minority (명) 소수; 소수집단
🔄 major (형) 중대한; 대다수의 (명) 전공 (동) 전공하다
🟰 trivial, insignificant (형) 사소한

.... faults
사소한 과실

1091 paradigm
[pǽrədàim]

(명) 패러다임, 인식 체계

In a different **paradigm**, human health and ecological survival would be paramount. 학평
다른 ....에서는 인간의 건강과 생태적 생존이 무엇보다 중요할 것이다.

➕ paradigmatic (형) 모범의; 전형적인

a .... shift
패러다임의 전환

1092 paradox
[pǽrədàks]

(명) 역설; 모순된 일[말, 사람]

Paradoxes are statements that seem contradictory but are actually true. 학평
......................이란 모순된 것처럼 보이지만 실제로는 진실인 진술이다.

➕ paradoxical (형) 역설적인; 모순된
paradoxically (부) 역설적으로

a work full of ....
역설로 가득 찬 작품

해석 완성 거주할 / 개입해야 / 무기물 / 사소한 / 패러다임 / 역설

1093 **pause** [pɔːz]

[동] 잠시 멈추다; 중지시키다 [명] 중지

We ought to **pause** for a moment in order to reconsider actions. [학평]
우리는 행동을 재고하기 위해 잠시 ________ 한다.

in pause 휴지[중지]하여, 주저하여
take a pause 잠시 쉬다, 숨을 돌리다

________ the video
비디오를 **정지시키다**

1094 **plot** [plɑt]

[명] 음모; 줄거리 [동] 음모를 꾸미다; 구성을 짜다

The general **plot** and motivation of the great tragedy would always be clear. [수능]
위대한 비극의 일반적인 ________와 동기는 항상 명확할 것이다.

[유] **conspiracy** [명] 음모 **conspire** [동] 음모를 꾸미다

a ________ against the government
반정부 **음모**

1095 **prejudice** [prédʒədis] [빈칸]

[명] 편견 [동] 편견을 갖게 하다

Prejudice is an obstacle to processing information. [학평]
________은 정보를 처리하는 데 장애물이다.

[유] **bias** [명] 편견 [동] 편견을 갖게 하다

racial ________
인종적 **편견**

1096 **radical** [rǽdikəl]

[형] 급진적인, 과격한; 근본적인 [명] 급진주의자

Its CEO got a **radical** idea. [학평]
그곳의 최고 경영자는 ________ 사상을 받아들였다.

[+] **radically** [부] 급진적으로, 근본적으로 **radicalism** [명] 급진주의

a ________ difference
근본적인 변화

1097 **render** [réndər]

[동] (어떤 상태로) 만들다; 제공하다

They want to have the service **rendered** to them in a manner that pleases them. [모평]
그들은 그들을 기쁘게 하는 방식으로 서비스가 ________를 원한다.

render a service to A, render A a service
A에게 서비스를 베풀다

________ something useless
어떤 것을 소용없게 **만들다**

해석 완성 멈춰야 / 줄거리 / 편견 / 급진적인 / 제공되기

진짜 기출로 확인! 우리말과 일치하도록 빈칸에 알맞은 단어를 고르시오. 고2 학평

Popular (1)________ offers a black-and-white picture of the brain versus body (2)________. We are often told that exercise develops the body while reading, writing, and thinking are meant to develop the brain. This is a flawed perception.
(대중적 편견은 뇌 대 신체의 패러다임을 이분법적 그림으로 제안한다. 운동은 신체를 발달시키는 반면 읽기, 쓰기, 그리고 생각하기는 두뇌를 발달시킨다고 우리는 자주 듣는다. 이러한 인식은 결점이 있다.)

① plot ② pause ③ paradox ④ prejudice ⑤ paradigm

ANSWERS p.479

1098 **renewable**
[rinjúːəbl]

<small>형</small> 갱신 가능한; 재생 가능한

Is **renewable** energy really green? <small>학평</small>
.... 에너지는 정말로 환경 친화적인가?

🔁 non-renewable <small>형</small> 갱신 불가능한; 재생 불가능한

.... sources
of energy
재생 가능한 에너지원

1099 **reproduce**
[rìːprədjúːs]

<small>동</small> 재생하다; 복제하다; 번식하다

This nautilus **reproduces** by laying eggs. <small>학평</small>
이 앵무조개는 알을 낳음으로써 ....

➕ reproduction <small>명</small> 재생; 복제(물); 번식
   reproductive <small>형</small> 재생의; 번식의
🟰 copy, replicate <small>동</small> 복제하다
   clone <small>동</small> 복제하다 <small>명</small> 복제품; 복제 생물

.... the glories
of Rome
로마의 영광을 **재생[재현]하다**

1100 **resilience**
[riziljəns]

<small>명</small> 탄력, 탄성; 회복력

Moderate amounts of stress can foster **resilience**.
<small>모평</small> 적당한 양의 스트레스는 .... 을 키울 수 있다.

➕ resilient <small>형</small> 탄력 있는; 회복력 있는

climate ....
기후 회복력

1101 **restore**
[ristɔ́ːr]

<small>동</small> 복구하다; 회복하다

He repaired and **restored** the tumbledown house. <small>학평</small>
그는 다 허물어져가는 집을 수리하고 ....

🟰 reconstruct <small>동</small> 복구하다, 재건하다
   recover, regain <small>동</small> 회복하다

.... order
질서를 회복하다

1102 **retire**
[ritáiər]

<small>동</small> 은퇴하다, 퇴직하다

When Mr. Peters **retired**, he turned his business over
to Crawford to manage. <small>학평</small>
Peter 씨가 .... 때 그는 자신의 사업을 Crawford가 경영하
도록 넘겨주었다.

➕ retirement <small>명</small> 은퇴   retiree <small>명</small> 퇴직자
🟰 resign <small>동</small> 사직하다, 사임하다

.... from
business
사업에서 은퇴하다

1103 **revenue**
[révənjùː]

<small>명</small> 수익, 수입; 세입

They discussed the company's expenses and
dwindling **revenue**. <small>수능</small>
그들은 그 회사의 경비와 줄어드는 ....에 대해 논의했다.

🔁 expenditure <small>명</small> 지출; 세출
🟰 income, earnings <small>명</small> 수입

TIP revenue / income
》 revenue <small>명</small> (회사·조직·정부의) 수입
》 income <small>명</small> (사람이나 조직의) 수입

the Public ....
국고 세입

해석 완성 재생 가능한 / 번식한다 / 회복력 / 복구했다 / 은퇴했을 / 수입

1104 revise
[riváiz]

동 수정하다; 개정하다

They collected more data and **revised** the theories.
(학평) 그들은 더 많은 정보를 모아서 그 이론을 ....

➕ revision 명 수정; 개정

.... the civil law
민법을 개정하다

1105 scarce
[skɛərs]

형 부족한; 드문, 희귀한

Land is always a **scarce** resource in urban development. (학평)
도시 개발에서 땅은 언제나 .... 자원이다.

➕ scarcity 명 부족, 결핍   scarcely 부 거의 ~ 않는, 간신히
🟰 rare 형 드문, 진귀한

a .... book
희귀본

1106 selfish
[sélfiʃ]

형 이기적인

It's a good thing, not a **selfish** thing, to choose people who are good for you. (학평)
당신에게 좋은 사람들을 선택하는 것은 .... 일이 아니라 좋은 일이다.

🔄 unselfish 형 이기적이 아닌   selfless, altruistic 형 이타적인
🟰 self-seeking 형 이기적인

.... behavior
이기적인 행위

1107 sensation
[senséiʃən]

명 감각; 기분; 센세이션, 대사건

He had an odd **sensation** that the world around him was moving in all directions. (학평)
그는 그의 주변 세상이 사방으로 움직이는 것 같은 이상한 .... 을 느꼈다.

create[cause, make] a sensation 센세이션을 불러일으키다

➕ sensational 형 감각의; 선풍적 인기의

keen ....
예리한 감각

1108 simplify
[símpləfài]

동 단순화하다, 간소화하다

I would like to **simplify** my life as much as I can. (학평)
나는 내 삶을 가능한 한 많이 .... 싶다.

➕ simplification 명 단순화, 간소화

.... procedures
절차를 간소화하다

해석 완성 수정했다 / 부족한 / 이기적인 / 기분 / 단순화하고

진짜 기출로 확인! 문맥에 맞도록 빈칸에 알맞은 단어를 고르시오.

고3 모평

The trout will produce more offspring and mature to a reproductive size at a faster rate when populations are threatened, such as when aggressive fishing takes place. When space and food are (1)_____, such as when a lot of fish are living together in a small pond, the trout remain smaller and (2)_____ more slowly.

① scarce   ② selfish   ③ renewable   ④ retire   ⑤ reproduce

ANSWERS p.479

1109 subsequent
[sʌ́bsikwənt]

(형) 뒤의, 그 이후의; (결과로서) 일어나는

Being dehydrated has a harmful effect upon a **subsequent** exercise session. EBS
탈수되는 것은 .... 운동 시간에 해로운 영향을 끼친다.

➕ subsequently (부) 그 후에   subsequence (명) 뒤에 옴

.... events
그 이후의 사건들

1110 suitable
[sú:təbəl]

(형) 적당한, 알맞은

Why is it so hard to find a bike **suitable** for a woman?
학평 왜 여성에게 .... 자전거를 찾는 것이 어려운가?

a .... place
for a picnic
소풍에 **적당한** 장소

1111 toxic
[tɑ́ksik]

(형) 유독성의; 중독성의

The failure to detect spoiled or **toxic** food can have deadly consequences. 수능
상하거나 .... 음식을 발견하지 못하면 치명적인 결과를 초래할 수 있다.

.... chemicals
유독성 화학 물질

1112 tribe
[traib]

(명) 부족, 종족

Cattle have tremendous social and economic importance in the Swazi **tribe**. 학평
소는 Swazi .... 에서 엄청난 사회적, 경제적 중요성을 갖고 있다.

a savage ....
미개한 **부족**

1113 utility
[ju:tíləti]

(명) 유용(성), 효용(성); 공공 사업[설비]

When excessive heat drives up demand for natural gas, you can also see this in your **utility** bill. 학평
과도한 열이 천연 가스에 대한 수요를 증가시키면, ... 청구서에서도 이를 확인할 수 있다.

➕ utilize (동) 활용하다   utilization (명) 이용, 활용

of no ....
소용없는

1114 vulnerable
[vʌ́lnərəbl]

(형) 상처 입기 쉬운; 취약한

The statistics show how **vulnerable** senior citizens are to poverty. 학평
그 통계는 노인들이 얼마나 가난에 .... 를 보여 준다.

➕ vulnerability (명) 상처[비난] 받기 쉬움; 취약성

.... to attack
공격에 **취약한**

1115 acquaintance
[əkwéintəns]

(명) 아는 사람, 친분; 지식

It was the perfect gift for her new **acquaintance**. 학평
그것은 그녀의 새로운 .... 을 위한 완벽한 선물이었다.

have acquaintance with ~와 면식이 있다
keep up an acquaintance with ~와 계속 알고 지내다

➕ acquainted (형) ~와 아는 사이인; ~에 정통한

a mere ....,
not a friend
친구는 아니고 그냥 **아는 사람**

해석 완성 그 이후의 / 적당한 / 독이 있는 / 부족 / 공공요금 / 취약한지 / 지인

1116 adequate
[ǽdikwət]

(형) 충분한; 적당한

Having an **adequate** farming system helps farmers overcome long-term droughts. 학평
.... 농업 시스템을 갖추는 것은 농부들이 장기적인 가뭄을 극복하는 데 도움이 된다.

➕ adequately (부) 충분히; 적당하게
➖ inadequate (형) 불충분한; 부적당한

an .... supply of water
충분한 물 공급

1117 astronomy
[əstrάnəmi]
내용일치

(명) 천문학

Her awareness for **astronomy** came to life when her father began to teach her about the stars. 학평
.... 에 대한 그녀의 인식은 그녀의 아버지가 그녀에게 별들에 대해 가르치기 시작했을 때 살아났다.

➕ astronomical (형) 천문학의; 천문학적인, 어마어마한
astronomer (명) 천문학자

radio ....
전파 천문학

1118 authentic
[ɔːθéntik]

(형) 진짜의; 믿을 만한

The "restored" Sistine Chapel may look "**authentic**" today. 모평
그 '복원된' Sistine 성당은 오늘날 '.................... '처럼 보일지도 모른다.

➕ authenticity (명) 진짜임; 진정성

an .... portrait
진품 초상화

1119 bargain
[bάːrɡən]

(형) 헐값의 (명) 싸게 산 물건; 흥정 (동) 흥정하다

Bargain hunting represents one of the significant reasons why people shop. 학평
.... 쇼핑은 사람들이 쇼핑을 하는 중요한 이유 중 하나에 해당한다.

.... the price
값을 흥정하다

1120 bulb
[bʌlb]

(명) 전구

The amount of electrical energy a 10W light **bulb** uses depends on how long it is lit. 학평
10와트 백열 .... 가 사용하는 전기 에너지 양은 그것이 얼마나 오래 켜져 있는가에 달려 있다.

an electric ....
전구

해석 완성 충분한[적절한] / 천문학 / 진짜 / 염가 / 전구

진파 기출로 확인! 밑줄 친 단어의 뜻을 문맥에 맞게 찾으시오.   16년 수능

Laurence Thomas has suggested that the (1)utility of "negative sentiments" (emotions like grief, guilt, resentment, and anger, which there is seemingly a reason to believe we might be better off without) lies in their providing a kind of guarantee of (2)authenticity for such dispositional sentiments as love and respect.

① 친분   ② 진정성   ③ 유용성   ④ 취약성   ⑤ 흥정

ANSWERS p.479

		check
1081 **greed**	(명) 탐욕, 욕심	
1082 **hardship**	(명) 고난, 어려움	
1083 **hemisphere**	(명) (지구·천체·뇌의) 반구	
1084 **hostile**	(형) 적대적인; 반대하는	
1085 **hug**	(동) 껴안다 (명) 포옹	
1086 **imaginative**	(형) 창의적인, 상상력이 풍부한	
1087 **inhabit**	(동) ~에 살다, 거주하다; 서식하다	
1088 **intervene**	(동) 중재하다, 개입하다; 방해하다	
1089 **mineral**	(명) 광물; 무기물 (형) 광물의; 무기물의	
1090 **minor**	(형) 사소한; 소수의 (동) 부전공하다	
1091 **paradigm**	(명) 패러다임, 인식 체계	
1092 **paradox**	(명) 역설; 모순된 일[말, 사람]	
1093 **pause**	(동) 잠시 멈추다; 중지시키다 (명) 중지	
1094 **plot**	(명) 음모; 줄거리 (동) 음모를 꾸미다; 구성을 짜다	
1095 **prejudice**	(명) 편견 (동) 편견을 갖게 하다	
1096 **radical**	(형) 급진적인, 과격한; 근본적인 (명) 급진주의자	
1097 **render**	(동) (어떤 상태로) 만들다; 제공하다	
1098 **renewable**	(형) 갱신 가능한; 재생 가능한	
1099 **reproduce**	(동) 재생하다; 복제하다; 번식하다	
1100 **resilience**	(명) 탄력, 탄성; 회복력	

		check
1101 **restore**	(동) 복구하다; 회복하다	
1102 **retire**	(동) 은퇴하다, 퇴직하다	
1103 **revenue**	(명) 수익, 수입; 세입	
1104 **revise**	(동) 수정하다; 개정하다	
1105 **scarce**	(형) 부족한; 드문, 희귀한	
1106 **selfish**	(형) 이기적인	
1107 **sensation**	(명) 감각; 기분; 센세이션, 대사건	
1108 **simplify**	(동) 단순화하다, 간소화하다	
1109 **subsequent**	(형) 뒤의, 그 이후의; (결과로서) 일어나는	
1110 **suitable**	(형) 적당한, 알맞은	
1111 **toxic**	(형) 유독성의; 중독성의	
1112 **tribe**	(명) 부족, 종족	
1113 **utility**	(명) 유용(성), 효용(성); 공공 사업[설비]	
1114 **vulnerable**	(형) 상처 입기 쉬운; 취약한	
1115 **acquaintance**	(명) 아는 사람, 친분; 지식	
1116 **adequate**	(형) 충분한; 적당한	
1117 **astronomy**	(명) 천문학	
1118 **authentic**	(형) 진짜의; 믿을 만한	
1119 **bargain**	(형) 헐값의 (명) 싸게 산 물건; 흥정 (동) 흥정하다	
1120 **bulb**	(명) 전구	

외우지 못한 단어가 있으면 미니 단어장에서 다시 한번 정리해 보세요.

가리개를 사용하여 뜻을 암기했는지 확인하세요.

DRILLS

1121 □□ **candidate** [kǽndidèit]

[명] 후보자; 지원자

Only short-listed **candidates** will be called for an interview. [학평]
최종 후보자 명단에 오른 ....만 면접의 기회가 주어집니다.

[+] **candidacy** [명] 입후보, 출마
[=] **applicant** [명] 지원자

a .... for president
대통령 **후보자**

1122 □□ **celebrity** [səlébrəti]

[명] 유명 인사; 명성

Adrian Hewitt became a **celebrity** in the small world of local council planning. [학평]
Adrian Hewitt은 지방 의회 기획이라는 작은 세계에서 ....가 되었다.

a political ....
정계의 **유명 인사**

1123 □□ **clarify** [klǽrəfài]

[동] 명백하게 하다; 맑게 하다

Clarify that the notice of harmful chemicals is a warning, not just a characteristic of the clay. [학평]
유해 화학 물질에 대한 통지가 단순한 점토의 특성이 아닌 경고임을 ....

[+] **clarification** [명] 명시, 해명; 정화

.... one's position
~의 입장을 **명백히 하다**

1124 □□ **coincide** [kòuinsáid]

[동] 동시에 일어나다; 일치하다

The events **coincided** with the New York Summer Festival.
그 행사들은 뉴욕 여름 축제와 ....

[+] **coincidence** [명] (우연의) 일치; 동시 발생
coincident(al) [형] (우연의) 일치에 의한; 동시에 일어나는

.... in opinion
의견이 **일치하다**

1125 □□ **comparative** [kəmpǽrətiv]

[형] 비교의; 상대적인

After enjoying a few years of **comparative** safety, disaster of a different kind struck the Great Auk. [모평]
몇 년간 .... 안전함을 즐긴 후에 다른 종류의 재난이 Great Auk(큰바다쇠오리)를 강타했다.

[+] **comparatively** [부] 비교적; 상당히
[↔] **absolute** [형] 절대적인

.... linguistics
비교 언어학

1126 □□ **competent** [kɑ́mpətənt]

[형] 적임의, 유능한; 충분한

In this world, being smart or **competent** isn't enough. [학평] 이 세상에서는, 똑똑한 것 또는 .... 것만으로는 충분하지 않다.

[↔] **incompetent** [형] 무능한; 부적당한

a .... player
유능한 선수

해석 완성 후보자 / 유명 인사 / 명확히 하라 / 동시에 열렸다 / 비교적 / 유능한

1127 conform
[kənfɔ́ːrm]

동 (관습·규칙 등을) 따르다, 순응하다

Larger groups put more pressure on their members to **conform**. 수능
더 큰 집단은 구성원들에게 .... 더 많은 압력을 가한다.

➕ **conformity** 명 순응
🔁 **comply** 동 따르다, 응하다

> **TIP 혼동하기 쉬운 단어 confirm**
> » **confirm** 동 사실임을 보여 주다, 확인하다
> ex. **confirm** one's reservation 예약을 확인하다

.... to the laws
법률에 따르다

1128 intrinsic
[intrínsik]

형 내재적인, 고유한, 본질적인

Intrinsic motivation is more powerful than extrinsic motivation.
.... 동기는 외재적 동기보다 더 강력하다.

➕ **extrinsic** 형 외재적인, 외적인
🔁 **inherent** 형 내재된   **inborn** 형 타고난, 선천적인

the .... value of education
교육의 고유한 가치

1129 cure
[kjuər]

동 치료하다; (문제를) 고치다   명 치료(법); 해결책

His love and forgiveness **cured** my pain. 학평
그의 사랑과 용서가 내 고통을 ....

➕ **curable** 형 치료할 수 있는, 치유 가능한
🔁 **heal** 동 고치다, 치료하다

a .... for headache
두통 치료

1130 dedicate
[dédikèit]

동 (시간·노력을) 바치다, 헌신하다

You can **dedicate** time to move forward with your own goals. 모평
당신은 당신 자신의 목표를 향해 움직이는 데 시간을 .... 수 있다.

dedicate A to B B에게 A를 바치다
be dedicated to -ing ~에 헌신하다

➕ **dedication** 명 헌신, 전념
🔁 **devote** 동 (시간·노력을) 바치다

.... one's life to business
사업에 평생을 바치다

1131 discard
[diská:rd]

동 버리다, 폐기하다   명 폐기

She told us to keep or **discard** whatever we pleased.
모평 그녀는 우리에게 우리가 원하는 것은 무엇이든 갖고 있거나 .... 말했다.

.... old beliefs
낡은 신앙을 버리다

1132 domesticate
[dəméstikèit]

동 (동물을) 길들이다

Cats and dogs are the most thoroughly **domesticated** animals we know of. EBS
고양이와 개는 우리가 아는 가장 철저히 .... 동물이다.

➕ **domestication** 명 길들이기
   domestic 형 (동물이) 길들여진; 국내의; 가정용의
🔁 **tame** 동 (동물을) 길들이다 형 (동물이) 길들여진

animals hard to
길들이기 어려운 동물

해석 완성 순응하도록 / 내재적 / 치료했다 / 바칠 / 버리라고 / 길들여진

1133 erode
[iróud]

(동) 침식시키다; 약화시키다

Without the trees to hold the soil during heavy rains, soils are **eroded** away. (EBS)
폭우 때 토양을 지탱해 줄 나무들이 없다면 토양은 ....

➕ erosion (명) 부식, 침식; 쇠퇴   erodent (형) 침식성의

.... the beach
해안을 침식시키다

1134 exotic
[igzátik]

(형) 외래의; 이국적인

None of the wildlife I saw was **exotic**. (수능)
내가 본 야생 생물 중 어느 것도 .... 않았다.

➖ native (형) 토종의
➡ foreign (형) 외국의; 외래의

.... plants
외래 식물

1135 fertile
[fɔ́ːrtl]

(형) 비옥한; 번식 능력이 있는

Cultures of honor tend to take root in highlands and other marginally **fertile** areas. (학평)
체면 문화는 고지대와 미미하게 .... 다른 지역에 뿌리를 두는 경향이 있다.

➕ fertility (명) 비옥; 번식력
fertilize (동) (땅을) 비옥하게 하다; 수정시키다
➖ infertile, barren, sterile (형) 불모의; 불임의
➡ productive (형) 비옥한; 다산의

.... land
비옥한 토지

1136 flour
[fláuər]

(명) 밀가루, (곡물의) 가루

In a large bowl combine **flour**, sugar, baking powder, and salt. (학평)
큰 그릇에 ...., 설탕, 베이킹파우더, 소금을 섞어라.

a sack of ....
밀가루 한 부대

1137 geology
[dʒiːálədʒi]

(명) 지질학; 지질

We are studying a **geology** lesson on the rocks. (EBS)
우리는 바위에 대한 .... 수업을 공부하고 있다.

➕ geologic(al) (형) 지질학의; 지질의
geologically (부) 지질학상으로   geologist (명) 지질학자

해석 완성 침식된다 / 이국적이지 / 비옥한 / 밀가루 / 지질학

marine ....
해양 지질학

진짜 기출로 확인! 밑줄 친 단어의 뜻을 문맥에 맞게 찾으시오.   고3 모평

Then, on his way home, waiting for an underground train at Leicester Square tube station, he saw a (1)discarded book lying on the seat next to him. It was a copy of *The Girl from Petrovka*. As if that was not (2)coincidence enough, more was to follow.

① 버려진   ② 외래의   ③ 우연의 일치   ④ 해결책   ⑤ 명성

ANSWERS p.479

1138 globe
[gloub]

(명) 구(球), 지구(본); 천체

Mice can move from spot to spot on the **globe**. 학평
쥐들은 .... 이곳저곳으로 이동할 수 있다.

目 sphere (명) 구   earth (명) 지구; 천체

the terrestrial
지구

1139 gossip
[gásəp]

(동) 잡담하다; 험담하다   (명) 잡담; 험담; 가십 기사

When people **gossip**, they generally criticize other people, mostly for breaking social and moral codes. 학평
사람들이 .... 때 보통 다른 사람들을 비난하는데 대개는 사회적, 도덕적 규약을 어긴 것에 대해서이다.

➕ gossipy (형) 수다스러운; 가십거리가 많은

the .... column
가십난

1140 harsh
[hɑːrʃ]

(형) 가혹한, 혹독한

The reviewer was **harsh**, calling the concert "an awful performance." 모평
그 평론가는 그 콘서트를 '끔찍한 공연'이라고 하며 ....

➕ harshly (부) 엄격히, 엄하게
目 severe, stern (형) 가혹한

a .... winter
혹독한 겨울

1141 illegal
[ilíːgəl]

(형) 불법의

Illegal items that are detected will not be returned to the owner. EBS
감지되는 .... 품목은 주인에게 돌려주지 않을 것입니다.

➕ illegally (부) 불법적으로   illegalize (동) 불법화하다
目 unlawful (형) 불법의

.... immigrants
불법 이민자들

1142 illuminate
[ilúːmənèit]

(동) (~에 빛을) 비추다; 설명[해명]하다

Einstein wanted to **illuminate** the workings of the universe with a clarity never before achieved. 모평
아인슈타인은 전에는 결코 달성되지 못한 명료함으로 우주의 작용을 .... 싶어 했다.

➕ illumination (명) 조명; 계몽
目 enlighten (동) 빛을 비추다; 계몽하다
   brighten (동) 빛을 비추다, 빛나게 하다

.... a room
방에 불을 켜다

1143 infrastructure
[ínfrəstrλktʃər]

(명) 사회[경제] 기반 시설; 하부 조직

Lifeline **infrastructures** are vital systems that support a nation's economy and quality of life. 모평
생명선 ....은 한 국가의 경제와 삶의 질을 지탱해 주는 매우 중요한 시스템이다.

communications
....
통신 기반 시설

해석 완성 지구 / 험담을 할 / 혹평했다 / 불법 / 설명하고 / 기반 시설

1144 lean
[liːn]

(동) (-leaned[leant]-leaned[leant]) 기대다; 기울이다

You look like you could use a shoulder to **lean** on. 학평
당신은 .... 어깨를 이용할 수도 있으면 하는 것처럼 보인다.

目 depend (동) 기대다, 의지하다

.... against the wall
벽에 기대다

1145 limb
[lim]

(명) 팔다리; 큰 가지

The southern tamanduas have four sharply clawed fingers on their front **limbs**. 학평
작은개미핥기는 앞 ....에 날카로운 손톱이 있는 네 개의 손가락이 있다.

an artificial ....
의수[의족]

1146 linguistics
[liŋgwístiks]

(명) 언어학

The sheets of paper were for his lecture on **linguistics**. 학평
그 종이들은 그의 .... 강의를 위한 것이었다.

applied ....
응용 언어학

⊞ linguistic (형) 언어(학)의   linguist (명) 언어학자

1147 manual
[mǽnjuəl]

(형) 수동의; 육체노동의   (명) 설명서

The amount of data is huge and **manual** analysis is not possible. 학평
데이터의 양이 막대하고 .... 분석이 불가능합니다.

a computer ....
컴퓨터 사용 설명서

1148 monetary
[mánətèri]

(형) 화폐의; 재정적인, 금전적인

Part of this compensation could be **monetary**. 학평
이 보상의 일부는 .... 것일 수 있다.

目 financial (형) 재정적인

the .... system
화폐 제도

해석 완성 기댈 / 다리 / 언어학 / 수동 / 금전적인

진파 기출로 확인! 우리말과 일치하도록 빈칸에 알맞은 단어를 고르시오.　　　　고3 모평

Picture my surprise when I discovered that the illustrations in the newspaper were, by my experience, wrong. The waxing moon appeared to be (1)_____ on the left side rather than the right side as I had always known it to be. "I must call the newspaper," I thought. But I continued to study the images in the newspaper and then consulted a(n) (2)_____.
(신문의 삽화들이 내 경험상 틀렸다는 것을 발견했을 때의 내 놀라움을 상상해 보라. 상현달이 내가 항상 그렇다고 알고 있던 오른쪽이 아니라 왼쪽에서 빛나고 있는 것처럼 보였다. "내가 신문사에 전화를 걸어야겠군."하고 나는 생각했다. 그러나 나는 신문에 있는 이미지들을 계속 연구한 다음 지구본을 참고했다.)

① leaned　　　　② manual　　　　③ globe　　　　④ illuminated　　　　⑤ infrastructure

ANSWERS p.479

1149 negotiate
[nigóuʃièit]

(동) 협상하다

Rather than going on strike, we want to **negotiate**.
(학평) 우리는 파업하기보다는 .... 원한다.

➕ negotiation (명) 협상 negotiator (명) 협상자

.... for peace
평화를 위해 협상하다

1150 neutral
[njú:trəl]

(형) 중립의; 중간의

Knowledge is amoral — not immoral but morality **neutral**. (수능)
지식은 초(超)도덕적인 것으로, 비도덕적이 아니라 도덕적으로 ....

➕ neutralize (동) 중립화하다; 무효화시키다

a .... nation
중립국

1151 overload
[óuvərlòud]

(동) 과적하다; 과부하가 걸리게 하다

Every instant of every day we are **overloaded** with information. (학평)
매일 매 순간 우리는 정보로 ....

.... a ship
배에 과적하다[짐을 너무 많이 싣다]

1152 oversee
[òuvərsí:]

(동) (–oversaw–overseen) (작업 등을) 감독하다

Marilyn Tina was working as a manager **overseeing** the operations of 320 stores. (학평)
Marilyn Tina는 320개 점포의 운영을 .... 관리자로 일하고 있었다.

🔲 supervise (동) 감독하다

.... construction of the building
건물 건설을 감독하다

1153 parasite
[pǽrəsàit]

(명) 기생충

The body has an effective system of natural defence against **parasites**. (학평)
몸은 ....에 대한 효과적인 자연 방어 체계를 가지고 있다.

➕ parasitic (형) 기생하는; 기생충의

a .... carrier
기생충 보유자

1154 passive
[pǽsiv]

(형) 수동적인, 소극적인

There can be no absolutely **passive** reading. (학평)
절대적으로 .... 독서는 있을 수 없다.

🔲 active (형) 적극적인; 능동의

a .... role
수동적인 역할

1155 pollute
[pəlú:t]

(동) 오염시키다, 더럽히다

The right to clean air and a healthy climate would win over the right to **pollute**. (학평)
깨끗한 공기와 건강한 기후에 대한 권리가 .... 권리를 이길 것이다.

➕ pollution (명) 오염, 공해 pollutant (명) 오염 물질

.... the air
대기를 오염시키다

해석 완성 협상하기를 / 중립적이다 / 과부하를 겪는다 / 감독하는 / 기생충 / 수동적인 / 오염시키는

1156 pupil
[pjúːpəl]

⠀⠀**명** 학생, 제자; 눈동자

The **pupil** of your eye is the little black spot in the center of the colored circle. 학평
눈의 ⠀⠀⠀⠀⠀⠀는 유색의 원 중앙에 있는 작은 검은 점이다.

⠀⠀**TIP** pupil / student
⠀⠀》**pupil** student보다는 나이대가 어린 초등학생을 주로 말하거나 개인적인 지도를 강조함
⠀⠀》**student** 특히 중학교, 고등학교의 학생

teacher and ⠀⠀⠀⠀⠀⠀
스승과 제자

1157 quit
[kwit]
내용일치

⠀⠀**동** 그만두다; 떠나다

When he was about 13 years old, he **quit** regular school. 학평
그가 13세 정도였을 때 그는 정규 학교를 ⠀⠀⠀⠀⠀⠀.

⠀⠀**目** cease **동** 그만두다⠀⠀retire **동** 떠나다; 물러나다

⠀⠀⠀⠀⠀⠀⠀⠀ one's job
일을 그만두다

1158 raw
[rɔː]

⠀⠀**형** 날것의; 가공하지 않은

The earliest Stone Age humans cut **raw** food with sharpened flints. 학평
최초의 석기시대 사람들은 날카로운 부싯돌로 ⠀⠀⠀⠀⠀⠀ 음식을 잘랐다.

⠀⠀⠀⠀⠀⠀⠀⠀ meat
날고기

1159 refugee
[rèfjudʒíː]

⠀⠀**명** 피난자, 난민; 망명자

Our volunteers will hand deliver the contents to a **refugee** child or family. 학평
저희 지원자들이 그 내용물을 ⠀⠀⠀⠀⠀⠀ 아동 또는 가족에게 직접 전달해 줄 것입니다.

⠀⠀**➕** refuge **명** 피난, 보호; 은신처

an economic ⠀⠀⠀⠀⠀⠀
경제 난민

1160 reptile
[réptil]

⠀⠀**명** 파충류

Some studies on **reptiles** indicate that they also sleep. 학평
⠀⠀⠀⠀⠀⠀에 대한 몇몇 연구는 그들 또한 잠을 잔다는 것을 보여 준다.

10 species of ⠀⠀⠀⠀⠀⠀
10종의 파충류

해석 완성 눈동자[동공] / 그만두었다 / 날 / 난민 / 파충류

진짜 기출로 확인 ! 빈칸에 공통으로 알맞은 단어를 고르시오.⠀⠀⠀⠀⠀⠀⠀⠀⠀⠀고3 모평

Researchers at a Los Angeles school found that 136 second year elementary school _____ who learned to play the piano and read music improved their numeracy skills. This could be so since learning music emphasizes thinking in space and time, and when _____ learn rhythm, they are learning ratios, fractions and proportions.

① pupils⠀⠀⠀⠀② reptiles⠀⠀⠀⠀③ parasites⠀⠀⠀⠀④ negotiators⠀⠀⠀⠀⑤ refugees

ANSWERS p.479

3-Minute Check

			check
1121	candidate	명 후보자; 지원자	
1122	celebrity	명 유명 인사; 명성	
1123	clarify	동 명백하게 하다; 맑게 하다	
1124	coincide	동 동시에 일어나다; 일치하다	
1125	comparative	형 비교의; 상대적인	
1126	competent	형 적임의, 유능한; 충분한	
1127	conform	동 (관습·규칙 등을) 따르다, 순응하다	
1128	intrinsic	형 내재적인, 고유한, 본질적인	
1129	cure	동 치료하다; (문제를) 고치다 명 치료(법); 해결책	
1130	dedicate	동 (시간·노력을) 바치다, 헌신하다	
1131	discard	동 버리다, 폐기하다 명 폐기	
1132	domesticate	동 (동물을) 길들이다	
1133	erode	동 침식시키다; 약화시키다	
1134	exotic	형 외래의; 이국적인	
1135	fertile	형 비옥한; 번식 능력이 있는	
1136	flour	명 밀가루, (곡물의) 가루	
1137	geology	명 지질학; 지질	
1138	globe	명 구(球), 지구(본); 천체	
1139	gossip	동 잡담하다; 험담하다 명 잡담; 험담; 가십 기사	
1140	harsh	형 가혹한, 혹독한	

			check
1141	illegal	형 불법의	
1142	illuminate	동 (~에 빛을) 비추다; 설명[해명]하다	
1143	infrastructure	명 사회[경제] 기반 시설; 하부 조직	
1144	lean	동 기대다; 기울이다	
1145	limb	명 팔다리; 큰 가지	
1146	linguistics	명 언어학	
1147	manual	형 수동의; 육체노동의 명 설명서	
1148	monetary	형 화폐의; 재정적인, 금전적인	
1149	negotiate	동 협상하다	
1150	neutral	형 중립의; 중간의	
1151	overload	동 과적하다; 과부하가 걸리게 하다	
1152	oversee	동 (작업 등을) 감독하다	
1153	parasite	명 기생충	
1154	passive	형 수동적인; 소극적인	
1155	pollute	동 오염시키다, 더럽히다	
1156	pupil	명 학생, 제자; 눈동자	
1157	quit	동 그만두다; 떠나다	
1158	raw	형 날것의; 가공하지 않은	
1159	refugee	명 피난자, 난민; 망명자	
1160	reptile	명 파충류	

외우지 못한 단어가 있으면 MINI 단어장에서 다시 한번 정리해 보세요.

[📖] 가리개를 사용하여 뜻을 암기했는지 확인하세요.

DRILLS

1161 **reputation** [rèpjətéiʃən]

[명] 평판, 명성

This one small mistake could damage your company's **reputation**. [학평]
이 작은 실수 하나가 귀사의 ....을 손상시킬 수 있습니다.

[+] reputational [형] 평판의, 명성이 있는
[=] fame [명] 평판, 명성

build a ....
명성을 쌓다

1162 **resort** [rizɔ́ːrt]

[명] 의지, 의존; 최후의 수단 [동] 의지하다

War should be a last **resort**, obviously, undertaken when all other options have failed. [수능]
전쟁은 분명히 다른 모든 선택들이 실패했을 때 착수되는 ....이 되어야 한다.

without resort to ~에 의지하지 않고

.... to force
물리력에 의지하다

1163 **rotate** [róuteit]

[동] 회전하다; 회전시키다; 교대 근무를 하다

The Earth **rotates** at the rate of 15 degrees every hour. [학평]
지구는 매시간 15도씩 ....

[+] rotation [명] 회전, 자전; 교대, 순환

.... the wheel
바퀴를 회전시키다

1164 **ruin** [rúːin]

[동] 파괴하다; 망치다 [명] 파멸; (*pl.*) 폐허, 유적

Don't let this election **ruin** your friendship. [수능]
이 선거가 당신들의 우정을 .... 하지 마라.

be[lie] in ruins 폐허가 되다

[=] destroy [동] 파괴하다; 망치다 remains [명] 유적; 유해

.... one's plan
~의 계획을 망치다

1165 **simultaneously** [sàiməltéiniəsli]

[부] 동시에

We had sighted each other **simultaneously**. [학평]
우리는 .... 서로를 보았다.

[+] simultaneous [형] 동시에 일어나는
[=] at the same time, at once 동시에

do several things ....
동시에 몇 가지 일을 하다

1166 **slightly** [sláitli]

[부] 약간, 조금

One leg is always **slightly** longer than the other. [학평]
한쪽 다리가 다른 쪽보다 항상 .... 더 길다.

[+] slight [형] 약간의, 하찮은

be .... wounded
조금 다치다

해석 완성 명성 / 최후의 수단 / 자전한다 / 망치게 / 동시에 / 약간

1167 spectator
[spékteitər]

명 관중, 관객

Spectators usually can see well if everyone sits or if everyone stands. 학평
.................은 대개 모두가 앉아 있거나 모두가 서 있으면 잘 볼 수 있다.

➕ spectate 통 관전하다, 구경하다

> **TIP** spectator / audience / witness
> » spectator 명 (특히 스포츠 행사의) 관중
> » audience 명 (연극 · 음악회 · 강연 등의) 청중[관객]
> » witness 명 (특히 사건·사고의) 목격자

the .... at a football match
축구 시합의 관중

1168 stereotype
[stériətàip]

명 고정 관념; 틀에 박힌 양식

The **stereotype** of the oil-rich Arab leads to assumptions of the financially rich Arab. 학평
석유가 풍부한 아랍인에 대한 ....은 경제적으로 부유한 아랍인에 대한 가정으로 이어진다.

racial ....
인종적 고정 관념

1169 summarize
[sʌ́məràiz]

동 요약하다, 개괄하다

The opinions of everyone surveyed are **summarized** in a report. EBS
조사된 모든 사람의 의견은 보고서에 ....

➕ summary 명 요약, 개요
➡ sum up ~을 요약하다

.... the article
기사를 요약하다

1170 surround
[səráund]

동 에워싸다, 둘러싸다

During the day tamanduas are **surrounded** by lots of flies and mosquitoes. 학평
낮 동안 작은개미핥기는 많은 파리와 모기에 ....

➕ surrounding 형 주위의 명 (pl.) (주위) 환경
➡ encircle 동 둘러싸다

.... the lake
호수를 둘러싸다

1171 tense
[tens]

형 긴박한; 긴장한   동 긴장시키다

Being in the spotlight made him feel **tense**. 모평
스포트라이트를 받는 것은 그를 .... 했다.

➕ tension 명 긴장 (상태); 팽팽함

a .... situation
긴박한 상황

1172 trace
[treis]

동 추적하다; (기원을) 조사하다   명 자취, 흔적

Some experts explained that friendship formation could be **traced** to infancy. 학평
일부 전문가들은 우정의 형성이 유아기까지 .... 수 있다고 설명했다.

trace back to (기원이) ~까지 거슬러 올라가다, ~에서 유래하다

➡ track 동 추적하다 명 자취, 흔적

.... a rumor
소문을 추적하다

해석 완성 관중 / 고정 관념 / 요약된다 / 둘러싸인다 / 긴장하게 / 거슬러 올라갈

1173 unemployment
[ʌ̀nimplɔ́imənt]

몡 실업 (상태), 실직

How would they cope with **unemployment**? 학평
그들은 ....에 어떻게 대처할 것인가?

an .... problem
실업 문제

1174 violence
[váiələns]

몡 폭력, 폭행; 격렬함

There has been a general belief that sport is a way of reducing **violence**. 학평
스포츠가 ....을 줄이는 방법이라는 일반적인 믿음이 있어 왔다.

➕ violent 혱 폭력적인; 격렬한

crimes of ....
폭행죄

1175 welfare
[wélfɛ̀ər]

몡 복지; 안녕, 행복

It is time for the government to try to increase the **welfare** spending for the elderly. 학평
정부가 노인들을 위한 .... 지출을 늘리기 위해 노력할 시간 이다.

public ....
공공복지

1176 ambition
[æmbíʃən]

몡 야심, 야망

People saw the glimmer of hope and **ambition** in his eye. EBS
사람들은 그의 눈에서 한 가닥의 희망과 ....을 보았다.

➕ ambitionless 혱 야망 없는, 야심 없는

political ....
정치적 야심

1177 astonish
[əstániʃ]

동 깜짝 놀라게 하다

I was **astonished** by how clearly I could hear every word they were saying. 학평
나는 그들이 하는 모든 말을 내가 얼마나 분명히 들을 수 있는지에 ....

➕ astonishment 몡 놀람, 경악
🟰 amaze, surprise 동 놀라게 하다

.... everyone
모두를 깜짝 놀라게 하다

해석 완성 실직 / 폭력 / 복지 / 야망 / 깜짝 놀랐다

진파 기출로 확인 ! 우리말과 일치하도록 네모 안에서 문맥에 알맞은 단어를 고르시오. 고3 학평

The promotion of negative (1) spectators / ambitions / stereotypes of insects can be largely (2) astonished / traced / surrounded to failure by Europeans to appreciate or understand the customs of the lands they colonized and their misperception that the way of life of most indigenous populations they encountered was barbaric.
(곤충에 대한 부정적인 고정 관념의 조성은 대개 유럽인들이 자신이 식민지로 만든 지역의 관습을 제대로 평가하거나 이해하지 못 한 점과 그들이 접한 원주민 대부분의 삶의 방식이 미개하다는 그릇된 생각으로 거슬러 올라갈 수 있다.)

ANSWERS p.480

1178 **barely**
[béərli]

(뷰) 간신히; 거의 ~ 않다

My heart was racing so fast I could **barely** hear myself talking. (학평)
내 심장이 너무 빠르게 뛰어서 나는 내가 하는 말을 .... 들을 수 없었다.

(동) hardly, scarce (뷰) 거의 ~ 않다

.... escape death
간신히 목숨을 건지다

1179 **biofuel**
도표 [báioufjùːəl]

(명) 바이오 연료(석탄·석유 등 생물체였던 물질로 된 연료)

Biofuels had received the second most investment among the six sectors of renewable energy technology in 2006. (학평) ....는 2006년에 재생 가능한 에너지 기술의 6개 분야 중 두 번째로 많은 투자를 받았다.

.... production
바이오 연료 생산

1180 **brilliant**
[bríljənt]

(형) 빛나는; 훌륭한; 뛰어난; 선명한

A **brilliant**, red-colored hat immediately caught my eye. (EBS)
.... 빨간색 모자가 즉시 내 눈길을 끌었다.

(파) brilliance (명) 광택; 훌륭함

a .... idea
훌륭한 생각

1181 **bump**
[bʌmp]

(명) 충돌; 튀어나온 부분, 돌기 (동) 충돌하다

Shark skin is covered by small, V-shaped **bumps**. (학평)
상어 가죽은 작은 V자 모양의 ....로 덮여 있다.

(파) bumper (명) (자동차의) 범퍼 **bumpy** (형) (길 등이) 울퉁불퉁한

.... into a train
열차에 충돌하다

1182 **burst**
[bəːrst]

(명) 파열, 폭발
(동) (-burst-burst) 터지다; 갑자기 ~을 하다

Neurologically, chemicals are released in the brain that give a powerful **burst** of excitement and energy. (학평)
신경학적으로 흥분과 에너지의 강력한 ....을 유발하는 화학 물질이 뇌에서 분비된다.

burst out laughing 갑자기 웃음을 터뜨리다
burst into tears (갑자기) 눈물을 터뜨리다
burst in on (~을 방해하며) 끼어들다

.... into fragment
터져서 산산조각이 나다

1183 **casual**
[kǽʒuəl]

(형) 우연한; 격식을 차리지 않는

These **casual** conversations can naturally lead to other subjects, some of them work related. (학평)
이런 .... 대화는 자연스럽게 다른 주제로 이어질 수 있는데, 그 주제 중 일부는 업무와 관련된 것이다.

a .... meeting
우연한 만남

해석 완성 거의 / 바이오 연료 / 선명한 / 돌기 / 폭발 / 격식을 차리지 않는

1184 ceremony
□□
목적
[sérəmòuni]

(명) 식, 의식; 의례

The opening **ceremony** of our day care center is scheduled for Thursday, July 20, 2017. 학평
저희 어린이집의 개원＿＿＿＿＿은 2017년 7월 20일 목요일로 예정되어 있습니다.

➕ ceremonial (형) 의식의; 의례상의

a wedding ＿＿＿＿＿
결혼식

1185 chaos
□□
[kéiɑs]

(명) 혼돈; 무질서

We search for order in **chaos** and conviction in complexity. 학평
우리는 ＿＿＿＿＿ 속에서 질서를, 복잡한 것 속에서 확신을 찾는다.

➕ chaotic (형) 혼돈된; 무질서한

in ＿＿＿＿＿
혼돈에 빠진

1186 characterize
□□
[kǽriktəràiz]

(동) 특성을 묘사하다; 특징짓다

Asch found striking differences in how the participants **characterized** the target person. 학평
Asch는 참가자들이 대상자를 ＿＿＿＿＿ 방식에서 현저한 차이를 발견했다.

➕ characterization (명) 특징 부여; 성격 묘사

＿＿＿＿＿ a person
~을 특징짓다

1187 chew
□□
[tʃuː]

(동) 씹다; 깨물다; 곰곰이 생각하다　(명) 씹기

Chimpanzees do not **chew** the leaves, but roll them around in their mouth before swallowing. 학평
침팬지들은 그 잎들을 ＿＿＿＿＿ 않고 삼키기 전에 입속에서 굴린다.

➕ chewy (형) 잘 씹히지 않는; 쫄깃한

＿＿＿＿＿ one's lip
입술을 깨물다

1188 collapse
□□
[kəlǽps]

(동) 무너지다, 붕괴되다; 쓰러지다　(명) 붕괴

He bought a very old house that was ready to **collapse**. 학평
그는 곧 ＿＿＿＿＿ 것 같은 아주 오래된 집을 샀다.

the ＿＿＿＿＿ of the roof
지붕의 붕괴

해석 완성　식 / 혼돈 / 특징짓는 / 씹지 / 무너질

진짜 기출로 확인! 문맥에 맞도록 빈칸에 알맞은 단어를 고르시오.　13년 수능

Life can be like riding a roller coaster. There are ups and downs, fast and slow parts, ＿＿＿＿＿ and shaky parts, and even times when you're upside down. You can't control which way the track (or in this case, life events) will take you.

① casuals　② bumps　③ chews　④ bursts　⑤ ceremonies

ANSWERS p.480

1189 competence
[kámpətəns]

(명) 능력, 역량; 적성

Once a certain **competence** has been acquired most people stop developing verbal skills. 학평
일단 어느 정도의 ....이 습득되면 대부분의 사람들은 언어 기술을 발달시키는 것을 멈춘다.

communicative ....
의사소통 능력

1190 coordinate
(동)[kouɔ́ːrdənèit]
(형)[kouɔ́ːrdənit]

(동) 조정하다, 조화시키다   (형) 동등한

Wolves **coordinate** their hunting through body movements, ear positioning, and vocalization. 학평
늑대는 몸의 움직임, 귀의 위치, 발성을 통해 사냥을 ....

➕ coordination (명) 일치; 조화

.... authority
동등한 권위

1191 deaf
[def]

(형) 청각 장애가 있는, 귀가 먼

Even someone who is totally **deaf** can still feel sounds. 학평 완전히 .... 사람일지라도 여전히 소리를 느낄 수 있다.

➕ deafen (동) 귀머거리를 만들다, 귀를 먹먹하게 하다

go ....
청각을 잃게 되다

1192 deprive
[dipráiv]

(동) (~에게서) 빼앗다, 박탈하다

When elderly people were **deprived** of meaningful social roles, their mental functioning deteriorated. 모평
노인들이 의미 있는 사회적 역할을 .... 때, 그들의 정신 기능은 악화된다.

deprive A of B A에게서 B를 빼앗다[박탈하다]

➕ deprivation (명) 탈취, 박탈; 궁핍

.... of civil rights
시민권을 박탈하다

1193 descend
[disénd]

(동) 내려가다; (재산·형질이) 전해지다; (언어 등이) 유래하다

The "tree model" of languages presents the range of languages **descended** from an ancestor. EBS
언어의 '가계도 모형'은 하나의 조상으로부터 .... 언어의 범위를 보여 준다.

.... from a hill
언덕에서 내려오다

1194 devise
[diváiz]

(동) 고안하다, 창안하다

We have always used invention to **devise** better ways to feed ourselves. 학평
우리는 항상 우리 자신을 먹여 살릴 더 나은 방법을 .... 위해 발명을 사용해 왔다.

.... a strategy
전략을 고안하다

1195 disclose
[disklóuz]

(동) 드러내다; 폭로하다, 털어놓다

Steven was hesitant at first but soon **disclosed** his secret. 모평 Steven은 처음에는 망설였지만 곧 그의 비밀을 ....

➕ disclosure (명) 드러남; 폭로; 발표

.... the truth
진실을 폭로하다

해석 완성 능력 / 조정한다 / 귀가 먼 / 박탈당했을 / 유래되는 / 고안하기 / 털어놓았다

1196 disperse

[dispə́:rs]

(동) 흩뜨리다, 퍼뜨리다; 해산시키다

Currents can **disperse** waste products, eggs, larvae, and adult lifeforms. (학평)
해류는 배설물, 알, 유충, 그리고 성체를 _____ 수 있다.

➕ dispersal (명) 분산; 전파; 해산

_____ the crowd
군중을 해산시키다

1197 displace

[displéis]

(동) 대신[대체]하다; 추방하다

Foods of animal origin partly **displace** plant-based foods in people's diets. (모평)
동물성 식품은 사람들의 식단에서 부분적으로 식물성 식품을 _____.

_____ the villagers
마을 사람들을 추방하다

1198 drawback

어휘

[drɔ́:bæ̀k]

(명) 결점, 약점; 결함

Some experts say that organic farming has some **drawbacks**. (모평)
일부 전문가들은 유기농이 몇 가지 _____이 있다고 말한다.

a _____ of the plan
그 계획의 결점

1199 encode

[inkóud]

(동) 암호화[부호화]하다

Heredity itself **encodes** the results of millions of years of environmental influences on the human genome. (학평)
유전 그 자체는 인간 게놈에 대한 수백만 년의 환경적 영향의 결과를 _____.

_____ information
정보를 암호화하다

1200 evoke

[ivóuk]

(동) (감정 등을) 일깨우다; 자아내다

Like fragments from old songs, clothes can **evoke** both cherished and painful memories. (수능)
옛날 노래에 나오는 구절처럼, 옷은 소중한 기억과 아픈 기억 모두를 _____ 수 있다.

_____ laughter
웃음을 자아내다

해석 완성 퍼뜨릴 / 대체한다 / 결점 / 암호화한다 / 일깨울

진파 기출로 확인! 밑줄 친 단어의 뜻을 문맥에 맞게 찾으시오. 20년 수능

They can also sidestep most of the ethical issues involved: nobody, presumably, is more aware of an experiment's potential hazards than the scientist who (1)devised it. Nonetheless, experimenting on oneself remains deeply problematic. One obvious (2)drawback is the danger involved; knowing that it exists does nothing to reduce it.

① 결점   ② 능력   ③ 고안했다   ④ 대체했다   ⑤ 폭로했다

ANSWERS p.480

1161	reputation	똉 평판, 명성	
1162	resort	똉 의지, 의존; 최후의 수단 동 의지하다	
1163	rotate	동 회전하다; 회전시키다; 교대 근무를 하다	
1164	ruin	동 파괴하다; 망치다 똉 파멸; 폐허, 유적	
1165	simultaneously	뮈 동시에	
1166	slightly	뮈 약간, 조금	
1167	spectator	똉 관중, 관객	
1168	stereotype	똉 고정 관념; 틀에 박힌 양식	
1169	summarize	동 요약하다, 개괄하다	
1170	surround	동 에워싸다, 둘러싸다	
1171	tense	휑 긴박한; 긴장한 동 긴장시키다	
1172	trace	동 추적하다; (기원을) 조사하다 똉 자취, 흔적	
1173	unemployment	똉 실업 (상태), 실직	
1174	violence	똉 폭력, 폭행; 격렬함	
1175	welfare	똉 복지; 안녕, 행복	
1176	ambition	똉 야심, 야망	
1177	astonish	동 깜짝 놀라게 하다	
1178	barely	뮈 간신히; 거의 ~ 않다	
1179	biofuel	똉 바이오 연료	
1180	brilliant	휑 빛나는; 훌륭한; 뛰어난; 선명한	

1181	bump	똉 충돌; 튀어나온 부분, 돌기 동 충돌하다	
1182	burst	똉 파열, 폭발 동 터지다; 갑자기 ~을 하다	
1183	casual	휑 우연한; 격식을 차리지 않는	
1184	ceremony	똉 식, 의식; 의례	
1185	chaos	똉 혼돈; 무질서	
1186	characterize	동 특성을 묘사하다; 특징짓다	
1187	chew	동 씹다; 깨물다; 곰곰이 생각하다 똉 씹기	
1188	collapse	동 무너지다, 붕괴되다; 쓰러지다 똉 붕괴	
1189	competence	똉 능력, 역량; 적성	
1190	coordinate	동 조정하다, 조화시키다 휑 동등한	
1191	deaf	휑 청각 장애가 있는, 귀가 먼	
1192	deprive	동 (~에게서) 빼앗다, 박탈하다	
1193	descend	동 내려가다; (재산·형질이) 전해지다; (언어 등이) 유래하다	
1194	devise	동 고안하다, 창안하다	
1195	disclose	동 드러내다; 폭로하다, 털어놓다	
1196	disperse	동 흩뜨리다, 퍼뜨리다; 해산시키다	
1197	displace	동 대신[대체]하다; 추방하다	
1198	drawback	똉 결점, 약점; 결함	
1199	encode	동 암호화[부호화]하다	
1200	evoke	동 (감정 등을) 일깨우다; 자아내다	

외우지 못한 단어가 있으면 미니 단어장에서 다시 한번 정리해 보세요.

A 영어는 우리말로, 우리말은 영어로 쓰시오.

01	astronomy	21	후보자; 지원자
02	hardship	22	야심, 야망
03	deprive	23	탐욕, 욕심
04	linguistics	24	혼돈; 무질서
05	imaginative	25	껴안다; 포옹
06	simultaneously	26	폭력, 폭행; 격렬함
07	hostile	27	불법의
08	pollute	28	갱신[재생] 가능한
09	resilience	29	피난자, 난민; 망명자
10	astonish	30	씹다; 곰곰이 생각하다
11	spectator	31	수익, 수입; 세입
12	radical	32	비옥한; 번식 능력이 있는
13	celebrity	33	과적하다; 과부하가 걸리게 하다
14	parasite	34	실업 (상태), 실직
15	summarize	35	단순화[간소화]하다
16	inhabit	36	흩뜨리다; 해산시키다
17	devise	37	수동의; 육체노동의; 설명서
18	evoke	38	유독성의; 중독성의
19	scarce	39	에워싸다, 둘러싸다
20	geology	40	침식시키다; 약화시키다

B 우리말과 일치하도록 빈칸에 알맞은 단어를 〈보기〉에서 골라 쓰시오. (형태 변화 가능)

> **보기**
> acquaintance disclose globe revise reproduce

01 Mice can move from spot to spot on the ....
쥐들은 지구 이곳저곳으로 이동할 수 있다.

02 It was the perfect gift for her new ....
그것은 그녀의 새로운 지인을 위한 완벽한 선물이었다.

03 This nautilus .... by laying eggs.
이 앵무조개는 알을 낳음으로써 번식한다.

04 They collected more data and .... the theories.
그들은 더 많은 정보를 모아서 그 이론을 수정했다.

05 Steven was hesitant at first but soon .... his secret.
Steven은 처음에는 망설였지만 곧 그의 비밀을 털어놓았다.

C 문장의 네모 안에서 문맥에 알맞은 단어를 고르시오.

01 The statistics show how adequate / vulnerable senior citizens are to poverty.

02 You look like you could use a shoulder to lean / quit on.

03 Even someone who is totally brilliant / deaf can still feel sounds.

04 The southern tamanduas have four sharply clawed fingers on their front limbs / reptiles .

05 Some experts say that organic farming has some drawbacks / traces .

PART

빈출
어휘

- 수능에 자주 나오는 빈출 어휘
- DAY당 40개 어휘 수록

DAY 31
/
DAY 50

단어를 암기할 때 **뒤쪽 책날개**를 뜯어서
단어 뜻 가리개로 활용하세요.

DRILLS

1201
☐☐ **exaggerate**
[igzǽdʒərèit]

ⓥ 과장하다

Nutrition scientists tend to **exaggerate** any beneficial health effects of single nutrients. EBS
영양학자들은 단일 영양소의 건강상의 이로운 영향은 무엇이든 .... 경향이 있다.

➕ **exaggeration** ⓝ 과장

.... the truth
사실을 과장하다

1202
☐☐ **exceptional**
제목 [iksépʃənl]

ⓐ 예외적인, 이례의; 특별히 뛰어난

The bargain is too **exceptional** to pass up. 학평
그 특가품은 너무 .... 지나칠 수 없다.

➕ **exception** ⓝ 예외, 제외

.... achievement
특별히 뛰어난 성취

1203
☐☐ **exclaim**
[ikskléim]

ⓥ 외치다, 큰 소리로 말하다

Silence fell on the whole room, until another student **exclaimed**, "We're not normal!" 학평
다른 학생이 "우리는 정상이 아니야!"라고 .... 때까지 온 방에는 침묵이 흘렀다.

.... with joy
기뻐서 외치다

1204
☐☐ **feminine**
[fémənin]

ⓐ 여성의; 여자 같은

One's hands can indicate whether a person is **feminine** by use of specific gender markers. 학평
한 사람의 손은 특정한 성별 구분 표시를 이용하여 그 사람이 .... 나타낼 수 있다.

➕ **female** ⓐ 여성의 ⓝ 여성
↔ **masculine** ⓐ 남성의; 남자 같은

a traditional .... role
전통적인 여성의 역할

1205
☐☐ **flaw**
[flɔː]

ⓝ 결점, 흠

A closer look reveals the **flaw** in this analogy. 모평
더 자세히 살펴보면 이 비유의 .... 이 드러난다.

➕ **flawless** ⓐ 흠 없는, 완벽한

a fundamental ....
근본적인 결점

1206
☐☐ **fragment**
[frǽgmənt]

ⓥ 분해하다; 세분화하다   ⓝ 파편, 조각

Advertising in the mass media has always been **fragmented**. 수능
대중 매체의 광고는 항상 .... 왔다.

a .... of rocks
암석의 파편

해석 완성 과장하는 / 이례적이어서 / 외칠 / 여성적인지를 / 결점 / 세분화되어

1207 wreck
[rek]

(동) 난파시키다   (명) 난파(선); 잔해

One of the **wrecked** ships had a cat, and the crew went back to save it. (학평)

.... 배들 중 한 척이 고양이를 기르고 있었고, 선원들은 그 녀석을 구하기 위해 돌아갔다.

the .... of a sailing ship
범선의 난파

1208 inflation
[infléiʃən]

(명) 팽창; 인플레이션, 통화 팽창

If **inflation** gets up to eight percent, prices roughly double every nine years. (모평)

.... 이 8%까지 오르면, 물가는 9년마다 약 두 배가 된다.

➕ **inflate** (동) 부풀리다; 과장하다; 물가를 올리다
➖ **deflation** (명) 수축; 디플레이션, 통화 수축

an .... rate of 4%
4%의 인플레이션율

1209 insert
[insə́:rt]

(동) 끼워 넣다, 삽입하다

Insert two AA batteries into the battery box and press the power button. (모평)

건전지 칸에 AA 건전지 두 개를 .... 전원 버튼을 누르시오.

.... a comma between the words
단어 사이에 쉼표를 삽입하다

1210 intrigue
[intrí:g]

(동) 흥미를 갖게 하다; 음모를 꾸미다   (명) 음모

Investigators put the important work on hold to complete a task that doesn't **intrigue** them. (모평)

조사관들은 자신들에게 .... 않는 과제를 완수하기 위해 중요한 일을 보류했다.

➕ **intriguing** (형) 흥미를 자아내는

political ....
정치적 음모

1211 oppress
[əprés]

(동) 억압하다

Wherever human beings are **oppressed** jokes thrive. (EBS) 인간이 .... 곳이면 어디든 농담이 번창한다.

🔁 **suppress** (동) 억압하다

.... the weak
약자를 억압하다

1212 joint
[dʒɔint]

(형) 공동의, 합동의

The act of communicating is always a **joint**, creative effort. (수능)

의사소통 행위는 항상 .... 창의적인 노력이다.

set up a ....
venture company
합작 투자 회사를 세우다

1213 mechanic
[məkǽnik]

(명) 기계공, 정비공

A **mechanic**'s job is to repair machines and engines.

.... 의 일은 기계와 엔진을 수리하는 것이다.

➕ **mechanical** (형) 기계의, 기계로 조작하는
mechanism (명) 기계 장치, 구조

a skilled car ....
숙련된 자동차 정비공

해석 완성 난파된 / 인플레이션 / 끼워 넣고 / 흥미를 갖게 하지 / 억압 받는 / 공동의 / 기계공

1214 obligation

빈칸

[àbləgéiʃən]

(명) 의무, 책임

Rights imply **obligations**, but **obligations** need not imply rights. (학평)

권리는 ....를 수반하지만, ...가 권리를 수반할 필요는 없다.

meet(fulfill) one's obligation 의무를 다하다

➕ **oblige** (동) 의무를 지우다　**obligatory** (형) 의무적인

a moral .... to help
도움을 줄 도덕적 의무

1215 scan

[skæn]

(동) 자세히 쳐다보다; (대충) 훑어보다　(명) 정밀 검사

To 'peruse' something means 'to **scan** or skim it quickly, without paying much attention.' (모평)

무언가를 'peruse'하는 것은 '많은 주의를 기울이지 않고 그것을 재빨리 .... 대충 읽는 것'을 의미한다.

➕ **scanner** (명) 판독 장치, 스캐너

an MRI brain ....
뇌 MRI 검사

1216 settle

[sétl]

(동) 정착하다; 자리 잡다; 해결하다

The young individual must **settle** in a habitat that satisfies survivorship. (수능)

어린 개체는 생존을 충족시켜 주는 서식지에 .... 한다.

settle down (한 곳에 자리 잡고) 정착하다

.... in the countryside
지방에 정착하다

1217 spare

[spɛər]

(형) 여분의　(동) 아끼다; 할애하다

They were asked which activities they did in their **spare** time for pleasure. (학평)

그들은 .... 시간에 어떤 활동을 하느냐는 질문을 받았다.

➕ **extra, surplus** (형) 여분의

.... a few minutes
몇 분을 할애하다

해석 완성 의무, 의무 / 훑어보거나 / 정착해야 / 여가

우리말과 일치하도록 빈칸에 알맞은 단어를 고르시오.　　　　　고3 학평

Politicians promise higher spending during an election, and the postelection excess of spending over revenue is resolved by (1)_____. Just as new (2)_____ are similar to extra revenue, so the creation of rights is similar to extra spending.

(정치인들은 선거 기간에 더 많은 지출을 약속하는데, 선거 후의 세입 이상의 초과 지출은 인플레이션에 의해 해결된다. 새로운 의무가 추가 세입과 유사하듯이, 권리의 창출은 추가 지출과 유사하다.)

① scan　　　② fragment　　　③ inflation　　　④ flaws　　　⑤ obligations

ANSWERS p.481

1218 squeeze
[skwi:z]

(동) 압착하다; 짜내다; 밀어 넣다

You can **squeeze** the lemons by hand, but it's easier if you use a lemon squeezer. (모평)
레몬을 손으로 .... 수도 있지만 레몬 압착기를 사용하면 더 쉽다.

目 compress (동) 압착하다

.... six people into a small car
작은 차 안으로 여섯 사람을 밀어 넣다

1219 starvation
빈칸 [sta:rvéiʃən]

(명) 굶주림, 기아

Scientific progress has not cured the world's ills by abolishing wars and **starvation**. (수능)
과학의 발전은 전쟁과 .... 를 없앰으로써 세상의 불행을 치유하지 못했다.

➕ starve (동) 굶주리다
目 famine, hunger (명) 굶주림, 기아

die of ....
굶주림으로 사망하다

1220 strive
주제 [straiv]

(동) (-strove-striven) 노력하다, 애쓰다

Many people **strive** to gain a working knowledge of different subjects. (학평)
많은 사람들이 다양한 주제에 대해 실용적인 지식을 얻으려고 ....

➕ strife (명) 다툼; 문제
目 endeavor (동) 노력하다, 시도하다

.... for excellence
우수성을 위해 노력하다

1221 textile
주제 [tékstail]

(명) 직물, 옷감; 섬유 산업   (형) 직물의

Textiles and clothing have functions that go beyond just protecting the body. (모평)
.... 과 옷 단지 신체를 보호하는 것 이상의 기능을 갖고 있다.

目 cloth, fabric (명) 직물

clothing and .... products
의류와 옷감 제품

1222 troop
[tru:p]

(명) 무리; 군대   (동) 떼 지어 모이다

Young males may travel together on the edge of a large **troop** of monkeys. (EBS)
젊은 수컷들은 원숭이들의 커다란 .... 의 가장자리에서 함께 다닐지도 모른다.

the .... occupied the city
도시를 점령한 군대

1223 accuse
[əkjú:z]

(동) 고발하다, 고소하다; 비난하다

You don't want to be **accused** of not working hard.
(학평) 당신은 열심히 일하지 않는다고 .... 것을 원치 않는다.

➕ accusation (명) 고발; 비난
目 charge (동) 고발하다   sue (동) 고소하다   blame (동) 비난하다

.... the company of violating laws
범법한 회사를 고발하다

해석 완성 짤 / 기아 / 노력한다 / 옷감 / 무리 / 비난 받는

1224 alternate
실용문
동 [ɔ́:ltərnèit]
형 [ɔ́:ltərnit]

동 번갈아 일어나다　형 번갈아 하는; 대체의

The classes will **alternate** between cooking lessons and gardening lessons. 학평
그 강좌는 요리 수업과 원예 수업을 ＿＿＿＿＿＿ 것이다.

grow ＿＿＿＿＿＿ sources of food
대체 식량원을 기르다

1225 assure
[əʃúər]

동 보증하다; 안심시키다; 확신시키다

The minister **assured** us that no permanent harm had been done. 학평
목사는 영구적인 피해를 입은 건 아니라고 우리를 ＿＿＿＿＿＿.

✛ assurance 명 확언, 장담; 보험
目 convince 동 확신시키다　**guarantee** 동 보증하다

＿＿＿＿＿＿ a person of the full support
~에게 완전한 지원을 보증하다

1226 bid
[bid]

동 (-bid-bid) 값을 매기다; 입찰하다　명 입찰

Buyers **bid** against each other to buy paintings.
구매자들은 그림을 사려고 서로 맞서 ＿＿＿＿＿＿.

fail in a ＿＿＿＿＿＿
입찰에 실패하다

1227 ponder
[pándər]

동 심사숙고하다

Many students try to peak before their full growth, not having time to **ponder** deeply. 학평
많은 학생들은 깊이 ＿＿＿＿＿＿ 시간을 갖지 않고 충분히 성장하기도 전에 최고에 이르려고 애쓴다.

＿＿＿＿＿＿ over a problem
문제를 곰곰이 생각하다

1228 chest
[tʃest]

명 가슴, 흉곽; (뚜껑 달린) 상자

Holding Kris against his **chest**, Jacob could feel the boy's heart pounding. 학평
Kris를 그의 ＿＿＿＿＿＿ 에 안고 있는 동안, Jacob은 그 소년의 심장이 뛰고 있는 것을 느낄 수 있었다.

beat one's chest 가슴을 치며 통곡하다

해석 완성 번갈아 할 / 안심시켰다 / 입찰한다 / 심사숙고할 / 가슴

진짜 기출로 확인! 밑줄 친 단어의 뜻을 문맥에 맞게 찾으시오.　고3 모평

The hazards of migration range from storms to (1)starvation, but they are outweighed by the advantages to be found in the temporary superabundance of food in the summer home. The process of evolution (2)ensures that a species migrates only if it pays it to do so.

① 보증하다　② 심사숙고하다　③ 굶주림　④ 직물　⑤ 무리

ANSWERS p.481

1229 circuit
[sə́:rkit]

명 순회; 회로

Focusing on positive emotions will result in the development of new **circuits** in our brain. EBS
긍정적인 감정에 집중하면 우리의 뇌에 새로운 .... 발달이 생기게 될 것이다.

an electrical ....
전기 회로

1230 cling
[kliŋ]

동 (−clung−clung) 고수하다, 집착하다; 매달리다

Why do we **cling** to absurd-looking promises? 학평
왜 우리는 터무니없어 보이는 약속에 ....?

➕ clingy 형 들러붙는, 끈적이는

.... tightly to one's arm
~의 팔에 꽉 매달리다

1231 surplus
[sə́:rplʌs]

명 잉여, 과잉 형 나머지의, 과잉의

Agriculture enabled food **surpluses** to create a division of labor in settlements. 학평
농업은 식량 ....를 가능하게 하여 정착지에서 분업을 창출했다.

↔ shortage, deficit 명 부족

.... fund
잉여[과잉] 자금

1232 computerized
[kəmpjú:təràizd]

형 컴퓨터화된, 전산화된

Wearers become immersed in the **computerized** scene. 모평
(장치를) 착용한 사람들은 .... 장면에 깊이 빠져들었다.

.... record system
전산화된 기록 시스템

1233 concrete
[kánkri:t]

명 콘크리트 형 구체적인; 콘크리트로 된

Contrary to popular belief, running on **concrete** is not more damaging to the legs than running on soft sand.
모평 일반적인 믿음과는 달리, ... 위에서 달리는 것은 부드러운 모래 위를 달리는 것보다 다리에 더 해롭지는 않습니다.

➕ concretely 부 구체적으로, 명확하게
↔ abstract 형 추상적인

.... examples
구체적인 예시들

1234 conference
[kánfərəns]

명 회담, 협의, 회의

I want to thank you for attending the fall **conferences**.
학평 저는 당신이 가을 ....에 참석하신 것에 대해 감사를 표하고 싶습니다.

the main .... room
주회의실

1235 contamination
[kəntæmənéiʃən]

명 오염, 더러움

Language barriers reduce the opportunities for contact between different populations, minimizing the risk of **contamination**. 학평
언어 장벽은 서로 다른 인구 간의 접촉 기회를 줄여 .... 위험을 최소화한다.

the .... pathway
오염 경로

해석 완성 회로 / 집착할까 / 잉여 / 컴퓨터로 구현된 / 콘크리트 / 회의 / 오염

1236 defect
- 명 [díːfekt]
- 동 [difékt]

명 결점, 결함; 부족　**동** 탈주하다; 망명하다

Defects are caused by the way work is performed.

EBS ＿＿＿＿＿＿은 일이 수행되는 방식에 의해 야기된다.

➕ **defective** 형 결함이 있는

a fatal ＿＿＿＿＿
치명적인 결함

1237 detach
[ditǽtʃ]

동 떼어내다, 분리하다

If you **detach** yourself from your problems, you will become more objective.

여러분이 문제로부터 스스로를 ＿＿＿＿＿ 좀 더 객관적이 될 것이다.

➕ **detachment** 명 분리, 이탈

＿＿＿＿＿ a coupon
쿠폰을 떼어내다

1238 detergent
[ditə́ːrdʒənt]

명 세제, 세척제

Consumers were shown ads in three product categories—cereal, laundry **detergent** and toothpaste.

EBS 소비자들에게 시리얼, 세탁 ＿＿＿＿＿ 그리고 치약의 세 가지 상품 범주의 광고를 보여 주었다.

dish ＿＿＿＿＿
식기 세척용 세제

1239 discern
[disə́ːrn]

동 분별하다, 식별하다; 인지하다

Our eyes can **discern** over ten million colors.

우리의 눈은 천만 개 이상의 색을 ＿＿＿＿＿ 수 있다.

＿＿＿＿＿ good from evil
선과 악을 분별하다

1240 drag
[dræg]

동 끌다, 끌고 가다

Emotions, such as depression can **drag** down the entire organization. 모평

우울과 같은 감정들은 전체 조직을 ＿＿＿＿＿ 내릴 수 있다.

use the mouse to ＿＿＿＿＿ the icon
마우스를 이용해서 아이콘을 끌다

해석 완성 결함 / 분리한다면 / 세제 / 식별할 / 끌어

진짜 기출로 확인! ┃ 밑줄 친 단어의 뜻을 문맥에 맞게 찾으시오.　　　　　　15년 수능

The lake lacked any suitable fish for fishing. To compensate for this obvious (1)defect, a specially selected species of fish was introduced. The introduced individuals immediately (2)dragged their attentions to the crabs and small fish that lived in the lake, thus competing with the few remaining grebes for food.

① 결함　　　② 과잉　　　③ 오염　　　④ 끌고 갔다　　　⑤ 떼어냈다

ANSWERS p.481

		check				check
1201 **exaggerate**	동 과장하다	☐	1221 **textile**	명 직물, 옷감; 섬유 산업 형 직물의	☐
1202 **exceptional**	형 예외적인, 이례의; 특별히 뛰어난	☐	1222 **troop**	명 무리; 군대 동 떼 지어 모이다	☐
1203 **exclaim**	동 외치다, 큰 소리로 말하다	☐	1223 **accuse**	동 고발하다, 고소하다; 비난하다	☐
1204 **feminine**	형 여성의; 여자 같은	☐	1224 **alternate**	동 번갈아 일어나다 형 번갈아 하는; 대체의	☐
1205 **flaw**	명 결점, 흠	☐	1225 **assure**	동 보증하다; 안심시키다; 확신시키다	☐
1206 **fragment**	동 분해하다; 세분화하다 명 파편, 조각	☐	1226 **bid**	동 값을 매기다; 입찰하다 명 입찰	☐
1207 **wreck**	동 난파시키다 명 난파(선); 잔해	☐	1227 **ponder**	동 심사숙고하다	☐
1208 **inflation**	명 팽창; 인플레이션, 통화 팽창	☐	1228 **chest**	명 가슴, 흉곽; (뚜껑 달린) 상자	☐
1209 **insert**	동 끼워 넣다, 삽입하다	☐	1229 **circuit**	명 순회; 회로	☐
1210 **intrigue**	동 흥미를 갖게 하다; 음모를 꾸미다 명 음모	☐	1230 **cling**	동 고수하다, 집착하다; 매달리다	☐
1211 **oppress**	동 억압하다	☐	1231 **surplus**	명 잉여, 과잉 형 나머지의, 과잉의	☐
1212 **joint**	형 공동의, 합동의	☐	1232 **computerized**	형 컴퓨터화된, 전산화된	☐
1213 **mechanic**	명 기계공, 정비공	☐	1233 **concrete**	명 콘크리트 형 구체적인; 콘크리트로 된	☐
1214 **obligation**	명 의무, 책임	☐	1234 **conference**	명 회담, 협의, 회의	☐
1215 **scan**	동 자세히 쳐다보다; (대충) 훑어보다 명 정밀 검사	☐	1235 **contamination**	명 오염, 더러움	☐
1216 **settle**	동 정착하다; 자리 잡다; 해결하다	☐	1236 **defect**	명 결점, 결함; 부족 동 탈주하다; 망명하다	☐
1217 **spare**	형 여분의 동 아끼다; 할애하다	☐	1237 **detach**	동 떼어내다, 분리하다	☐
1218 **squeeze**	동 압착하다; 짜내다; 밀어 넣다	☐	1238 **detergent**	명 세제, 세척제	☐
1219 **starvation**	명 굶주림, 기아	☐	1239 **discern**	동 분별하다, 식별하다; 인지하다	☐
1220 **strive**	동 노력하다, 애쓰다	☐	1240 **drag**	동 끌다, 끌고 가다	☐

외우지 못한 단어가 있으면 MINI 단어장에서 다시 한번 정리해 보세요.

📖 가리개를 사용하여 뜻을 암기했는지 확인하세요.

1241 elaborate
⬜⬜
(형)[ilǽbərit]
(동)[ilǽbərèit]

(형) 공들인, 정교한   (동) 자세히 설명하다; 정성 들여 만들다
Elaborate scoring rules help make evaluation more objective. 모평
.... 채점 규정은 평가를 더 객관적으로 만드는 데 도움을 준다.

.... carvings
정교한 조각들

1242 embrace
⬜⬜
심경
[imbréis]

(동) 포옹하다; 수용하다   (명) 포옹
People in some societies **embrace** or kiss each other's cheek as a form of greeting. EBS
어떤 사회의 사람들은 인사의 한 형태로 .... 서로의 뺨에 키스한다.

a warm ....
따뜻한 포옹

1243 empirical
⬜⬜
빈칸
[impírikəl]

(형) 경험적인; 경험주의의
Each of two conflicting theories can claim positive **empirical** evidence in its support. 수능
두 개의 상충하는 이론은 각각의 이론을 뒷받침해 주는 긍정적인 .... 증거를 내세울 수 있다.

diverse ....
data
다양한 경험적 자료

1244 entail
⬜⬜
[intéil]

(동) 일으키다; 수반하다
Elementary biology textbooks help to produce a misleading impression of what perception **entails**. 수능
초등학교 생물 교과서는 지각이 .... 것에 대한 오해의 소지가 있는 인상을 생성하는 데 도움을 준다.

.... a lot of
hardwork
많은 힘든 일을 수반하다

1245 ethnic
⬜⬜
제목
[éθnik]

(형) 인종의, 민족의; 민족 특유의
Racial and **ethnic** relations in the United States are better today than in the past. 모평
오늘날 미국의 인종 및 .... 관계는 과거보다 더 낫다.

➕ **ethnicity** (명) 민족성

cultural or ....
purity
문화적 혹은 민족적 순수성

1246 evaporate
⬜⬜
[ivǽpərèit]

(동) 증발하다; 증발시키다
During the winter, water **evaporates** from the ocean and accumulates as ice and snow. 학평
겨울 동안 물은 바다에서 .... 얼음과 눈으로 쌓인다.

➕ **evaporation** (명) 증발; 탈수; 소멸

.... water
물을 증발시키다

해석 완성 정교한 / 포옹하거나 / 경험적 / 수반하는 / 민족 / 증발하여

1247 federal
[fédərəl]

(형) 연방 (정부)의, 연방제의

Savings accounts are guaranteed by the **federal** government up to a certain dollar amount. 학평
예금 계좌는 특정 금액까지는 .... 정부에 의해 보장된다.

➕ **federation** (명) 연방 국가; 연합

.... budget
연방 정부의 예산

1248 flip
[flip]

(동) 홱 던지다; 뒤집다   (명) 던지기; 공중제비

I **flip** over all handmade pottery pieces as soon as I first touch them to look for the potter's mark. 모평
도예가의 각인을 찾기 위해 나는 수제 도자기 작품들을 처음 만지자마자 모두 ....

flip out 벌컥 화내다; 흥분하다
flip one's lid 발끈 화를 내다; 자제력을 잃다

a .... of a coin
동전 던지기

1249 gaze
[geiz]

(동) 응시하다, 쳐다보다   (명) 응시, 시선

Everyone **gazed** in wonder as the train slowly backed up and returned to the station. 학평
기차가 천천히 후진해 역으로 돌아오자 모두들 놀라서 ....

TIP gaze / stare / peer
» **gaze** (동) (놀라서·애정을 담아·생각에 잠겨) 응시하다
» **stare** (동) (특히 놀람·공포로) 응시하다
» **peer** (동) (잘 안 보여서) 응시하다

the public ....
대중의 시선

1250 gloomy
[glú:mi]
심경

(형) 우울한; 비관적인; 어두운

She thought how her **gloomy** face in the window reflected her mistake. 모평
그녀는 창문에 비친 자신의 .... 얼굴이 자신의 실수를 어떻게 반영하고 있는지 생각했다.

➡ **depressing, melancholy** (형) 우울한; 울적한

a .... mood
우울한 기분

1251 hatch
[hætʃ]

(동) 부화하다; 알을 품다   (명) 부화

When the egg of the thief **hatches**, it kills the host's offspring. 모평
그 도둑의 알이 .... 그것은 숙주의 새끼를 죽인다.

a place to ....
an egg
알을 부화할 장소

1252 hinder
[híndər]

(동) 방해하다, 막다

The dog's natural tendency to memorize landmarks can actually **hinder** training. 학평
지형지물을 기억하는 개의 타고난 기질은 실제로 훈련을 .... 수 있다.

➡ **prevent** (동) 방해하다, 막다

.... behavior
change
행동 변화를 방해하다

해석 완성 연방 / 뒤집는다 / 쳐다보았다 / 우울한 / 부화하면 / 방해할

10 20 40 50

1253 humility
[hju:míləti]

(명) 겸손, 비하

One of important things on the part of the teacher is a willingness to show some **humility**. (EBS)
교사의 입장에서 중요한 것들 중 하나는 기꺼이 약간의 .... 을 보이는 것이다.

the virtue of ....
겸손의 미덕

1254 incomplete
[inkəmplíːt]
제목

(형) 불완전한

Even our **incomplete** knowledge seems to work as powerfully as ever. (모평)
심지어 우리의 .... 지식조차도 그 어느 때만큼이나 강력하게 작동하는 듯 보인다.

+ incompleteness (명) 불완전, 미완성

necessarily .... evidence
필연적으로 불완전한 증거

1255 invisible
[invízəbl]

(형) 눈에 보이지 않는

Spoken words are **invisible** and untouchable. (모평) 말은 .... 만질 수 없다.

↔ visible (형) 눈에 보이는

become completely ....
완전히 보이지 않게 되다

1256 mold
[mould]

(명) 거푸집, 틀; 곰팡이 (동) 주조하다

Too much moisture can encourage growth of **molds**. (학평) 너무 많은 습기는 .... 의 성장을 촉진시킬 수 있다.

pour the mixture into the ....
혼합물을 틀 안에 붓다

1257 monotonous
[mənátənəs]

(형) 단조로운, 지루한

Even if the remedy is boring or **monotonous** to perform, it will build muscle memory. (EBS)
비록 그 해결 방안이 수행하기에 지루하거나 .... 하더라도, 그것은 근육 기억을 형성할 것이다.

≡ boring, dull, tedious (형) 지루한, 따분한

a .... daily routine
단조로운 일상

해석 완성 겸손 / 불완전한 / 보이지 않고 / 곰팡이 / 단조롭다

진짜 기출로 확인! 밑줄 친 단어의 뜻을 문맥에 맞게 찾으시오.   13년 수능

Subordinates are more restricted in where they can look and when. (1)Humility dictates that in the presence of royalty, heads are bowed. As a general rule, dominants tend to ignore subordinates visually while subordinates tend to (2)gaze at dominant individuals at a distance.

① 포옹   ② 겸손   ③ 수반하다   ④ 응시하다   ⑤ 방해하다

ANSWERS p.481

1258 mutual
[mjú:tʃuəl]
빈칸

(형) 서로의, 상호 간의; 공동의

International business must be grounded in trust and **mutual** respect. 학평
국제 업무는 신뢰와 .... 존중에 토대하고 있어야 한다.

➕ **mutually** (부) 서로, 상호 간에   **mutuality** (명) 상호 관계

.... consent
상호 합의

1259 nerve
[nəːrv]

(명) 신경; 용기; (pl.) 긴장, 불안

The doctor concluded that he had suffered **nerve** damage. 모평
의사는 그가 .... 손상을 입었다고 결론지었다.

➕ **nervous** (형) 불안해하는; 신경의

.... cells
신경 세포들

1260 opponent
[əpóunənt]

(명) 적, 상대; 반대자   (형) 대립하는

Paul offered 300 and his **opponent** proposed 450. 수능
Paul은 300을 제안했고 그의 ....는 450을 제안했다.

➕ **opposite** (형) 반대의
🟰 **adversary** (명) 적, 상대

a strong ....
of the government
정부에 대한 강력한 반대자

1261 overwhelm
[òuvərhwélm]
심경

(동) 압도하다; 제압하다

She didn't feel she'd be **overwhelmed** by campus events. 학평
그녀는 자신이 캠퍼스 행사에 .... 거라고 느끼지 않았다.

➕ **overwhelming** (형) 압도적인

.... fears
두려움을 제압하다

1262 passage
[pǽsidʒ]

(명) 통행; 경과; 통로; 구절

She will be reading a short **passage** from her latest book. 학평
그녀는 그녀의 최근 책에서 짧은 한 ....을 읽을 것이다.

the .... of time
시간의 경과

1263 pose
[pouz]
제목

(동) 자세를 취하다; 제기하다   (명) 자세, 포즈

Savannas **pose** a bit of a problem for ecologists. 모평
사바나는 생태학자들에게 약간의 문제를 ....

.... a threat
위협을 제기하다

1264 interchange
[ìntərtʃéindʒ]

(명) 교환; 교차점   (동) 교환하다

Landscaping of centre medians or **interchanges** should be sensitive to wildlife. EBS
중앙 분리대나 ....의 조경은 야생 동물에 민감해야 한다.

🟰 **exchange** (명) 교환 (동) 교환하다

.... opinions
freely
자유롭게 의견을 교환하다

해석 완성 상호 / 신경 / 상대 / 압도될 / 구절 / 제기한다 / 교차점

1265	**reservoir**	명 저장소; 저수지	a huge oil _____
□□	[rézərvwàːr]	Water **reservoirs** supply water for agricultural uses.	거대한 석유 저장소
		_____는 농업용수를 공급한다.	

1266 **slogan**
제목 [slóugən]

명 슬로건, 표어; 선전 문구

As a designer, I'm called upon to work with existing elements: logos, color palettes, **slogans**, etc. 학평
디자이너로서 나는 로고, 색채 팔레트, _____ 등 현존하는 요소들로 작업하라는 요청을 받는다.

an advertising _____
광고 문구

1267 **frontier**
□□ [frʌ́ntiər]

명 국경   형 국경의; 최첨단의

The rebels control the **frontier** and the surrounding area.
반군이 _____과 그 인근 지역을 장악하고 있다.

⬛ border 형 국경; 경계

violate the _____
국경을 침범하다

1268 **split**
주제 [split]

동 (-split-split) 쪼개다; 갈라지다

A school of fish will **split** in two to avoid a predator. 모평 물고기 떼는 포식자를 피하기 위해 둘로 _____ 것이다.

TIP 혼동하기 쉬운 단어 spilt
» **spilt** 동 spill(쏟다, 엎지르다)의 과거형, 과거분사형
ex. Don't cry over **spilt** milk.
쏟아진 우유를 보고 울지 마라.

_____ into halves
반으로 갈라지다

1269 **spoil**
□□ [spɔil]

동 상하다; 망쳐놓다, 상하게 하다

Food and vaccines would **spoil** without refrigeration. 모평 식품과 백신은 냉장하지 않으면 _____ 수도 있다.

_____ appetite
식욕을 떨어뜨리다

해석 완성 저수지 / 슬로건 / 국경 / 갈라질 / 상할

진짜 기출로 확인! 문맥에 맞도록 빈칸에 알맞은 단어를 고르시오.

고3 학평

The repairman is called in when the operation of our world has been (1)_____, and at such moments our dependence on things taken for granted is brought to vivid awareness. For this reason, the repairman's presence may make the narcissist uncomfortable. He seems to (2)_____ a challenge to our self-understanding.

① overwhelm ② disrupted ③ interchanged ④ pose ⑤ spoil

ANSWERS p.481

1270 thrill
□□
심경
[θril]

(동) 전율하게 하다; 열광시키다   (명) 전율

The forest **thrilled** me as we entered its cool shade.
수능 우리가 숲의 시원한 그늘로 들어가자 그 숲이 나를 ....

enjoy the ....
of a race
경주의 전율을 즐기다

1271 thrive
□□
[θraiv]

(동) 번창하다; 잘 자라다, 번성하다

Specialist species like the koala bear **thrive** only when conditions are perfect. 학평
코알라와 같은 전문종은 조건이 완벽할 때만 ....

🔄 **wither** (동) 쇠퇴하다; 시들다
🟰 **flourish** (동) 번창하다; 잘 자라다   **prosper** (동) 번성하다

continue to ....
계속 번창하다

1272 tolerance
□□
[tálərəns]

(명) 관용; 포용력; 허용

People differ in their ability to taste and in their **tolerance** of certain plants. 학평
사람은 맛을 느끼는 능력과 어떤 식물(의 맛)을 .... 하는 정도가 다르다.

➕ **tolerate** (동) 관대히 다루다; 참다   **tolerant** (형) 관대한
🔄 **intolerance** (명) 편협; 참을 수 없음

show .... and
mercy
관용과 자비를 보이다

1273 trustworthy
□□
[trʌ́stwəːrði]

(형) 믿을 만한, 신뢰할 수 있는; 확실한

He began to search for a **trustworthy** person who would safeguard his necklace. EBS
그는 그의 목걸이를 지켜줄 .... 사람을 찾기 시작했다.

🟰 **reliable, dependable** (형) 믿을 만한, 믿을 수 있는

TIP -worthy 관련 표현
» **praiseworthy** (형) 칭찬할 만한
» **noteworthy** (형) 주목할 만한

.... friends
믿을 만한 친구들

1274 valid
□□
주제
[vǽlid]

(형) 근거가 확실한, 타당한; 유효한

Valid experiments must have data that are measurable. 수능
.... 실험은 측정할 수 있는 자료가 있어야 한다.

➕ **validate** (동) 입증하다; 유효하게 하다
🔄 **invalid** (형) 근거 없는; 효력 없는

a .... password
유효한 비밀번호

1275 vegetation
□□
[vèdʒitéiʃən]

(명) 식물, 초목

A roof that is covered with **vegetation** and soil is known as a green roof. 학평
.... 과 흙으로 덮여 있는 지붕은 녹색 지붕으로 알려져 있다.

native ....
토착 식물

해석 완성 전율하게 했다 / 번성한다 / 허용 / 믿을 만한 / 타당한 / 식물

1276 **violation** [vàiəléiʃən]

[명] 위반; 방해, 침해

To ask for any change in human behavior is seen as a **violation** of human rights. [수능]
인간의 행동에 어떤 변화라도 요구하는 것은 인권 .... 로 여겨진다.

in violation of ~에 위반하여

[+] violate [동] 위반하다; 방해하다

.... of privacy
사생활 침해

1277 **weave** [wiːv]

[동] (-wove-woven) 짜다; 엮다

Ghost spiders have tremendously long legs, yet they **weave** webs out of very short threads. [모평]
유령거미는 다리가 엄청나게 길지만 매우 짧은 가닥으로 거미줄을 ....

.... blankets from wool
양모로 담요를 짜다

1278 **whisper** [hwíspər] [심경]

[동] 속삭이다 [명] 속삭임

He heard voices **whispering** outside his door. [학평]
그는 문 밖에서 .... 목소리를 들었다.

.... softly in one's ear
~의 귀에 대고 부드럽게 속삭이다

1279 **abolish** [əbáliʃ]

[동] 폐지하다

The government **abolished** the death penalty.
정부는 사형 제도를 ....

[+] abolishment [명] 폐지
[≡] do away with ~을 폐지하다

.... slavery
노예 제도를 폐지하다

1280 **abrupt** [əbrʌ́pt] [빈칸]

[형] 갑작스러운; 퉁명스러운

The **abrupt** ending of the show was hinted to the viewers. [학평]
그 쇼의 .... 종료가 시청자에게 암시되었다.

[+] abruptly [부] 갑자기

an .... halt
급정지

해석 완성 침해 / 짠다 / 속삭이는 / 폐지했다 / 갑작스러운

진짜 기출로 확인! 밑줄 친 단어의 뜻을 문맥에 맞게 찾으시오. 고3 학평

When science is examined as an enterprise that involves the values of independence, freedom, the right to dissent and (1) tolerance, it is clear that as a social activity science cannot (2) flourish in an authoritarian climate.

① 위반 ② 관용 ③ 전율 ④ 번성하다 ⑤ 엮다

ANSWERS p.481

3-Minute Check

			check
1241	elaborate	(형) 공들인, 정교한 (동) 자세히 설명하다; 정성 들여 만들다	☐
1242	embrace	(동) 포옹하다; 수용하다 (명) 포옹	☐
1243	empirical	(형) 경험적인; 경험주의의	☐
1244	entail	(동) 일으키다; 수반하다	☐
1245	ethnic	(형) 인종의, 민족의; 민족 특유의	☐
1246	evaporate	(동) 증발하다; 증발시키다	☐
1247	federal	(형) 연방 (정부)의, 연방제의	☐
1248	flip	(동) 휙 던지다; 뒤집다 (명) 던지기; 공중제비	☐
1249	gaze	(동) 응시하다, 쳐다보다 (명) 응시, 시선	☐
1250	gloomy	(형) 우울한; 비관적인; 어두운	☐
1251	hatch	(동) 부화하다; 알을 품다 (명) 부화	☐
1252	hinder	(동) 방해하다, 막다	☐
1253	humility	(명) 겸손, 비하	☐
1254	incomplete	(형) 불완전한	☐
1255	invisible	(형) 눈에 보이지 않는	☐
1256	mold	(명) 거푸집, 틀; 곰팡이 (동) 주조하다	☐
1257	monotonous	(형) 단조로운, 지루한	☐
1258	mutual	(형) 서로의, 상호 간의; 공동의	☐
1259	nerve	(명) 신경; 용기; (pl.) 긴장, 불안	☐
1260	opponent	(명) 적, 상대; 반대자 (형) 대립하는	☐

			check
1261	overwhelm	(동) 압도하다; 제압하다	☐
1262	passage	(명) 통행; 경과; 통로; 구절	☐
1263	pose	(동) 자세를 취하다; 제기하다 (명) 자세, 포즈	☐
1264	interchange	(명) 교환; 교차점 (동) 교환하다	☐
1265	reservoir	(명) 저장소; 저수지	☐
1266	slogan	(명) 슬로건, 표어; 선전 문구	☐
1267	frontier	(명) 국경 (형) 국경의; 최첨단의	☐
1268	split	(동) 쪼개다; 갈라지다	☐
1269	spoil	(동) 상하다; 망쳐놓다, 상하게 하다	☐
1270	thrill	(동) 전율하게 하다; 열광시키다 (명) 전율	☐
1271	thrive	(동) 번창하다; 잘 자라다, 번성하다	☐
1272	tolerance	(명) 관용; 포용력; 허용	☐
1273	trustworthy	(형) 믿을 만한, 신뢰할 수 있는; 확실한	☐
1274	valid	(형) 근거가 확실한, 타당한; 유효한	☐
1275	vegetation	(명) 식물, 초목	☐
1276	violation	(명) 위반; 방해, 침해	☐
1277	weave	(동) 짜다; 엮다	☐
1278	whisper	(동) 속삭이다 (명) 속삭임	☐
1279	abolish	(동) 폐지하다	☐
1280	abrupt	(형) 갑작스러운; 퉁명스러운	☐

외우지 못한 단어가 있으면 미니 단어장에서 다시 한번 정리해 보세요.

가리개를 사용하여 뜻을 암기했는지 확인하세요.

DRILLS

1281 **advisory** [ədváizəri]

[형] 자문의, 고문의

Jason is employed in a purely **advisory** role.
Jason은 순전히 ………… 역할로 일하고 있다.

[+] **advise** [동] 조언하다 **advisor** [명] 조언자, 고문

an ………… committee
자문 위원회

1282 **alien** [éiljən]

[형] 외국의, 이국의 [명] 외국인; 외계인

Alien plants compete with indigenous species for space, light, nutrients and water. [학평]
………… 식물은 공간, 빛, 양분, 그리고 물을 놓고 토착종과 경쟁한다.

[+] **alienate** [동] 멀어지게 만들다, 소외시키다
[=] **foreign, exotic** [형] 외국의, 이국적인

believe in ………… life
외계 생명체의 존재를 믿다

1283 **decode** [di:kóud]

[동] 해독하다; 해석하다

Medical scientists struggle to **decode** the structure of human genes.
의학자들은 인간 유전자의 구조를 ………… 위해 고군분투한다.

[↔] **encode** [동] 암호화하다

………… a message
메시지를 해독하다

1284 **medieval** [mìːdiíːvəl]

[형] 중세의

Human pressure on nature has gradually declined since the **medieval** period. [EBS]
자연에 대한 인간의 압력은 ………… 시대 이후로 점차적으로 감소되어 왔다.

the literature of the ………… period
중세 시대의 문학

1285 **archive** [áːrkaiv] 빈칸

[명] (*pl.*) 기록 보관소; 기록

Researchers search **archives** to get information from that past. [수능]
연구자들은 과거의 정보를 얻기 위해 …………을 탐색한다.

a historical …………
역사적인 기록

1286 **artifact** [áːrtəfæ̀kt]

[명] 인공물, 가공품; 문화 유물

A clay pot is an example of a material **artifact**. [학평]
점토 항아리는 재료 …………의 한 예이다.

a prehistoric …………
선사시대의 문화 유물

1287 **asset** [ǽset] 빈칸

[명] 자산, 재산

Your reputation is your most valuable **asset**. [모평]
여러분의 명성은 가장 소중한 …………이다.

………… management
자산 관리

해석 완성 고문 / 외래 / 해독하기 / 중세 / 기록 / 가공품 / 자산

1288 ban
[bæn]
명 금지 동 금지하다
The psychologists signed a petition calling for a **ban** on the advertising of children's goods. 모평
심리학자들은 아동 제품의 광고에 대한 ....를 요청하는 청원서에 서명했다.

ban A from -ing A에게 ~을 금지하다
= forbid, prohibit 동 금하다

a .... on ivory trade
상아 무역 금지

1289 blossom
[blásəm]
동 꽃을 피우다; 번영하다 명 꽃; 개화
Pay attention to little ideas, and they will **blossom**. EBS 작은 아이디어에 주의를 기울이면, 그것들은 .... 것이다.

in full blossom 만개하여

begin to ....
꽃을 피우기 시작하다

1290 bulletin
[búlətin]
명 게시; 보고 동 게시하다
I'll upload the list to your **bulletin** board in an hour.
저는 한 시간 후에 여러분의 ....판에 그 목록을 올리겠습니다.

a .... on the president's health
대통령의 건강에 대한 보고

1291 chamber
[tʃéimbər]
명 방; (공관) 응접실; 회의소 형 실내의; 실내악의
Chamber music was designed to be performed in **chambers** as background music. 학평
.... 악은 ....에서 배경음악으로 연주되도록 고안되었다.

Harry Potter and the of Secrets
〈해리포터와 비밀의 방〉

1292 chronic
[kránik]
형 만성적인, 고질적인
Junk food can cause **chronic** illnesses like diabetes.
정크 푸드는 당뇨병과 같은 .... 병을 유발할 수 있다.

chronically 부 만성적으로
acute 형 급성의

suffer from .... diseases
만성 질병에 시달리다

1293 civic
[sívik]
형 시의, 도시의; 시민의
Changing the name of a **civic** landmark can change its meaning. 학평
.... 명소의 이름을 바꾸는 것은 그것의 의미를 바꿀 수 있다.

.... duty
시민의 의무

1294 contagious
[kəntéidʒəs]
형 전염성의, 전파하는, 옮기 쉬운
Congratulations, hugs, and laughter were **contagious**. 수능
축하, 포옹, 그리고 웃음은 ....

contagion 명 전염; 전염병
= infectious 형 전염성의

a highly .... disease
전염성이 높은 질병

해석 완성 금지 / 번영할 / 게시 / 실내, 방 / 만성적인 / 시의 / 전염성이 있었다

1295 **converge** [kənvə́ːrdʒ]

[동] 한 점에 모이다; 집중하다

People tend to **converge** too rapidly on a solution.
[학평] 사람들은 해결책에 너무 빨리 .... 경향이 있다.

[+] **convergence** [명] 모이는 지점; 집중(성)
[↔] **diverge** [동] 갈라지다, 나뉘다

.... on that point
그 점에 집중하다

1296 **convert** [kənvə́ːrt] [빈칸]

[동] 전환하다; 개조하다

Rare metals help to **convert** free natural resources into the power that fuels our lives. [수능]
희소 금속은 무료 천연자원을 우리의 삶에 연료를 공급하는 동력으로 .... 데 도움을 준다.

convert A into B A를 B로 전환하다

[+] **conversion** [명] 전환; 개조
convertible [형] (다른 형태나 용도로) 전환 가능한

.... CO_2 into oxygen
이산화탄소를 산소로 바꾸다

1297 **deceive** [disíːv]

[동] 속이다, 기만하다

Don't be **deceived** by natural remedies for indigestion.
[EBS] 소화불량에 대한 자연요법에 .... 말라.

deceive A into -ing A를 속여 ~하게 만들다

[+] **deceit** [명] 속임수; 기만
[=] **cheat** [동] 속이다, 사기 치다

pictures that .... eyes
눈을 속이는 그림들

1298 **massive** [mǽsiv]

[형] 거대한, 엄청난; 대량의

The way of science does not seem to offer answers to the **massive** problems facing us. [EBS]
과학의 방법은 우리가 직면한 .... 문제들에 대한 해답을 제공하는 것 같지 않다.

[+] **massiveness** [명] 육중함; 대규모

.... stone buildings
거대한 석조 건축물들

해석 완성 집중하는 / 전환하는 / 속지 / 엄청난

진짜 기출로 확인! 문맥에 맞도록 빈칸에 알맞은 단어를 고르시오. 고3 모평

Studies show that the best career choices tend to be grounded in things you're good at. Ideally, you want to find a(n) (1)_________ of your strengths and your values with a career path that is in demand. Interests can come and go. Your strengths are your core, your hard-wired (2)_________.

① ban ② bulletin ③ assets ④ chambers ⑤ convergence

ANSWERS p.481

1299 **deed**
[di:d]

(명) 행위, 행동; 업적

Sociologists have a desire to be consistent with their words, beliefs, attitudes, and **deeds**. 모평
사회학자들은 자신들의 말, 믿음, 태도, 그리고 ....에 일관되고자 하는 욕구가 있다.

action, behavior (명) 행동

do a good ....
친절한 행동을 하다

1300 **deploy**
[diplɔ́i]

(동) 배치하다; 전개하다

A plant **deploys** troops to defend itself, in an effort to stop the predator. EBS
식물은 포식자를 막기 위한 노력으로 스스로를 방어하기 위해 무리를 ....

.... resources where necessary
자원을 필요한 곳에 배치하다

1301 **despair**
[dispéər]
심경

(명) 절망 (동) 절망하다

My father found some fault with my choice, leaving me in **despair**. 모평
아버지는 내가 고른 것에서 어떤 결점을 찾아내서 나를 ....에 빠지게 하셨다.

misery (명) 비참함 **loose heart[hope]** 낙담하다

sigh in ....
절망해서 한숨을 쉬다

1302 **deteriorate**
[dití(:)əriərèit]
제목

(동) 악화시키다; 저하되다

When elderly people were cut off from the interests, their mental functioning **deteriorated**. 모평
노인들이 흥미로부터 단절되었을 때 그들의 정신적 기능은 ....

deterioration (명) 악화, 저하

.... health seriously
건강을 심하게 악화시키다

1303 **discomfort**
[diskʌ́mfərt]

(명) 불쾌; 불편

Some doctors prescribe hormone therapy to ease the **discomfort** of night sweats. EBS
어떤 의사들은 식은땀의 ....을 완화하기 위해 호르몬 요법을 처방한다.

to one's discomfort 불쾌하게도

physical or emotional ....
신체적이거나 정서적인 불편

1304 **distrust**
[distrʌ́st]

(명) 불신; 의혹 (동) 믿지 않다; 의심하다

Creative ideas are usually viewed with suspicion and **distrust**. 모평
창의적인 생각은 보통 의심과 ....이 담긴 시선을 받는다.

disbelief, mistrust (명) 불신

deep .... of politics
정치에 대한 깊은 불신

해석 완성 행위 / 배치한다 / 절망 / 저하되었다 / 불편 / 불신

1305 dwell
[dwel]

(동) 살다, 거주하다

Since the 1970s, more and more Maasai have given up the life of mobile herding and now **dwell** in permanent huts. 학평

1970년대 이후로 점점 더 많은 마사이족이 유목 생활을 버리고 지금은 늘 설치되어 있는 오두막에 ....

dwell on[upon] ~을 곱씹다

➕ **dwelling** (명) 주거(지), 주택   **dweller** (명) 거주자

.... in different environments
다양한 환경에서 살다

1306 elegant
[éləgənt]

(형) 기품 있는; 우아한

The buildings looked simple and **elegant** but didn't function very well. 학평

그 건물들은 단순하고 .... 보였지만 별로 잘 기능하지 않았다.

➕ **elegance** (명) 우아; 기품

an .... dress
우아한 드레스

1307 embed
[imbéd]
빈칸

(동) (단단히) 박다; 끼워 넣다, 깊이 새겨 두다

Soft things, like intelligence, are thus **embedded** into hard things, like aluminum. 모평

지능과 같은 부드러운 것들은 그래서 알루미늄과 같은 단단한 것들 속에 ....

.... a nail in wood
나무에 못을 박다

1308 enroll
[inróul]
도표

(동) 등록하다; 입학시키다

The tables show the number of international students **enrolled** in U.S. universities. 수능

도표는 미국의 대학교에 .... 유학생의 수를 보여 준다.

➕ **register** (동) 등록하다

.... a person in the school
~을 학교에 입학시키다

1309 entity
[éntəti]

(명) 실재, 존재; 실체

Information has become an **entity** to be measured, evaluated, and priced. 수능

정보는 측정되고, 평가되고, 값이 매겨지는 .... 가 되었다.

exist as a separate ....
독립된 실체로 존재하다

해석 완성 거주한다 / 우아해 / 박혀 있다 / 등록된 / 존재

진짜 기출로 확인! 빈칸에 공통으로 알맞은 단어를 고르시오.   고3 모평

But _____ of one who is sincere in her efforts to be a trustworthy and dependable person can be disorienting and might cause her to doubt her own perceptions and to _____ herself.

① dwell   ② enroll   ③ embed   ④ distrust   ⑤ deploy

ANSWERS p.481

1310 □□ **fate** [feit]

[명] 운명, 숙명

Luck isn't a matter of **fate** or destiny, according to research by a psychologist. [모평]
한 심리학자의 연구에 따르면 행운은 ....이나 숙명의 문제가 아니다.

[+] fateful [형] 운명적인
[=] destiny, fortune [명] 운명

strange twist of ....
기이한 운명의 장난

1311 □□ **feast** [fiːst]

[명] 축제; 잔치; 진수성찬 [동] 맘껏 먹다

Their grandmother would reward the children with a present and by cooking a delicious **feast**. [모평]
그들의 할머니는 아이들에게 선물을 주고 맛있는 ....을 차려 주는 것으로 보답하곤 했다.

give[make] a feast 잔치를 베풀다

[=] banquet [명] (공식적인) 연회 devour [동] 게걸스레 먹다

a .... to celebrate the victory
승리를 기념하는 축제

1312 □□ **fluctuate** [flʌ́ktʃuèit]

[동] (물가 등이) 오르내리다, 변동하다

Interest rates and exchange rates now **fluctuate** more rapidly than at any time. [학평]
이자율과 환율은 현재 그 어느 때보다 더 빠르게 ....

.... between hopes and fears
희망과 두려움 사이를 오락가락하다

1313 □□ **inconsistent** [ìnkənsístənt]

[형] 일치하지 않는; 모순된; 일관성이 없는

Children find it difficult if a parent is **inconsistent**.
부모가 .... 자녀들이 힘들어한다.

[+] inconsistency [명] 불일치, 모순
[↔] constant [형] 변치 않는, 일정한

show .... results
일관성이 없는 결과를 보이다

1314 □□ [빈칸] **inquiry** [inkwáiəri]

[명] 질문; 조사; 연구

The approach was to pursue rational **inquiry** through discussion. [모평]
그 접근법은 논의를 통해 합리적인 ....를 추구하는 것이었다.

the basics of philosophical ....
철학 연구의 기초

1315 □□ [빈칸] **insulate** [ínsəlèit]

[동] 격리하다, 고립시키다; 단열하다

In some ways, Internet is set up to **insulate** us from dissent. [학평]
어떤 면에서 인터넷은 우리를 의견 불일치로부터 .... 만들어져 있다.

.... homes to save energy
에너지 절약을 위해 집에 단열을 하다

해석 완성 운명 / 진수성찬 / 변동하고 있다 / 일관성이 없으면 / 연구 / 격리하도록

1316 irrigate
[írəgèit]

(동) 물을 대다, 관개하다

The farmers **irrigated** the fields.
그 농부들은 들판에 ....

➕ irrigation (명) 관개

.... the desert
사막에 물을 대다

1317 jaywalking
[dʒéiwɔ̀ːkiŋ]
제목

(명) 무단 횡단

Jaywalking, or crossing against the light, is technically prohibited. 학평
.... 혹은 신호를 무시하고 길을 건너는 것은 원칙적으로 금지되어 있다.

➕ jaywalk (동) 무단 횡단을 하다

fine for ....
무단 횡단에 대한 벌금

1318 manifest
[mǽnəfèst]

(동) 분명히 드러내다, 증명하다   (형) 명백한

Emotional eaters **manifest** their problem in lots of different ways. 수능
감정적으로 식사를 하는 사람들은 자신의 문제를 많은 다양한 방식들로 ....

🟰 obvious, apparent (형) 명백한

a .... error
명백한 잘못

1319 outbreak
[áutbrèik]

(명) 발생, 발발; 출현

His research was interrupted by the **outbreak** of World War II. 학평
그의 연구는 제2차 세계대전의 ....로 중단되었다.

the .... of war
전쟁의 발발

1320 deceptive
[diséptiv]

(형) 현혹시키는; 거짓의; 사기의

Most criminals invent their own **deceptive** character.
학평 대부분의 범죄자들은 스스로 .... 기질을 만든다.

🟰 misleading (형) 현혹시키는

.... advertising
현혹시키는 광고

해석 완성 물을 댔다 / 무단 횡단 / 드러낸다 / 발발 / 사기성이 있는

진짜 기출로 확인! 우리말과 일치하도록 빈칸에 알맞은 단어를 고르시오.   고3 학평

Understanding the cyclical nature of life will reassure you that difficult times won't last forever. The rough times must be taken as they come, but they are not (1)_____. There will always be good times and bad, (2)_____ and famines, hot summers and cold winters.
(삶의 순환의 본질을 이해하면 어려운 시기가 영원히 지속되지는 않는다고 안심하게 될 것이다. 힘든 시간이 오면 받아들여야 하지만, 힘든 시간은 변치 않는 것이 아니다. 좋은 때와 나쁜 때, 잔치와 기근, 무더운 여름과 추운 겨울은 항상 있을 것이다.)

① feasts   ② constant   ③ manifest   ④ inconsistent   ⑤ fates

ANSWERS p.481

		check
1281 **advisory**	형 자문의, 고문의	
1282 **alien**	형 외국의, 이국의 명 외국인; 외계인	
1283 **decode**	동 해독하다; 해석하다	
1284 **medieval**	형 중세의	
1285 **archive**	명 (pl.) 기록 보관소; 기록	
1286 **artifact**	명 인공물, 가공품; 문화 유물	
1287 **asset**	명 자산, 재산	
1288 **ban**	명 금지 동 금지하다	
1289 **blossom**	동 꽃을 피우다; 번영하다 명 꽃; 개화	
1290 **bulletin**	명 게시; 보고 동 게시하다	
1291 **chamber**	명 방; (공관) 응접실; 회의소 형 실내의; 실내악의	
1292 **chronic**	형 만성적인, 고질적인	
1293 **civic**	형 시의, 도시의; 시민의	
1294 **contagious**	형 전염성의, 전파하는, 옮기 쉬운	
1295 **converge**	동 한 점에 모이다; 집중하다	
1296 **convert**	동 전환하다; 개조하다	
1297 **deceive**	동 속이다, 기만하다	
1298 **massive**	형 거대한, 엄청난; 대량의	
1299 **deed**	명 행위, 행동; 업적	
1300 **deploy**	동 배치하다; 전개하다	

		check
1301 **despair**	명 절망 동 절망하다	
1302 **deteriorate**	동 악화시키다; 저하되다	
1303 **discomfort**	명 불쾌; 불편	
1304 **distrust**	명 불신; 의혹 동 믿지 않다; 의심하다	
1305 **dwell**	동 살다, 거주하다	
1306 **elegant**	형 기품 있는; 우아한	
1307 **embed**	동 (단단히) 박다; 끼워 넣다; 깊이 새겨 두다	
1308 **enroll**	동 등록하다; 입학시키다	
1309 **entity**	명 실재, 존재; 실체	
1310 **fate**	명 운명, 숙명	
1311 **feast**	명 축제; 잔치; 진수성찬 동 맘껏 먹다	
1312 **fluctuate**	동 (물가 등이) 오르내리다, 변동하다	
1313 **inconsistent**	형 일치하지 않는; 모순된; 일관성이 없는	
1314 **inquiry**	명 질문; 조사; 연구	
1315 **insulate**	동 격리하다, 고립시키다; 단열하다	
1316 **irrigate**	동 물을 대다, 관개하다	
1317 **jaywalking**	명 무단 횡단	
1318 **manifest**	동 분명히 드러내다, 증명하다 형 명백한	
1319 **outbreak**	명 발발, 발생; 출현	
1320 **deceptive**	형 현혹시키는; 거짓의; 사기의	

외우지 못한 단어가 있으면 미니 단어장에서 다시 한번 정리해 보세요.

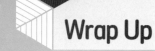

Wrap Up

DAY 31 ~ 33

A 영어는 우리말로, 우리말은 영어로 쓰시오.

01 exceptional		21 결점, 흠	
02 insert		22 흥미를 갖게 하다; 음모	
03 obligation		23 여분의; 아끼다	
04 textile		24 고발하다; 비난하다	
05 alternate		25 보증하다; 확신시키다	
06 circuit		26 오염, 더러움	
07 defect		27 분별하다, 식별하다	
08 entail		28 증발하다; 증발시키다	
09 hatch		29 연방 (정부)의, 연방제의	
10 monotonous		30 신경, 용기; 긴장, 불안	
11 opponent		31 저장소; 저수지	
12 split		32 위반; 방해, 침해	
13 weave		33 폐지하다	
14 abrupt		34 만성적인, 고질적인	
15 civic		35 한 점에 모이다; 집중하다	
16 convert		36 속이다, 기만하다	
17 deceptive		37 배치하다; 전개하다	
18 deteriorate		38 속삭이다; 속삭임	
19 embed		39 격리하다; 단열하다	
20 irrigate		40 무단 횡단	

B 빈칸에 알맞은 말을 쓰시오.

01 Elaborate scoring rules help make evaluation more objective.

→ .... 채점 규정은 평가를 더 객관적으로 만드는 데 도움을 준다.

02 A clay pot is an example of a material artifact.

→ 점토 항아리는 재료 .... 의 한 예이다.

03 Spoken words are invisible and untouchable.

→ 말은 .... 만질 수 없다.

04 Your reputation is your most valuable asset.

→ 여러분의 명성은 가장 소중한 .... 이다.

05 The act of communicating is always a joint, creative effort.

→ 의사소통 행위는 항상 .... 창의적인 노력이다.

C 우리말과 일치하도록 빈칸에 알맞은 단어를 〈보기〉에서 골라 쓰시오.

보기				
troop	massive	starvation	contagious	spoil

01 Congratulations, hugs, and laughter were ....
축하, 포옹, 그리고 웃음은 전염성이 있었다.

02 Scientific progress has not cured the world's ills by abolishing wars and ....
과학의 발전은 전쟁과 기아를 없앰으로써 세상의 불행을 치유하지 못했다.

03 Food and vaccines would .... without refrigeration.
식품과 백신은 냉장하지 않으면 상할 수도 있다.

04 Young males may travel together on the edge of a large .... of monkeys.
젊은 수컷들은 원숭이들의 커다란 무리의 가장자리에서 함께 다닐지도 모른다.

05 The way of science does not seem to offer answers to the .... problems facing us.
과학의 방법은 우리가 직면한 엄청난 문제들에 대한 해답을 제공하는 것 같지 않다.

DRILLS

1321 **migrate**
[máigreit]

동 이주하다; 이동하다

Most song thrushes **migrate** from northern Scotland. 모평
대부분의 노래지빠귀는 스코틀랜드 북부에서 ....

➕ **migration** 명 이주; 이동

.... to the western area
서쪽 지역으로 이주하다

1322 **multitask**
[mʌltitǽsk]

동 동시에 여러 일을 하다, 멀티태스킹을 하다

Effective coaches focus on a single task instead of trying to **multitask**. 모평
효과적인 코치는 .... 하는 대신 단일 작업에 초점을 맞춘다.

ability to ....
동시에 여러 일을 하는 능력

1323 **occupy**
[ákjəpài]

동 차지하다; 거주하다; (마음을) 사로잡다

Our primary sense is vision, **occupying** up one-third of our brain. 학평
우리의 주된 감각은 시각으로, 뇌의 3분의 1까지 ....

➕ **occupation** 명 직업; 점유

.... a significant place
중요한 위치를 차지하다

1324 **portable**
[pɔ́ːrtəbl]

형 들고 다닐 수 있는, 휴대용의

Portable devices provide people with the flexibility to work from different spaces. 학평
.... 기기는 사람들에게 다양한 공간에서 작업할 수 있는 유연성을 제공한다.

➕ **portability** 명 휴대성

.... projectors
휴대용 프로젝터

1325 **portray**
[pɔːrtréi]

동 그리다, 묘사하다

The author's works **portrayed** the harsh reality of life in Romania. 학평
그 작가의 작품은 루마니아에서의 혹독한 삶의 현실을 ....

➕ **portrayal** 명 묘사

.... scenery vividly
경치를 생생하게 그리다

1326 **prospect**
[práspekt]

명 전망; 예상, 기대

The **prospect** of losing everything would be overwhelming for anybody. 모평
모든 것을 잃는다는 .... 은 누구에게나 견디기 힘들 것이다.

➕ **prospective** 형 예상되는; 장래의, 유망한

the .... of economic recovery
경제 회복 전망

해석 완성 이주한다 / 동시에 여러 일을 하려고 / 차지한다 / 휴대용 / 묘사했다 / 예상

1327 sake
□□
[seik]

(명) 이익; 목적; 이유

A film's photographic effects should not be created for their own **sake** as beautiful images. 학평
영화의 촬영 효과는 아름다운 이미지로서의 그 자체의 ....을 위해 만들어져서는 안 된다.

for one's sake ~(의 이익)을 위해서

for the .... of every citizen
모든 시민(의 이익)을 위해서

1328 seal
□□
[siːl]

(동) 봉인하다; 날인하다; 밀봉하다   (명) 봉인; 도장; 물개

Once they **had sealed** an envelope, they could no longer see what was inside it. 학평
일단 그 사람들이 봉투를 ...., 그들은 그 안에 무엇이 있는지 더 이상 볼 수 없었다.

an official ....
공식 직인

1329 slice
□□
주제 [slais]

(명) 얇은 조각; 부분   (동) 얇게 베다

The idea behind time zones is that we can divide the world into 24 equal **slices**. 학평
표준시간대의 배후에 있는 생각은 우리가 세상을 24개의 동일한 ....으로 나눌 수 있다는 것이다.

a .... of toast
토스트 한 장

1330 soar
□□
실용문 [sɔːr]

(동) 높이 날다; 급등하다, 치솟다

Fly among the peaks of the Alaska Range with fantastic views and **soar** over the glaciers. 학평
환상적인 경치가 있는 알래스카 산맥의 봉우리 사이로 날고 빙하 위로 .... 보세요.

🔁 skyrocket (동) 치솟다, 급등하다

.... to 40℃
40도까지 온도가 급등하다

1331 spatial
□□
[spéiʃəl]

(형) 공간의; 공간에 존재하는

The form and **spatial** organization of buildings give us hints about how they should be used. 수능
건물의 형태와 .... 구성은 우리가 그것을 어떻게 사용해야 하는지에 대해 힌트를 준다.

➕ space (명) 공간

temporal and dimensions
시간과 공간 차원

1332 subconscious
□□
빈칸 [sʌbkánʃəs]

(형) 잠재의식의   (명) 잠재의식

People carry into adulthood a **subconscious** belief that mental growth follows a similar pattern. 학평
사람들은 성인이 될 때까지 정신적인 성장이 비슷한 패턴을 따른다는 .... 믿음을 가지고 있다.

➕ subconsciously (부) 잠재의식적으로
   subconsciousness (명) 잠재의식

.... desire
잠재의식적인 욕구

해석 완성 목적 / 밀봉하면 / 조각 / 높이 날아 / 공간 / 잠재의식적인

1333 **summit**
심경
[sʌ́mit]

명 정상, 꼭대기; 절정, 정점

As we sat on the **summit**, we surveyed our domain like kings. 학평
우리는 ....에 앉아서 우리의 영토를 왕처럼 살펴보았다.

climb to the ....
정상까지 올라가다

1334 **sustain**
[səstéin]

동 유지하다; 지속하다; 참고 견디다

A few hundred people cannot **sustain** a sophisticated technology. 수능
몇백 명의 사람들이 정교한 기술을 .... 수 없다.

➕ sustainability 명 지속 가능성   sustainable 형 지속 가능한

.... economic growth
경제 성장을 **지속하다**

1335 **temporary**
주제
[témpərèri]

형 일시적인; 임시의

A reduction in prices might see a **temporary** increase in sales for the seller. 학평
가격의 하락은 판매자의 매출에서 .... 증가를 볼 수 있습니다.

🔄 permanent 형 영구적인; 불변의

a .... interruption
일시적 장애

1336 **trail**
[treil]

명 자국, 자취; 오솔길   동 끌다; 끌리다; 추적하다

Advertising dollars have been following the migration **trail** across to the new technologies.
수능 광고비는 새로운 기술로 이동하는 .... 를 따라가고 있다.

a .... of destruction
파괴의 **자국**

1337 **tremendous**
[triméndəs]

형 엄청난; 거대한

The two theories underlying the **tremendous** progress of physics were mutually incompatible. 모평
물리학의 .... 발전의 기초가 되는 그 두 이론은 서로 양립할 수 없었다.

feel a ....
pressure
엄청난 압박을 느끼다

해석 완성 정상 / 유지할 / 일시적인 / 자취 / 엄청난

진파 기출로 확인!   문맥에 맞도록 빈칸에 알맞은 단어를 고르시오.   고3 모평

Both the budget deficit and federal debt have (1)_____ during the recent financial crisis. During 2009—2010, nearly 40 percent of federal expenditures were financed by borrowing. The (2)_____ recent federal deficits have pushed the federal debt to levels not seen since the years immediately following World War II.

① soared   ② tremendous   ③ spatial   ④ portrayed   ⑤ migrated

ANSWERS p.482

1338 tropical
[trɑ́:pikəl]

(형) 열대(지방)의

Soil erosion in **tropical** areas makes it hard for forests to grow back. EBS
.... 지역의 토양 침식은 숲이 다시 자라기 어렵게 만든다.

.... regions
열대 지방

1339 vague
[veig]

(형) 막연한, 애매한; 희미한

Fear is much less terrible than our **vague** fear. 모평
두려움은 우리의 .... 두려움보다 훨씬 덜 끔찍하다.

(파) **vaguely** (부) 막연하게   **vagueness** (명) 막연함
(반) **apparent** (형) 또렷한; 명백한
(유) **obscure, ambiguous** (형) 모호한

a .... answer
애매한 답변

1340 wrap
[ræp]

(동) 싸다, 포장하다

Wrap the black paper around the jar and tape them together. 학평
병 주위를 검은 종이로 .... 테이프로 붙여라.

wrap up 포장지로 싸다; 마무리를 하다

.... a gift with wrapping paper
선물을 포장지로 포장하다

1341 adversely
[ædvə́:rsli]

(부) 반대로, 역으로; 불리하게

China's recycling industry was **adversely** affected by the global economic crisis. EBS
중국의 재활용 산업은 세계 경제 위기로 .... 영향을 받았다.

(파) **adverse** (형) 반대의; 불리한   **adversity** (명) 역경; 불운

.... affect development
발달에 악영향을 주다

1342 appetite
[ǽpətàit]

(명) 식욕; 욕구

Among Foot-and-Mouth Disease's symptoms are fever, loss of **appetite** and weight. 학평
구제역(FMD)의 증상 중에는 발열과 .... 및 체중 감소가 있다.

(파) **appetizer** (명) 전채, 애피타이저(식욕을 돋우는 것)

recovery of ....
식욕의 회복

1343 arbitrary
[ɑ́:rbitrèri]

(형) 임의의, 멋대로의; 독단적인

Those who don't choose their goals tend to believe that results are **arbitrary**. 학평
목표를 선택하지 않는 사람들은 결과가 .... 믿는 경향이 있다.

in an .... order
임의의 순서로

1344 array
[əréi]

(명) 정렬, 배열   (동) 배열하다, 배치하다

We saw a wonderful **array** of fruit and vegetables at the market.
우리는 시장에서 과일과 채소가 멋지게 .... 된 것을 보았다.

.... the troops
군대를 배치하다

해석 완성 열대 / 막연한 / 싸고 / 불리하게 / 식욕 / 제멋대로라고 / 배열

1345 attentive

[əténtiv]

(형) 주의 깊은; 경청하는; 친절한

The dogs were **attentive** to the sound of their name.
학평 그 개들은 자신의 이름을 부르는 소리에 ....

➕ attentively (부) 주의하여; 정중히

an .... audience
경청하는 청중들

1346 auction

[ɔ́ːkʃən]

(명) 경매 (동) 경매에 부치다

Water rights may be sold at **auction**. 모평
물(에 대한) 권리가 .... 에 부쳐질 수도 있다.

bid in the ....
경매에 입찰하다

1347 brand-new

[brǽndnjúː]

(형) 아주 새로운, 신품의

A few years ago we purchased a **brand-new** camper
van. 모평
몇 년 전에 우리는 .... 캠핑카를 구입했다.

drive a ....
car
새 차를 운전하다

1348 caregiver

[kéərgìvər]

(명) (아이나 병자를) 돌보는 사람

Building resilience depends on the relationships the
children form with parents and **caregivers**. 학평
회복탄력성을 기르는 것은 아이들이 부모 및 그들을 ....과
형성하는 관계에 달려 있다.

the role as a ....
돌보는 사람으로서의 역할

1349 catastrophe

[kətǽstrəfi]

(명) 대이변, 큰 재해

A defining element of **catastrophes** is the magnitude
of their harmful consequences. 수능
.... 를 정의하는 한 요소는 그 해로운 결과의 거대함이다.

➕ catastrophic (형) 대이변의, 큰 재해의

global ....
전 세계적인 큰 재해

해석 완성 주의를 기울였다 / 경매 / 신품의 / 돌보는 사람들 / 큰 재해

진파 기출로 확인 ! 우리말과 일치하도록 빈칸에 알맞은 단어를 고르시오. 17년 수능

A greater (1)_____ of food leads people to eat more than they would otherwise. So, being full and
feeling sated are separate matters. The recovery of (2)_____ is apparent to anyone who has
consumed a large meal but decides to consume additional calories after seeing the dessert cart.
(더 다양한 종류의 음식은 사람들이 그렇지 않을 경우에 먹는 것보다 더 많이 먹게 한다. 그러므로 배가 부른 것과 포만감을 느끼는
것은 별개의 문제다. 많은 양의 식사를 먹었지만 디저트 카트를 보고 나서 칼로리를 추가로 섭취하기로 결심하는 사람은 누구라도
식욕이 회복되는 것이 분명하다.)

① array   ② variety   ③ appetite   ④ vague   ⑤ attentive

ANSWERS p.482

1350 chief
[tʃiːf]

(명) 장(長), 우두머리 (형) 최고의; 주된

One of fear and doubt's **chief** aims is to make you feel alone. 학평
두려움과 의심의 .... 목적 중 하나는 여러분이 외로움을 느끼게 하는 것이다.

the .... editor
편집장

1351 cite
[sait]

(동) 인용하다; 언급하다

The first sign **cited** environmental reasons. 학평
첫 번째 표지판은 환경적인 이유를 ....

➕ **citation** (명) 인용구(문)
🟰 **quote** (동) 인용하다 **mention** (동) 언급하다

.... many cases
많은 사례를 인용하다

1352 communal
[kəmjúːnəl]

(형) 공동의; 공공의

High building density releases more land for **communal** facilities. 학평
높은 건축 밀도는 .... 시설을 위한 토지를 더 많이 풀어 준다.

➕ **communally** (부) 공동으로

.... good
공동의 이익

1353 compromise
[kámprəmàiz]

(명) 타협, 절충안 (동) 타협하다; 손상하다

He agreed to study chemical engineering as a **compromise** with his father. 모평
그는 아버지와의 .... 으로 화학 공학을 공부하는 것에 동의했다.

reach[come] to a compromise 타협에 이르다
compromise one's reputation ~의 평판을 손상하다

➕ **compromising** (형) 명예를 손상시키는

a .... between freedom and equality
자유와 평등 사이의 절충안

1354 conscience
[kánʃəns]

(명) 양심; 의식

Zach's **conscience** whispered that a true victory comes from fair competition. 모평
Zach의 .... 은 진정한 승리는 공정한 경쟁으로부터 온다고 속삭였다.

have a clear[guilty] conscience 양심에 걸리는 것이 없다(걸리다)

a matter of ....
양심의 문제

1355 conviction
[kənvíkʃən]

(명) 신념; 설득; 유죄 판결

He is a forceful person and has his own **convictions**. 학평
그는 강인한 사람이고 자신만의 .... 이 있다.

➕ **convict** (동) 유죄를 선고하다

likelihood of ....
유죄 판결의 가능성

해석 완성 주된 / 언급했다 / 공공 / 타협 / 양심 / 신념

1356 delete [dilíːt] [주제]

[동] 삭제하다, 지우다

Some people **delete** all the games on their PC. [수능]
어떤 사람들은 자신들의 컴퓨터에 있는 모든 게임을 ________.

[유] remove [동] 제거하다, 치우다   erase [동] 지우다

________ data from the USB device
USB 장치에서 데이터를 **지우다**

1357 deposit [dipázit]

[명] 예금; 보증금; 퇴적물

I pay the non-refundable **deposit** for the program. [수능]
나는 그 프로그램에 환불이 안 되는 ________을 지불한다.

make a deposit 예금하다

open a ________ account
예금 계좌를 개설하다

1358 destiny [déstəni] [빈칸]

[명] 운명, 운

The **destiny** of a community depends on how well it nourishes its members. [모평]
한 공동체의 ________은 그것이 그 일원을 얼마나 잘 육성하는지에 달려 있다.

[+] destine [동] 예정해 두다, 운명 짓다
destined [형] ~할 운명인; ~로 향하는

control the ________
운명을 통제하다

1359 diaper [dáiəpər]

[명] 기저귀

Without someone to feed us or change our **diapers**, we would never survive to grow up. [학평]
우리에게 음식을 먹여 주거나 우리의 ________를 갈아 주는 사람이 없다면, 우리는 결코 생존해서 성장하지 못할 것이다.

a disposable ________
일회용 **기저귀**

1360 division [divíʒən]

[명] 분할; 구분; (조직의) 부; 나눗셈

Social science **divisions** usually include departments of economics and politics. [학평]
사회과학 ________는 보통 경제학과와 정치학과를 포함한다.

[+] divide [동] 나뉘다; 나누다

a ________ of labor
분업

해석 완성 삭제한다 / 보증금 / 운명 / 기저귀 / 부

진짜 기출로 확인! 문맥에 맞도록 빈칸에 알맞은 단어를 고르시오. 고3 모평

He answered that he loved helping children learn to write their names for the first time, finding someone a new friend, and sharing in the joy of reading. But, as time passed, his (1)________ and passion seemed to fade gradually. He recalled his strong (2)________ during the interview.

① conscience ② deposit ③ commitment ④ conviction ⑤ compromise

ANSWERS p.482

3-Minute Check

번호	단어	뜻	check
1321	migrate	동 이주하다; 이동하다	☐
1322	multitask	동 동시에 여러 일을 하다, 멀티태스킹을 하다	☐
1323	occupy	동 차지하다; 거주하다; (마음을) 사로잡다	☐
1324	portable	형 들고 다닐 수 있는, 휴대용의	☐
1325	portray	동 그리다, 묘사하다	☐
1326	prospect	명 전망; 예상, 기대	☐
1327	sake	명 이익; 목적; 이유	☐
1328	seal	동 봉인하다; 밀봉하다 명 봉인; 도장; 물개	☐
1329	slice	명 얇은 조각; 부분 동 얇게 베다	☐
1330	soar	동 높이 날다; 급등하다, 치솟다	☐
1331	spatial	형 공간의; 공간에 존재하는	☐
1332	subconscious	형 잠재의식의 명 잠재의식	☐
1333	summit	명 정상, 꼭대기; 절정, 정점	☐
1334	sustain	동 유지하다; 지속하다	☐
1335	temporary	형 일시적인; 임시의	☐
1336	trail	명 자국, 자취; 오솔길 동 끌다; 끌리다; 추적하다	☐
1337	tremendous	형 엄청난; 거대한	☐
1338	tropical	형 열대(지방)의	☐
1339	vague	형 막연한, 애매한; 희미한	☐
1340	wrap	동 싸다, 포장하다	☐
1341	adversely	부 반대로, 역으로; 불리하게	☐
1342	appetite	명 식욕; 욕구	☐
1343	arbitrary	형 임의의, 멋대로의; 독단적인	☐
1344	array	명 정렬, 배열 동 배열하다	☐
1345	attentive	형 주의 깊은; 경청하는; 친절한	☐
1346	auction	명 경매 동 경매에 부치다	☐
1347	brand-new	형 아주 새로운, 신품의	☐
1348	caregiver	명 (아이나 병자를) 돌보는 사람	☐
1349	catastrophe	명 대이변, 큰 재해	☐
1350	chief	명 장(長), 우두머리 형 최고의; 주된	☐
1351	cite	동 인용하다; 언급하다	☐
1352	communal	형 공동의; 공공의	☐
1353	compromise	명 타협, 절충안 동 타협하다; 손상하다	☐
1354	conscience	명 양심; 의식	☐
1355	conviction	명 신념; 설득; 유죄 판결	☐
1356	delete	동 삭제하다, 지우다	☐
1357	deposit	명 예금; 보증금; 퇴적물	☐
1358	destiny	명 운명, 운	☐
1359	diaper	명 기저귀	☐
1360	division	명 분할; 구분; (조직의) 부; 나눗셈	☐

외우지 못한 단어가 있으면 미니 단어장에서 다시 한번 정리해 보세요.

가리개를 사용하여 뜻을 암기했는지 확인하세요.

DRILLS

1361 **draft** [dræft]

[명] 초안, 초고; 도안 [동] 초안을 작성하다

The journalist wrote the first **draft** of the news article.
그 기자는 신문의 ....을 작성했다.

make a ....
초안을 작성하다

1362 **drift** [drift] [빈칸]

[동] 표류하다, 떠돌다 [명] 표류

When the bread **drifted** away from the spot, the bird picked it up and brought it back. [학평]
빵이 그 자리로부터 .... 때 새는 그것을 집어서 다시 가져왔다.

.... with the current
물결을 따라 떠돌다

1363 **dual** [djúːəl] [제목]

[형] 둘의; 이중의; 이원적인

Copyright laws serve a **dual** purpose. [수능]
저작권법은 .... 목적에 기여한다.

[동] **double** [형] 이중의

a .... function
이중 기능

1364 **echo** [ékou] [심경]

[동] 메아리치다; (말을) 되풀이하다 [명] 메아리, 반향

The rattling sound seemed to **echo** down the river.
[학평] 그 방울 소리는 강 아래에서 .... 것 같았다.

the .... of footsteps
발자국 소리의 반향

1365 **empower** [impáuər] [제목]

[동] 권한을 주다; ~할 수 있게 하다

Empower people by letting them know that you believe in them. [수능]
사람들에게 당신이 그들을 믿는다는 것을 알게 함으로써 ....

.... people to make decisions
사람들에게 결정할 권한을 주다

1366 **energize** [énərdʒàiz]

[동] 에너지를 주입하다, 활기를 돋우다

Humor will **energize** your mind.
유머는 여러분의 마음에 .... 것이다.

.... the weak body
약해진 신체에 활기를 돋우다

1367 **enlighten** [inláitn] [빈칸]

[동] 계몽하다, 가르치다

We find the scenic vistas that would entertain and **enlighten** the tourists. [모평]
우리는 관광객들을 즐겁게 하면서 .... 만한 경치가 좋은 풍경을 찾는다.

[+] **enlightenment** [명] 깨우침, 계몽

.... the public
민중을 계몽하다

해석 완성 초안 / 떠돌았을 / 이중의 / 메아리치는 / 권한을 주어라 / 활기를 돋울 / 계몽할

1368 erroneously
[iróuniəsli]

(부) 잘못되게, 틀리게

Many people **erroneously** believe that their circumstances will somehow change.
많은 사람들은 그들의 상황이 어떻게든 바뀔 것이라고 .... 믿고 있다.

➕ error (명) 실수, 오류 erroneous (형) 잘못된, 틀린
🟰 wrongly (부) 잘못되게

an .... used term
잘못 사용된 용어

1369 evident
[évidənt]

(형) 분명한, 명백한

The impacts of tourism on the environment are **evident**. 수능
관광업이 환경에 미치는 영향은 ....

➕ evidently (부) 분명하게 evidence (명) 증거

> **TIP** evident / obvious / apparent
> » **evident** (형) (비교적 격식) 분명한
> » **obvious** (형) (눈으로 보거나 이해하기에) 분명한, 명백한
> » **apparent** (형) (비교적 격식) 분명한; ~인 것처럼 보이는

become increasingly ....
점점 분명해지다

1370 explosion
[iksplóuʒən]

(명) 폭발, 폭파; 폭발적 증가

An **explosion** of information has produced a "paradox of plenty." EBS
정보의 .... 때문에 '많은 양의 역설'이 생겨났다.

➕ explosive (형) 폭발하기 쉬운, 폭발성의 (명) 폭약

a population ....
폭발적 인구 증가

1371 faint
[feint]
심경

(형) 어렴풋한, 희미한 (동) 실신하다, 기절하다

She awoke to the sound of a **faint** whisper from the hospital bed. 학평
그녀는 병원 침대에서 들려오는 .... 속삭이는 소리에 잠이 깼다.

🟰 dim (형) 희미한

.... scent of pine
어렴풋한 소나무 향

1372 fatal
[féitl]

(형) 치명적인; 운명의

The mistake was a **fatal** one, and it was all over. 모평
그 실수는 .... 것이었고 모든 것이 끝났다.

➕ fatality (명) 불운; 사망자; 치사성
🟰 mortal, lethal (형) 치명적인

a .... accident
치명적인 사고

1373 festive
[féstiv]

(형) 축제의; 즐거운

The entire country is in a **festive** mood.
온 나라가 .... 분위기에 있다.

during the .... period
축제 기간 동안

해석 완성 잘못 / 명백하다 / 폭발적 증가 / 희미한 / 치명적인 / 축제

10	20	30	40	50	

1374 finite
[fáinait]

(형) 한정된, 유한의

Everything that occurs is a function of a **finite** number of causes. 모평
일어나는 모든 일은 개수가 .... 원인들의 작용이다.

🔄 infinite (형) 무한한, 끝없는

a .... amount
of resources
한정된 양의 자원

1375 flatter
[flǽtər]

(동) 아첨하다; 치켜세우다, 우쭐하게 하다

We **flatter** ourselves by association with others' accomplishments. 모평
우리는 다른 사람들의 성취와 관련지어서 자신을 ....

➕ flattery (명) 아첨   flattered (형) 우쭐해진

.... people to
gain their trust
신임을 얻기 위해 사람들에게
아첨하다

1376 forgive
[fərgív]

(동) 용서하다

Attitude allows you to excuse, **forgive** and forget, without being naive or stupid. 학평
태도는 당신이 순진하거나 바보같이 굴지 않고 변명하고, ...
잊을 수 있게 해 준다.

➕ forgiveness (명) 용서

.... a sin
죄를 용서하다

1377 friction
[fríkʃən]

(명) 마찰; 불화

Scientists have examined fish skins to determine why they have less **friction** than humans. 학평
과학자들은 왜 물고기가 인간보다 ....을 적게 받는지를 규명하기 위해 물고기 피부를 조사했다.

➕ frictional (형) 마찰의

.... between
India and Pakistan
인도와 파키스탄의 불화

1378 glow
[glou]

(동) 빛나다; 빛을 내다   (명) 빛

Fireflies **glow** to tell bats not to eat them. 모평
반딧불이는 박쥐에게 자기들을 먹지 말라고 말하기 위해 ....

flickering ....
of candles
깜박거리는 촛불 빛

해석 완성 한정된 / 치켜세운다 / 용서하고 / 마찰 / 빛을 낸다

진짜 기출로 확인! 밑줄 친 단어의 뜻을 문맥에 맞게 찾으시오.   고3 학평

An American drama centered around crime scene investigation has become popular. It isn't, however, such a hit with police officers, who have criticized the series for presenting a misleading image of how crimes are solved. Their fears have been (1)echoed by a criminologist, who found (2)evidence that jurors have increasingly unrealistic expectations of forensic evidence.

① 폭발   ② 증거   ③ 불화   ④ 용서하다   ⑤ 되풀이하다

ANSWERS p.482

1379 heritage [빈칸]
[héritidʒ]

[명] 상속 재산; 유산; 전통

Definitions of taste belong to the cultural **heritage** of human society. [학평]
취향의 정의는 인간 사회의 문화적 ....에 속한다.

[동] inheritance, legacy [명] 유산

UNESCO World ....
유네스코 세계 문화유산

1380 hypnosis
[hipnóusis]

[명] 최면, 최면술

The idea that **hypnosis** can put the brain into a special state is false. [학평]
............이 뇌를 특별한 상태로 만들 수 있다는 생각은 틀렸다.

under ....
최면 상태에서

1381 implement
[명][ímpləmənt]
[동][ímpləmènt]

[명] 도구 [동] 이행하다, 실행하다

Natural objects began to be used as **implements** to enhance the capacities of the hand. [학평]
자연물은 손의 능력을 향상시키기 위한 ....로서 사용되기 시작했다.

[+] implementation [명] 이행, 실행
implemental [형] 도구의

.... a contract
계약을 이행하다

1382 infer
[infə́ːr]

[동] 추론하다; 암시하다

We can **infer** the topic from the context.
우리는 문맥으로부터 주제를 .... 수 있다.

[+] inference [명] 추리, 추론
[동] deduce [동] 추론하다

.... a conclusion
결론을 추론하다

1383 ingenuity
[ìndʒənjúːəti]

[명] 발명의 재주, 창의력

The motor of our **ingenuity** is the question "Does it have to be like this?" [학평]
우리의 ....의 동력은 "이래야만 하는가?"라는 의문이다.

[+] ingenious [형] 독창적인, 창의력이 있는

human ....
인간의 창의력

1384 inherit
[inhérit]

[동] 상속하다, 물려받다; 계승하다

Each individual receives two genes, one **inherited** from each parent.
각 개체는 각 부모로부터 한 개씩 .... 두 개의 유전자를 받는다.

[+] inheritance [명] 상속; 유전 형질

.... the family business
가업을 물려받다

해석 완성 유산 / 최면 / 도구 / 추론할 / 창의력 / 물려받은

1385 insult 제목 명[ínsʌlt] 동[insʌ́lt]	몡 모욕, 무례 동 모욕하다 It seems an **insult** to refer to basic scientific research as merely functional. 수능 기초 과학 연구를 단순히 기능적인 것으로 언급하는 것은 ....인 것 같다. 🔁 insulting 혱 모욕적인	suffer an .... 모욕을 겪다

1386 intact [intǽkt]	혱 손대지 않은, 온전한 Establishing protected areas with **intact** ecosystems is essential for species conservation. 학평 생태계가 .... 보호 지역 구축은 종 보존을 위해 필수적이다.	an old city that remains .... 온전하게 남아 있는 고대 도시

1387 interval [íntərvəl]	몡 간격, 거리 Schedule **intervals** of productive time and breaks so that you get the most from people. 모평 인력을 최대한 활용할 수 있도록 생산 시간과 휴식 시간의 ....을 계획하라.	at regular .... 일정한 **간격**으로

1388 irrelevant [iréləvənt]	혱 관련이 없는 People are strongly influenced by **irrelevant** factors. 학평 사람들은 .... 요인의 영향을 강하게 받는다. 🔁 relevant 혱 관련된 🔁 unrelated, unconnected 혱 관련이 없는	an .... answer to a question 질문과 **관련이 없는** 대답

1389 loan [loun]	몡 대출; 대부금 동 빌려 주다; 대출하다 The customer came in to inquire about a **loan**. 모평 그 고객은 ....에 관해 문의하려고 들어왔다.	interest rates on a .... **대출** 이자율

해석 완성 모욕 / 온전한 / 간격 / 관련이 없는 / 대출

진짜 기출로 확인! 밑줄 친 단어의 뜻을 네모 안에서 고르시오. 고3 학평

Anglo-Saxon folk tales frequently set the action in scary forests, a legacy (1)inherited by the stories of Tolkien, in which friendly hobbits are extremely (2)frightened at the thought of having to pass through the haunted Fangorn Forest.

(앵글로색슨족의 민간 설화는 자주 무서운 숲을 사건의 배경으로 설정하였는데, 이는 친근한 호빗족이 요정이 사는 Fangorn Forest 를 지나야 한다는 생각에 극도의 (2)[호기심을 갖는 / 두려움을 느끼는] Tolkien의 이야기에 의해 (1)[배척되고 / 계승되고] 있는 유산이다.)

ANSWERS p.482

1390 manipulate
[mənípjulèit]

(동) 조종하다; 조작하다

We have two different neural systems that **manipulate** our facial muscles. 모평
우리는 우리의 안면 근육을 .... 두 개의 서로 다른 신경계를 가지고 있다.

➕ manipulation (명) 교묘히 다루기; 조작

.... reality
현실을 조작하다

1391 masterpiece
[mǽstərpìːs]

(명) 걸작, 명작

Here are the **masterpieces** that expanded the boundaries of architecture.
여기에 건축의 경계를 넓힌 ....이 있다.

preserve the world

세계적인 명작을 보존하다

1392 merit
[mérit]

(명) 가치; 장점   (동) (상·벌 등을) 받을 만하다

The **merits** of a leader's most important decisions typically are not clear-cut. 모평
지도자의 가장 중요한 결정의 ....는 일반적으로 명확하지 않다.

➖ demerit (명) 단점, 결점

a patent ....
명백한 장점

1393 modest
[mádist]

(형) 겸손한; 알맞은, 적당한

The scientist was **modest** about his achievements.
그 과학자는 자신의 업적에 대해 ....

➕ modesty (명) 겸손
🟰 humble (형) 겸손한   moderate (형) 적당한

.... requirements
적당한 요구 사항

1394 molecule
[máləkjùːl]

(명) 분자

The reason why any sugar **molecule** turns brown when heated is to do with carbon. 학평
당 ....가 가열되면 갈색으로 변하는 이유는 탄소와 관련이 있다.

➕ molecular (형) 분자의

TIP 물리·화학 관련 표현
» element (명) 원소   » atom (명) 원자
» ion (명) 이온   » electron (명) 전자
» proton (명) 양성자   » neutron (명) 중성자

form a ....
분자를 형성하다

1395 mutation
[mjuːtéiʃən]

(명) 변화; 돌연변이, 변종

Genetic **mutations** are, to some extent, caused by environmental factors. 학평
유전적 ....는 어느 정도는 환경적 요소에 의해 유발된다.

natural ....
자연 돌연변이

해석 완성 조종하는 / 걸작들 / 가치 / 겸손했다 / 분자 / 돌연변이

1396 □□	**notable** [nóutəbl]	휑 주목할 만한; 유명한 Richard Porson, one of Britain's most **notable** classical scholars, was born on Christmas in 1759. 모평 영국의 가장 .... 고전학자 중 한 명인 Richard Porson은 1759년 크리스마스에 태어났다. **be notable for** ~(으)로 유명하다	a .... achievement 주목할 만한 성과
1397 □□	**obsess** [əbsés]	통 집착하게 하다, 사로잡다; 강박감을 갖다 Scientists can get too **obsessed** with results. 수능 과학자들은 결과에 너무 .... 수 있다. ➕ **obsession** 휑 집착, 강박 **obsessive** 휑 집착하는, 강박의	.... about food 음식에 대해 강박감을 갖다
1398 □□ 빈칸	**owe** [ou]	통 빚지고 있다; 신세지고 있다; ~의 덕분이다 Our kitchens **owe** much to the brilliance of science. 학평 우리의 부엌은 과학의 훌륭함의 덕을 많이 .... **owe A to B** B에게 A를 빚지다, A는 B 덕분이다	.... a person some money ~에게 돈을 좀 빚지고 있다
1399 □□	**personnel** [pə̀:rsənél]	명 전(全) 직원, 인원, 인력 휑 직원의, 인사의 They need to hire security **personnel** for the library. 그들은 도서관을 위한 보안 .... 을 고용해야 한다. 🟰 **staff** 명 전 직원	a .... division 인사부
1400 □□ 제목	**plow** [plau]	명 쟁기; 경작 통 (밭을) 갈다 With a modern tractor, a farmer allows about two-and-a-half hours for **plowing** an acre. 학평 현대식 트랙터로 농부는 1에이커를 약 2시간 반 만에 .... 수 있다.	.... a field 밭을 갈다

해석 완성 유명한 / 집착할 / 보고 있다 / 인력 / 갈

진짜 기출로 확인! 문맥에 맞도록 빈칸에 알맞은 단어를 고르시오. 고3 학평

Employers are confronted with the problem of retaining talented (1)_____. The management should expend time and effort in devising ways to reduce employee turnover. Most of all, the policies of an organization should be employee-oriented. This can be achieved by encouraging staff (2)_____ in making important decisions.

① plow ② mutation ③ molecule ④ personnel ⑤ participation

ANSWERS p.482

3-Minute Check

		check
1361 **draft**	(명) 초안, 초고; 도안 (동) 초안을 작성하다	☐
1362 **drift**	(동) 표류하다, 떠돌다 (명) 표류	☐
1363 **dual**	(형) 둘의; 이중의; 이원적인	☐
1364 **echo**	(동) 메아리치다; (말을) 되풀이하다 (명) 메아리, 반향	☐
1365 **empower**	(동) 권한을 주다; ~할 수 있게 하다	☐
1366 **energize**	(동) 에너지를 주입하다, 활기를 돋우다	☐
1367 **enlighten**	(동) 계몽하다, 가르치다	☐
1368 **erroneously**	(부) 잘못되게, 틀리게	☐
1369 **evident**	(형) 분명한, 명백한	☐
1370 **explosion**	(명) 폭발, 폭파; 폭발적 증가	☐
1371 **faint**	(형) 어렴풋한, 희미한 (동) 실신하다, 기절하다	☐
1372 **fatal**	(형) 치명적인; 운명의	☐
1373 **festive**	(형) 축제의; 즐거운	☐
1374 **finite**	(형) 한정된, 유한의	☐
1375 **flatter**	(동) 아첨하다; 치켜세우다, 우쭐하게 하다	☐
1376 **forgive**	(동) 용서하다	☐
1377 **friction**	(명) 마찰; 불화	☐
1378 **glow**	(동) 빛나다; 빛을 내다 (명) 빛	☐
1379 **heritage**	(명) 상속 재산; 유산; 전통	☐
1380 **hypnosis**	(명) 최면, 최면술	☐

		check
1381 **implement**	(명) 도구 (동) 이행하다, 실행하다	☐
1382 **infer**	(동) 추론하다; 암시하다	☐
1383 **ingenuity**	(명) 발명의 재주, 창의력	☐
1384 **inherit**	(동) 상속하다, 물려받다; 계승하다	☐
1385 **insult**	(명) 모욕, 무례 (동) 모욕하다	☐
1386 **intact**	(형) 손대지 않은, 온전한	☐
1387 **interval**	(명) 간격, 거리	☐
1388 **irrelevant**	(형) 관련이 없는	☐
1389 **loan**	(명) 대출; 대부금 (동) 빌려 주다; 대출하다	☐
1390 **manipulate**	(동) 조종하다; 조작하다	☐
1391 **masterpiece**	(명) 걸작, 명작	☐
1392 **merit**	(명) 가치; 장점 (동) (상·벌 등을) 받을 만하다	☐
1393 **modest**	(형) 겸손한; 알맞은, 적당한	☐
1394 **molecule**	(명) 분자	☐
1395 **mutation**	(명) 변화; 돌연변이, 변종	☐
1396 **notable**	(형) 주목할 만한; 유명한	☐
1397 **obsess**	(동) 집착하게 하다, 사로잡다; 강박감을 갖다	☐
1398 **owe**	(동) 빚지고 있다; 신세지고 있다; ~의 덕분이다	☐
1399 **personnel**	(명) 전(全) 직원, 인원, 인력 (형) 직원의, 인사의	☐
1400 **plow**	(명) 쟁기; 경작 (동) (밭을) 갈다	☐

외우지 못한 단어가 있으면 미니 단어장에서 다시 한번 정리해 보세요.

📖 가리개를 사용하여 뜻을 암기했는지 확인하세요.

1401 pollen
[pάlən]

📝 꽃가루; 화분   📙 꽃가루받이하다

Most bees fill their days visiting flowers and collecting **pollen.** 학평
대부분의 벌들은 꽃들을 방문하고 .... 를 모으며 하루를 보낸다.

a .... allergy
꽃가루 알레르기

1402 posture
[pάstʃər]

📝 자세; 태도   📙 자세를 취하다

Our real feelings leak out in the form of tones of voice, facial expressions, and **posture.** 학평
우리의 진짜 감정은 목소리 톤, 얼굴 표정, 그리고 ....의 형태로 새어 나온다.

📑 pose 📝 자세 📙 자세를 취하다

upright ....
똑바른 자세

1403 prosper
[prάspər]

📙 번영하다; 번창하다

Competition makes our economy **prosper.** 학평
경쟁은 우리 경제를 .... 한다.

➕ prosperity 📝 번영, 성공   prosperous 📝 번영하는, 성공한
📑 flourish, thrive 📙 번영하다

.... in business
사업이 번영하다

1404 realm
[relm]

📝 범위, 영역; 왕국

Tourism takes place simultaneously in the **realm** of the imagination and that of the physical world. 모평
관광은 상상의 ....과 물리적인 세계의 영역에서 동시에 일어난다.

📑 domain 📝 범위, 영역   kingdom 📝 왕국

the .... of philosophy
철학의 영역

1405 recite
[risάit]

📙 암송하다; 낭송하다

Each student failed to **recite** the poem. 학평
각각의 학생은 그 시를 .... 데 실패했다.

➕ recital 📝 암송; 낭독; 독주회, 독창회

.... lyrics
가사를 낭송하다

1406 reform
[rifɔ́:rm]

📙 개혁하다, 개정하다   📝 개혁, 개정

Renewal and **reform** depend on a capacity for going backwards to go forward. 학평
쇄신과 ....은 앞으로 나아가기 위해 되돌아가는 역량에 달려 있다.

.... the education system
교육 제도를 개혁하다

해석 완성 꽃가루 / 자세 / 번영하게 / 영역 / 암송하는 / 개혁

1407 restrict
[ristríkt]

동 제한하다; 금지하다

Entries are **restricted** to two per participant. 학평
출품은 참가자 한 명당 2편으로 ....

➕ restriction 명 제한 restrictive 형 제한하는

.... the sale of guns
총기 판매를 제한하다

1408 retain
[ritéin]

동 보유하다, 유지하다

It is difficult to **retain** optimism when all the patients are declining in health. 수능
모든 환자의 건강이 쇠하고 있을 때 낙관주의를 .... 어렵다.

➕ retention 명 보유, 유지

.... moisture
수분을 보유하다

1409 retrieve
[ritríːv]

동 회수하다; 회복하다

There's no way to know whether the memories hypnotized people **retrieve** are true or not. 학평
최면에 걸린 사람들이 .... 기억이 진실인지 아닌지를 알 방법은 없다.

🟰 recover, regain, restore 동 회복하다

.... one's honor
~의 명예를 회복하다

1410 ripe
[raip]

형 익은, 숙성한

Fruit picked before it is **ripe** has less flavor than fruit picked **ripe** from the plant. 모평
.... 전에 수확된 과일은 그 식물에서 .... 채 수확된 과일보다 맛이 덜하다.

➕ ripen 동 익다, 숙성하다
🟰 mature 형 숙성한; 원숙한

taste fully .... pears
완전히 익은 배를 맛보다

1411 royal
[rɔ́iəl]

형 왕의, 왕족의

The musician spent much of his life in the service of various **royal** families. 모평
그 음악가는 일생의 많은 시간을 여러 ....을 모시면서 보냈다.

➕ royalty 명 왕권, 왕족; 저작권 사용료

a .... palace
왕궁

1412 shiver
[ʃívər]
심화

동 떨다, 몸서리치다 명 오한; 전율

We began to **shiver** at the sense of dread. 학평
우리는 공포감에 .... 시작했다.

➕ shivery 형 떠는
🟰 tremble, shake 동 떨다

.... with cold
추위로 떨다

해석 완성 제한됩니다 / 유지하기는 / 회복해낸 / 익기, 익은 / 왕족 / 떨기

1413 static
□□
[stǽtik]

(형) 정적인, 고정된; 움직임이 없는

Far from being **static**, the environment is constantly changing. 모평
환경은 .... 것과는 거리가 멀고, 끊임없이 변하고 있다.

🔄 dynamic (형) 활발한, 역동적인
🟰 immobile, stationary, still (형) 움직이지 않는, 정지한

.... electricity
정전기

1414 symphony
□□
제목
[símfəni]

(명) 교향곡

The body is like a **symphony** where thousands of metabolic actions are orchestrated into harmony. 학평
몸은 수천 가지의 신진대사 활동이 화음을 이루도록 협주되는 .... 과 같다.

compose a ....
교향곡을 작곡하다

1415 tickle
□□
심경
[tíkl]

(동) 간질이다; 간지럽다

I felt blonde curls **tickle** my chin. 학평
나는 금발의 곱슬머리가 내 턱을 .... 것을 느꼈다.

.... one's feet
~의 발을 간질이다

1416 uncover
□□
빈칸
[ʌnkʌ́vər]

(동) 폭로하다, 밝히다; 덮개를 벗기다

The essence of science is to **uncover** patterns and regularities in nature. 모평
과학의 본질은 자연의 패턴과 규칙성을 .... 것이다.

🟰 disclose, expose, reveal (동) 폭로하다, 밝히다

.... evidence
증거를 밝히다

1417 undergo
□□
[ʌ̀ndərgóu]

(동) (-underwent-undergone) 경험하다, 겪다; 견디다

The theories of science are not fixed; rather, they **undergo** change. 학평
과학 이론은 고정된 것이 아니라 오히려 변화를 ....

.... medical treatment
의학적 치료를 받다

해석 완성 정적인 / 교향곡 / 간질이는 / 밝히는 / 겪는다

진짜 기출로 확인! 우리말과 일치하도록 빈칸에 알맞은 단어를 고르시오.

고3 학평

When it is dry, the cactus contracts to minimize the surface area exposed to the sun and (1)_____ as much water as possible. Conversely, for a tree that draws moisture and (2)_____ from the air, it is good to maximize its surface area.
(건조해지면 선인장은 태양에 노출되는 표면적을 최소화하고 가능한 한 많은 물을 보유하기 위해 수축한다. 반대로, 공기로부터 수분과 양분을 끌어들이는 나무는 표면적을 극대화하는 것이 좋다.)

① retain   ② shiver   ③ retrieve   ④ realms   ⑤ nutrients

ANSWERS p.482

1418 unfair
[ʌnféər]

(형) 불공정한; 불공평한

People reject **unfair** offers even if it costs them money to do so. (모평)

사람들은 .... 제안을 거절하는 것이 그들에게 손해를 입히더라도 그 제안을 거절한다.

.... competition
불공정한 경쟁

1419 vertical
[vɔ́ːrtikəl]

(형) 수직의, 세로의 (명) 수직

If you stand still in **vertical** rain, you will only get wet on top of your head. (학평)

.... 내리는 빗속에 가만히 서 있으면 머리 위만 젖을 것이다.

🔁 horizontal (형) 수평의, 가로의

a .... line
수직선

1420 vivid
[vívid]

(형) 생생한; 선명한

He painted both background and figures in **vivid** colors. (EBS)

그는 배경과 형상을 모두 .... 색상으로 칠했다.

.... memories
of the tour
여행에 대한 **생생한** 기억

1421 wilderness
[wíldərnis]

(명) 황야, 황무지

The quake devastated 24,000 square miles of **wilderness**. (모평)

그 지진은 2만 4천 제곱 마일의 ....를 황폐화했다.

survive in the ....
황야에서 생존하다

1422 withstand
[wiðstǽnd]

(동) (-withstood-withstood) 저항하다; 견디다, 버티다

Buildings should be strong enough to **withstand** an earthquake.

건물은 지진을 .... 만큼 충분히 튼튼해야 한다.

.... heat and cold
더위와 추위를 견디다

1423 accustomed
[əkʌ́stəmd]

(형) 익숙한; 습관의

We are **accustomed** to thinking of light as always going in straight lines. (학평)

우리는 빛이 항상 일직선으로 나아가는 것으로 생각하는 데 ....

be accustomed to -ing ~하는 데 익숙하다

an .... position
습관적인 자세

1424 acute
[əkjúːt]

(형) 날카로운; 빈틈없는; 심각한

Through evolution, our brains have developed to deal with **acute** dangers. (학평)

진화를 통해, 우리의 뇌는 .... 위험에 대처하도록 발달해 왔다.

🔁 blunt (형) 무딘

an .... leaf
날카로운 잎

해석 완성 불공정한 / 수직으로 / 선명한 / 황무지 / 견딜 / 익숙하다 / 심각한

¹⁴²⁵ **adhere**
□□
[ædhíər]

(동) 접착하다; 고수하다; 집착하다

There is nothing wrong with **adhering** to specific strategies. (모평)
특정한 전략을 _____ 것이 잘못된 것은 아니다.

➕ adherence (명) 접착; 고수, 집착
🟰 bond (동) 접착시키다

_____ to the surface
표면에 접착하다

---

¹⁴²⁶ **altruism**
□□
[ǽltru(:)ìzəm]

(명) 이타주의; 이타심

Groups of early humans who practiced mutual **altruism** were in a better position to prosper. (모평)
상호 _____ 를 실천했던 초기 인간의 무리는 번창할 수 있는 더 나은 위치에 있었다.

an act of _____
이타주의적인 행동

---

¹⁴²⁷ **amphibian**
□□
[æmfíbiən]
실용어휘

(명) 양서류

One third of the world's **amphibian** species are threatened with extinction. (학평)
세계 _____ 종의 3분의 1이 멸종의 위험에 처해 있다.

a reptile and an _____
파충류와 양서류

---

¹⁴²⁸ **antibiotic**
□□
[æ̀ntaibaiátik]

(명) 항생 물질   (형) 항생 물질의; 항생 작용의

The vaccine stimulates the immune system to make **antibiotics**. (학평)
백신은 면역 체계를 활성화하여 _____ 을 만든다.

overuse of _____
항생 물질 과다 사용

---

¹⁴²⁹ **arctic**
□□
[á:rktik]

(명) 북극 (지방)   (형) 북극의, 북극 지방의

Across the **Arctic**, polar bear numbers are in decline. (모평)
_____ 전역에서 북극곰의 수가 감소세에 있다.

🔄 antarctic (명) 남극 (지방) (형) 남극의, 남극 지방의

an _____ exploration
북극 탐험

해석 완성 고수하는 / 이타주의 / 양서류 / 항생 물질 / 북극

진짜 기출로 확인 ! 밑줄 친 단어의 뜻을 네모 안에서 고르시오. 고3 학평

Any atom that can't (1)withstand the force will be ripped from its position in the material, causing a crack. Wherever there is a crack, the atoms have fewer neighboring atoms to (2)bond together, and so these atoms are more prone to being ripped from position.

(힘을 (1) 견디지 / 보태지 못하는 원자는 어느 것이든 물질 안의 본래 위치에서 떨어져 나와 균열이 생기게 할 것이다. 균열이 있는 곳마다 서로 (2) 밀어낼 / 붙어 있을 인접한 원자가 더 적고, 결국 이 원자들은 자리에서 떨어져 나가기 더 쉽다.)

ANSWERS p.482

1430 **patrol** [pətróul]

[동] 순찰하다 [명] 순찰; 순찰병

He **patrolled** the hills regularly, removing the leaves and branches. [학평]
그는 정기적으로 언덕을 ………… 나뭇잎과 가지를 제거했다.

[+] **patroller** [명] 순찰자

a police car on …………
순찰 중인 경찰차

1431 **trivial** [tríviəl]

[형] 사소한

My mind is crowded with all sorts of **trivial** thoughts.
내 머릿속은 온갖 ………… 생각들로 가득 차 있다.

[+] **trivia** [명] 사소한 일
[=] **unimportant, minor** [형] 중요하지 않은

a ………… matter
사소한 문제

1432 **sewage** [sú:idʒ]

[명] 하수, 오수

Artificial wetlands provide a low-cost way to filter and treat outflowing **sewage**. [학평]
인공 습지는 흘러나오는 …………를 거르고 처리하는 저비용 방식을 제공한다.

be polluted with …………
하수로 오염되다

1433 **browse** [brauz]

[동] 대강 읽다; 둘러보다; 인터넷 정보를 검색하다

She stopped to **browse** at a second-hand bookshop.
그는 중고 서점을 ………… 위해 걸음을 멈추었다.

[=] **scan, skim** [동] 훑어보다, 대강 읽다
surf [동] 인터넷을 서핑[검색]하다

………… through books
책을 대강 읽다

1434 **buffer** [bʌ́fər] [빈칸]

[명] 완충기; 완충물 [동] 완화하다; 보호하다

Word processors introduced multiple **buffers** and multiple documents open at a time. [학평]
워드프로세서는 다수의 …………를 도입했고 다수의 문서가 한 번에 열린다.

act as a ………… against stress
스트레스를 막는 완충물 역할을 하다

1435 **burrow** [bə́:rou]

[동] 굴을 파다; 파고들다 [명] 은신처

Early man may have learned **burrowing** from rabbits. [학평] 초기의 인간은 토끼에게서 ………… 것을 배웠을 것이다.

[=] **dig** [동] (굴을) 파다

hibernate in a shallow …………
얕은 은신처에서 동면하다

해석 완성 순찰하면서 / 사소한 / 오수 / 둘러보기 / 완충 장치 / 굴을 파는

1436 calculus
[kǽlkjələs]

(명) 계산법; 미적분학

At age eight, von Neumann had mastered **calculus**.
(모평) von Neumann은 여덟 살의 나이에 .... 에 통달했다.

fail ....
미적분학에서 낙제하다

1437 testify
[téstəfài]

(동) 증언하다; 증명하다

The frightened witness refused to **testify**.
겁에 질린 증인은 .... 거부했다.

testify for[against] ~에게 유리한[불리한] 증언을 하다

➕ **testimony** (명) 증언   **testimonial** (명) 증명서; 추천서
📘 **attest** (동) 증언하다; 증명하다

.... in court
법정에서 증언하다

1438 coerce
[kouɔ́ːrs]

(동) 강요하다, 강제하다

The organization may **coerce** her to sign the document.
그 조직은 그녀가 서류에 서명하도록 .... 수도 있다.

coerce A to[into] -ing A에게 ~하도록 강요하다

.... obedience
복종을 강요하다

1439 comparable
[kámpərəbl]

(형) 비교되는; 상당하는, 동등한

If the driving process is self-expression, one could argue that both verbal and nonverbal forms of expression would provide **comparable** benefits. (EBS)
추진 과정이 자기 표현이라면, 언어적 표현 형태와 비언어적 표현 형태 모두 .... 이점을 제공할 것이라고 주장할 수 있다.

➕ **comparison** (명) 비교

.... in price
가격적인 측면에서 동등한

1440 conserve
[kənsɔ́ːrv]

(동) 보존하다, 보호하다

As part of its strategy for survival, our brain wants to **conserve** energy. (학평)
생존을 위한 전략의 일부로 우리의 뇌는 에너지를 .... 원한다.

➕ **conservative** (형) 보수적인

.... forests
숲을 보존하다

해석 완성 미적분학 / 증언하기를 / 강요할 / 동등한 / 보존하기를

진파 기출로 확인 !   문맥에 맞도록 빈칸에 알맞은 단어를 고르시오.   고3 학평

It has been proposed that sleep functions to (1)_____ energy. Indeed, many small mammals living in cold climates, who lose heat easily by having an unfavorable surface area to body weight ratio, tend to sleep a lot, often in insulating (2)_____.

① testify   ② patrols   ③ burrows   ④ browse   ⑤ conserve

ANSWERS p.482

3-Minute Check

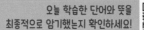

		check				check
1401 **pollen**	(명) 꽃가루; 화분 (동) 꽃가루받이하다	☐	1421 **wilderness**	(명) 황야, 황무지	☐
1402 **posture**	(명) 자세; 태도 (동) 자세를 취하다	☐	1422 **withstand**	(동) 저항하다; 견디다, 버티다	☐
1403 **prosper**	(동) 번영하다; 번창하다	☐	1423 **accustomed**	(형) 익숙한; 습관의	☐
1404 **realm**	(명) 범위, 영역; 왕국	☐	1424 **acute**	(형) 날카로운; 빈틈없는; 심각한	☐
1405 **recite**	(동) 암송하다; 낭송하다	☐	1425 **adhere**	(동) 접착하다; 고수하다; 집착하다	☐
1406 **reform**	(동) 개혁하다, 개정하다 (명) 개혁, 개정	☐	1426 **altruism**	(명) 이타주의; 이타심	☐
1407 **restrict**	(동) 제한하다; 금지하다	☐	1427 **amphibian**	(명) 양서류	☐
1408 **retain**	(동) 보유하다, 유지하다	☐	1428 **antibiotic**	(명) 항생 물질 (형) 항생 물질의; 항생 작용의	☐
1409 **retrieve**	(동) 회수하다; 회복하다	☐	1429 **arctic**	(명) 북극 (지방) (형) 북극의, 북극 지방의	☐
1410 **ripe**	(형) 익은, 숙성한	☐	1430 **patrol**	(동) 순찰하다 (명) 순찰; 순찰병	☐
1411 **royal**	(형) 왕의, 왕족의	☐	1431 **trivial**	(형) 사소한	☐
1412 **shiver**	(동) 떨다, 몸서리치다 (명) 오한; 전율	☐	1432 **sewage**	(명) 하수, 오수	☐
1413 **static**	(형) 정적인, 고정된; 움직임이 없는	☐	1433 **browse**	(동) 대강 읽다; 둘러보다; 인터넷 정보를 검색하다	☐
1414 **symphony**	(명) 교향곡	☐	1434 **buffer**	(명) 완충기; 완충물 (동) 완화하다; 보호하다	☐
1415 **tickle**	(동) 간질이다; 간지럽다	☐	1435 **burrow**	(동) 굴을 파다; 파고들다 (명) 은신처	☐
1416 **uncover**	(동) 폭로하다, 밝히다; 덮개를 벗기다	☐	1436 **calculus**	(명) 계산법; 미적분학	☐
1417 **undergo**	(동) 경험하다, 겪다; 견디다	☐	1437 **testify**	(동) 증언하다; 증명하다	☐
1418 **unfair**	(형) 불공정한; 불공평한	☐	1438 **coerce**	(동) 강요하다, 강제하다	☐
1419 **vertical**	(형) 수직의, 세로의 (명) 수직	☐	1439 **comparable**	(형) 비교되는; 상당하는, 동등한	☐
1420 **vivid**	(형) 생생한; 선명한	☐	1440 **conserve**	(동) 보존하다, 보호하다	☐

외우지 못한 단어가 있으면 미니 단어장에서 다시 한번 정리해 보세요.

A 영어는 우리말로, 우리말은 영어로 쓰시오.

01 compromise …………………

02 infer …………………

03 occupy …………………

04 obsess …………………

05 static …………………

06 adhere …………………

07 withstand …………………

08 subconscious …………………

09 arbitrary …………………

10 temporary …………………

11 cite …………………

12 portable …………………

13 implement …………………

14 migrate …………………

15 burrow …………………

16 sustain …………………

17 deposit …………………

18 tremendous …………………

19 spatial …………………

20 flatter …………………

21 수직의, 세로의; 수직 …………………

22 손대지 않은, 온전한 …………………

23 상속하다, 물려받다 …………………

24 비교되는; 상당하는, 동등한 …………………

25 분자 …………………

26 보존하다, 보호하다 …………………

27 보유하다, 유지하다 …………………

28 범위, 영역; 왕국 …………………

29 번영하다; 번창하다 …………………

30 정렬, 배열; 배열하다 …………………

31 발명의 재주, 창의력 …………………

32 반대로, 역으로; 불리하게 …………………

33 마찰; 불화 …………………

34 떨다, 몸서리치다; 오한 …………………

35 익은, 숙성한 …………………

36 대이변, 큰 재해 …………………

37 날카로운; 빈틈없는; 심각한 …………………

38 암송하다; 낭송하다 …………………

39 겸손한; 알맞은, 적당한 …………………

40 간격, 거리 …………………

B 빈칸에 알맞은 말을 쓰시오.

01 The customer came in to inquire about a loan.

→ 그 고객은 ....에 관해 문의하려고 들어왔다.

02 The quake devastated 24,000 square miles of wilderness.

→ 그 지진은 2만 4천 제곱 마일의 ....를 황폐화했다.

03 He is a forceful person and has his own convictions.

→ 그는 강인한 사람이고 자신만의 ....이 있다.

04 The theories of science are not fixed; rather, they undergo change.

→ 과학 이론은 고정된 것이 아니라 오히려 변화를 ....

05 Definitions of taste belong to the cultural heritage of human society.

→ 취향의 정의는 인간 사회의 문화적 ....에 속한다

C 밑줄 친 단어와 뜻이 가장 유사한 단어를 고르시오.

01 The impacts of tourism on the environment are evident.

① trivial   ② obvious   ③ festive   ④ antibiotic   ⑤ unfair

02 The author's works portrayed the harsh reality of life in Romania.

① plowed   ② described   ③ energized   ④ fainted   ⑤ manipulated

03 The prospect of losing everything would be overwhelming for anybody.

① summit   ② appetite   ③ sake   ④ conscience   ⑤ expectation

04 Entries are restricted to two per participant.

① soared   ② sealed   ③ deleted   ④ limited   ⑤ trailed

05 There's no way to know whether the memories hypnotized people retrieve are true or not.

① owe   ② uncover   ③ reform   ④ browse   ⑤ recover

📖 가리개를 사용하여 뜻을 암기했는지 확인하세요.

DRILLS

1441 **console**
[kənsóul]

동 위로하다

Suppose you must try to **console** the victim's relatives. 학평
희생자의 친척들을 .... 노력해야 한다고 가정해 보자.

➕ **consolation** 명 위안, 위로

.... the loser
패자를 위로하다

1442 **correction**
[kərékʃən]

명 정정, 수정; 첨삭; 교정

Correction should not lead to silencing the student. 학평
.... 이 학생을 침묵하도록 이끌어서는 안 된다.

➕ **correct** 형 적절한, 옳은 동 바로잡다, 정정하다

a .... pen
수정펜

1443 **cottage**
[kátidʒ]

명 시골집; 작은 집; 오두막; 별장

It took four years to build the small **cottage**. 수능
그 작은 .... 을 짓는 데 4년이 걸렸다.

a .... by the lake
호수 옆 오두막

1444 **coverage**
[kʌ́vəridʒ]
제목

명 적용 범위; 보도

Media **coverage** of sports is carefully edited. 학평
스포츠에 대한 대중 매체의 .... 는 신중하게 편집된다.

insurance ....
보험 적용 범위

1445 **rebel**
형[rébəl]
동[ribél]

형 반역[반란]의   동 반역[반란]을 일으키다

Rebel forces hold sway over much of the island.
.... 군들이 그 섬의 많은 부분을 장악하고 있다.

➕ **rebellion** 명 반란   **rebellious** 형 반역하는; 반항적인

.... against the upper class
상류 계급에 반란을 일으키다

1446 **depict**
[dipíkt]

동 그리다, 묘사하다

His idea was to **depict** humorous crowd scenes in various locations. 모평
그의 생각은 다양한 장소에서의 재미있는 군중 장면을 .... 것이었다.

➕ **depiction** 명 묘사

.... an ideal world
이상적인 세계를 묘사하다

1447 **deviant**
[díːviənt]

형 정상이 아닌, 이상한; 일탈한

Norms are without doubt controls on **deviant** behavior. EBS
규범은 의심할 여지가 없이 .... 행위를 제어한다.

abnormal or ....
action
비정상적이거나 일탈적인 행동

해석 완성 위로하려고 / 교정 / 시골집 / 보도 / 반란 / 그리는 / 일탈

1448 dictate
[díkteit]
빈칸

(동) 받아쓰게 하다; 명령하다, 지시하다

There is nothing inherent in knowledge that **dictates** any specific moral application. 수능
본래 지식에는 특정한 도덕적 적용을 .... 것이 없다.

➕ dictator (명) 독재자

.... a letter to a secretary
비서에게 편지를 받아쓰게 하다

1449 dietary
[dáiətèri]

(형) 식사의, 음식의; 식이 요법의

The role of nutrients has often been interpreted outside the context of the **dietary** patterns. EBS
영양소의 역할은 종종 .... 패턴의 맥락 밖에서 해석되어 왔다.

➕ diet (명) 식사; 식습관; 식이 요법 (동) 식이 요법을 하다

.... habits
식습관

1450 dim
[dim]

(형) 어둑한; 희미한   (동) 흐리게 하다

Reading in **dim** light can ruin your eyesight.
.... 불빛에서의 독서는 시력을 나쁘게 만들 수 있다.

➕ dimness (명) 어둑함; 희미함   dimly (부) 어둑하게; 희미하게

.... memories
희미한 기억

1451 disapprove
[dìsəprúːv]
제목

(동) 인가[승인]하지 않다; 비난하다

The person will tend to **disapprove** of others whose behavior conflicts with the principle. 수능
그 사람은 원칙과 충돌하는 행동을 하는 사람들을 .... 경향이 있을 것이다.

➕ disapproval (명) 불찬성; 반대 의견; 비난
➡ approve (동) 인가하다; 승인하다

.... of the war
전쟁을 인가[승인]하지 않다

1452 dismiss
[dismís]

(동) 해산시키다; 해고하다; 묵살하다

We often **dismiss** new ideas that could further our growth. 모평
우리는 종종 우리의 성장을 촉진할 수 있는 새로운 생각들을 ....

➕ dismissal (명) 해산; 해고; 묵살
🟰 fire, discharge (동) 해고하다

.... the argument
논쟁을 묵살하다

1453 dissatisfaction
[dìssætisfǽkʃən]
제목

(명) 불만, 불평

If you're late, you'll probably experience feelings of **dissatisfaction**. 모평
여러분이 늦는다면 아마도 여러분은 ....의 감정을 경험할 것이다.

➕ dissatisfy (동) 불만을 느끼게 하다

widespread ....
널리 퍼진 불만

해석 완성 지시하는 / 식사 / 어두운 / 비난하는 / 묵살한다 / 불만

1454 renew
[rinjúː]

(동) 갱신하다; 새롭게 하다; 재개하다

We recently **renewed** our lease with plans to stay for another year. 학평
우리는 최근에 1년 더 머물 계획으로 임대 계약을 ....

❏ **renewal** (명) 갱신; 재생; 재개

.... one's license
~의 면허를 갱신하다

1455 emit
[imít]
주제

(동) 방출하다; 내뿜다

Leaders who **emit** negative emotional states repel people and have few followers. 모평
부정적인 감정 상태를 .... 지도자들은 사람들을 쫓아 버리고 추종자가 거의 없다.

❏ **release, radiate** (동) 방출하다; 내뿜다   **give off** ~을 내뿜다

.... light and heat
빛과 열을 방출하다

1456 equilibrium
[ìːkwəlíbriəm]

(명) 평형 상태, 균형; 평온

A large forest can help create **equilibrium** in the atmosphere by removing excess CO_2. 모평
큰 숲은 과잉 이산화탄소를 제거함으로써 대기에 .... 를 만드는 데 도움을 줄 수 있다.

.... of power
힘의 균형

1457 equivalent
[ikwívələnt]

(명) 상당하는 것   (형) 동등한; 상당하는, 상응하는

She could do the **equivalent** of a full day's work by seven o'clock. 학평
그녀는 7시까지 하루 종일의 일에 .... 을 할 수 있었다.

❏ **equivalence** (명) (가치·힘·양이) 같음

directly ....
information
정확히 상응하는 정보

1458 expedition
[èkspədíʃən]

(명) 탐험(대), 원정(대)

When Napoleon invaded Egypt, Fourier accompanied the **expedition**. 수능
나폴레옹이 이집트를 침입했을 때 Fourier는 .... 와 동행했다.

the first ....
to the moon
최초의 달 탐험

해석 완성 갱신했다 / 내뿜는 / 평형 상태 / 상당하는 일 / 원정대

진짜 기출로 확인! 밑줄 친 단어의 뜻을 문맥에 맞게 찾으시오.   고3 학평

If news (1)<u>coverage</u> portrays the subjects as socially (2)<u>deviant</u> or otherwise morally unfit, the resulting stigma can be profound. And yet for many potential subjects, cooperating with journalists is still a bargain worth striking.

① 균형   ② 보도   ③ 수정   ④ 일탈한   ⑤ 희미한

ANSWERS p.483

1459 explode
[iksplóud]

동 터지다, 폭발하다

In 1993, during the Bosnian civil war, a bomb **exploded** in the courtyard of her building. 학평
1993년, Bosnia 내전 중에 폭탄이 그녀의 건물 마당에서 ＿＿＿＿＿.

⊞ explosive 형 폭발하기 쉬운 명 폭발물

＿＿＿＿＿ with laughter
웃음이 터지다

1460 extrovert
[ékstrəvə̀ːrt]

형 외향적인 동 외향적이 되게 하다

Kelly is a real **extrovert** while Jane is quiet and thoughtful. 학평
Jane은 조용하고 사려 깊은 반면 Kelly는 정말 ＿＿＿＿＿.

⇄ introvert 형 내향적인

an ＿＿＿＿＿ personality
외향적인 성격

1461 factual
[fǽktʃuəl]

형 사실의, 사실에 입각한; 실제의

Most people will resist correcting their **factual** beliefs.
학평 대부분의 사람들은 그들의 ＿＿＿＿＿ 신념을 바로잡는 것을 거부할 것이다.

＿＿＿＿＿ information
사실에 입각한 정보

1462 famine
[fǽmin]

명 기근; 굶주림, 기아

Can artificial meat put an end to **famine**? EBS
인공 고기가 ＿＿＿＿＿을 끝낼 수 있을까?

🖹 hunger, starvation 명 굶주림, 기아

a severe ＿＿＿＿＿
심각한 기근

1463 flame
[fleim]
분위기

명 불길, 불꽃 동 (불꽃을 내며) 타다

We could see orange and yellow **flames** dancing beside pianos. 학평
우리는 주황색과 노란색 ＿＿＿＿＿이 피아노 옆에서 춤추는 것을 볼 수 있었다.

⊞ flammable 형 가연성의; 불에 잘 타는

a house in ＿＿＿＿＿
불길에 휩싸인 집

1464 flourish
[flə́ːriʃ]

동 번영하다; 잘 자라다

Modern science took root and **flourished** in a Christian society. EBS
현대 과학은 기독교 사회에 뿌리를 내리고 ＿＿＿＿＿.

🖹 prosper, thrive 동 번영하다

＿＿＿＿＿ in the present economic climate
현 경제 상황에서 번영하다

해석 완성 폭발했다 / 외향적이다 / 사실적 / 기근 / 불꽃들 / 번영했다

1465 빈 칸	**fluent** [flúːənt]	(형) 유창한; 능수능란한 Many people expect **fluent** resolution at the end. (학평) 많은 사람들은 마지막에 .... 해결을 기대한다. **be fluent in** ~에 유창하다 ➕ **fluency** (명) 유창성　**fluently** (부) 유창하게	be .... in English 영어를 유창하게 구사하다
1466 주 제	**fragile** [frǽdʒəl]	(형) 망가지기 쉬운; 연약한 We are **fragile** creatures in an environment full of danger. (모평) 우리는 위험으로 가득 찬 환경에 살고 있는 .... 존재이다. ➕ **fragility** (명) 부서지기 쉬움; 연약함	.... glass 깨지기 쉬운 유리
1467	**grind** [graind]	(동) (-ground-ground) 갈다; 가루로 만들다 She invented a new way to **grind** corn into meal. (학평) 그녀는 옥수수를 .... 으깬 곡물로 만드는 새로운 방법을 고안했다.	.... grains 곡물을 갈다
1468	**gymnastics** [dʒimnǽstiks]	(명) 체조 Evaluation of performances such as diving, **gymnastics**, and figure skating is more subjective. (모평) 다이빙, ..., 피겨스케이팅과 같은 동작에 대한 평가는 더 주관적이다. ➕ **gymnastic** (형) 체조의; 체육의　**gymnast** (명) 체조 선수	a .... competition 체조 대회
1469	**immerse** [imə́ːrs]	(동) 담그다, 가라앉히다; 몰두하게 하다 Adolescents have been quick to **immerse** themselves in technology with using the Internet. (모평) 청소년들은 인터넷을 사용하면서 과학 기술에 빠르게 .... **immerse oneself in** ~에 몰두하다	.... one's hand in water ~의 손을 물에 담그다

해석 완성 능수능란한 / 연약한 / 갈아서 / 체조 / 몰두했다

진파 기출로 확인!　밑줄 친 단어의 뜻을 네모 안에서 고르시오.　고3 모평

Giving direct, accurate, and (1) factual answers may seem to solve the problem from the (2) perspective of the answerer. But in reality, it can shut the asker down. A (3) statement of fact with no other context puts the burden on the asker to take the next step.

(직접적이고 정확하며 (1) 간결한 / 사실에 입각한 해답을 제공하는 것은 대답하는 사람의 (2) 시각 / 거리 에서는 문제를 해결하는 것처럼 보일 수도 있다. 하지만 실제로 그것은 질문자를 차단해 버릴 수 있다. 별다른 맥락 없이 사실을 (3) 진술 / 은폐 하는 것은 다음 단계로 나아가는 부담을 질문자에게 둔다.)

ANSWERS p.483

1470 **inclined**
□□
빈칸
[inkláind]

(형) 하고 싶은; 경향이 있는; 기울어진

When people try to control situations, they are **inclined** to experience high levels of stress. 모평
사람들이 상황을 통제하려 할 때 그들은 높은 수준의 스트레스를 경험하는 ....

➕ incline (동) 기울다

feel .... to help
돕고 싶은 마음이 들다

1471 **inspection**
□□
실용문
[inspékʃən]

(명) 검사, 조사; 감사

All vehicles must pass a safety **inspection**. 학평
모든 운송 수단은 안전 ....를 통과해야 한다.

➕ inspect (동) 검사하다 inspector (명) 검사자; 감독자

a close ....
정밀 검사

1472 **interconnected**
□□
[intərkənéktid]

(형) 서로 연결[연락]된

The brain can quickly find matches because its neurons are **interconnected**. EBS
두뇌는 신경 세포가 .... 있기 때문에 일치하는 것을 빠르게 찾을 수 있다.

➕ interconnect (동) 서로 연결하다
interconnectedness (명) 상호 연관성

.... factors
서로 연결된 요인들

1473 **introvert**
□□
[íntrəvə̀:rt]

(명) 내향적인 사람 (형) 내향적인

An **introvert** is far less likely to make a mistake in a social situation. 모평
...............은 사회적 상황에서 실수할 가능성이 훨씬 더 적다.

shy and ....
수줍음이 많고 내향적인

1474 **invalid**
□□
[invǽlid]

(형) 무효의; 근거 없는; 실효성이 없는

The contract is **invalid** without the official stamp.
공식 인장이 없으면 그 계약은 ....

➕ invalidity (명) 무효
🔄 valid (형) 유효의; 타당한

an .... license
유효하지 않은 자격증

1475 **irrational**
□□
[irǽʃənəl]

(형) 불합리한, 비이성적인

Many of the seemingly **irrational** choices that people make do not seem so foolish after all. 모평
사람들이 하는 겉보기에는 .... 선택들 중 많은 것들이 결국에는 그리 어리석어 보이지 않는다.

➕ irrationality (명) 불합리, 부조리
🔄 rational (형) 합리적인, 이성적인

an .... decision
불합리한 결정

해석 완성 경향이 있다 / 검사 / 서로 연결되어 / 내향적인 사람 / 무효이다 / 비이성적인

1476 liberate
[líbərèit]

(동) 해방하다, 자유롭게 하다

Financial security can **liberate** us from work we do not find meaningful. 수능
경제적 안정은 우리가 의미를 찾지 못하는 일로부터 우리를
.... 수 있다.

➕ liberal (형) 자유주의의; 진보적인   liberation (명) 해방

.... slaves
노예를 해방하다

1477 luxury
[lʌ́kʃəri]

(명) 사치, 호화로움; 사치품

Numerous animal and plant species may become extinct because of **luxury** tourism. 학평
.... 관광으로 인해 수많은 동식물 종이 멸종될지도 모른다.

➕ luxurious (형) 사치스러운

a life of ....
사치스러운 생활

1478 swell
[swel]

(동) (–swelled–swollen) 부풀다, 팽창하다
(명) 팽창; 증가

My heart **swells** as much as my chubby bags. 수능
내 마음은 불룩한 가방만큼이나 크게 ....

a .... of pride
자부심의 증가

1479 mimic
[mímik]

(동) 흉내 내다, 모방하다   (형) 흉내 내는, 모방의

As our body **mimics** the other's, we begin to experience emotional matching. 모평
우리의 신체가 다른 사람의 신체를 .... 때 우리는 감정의 일치를 경험하기 시작한다.

.... human behavior
인간 행동을 모방하다

1480 monopoly
[mənápəli]

(명) 독점; 독점권

When a firm discovers a new drug, patent laws give the firm a **monopoly** on the sale of that drug. 학평
한 회사가 신약을 발견하면 특허법은 그 회사에 그 약 판매에 대한 .... 을 준다.

the .... on gas sales
가스 판매에 대한 독점(권)

해석 완성 자유롭게 할 / 호화 / 부풀어 오른다 / 모방할 / 독점권

진짜 기출로 확인! 문맥에 맞도록 빈칸에 알맞은 단어를 고르시오.

고3 모평

In a small village at the time of the old Austrian empire, a(n) (1)_____ from the Ministry of Education arrived one day to visit the schoolroom. It was part of his duty to make such periodic (2)_____ of the schools.

① luxury   ② introvert   ③ swell   ④ inspector   ⑤ inspections

ANSWERS p.483

3-Minute Check

		check
1441 **console**	동 위로하다	☐
1442 **correction**	명 정정, 수정; 첨삭; 교정	☐
1443 **cottage**	명 시골집; 작은 집; 오두막; 별장	☐
1444 **coverage**	명 적용 범위; 보도	☐
1445 **rebel**	형 반역[반란]의 동 반역[반란]을 일으키다	☐
1446 **depict**	동 그리다, 묘사하다	☐
1447 **deviant**	형 정상이 아닌, 이상한; 일탈한	☐
1448 **dictate**	동 받아쓰게 하다; 명령하다, 지시하다	☐
1449 **dietary**	형 식사의, 음식의; 식이 요법의	☐
1450 **dim**	형 어둑한; 희미한 동 흐리게 하다	☐
1451 **disapprove**	동 인가[승인]하지 않다; 비난하다	☐
1452 **dismiss**	동 해산시키다; 해고하다; 묵살하다	☐
1453 **dissatisfaction**	명 불만, 불평	☐
1454 **renew**	동 갱신하다; 새롭게 하다; 재개하다	☐
1455 **emit**	동 방출하다; 내뿜다	☐
1456 **equilibrium**	명 평형 상태, 균형; 평온	☐
1457 **equivalent**	명 상당하는 것 형 동등한; 상당하는, 상응하는	☐
1458 **expedition**	명 탐험(대), 원정(대)	☐
1459 **explode**	동 터지다, 폭발하다	☐
1460 **extrovert**	형 외향적인 동 외향적이 되게 하다	☐

		check
1461 **factual**	형 사실의, 사실에 입각한; 실제의	☐
1462 **famine**	명 기근; 굶주림, 기아	☐
1463 **flame**	명 불길, 불꽃 동 (불꽃을 내며) 타다	☐
1464 **flourish**	동 번영하다; 잘 자라다	☐
1465 **fluent**	형 유창한; 능수능란한	☐
1466 **fragile**	형 망가지기 쉬운; 연약한	☐
1467 **grind**	동 갈다; 가루로 만들다	☐
1468 **gymnastics**	명 체조	☐
1469 **immerse**	동 담그다, 가라앉히다; 몰두하게 하다	☐
1470 **inclined**	형 하고 싶은; 경향이 있는; 기울어진	☐
1471 **inspection**	명 검사, 조사; 감사	☐
1472 **interconnected**	형 서로 연결[연락]된	☐
1473 **introvert**	명 내향적인 사람 형 내향적인	☐
1474 **invalid**	형 무효의; 근거 없는; 실효성이 없는	☐
1475 **irrational**	형 불합리한, 비이성적인	☐
1476 **liberate**	동 해방하다, 자유롭게 하다	☐
1477 **luxury**	명 사치, 호화로움; 사치품	☐
1478 **swell**	동 부풀다, 팽창하다 명 팽창; 증가	☐
1479 **mimic**	동 흉내 내다, 모방하다 형 흉내 내는, 모방의	☐
1480 **monopoly**	명 독점; 독점권	☐

외우지 못한 단어가 있으면 미니 단어장에서 다시 한번 정리해 보세요.

DRILLS

1481 nomad
[nóumæd]

(명) 유목민, 방랑자

There are vast deserts in the Arab World, and in parts of those deserts **nomads** live. (학평)
아랍 세계에는 거대한 사막들이 있고, 그 사막의 일부에 ....이 산다.

➕ **nomadic** (형) 유목(민)의

a digital ....
디지털 유목민

1482 oral
빈칸 [ɔ́:rəl]

(형) 구두의; 입의, 구강의

The historian works with the documents, **oral** testimony, and objects to make the past come alive.
(학평) 역사가는 과거를 소생시키기 위해 서류, ... 증언, 사물들을 연구 대상으로 한다.

an .... test
구두시험

1483 outdated
제목 [àutdéitid]

(형) 구식의, 시대에 뒤진

Outdated works may be incorporated into new creative efforts. (수능)
.... 작품들은 새로운 창의적 노력 속에 포함될 수도 있다.

➕ **outdate** (동) 시대에 뒤지게 하다

.... techniques
시대에 뒤진 기술

1484 pasture
심경 [pǽstʃər]

(명) 목장; 목초지　(동) 방목하다

I could see the green **pastures** where the herds were lazily grazing. (학평)
나는 소떼가 한가로이 풀을 뜯고 있는 푸른 ....를 볼 수 있었다.

deterioration of the
....
목초지의 손상

1485 pave
빈칸 [péiv]

(동) (도로를) 포장하다

Once **paved**, land is not easily reclaimed. (학평)
일단 .... 되면, 땅은 쉽게 복구되지 않는다.

➕ **pavement** (명) 포장도로

.... muddy
roads
진흙 길을 포장하다

1486 percentage
[pərséntidʒ]

(명) 백분율; 비율

The **percentage** of the population involved in agriculture is declining. (수능)
농업에 종사하는 인구의 ....은 감소하고 있다.

a graph showing the
.... change
비율 변화를 보여 주는 그래프

해석 완성 유목민들 / 구두 / 시대에 뒤진 / 목초지 / 포장이 / 비율

1487 **perceptual**
[pərséptʃuəl]

(형) 지각의, 지각 있는

Our first impressions of others may be **perceptual** errors. 모평
다른 사람들에 대한 첫인상은 .... 오류일 수도 있다.

.... development
지각 발달

1488 **physiological**
[fìziəládʒikəl]

(형) 생리학의; 생리적인

The biological rhythms facilitate **physiological** changes on a roughly twenty-four-hour cycle. 모평
생물학적 리듬은 약 24시간을 주기로 .... 변화를 촉진한다.

➕ physiology (명) 생리학   physiologist (명) 생리학자

.... processes
생리적인 과정

1489 **predetermined**
[prì:ditə́:rmind]

(형) 미리 결정된

Replace **predetermined** routines with fresh ones. 모평
.... 일과를 새로운 일과로 바꿔라.

➕ predetermination (명) 미리 결정함, 예정

.... results
미리 결정된 결과

1490 **probe**
[proub]
분위기

(동) 탐사하다; 철저히 조사하다   (명) 탐사(기); 조사

Although searchlights still **probed** the sky, the bombing seemed to have diminished. 학평
서치라이트가 여전히 하늘을 .... 있었지만 폭격은 줄어든 것 같았다.

a space ....
우주 탐사기

1491 **prominent**
[prámənənt]

(형) 현저한; 중요한; 저명한

Some **prominent** journalists say that archaeologists should work with treasure hunters. 수능
어떤 .... 언론인들은 고고학자들이 보물 사냥꾼들과 협업해야 한다고 말한다.

a .... writer
저명한 작가

1492 **prone**
[proun]

(형) ~하기 쉬운, 경향이 있는

The more **prone** to anxieties a person is, the poorer his or her academic performance is. 수능
걱정하는 .... 더 많이 .... 사람일수록 그 사람의 학업 성취는 더 부진하다.

.... to error
실수하기 쉬운

1493 **racial**
[réiʃəl]
제목

(형) 인종의, 민족의

Once **racial** segregation is eliminated, people must learn to live together. 모평
일단 .... 차별이 없어지면, 사람들은 함께 사는 방법을 배워야 한다.

➕ racism (명) 인종 차별   racist (명) 인종 차별주의자

.... prejudice
인종적 편견

해석 완성 지각 / 생리적인 / 미리 결정된 / 탐사하고 / 저명한 / 경향이, 있는 / 인종

1494 **reception** [risépʃən]

[명] 수취, 수령; 수신 상태; 접수처

He worked on the major problem of radio **reception**.
[모평] 그는 라디오 ....의 주요 문제를 해결하려고 애를 썼다.

[+] **receptionist** [명] 접수원
receptive [형] 잘 받아들이는, 수용적인

the .... area
접수 구역

1495 **resemble** [rizémbl]

[동] 닮다, 비슷하다

Early photographs **resembled** drawings and paintings. [EBS]
초기 사진들은 소묘와 그림들과 ....

[+] **resemblance** [명] 유사성, 닮음

a building designed to .... a car
차와 비슷하게 디자인된 건물

1496 **secondary** [sékəndèri]

[형] 이차적인, 부차적인; 중등 교육의

The government sees unemployment as a **secondary** issue.
정부는 실업을 .... 문제로 보고 있다.

elementary and .... education
초중등 교육

1497 **shrink** [ʃriŋk]

[동] (-shrank-shrunk) 오그라들다; 줄어들다; 수축시키다

Moisture is stored in the root, and during droughts the root **shrinks**. [모평]
수분은 뿌리 속에 저장되고, 가뭄 때는 뿌리가 ....

[+] **shrinkage** [명] 줄어듦, 수축 **shrunken** [형] 쪼그라든
[=] **contract** [동] 줄어들다, 수축하다

.... in size
규모가 줄어들다

1498 **slave** [sleiv]

[명] 노예

Slaves played an important role in Greek society. [모평]
..................은 그리스 사회에서 중요한 역할을 했다.

make a slave of ~을 노예처럼 부려먹다[혹사하다]

[+] **slavery** [명] 노예제; 노예 신분

.... trade
노예 무역

해석 완성 수신 상태 / 비슷했다 / 부차적인 / 오그라든다 / 노예들

진짜 기출로 확인! 밑줄 친 단어의 뜻을 문맥에 맞게 찾으시오. 고3 학평

The graph shows, by gender, the top five measures people took to maintain their physical health. The (1) percentage of the men receiving regular (2) oral care was the same as that of the men spending time with friends and family.

① 비율 ② 조사 ③ 조치 ④ 구강의 ⑤ 현저한

ANSWERS p.483

1499 □□ **soak** [souk]

[동] 잠기다; 흠뻑 젖다; 담그다

The pianist looked out at him standing in the rain, completely **soaked**. [수능]
그 피아니스트는 완전히 .... 채로 빗속에 서 있는 그를 내다보았다.

soak in ~에 적시다[담그다]
soak through[into] ~에 흡수되다[스며들다]

.... feet in water
발을 물에 담그다

1500 □□ **spouse** [spaus]

[명] 배우자

We choose our towns, our jobs, and our **spouses** and friends. [학평]
우리는 우리의 마을과 직업, 그리고 ....와 친구를 선택한다.

an ideal ....
이상적인 배우자

1501 □□ **standardize** [stǽndərdàiz]

[동] 표준화하다

They tried to **standardize** the entry process to university.
그들은 대학교 입시 과정을 .... 노력했다.

.... a system
체계를 표준화하다

1502 □□ **startled** [stɑ́ːrtld]

[형] 깜짝 놀란

He was **startled**, because she seemed to know what he was thinking about. [모평]
그는 ...., 그가 무슨 생각을 하고 있는지를 그녀가 알고 있는 것 같았기 때문이다.

be startled at ~에 깜짝 놀라다

[+] **startle** [동] 깜짝 놀라게 하다 **startling** [형] 깜짝 놀라게 하는

in a .... voice
깜짝 놀란 목소리로

1503 □□ [심경] **steep** [stiːp]

[형] 가파른, 험한

We moved from a horizontal position to a **steep** incline. [학평]
우리는 수평의 위치에서 .... 경사면으로 이동했다.

[+] **steepness** [명] 가파름, 험준함

a narrow .... road
좁고 가파른 길

1504 □□ [빈칸] **string** [striŋ]

[명] 끈, 줄; 일련; (악기의) 현 [형] 현악기의

When we learn to read, we recognize **strings** of letters. [수능]
우리가 읽는 법을 배울 때 우리는 ....의 글자들을 인식한다.

no strings attached 아무 조건이 없는

a .... orchestra
현악 오케스트라

해석 완성 젖은 / 배우자 / 표준화하려고 / 깜짝 놀랐는데 / 가파른 / 일련

1505 subordinate
[səbɔ́ːrdinit]

📝 하위; 부하   📝 아래의; 종속하는

The leader's **subordinates** perceived the removal of the mask as an act of courage. (모평)
그 지도자의 ....은 가면을 벗는 것을 용기의 행위로 인식했다.

a .... body of the UN
UN 산하 기구

1506 supervisor
[súːpərvàizər]

📝 관리자, 감시자

Please send your statement directly to my **supervisor**. (학평)
제 ....에게 직접 당신의 진술서를 보내주세요.

➕ supervise 📝 관리하다, 감독하다   supervision 📝 관리, 감독

an immediate ....
직속상관

1507 surrender
[səréndər]

📝 넘겨주다; 항복하다   📝 항복

As we invent more species of AI, we will **surrender** more of what is supposedly unique about humans. (수능)
더 많은 종류의 인공지능을 발명하면서 우리는 인간 고유의 것이라고 여기는 것을 더 많이 .... 것이다.

📎 yield 📝 넘겨주다; 항복하다

.... to the enemy
적에게 항복하다

1508 tempt
[tempt]

📝 유혹하다, 부추기다

When you're **tempted** to stay in bed, you have to get up. (EBS)
침대 속에 계속 있고 싶은 .... 때 여러분은 일어나야 한다.

➕ temptation 📝 유혹   tempting 📝 유혹하는, 부추기는

.... potential buyers
잠재 고객들을 유혹하다

1509 wander
[wándər]

📝 돌아다니다, 방랑하다

One should break away from experience and let the mind **wander** freely. (모평)
사람은 경험에서 벗어나서 정신이 자유롭게 .... 해야 한다.

.... on the savanna
사바나에서 돌아다니다

해석 완성 부하들 / 관리자 / 넘겨줄 / 유혹이 들 / 떠돌게

진짜 기출로 확인! 밑줄 친 단어의 뜻을 문맥에 맞게 찾으시오.   15년 수능

Imagine that you are out in the country on a cold night, inadequately dressed for the pouring rain, your clothes (1)soaked. A stinging cold wind completes your misery. As you (2)wander around, you find a large rock that provides some shelter.

① 깜짝 놀라다   ② 넘겨주다   ③ 흠뻑 젖다   ④ 돌아다니다   ⑤ 유혹하다

ANSWERS p.483

1510 affair
[əfɛ́ər]

(명) 일; 업무; 사건

Those people who are self-aware manage their **affairs** with wisdom and grace. 학평
자아를 잘 인식하는 사람들은 지혜와 품위를 갖고 자신들의 ....을 처리한다.

a personal ....
사적인 일

1511 affluent
[ǽfluənt]

(형) 풍부한; 부유한

As people become more **affluent**, their standard of living improve.
사람들이 더 ....지면서, 그들의 생활 기준은 향상된다.

📋 **wealthy** (형) 부유한   **prosperous** (형) 번영하는; 부유한
abundant (형) 풍부한

.... customers
부유한 소비자들

1512 agony
[ǽgəni]

(명) 고민; (극심한) 고통

She hobbled on an imperfect leg, and each activity left her in **agony** for days. 학평
그녀는 온전하지 못한 다리로 절뚝거렸고, 매 활동은 며칠 동안 그녀에게 ....을 남겼다.

➕ **agonize** (동) 번민하다, 괴로워하다
📋 **anguish** (명) 극심한 고통

mental ....
정신적 고통

1513 assortment
[əsɔ́ːrtmənt]

(명) 분류; 구색; 모음

The refugee received a parcel containing an **assortment** of shirts and canned food.
그 난민은 셔츠와 통조림 식품 ....이 담긴 소포를 받았다.

➕ **assort** (동) 분류하다; (물품을) 고루 갖추다; 모으다

have a wide ....
of clothes
의류의 구색을 다양하게 갖추다

1514 averse
[əvɔ́ːrs]

(형) 싫어하는; 반대하는

Humans are **averse** to feeling that they're being cheated. 모평
인간은 속고 있다고 느끼는 것을 ....

be averse to -ing ~하는 것을 싫어하다[반대하다]

➕ **aversion** (명) 혐오, 반감   **aversive** (형) 기피하는
📋 **reluctant, unwilling** (형) 싫어하는, 꺼리는

.... to the idea
그 생각을 싫어하는

1515 axle
[ǽksəl]

(명) 축, 차축

Someone cut two cross sections out of a log and made a wheel and **axle**. 학평
누군가가 통나무에서 두 개의 단면을 잘라 내서 바퀴와 ....을 만들었다.

📋 **axis** (명) 축; 지축

an .... connecting a pair of wheels
바퀴 한 쌍을 연결하는 차축

해석 완성 일 / 부유해 / 고통 / 모음 / 싫어한다 / 차축

1516 boom
[bu:m]

(명) 호황; 대유행, 붐

The current biofuels **boom** is also a good sign for other renewables. (EBS)

현재의 바이오 연료 _____은 다른 재생 에너지에도 좋은 징조이다.

➕ **booming** (형) 인기 상승의; 쿵 하고 울리는

a _____ in the economy
경제 호황

1517 sprout
[spraut]

(동) 싹이 트다, 자라나다 (명) 싹

In June, red flowers **sprout** from the stem tips. (학평)

6월에, 줄기 끝에서 빨간 꽃들이 _____.

🟰 **bud** (동) 싹이 트다 (명) 싹

_____ in spring
봄에 싹이 트다

1518 reside
[rizáid]

(동) 거주하다; 속하다

She grew up in New York but now **resides** in L.A.

그녀는 뉴욕에서 자랐지만 지금은 L.A.에 _____.

🟰 **dwell** (동) 거주하다

_____ in Seoul
서울에 거주하다

1519 bury
[béri]

(동) 묻다, 매장하다

Burying solid waste in landfills was the most commonly used solid waste management technique. (학평)

고체 폐기물을 매립지에 _____ 것은 가장 흔히 사용되는 고체 폐기물 처리 기법이었다.

bury oneself in ~에 몰두하다

➕ **burial** (명) 매장

_____ the face in a pillow
베개에 얼굴을 묻다

1520 camouflage
[kǽməflàːʒ]

(명) 위장; 변장 (동) 위장하다; 감추다

Locusts are born with coloring designed for **camouflage**. (모평)

메뚜기들은 _____을 목적으로 한 색채를 갖고 태어난다.

🟰 **disguise** (명) 변장 (동) 위장하다; 숨기다

hide from predators through _____
위장을 통해 포식자로부터 숨다

해석 완성 붐 / 돋아난다 / 거주한다 / 묻는 / 위장

진파 기출로 확인! 문맥에 맞도록 빈칸에 알맞은 단어를 고르시오. (대소문자 무시) 고3 학평

Why do zebras have black and white stripes? (1)_____ is the obvious answer, but where is a black and white forest or jungle found? Tigers' stripes help them blend in with tall grasses, but zebras are really (2)_____.

① axle ② camouflage ③ obvious ④ agony ⑤ averse

ANSWERS p.483

3-Minute Check

		check
1481 **nomad**	몡 유목민, 방랑자	☐
1482 **oral**	옝 구두의; 입의, 구강의	☐
1483 **outdated**	옝 구식의, 시대에 뒤진	☐
1484 **pasture**	몡 목장; 목초지 동 방목하다	☐
1485 **pave**	동 (도로를) 포장하다	☐
1486 **percentage**	몡 백분율; 비율	☐
1487 **perceptual**	옝 지각의, 지각 있는	☐
1488 **physiological**	옝 생리학의; 생리적인	☐
1489 **predetermined**	옝 미리 결정된	☐
1490 **probe**	동 탐사하다; 철저히 조사하다 몡 탐사(기); 조사	☐
1491 **prominent**	옝 현저한; 중요한; 저명한	☐
1492 **prone**	옝 ~하기 쉬운, 경향이 있는	☐
1493 **racial**	옝 인종의, 민족의	☐
1494 **reception**	몡 수취, 수령; 수신 상태; 접수처	☐
1495 **resemble**	동 닮다, 비슷하다	☐
1496 **secondary**	옝 이차적인, 부차적인; 중등 교육의	☐
1497 **shrink**	동 오그라들다; 줄어들다; 수축시키다	☐
1498 **slave**	몡 노예	☐
1499 **soak**	동 잠기다; 흠뻑 젖다; 담그다	☐
1500 **spouse**	몡 배우자	☐

		check
1501 **standardize**	동 표준화하다	☐
1502 **startled**	옝 깜짝 놀란	☐
1503 **steep**	옝 가파른, 험한	☐
1504 **string**	몡 끈, 줄; 일련; (악기의) 현 옝 현악기의	☐
1505 **subordinate**	몡 하위; 부하 옝 아래의; 종속하는	☐
1506 **supervisor**	몡 관리자, 감시자	☐
1507 **surrender**	동 넘겨주다; 항복하다 몡 항복	☐
1508 **tempt**	동 유혹하다, 부추기다	☐
1509 **wander**	동 돌아다니다, 방랑하다	☐
1510 **affair**	몡 일; 업무; 사건	☐
1511 **affluent**	옝 풍부한; 부유한	☐
1512 **agony**	몡 고민; (극심한) 고통	☐
1513 **assortment**	몡 분류; 구색; 모음	☐
1514 **averse**	옝 싫어하는; 반대하는	☐
1515 **axle**	몡 축, 차축	☐
1516 **boom**	몡 호황; 대유행, 붐	☐
1517 **sprout**	동 싹이 트다, 자라나다 몡 싹	☐
1518 **reside**	동 거주하다; 속하다	☐
1519 **bury**	동 묻다, 매장하다	☐
1520 **camouflage**	몡 위장; 변장 동 위장하다; 감추다	☐

외우지 못한 단어가 있으면 미니 단어장에서 다시 한번 정리해 보세요.

📖 가리개를 사용하여 뜻을 암기했는지 확인하세요.

DRILLS

1521 **chronological**
[krɑ̀nəládʒikəl]

형 연대순의

Many writers interpret the term *logical* to mean **chronological**. 수능
글을 쓰는 많은 사람들이 '논리적'이라는 용어를 ....이라는 의미로 해석한다.

in .... order
연대순으로

1522 **coexist**
[kòuigzíst]

동 공존하다

The quest for profit and the search for knowledge cannot **coexist** in archaeology. 수능
이익 추구와 지식 탐구는 고고학에서는 .... 수 없다.

➕ coexistence 명 공존

.... peacefully
평화롭게 공존하다

1523 **colonize**
[kálənàiz]
제목

동 식민지로 만들다; 대량 서식하다

A proportion of agricultural land is left completely uncultivated so that species can gradually **colonize** it. 모평 일정 비율의 농경지는 완전히 경작되지 않은 채로 있어 종들이 점차적으로 농경지에 .... 수 있다.

.... North America
북아메리카를 식민지로 만들다

1524 **congress**
[káŋgris]

명 회의; 의회, 국회

Jeannette became the first woman elected to the U.S. **Congress** in 1916. 학평
Jeannette은 1916년에 미국 ....에 선출된 첫 여성이 되었다.

➡ council, parliament 명 의회

an annual ....
연례 회의

1525 **corrupt**
[kərápt]
빈칸

동 타락하다; 오염[변질]시키다   형 타락한; 부패한

Free radicals move through the body, attacking cells and **corrupting** their genetic code. 수능
활성 산소는 몸속을 돌아다니면서 세포를 공격하고 세포의 유전 암호를 ....

➕ corruption 명 타락; 부패

.... government
부패한 정부

1526 **diplomacy**
[diplóuməsi]
빈칸

명 외교; 외교술

Diplomacy aimed at public opinion can become important to outcomes. 모평
여론을 겨냥한 ....가 결과에 중요해질 수 있다.

➕ diplomat 명 외교관   diplomatic 형 외교의

해석 완성 연대순 / 공존할 / 대량 서식할 / 의회 / 변질시킨다 / 외교

1527 crude
[kru:d]

(형) 가공하지 않은, 천연 그대로의; 투박한

Compared to modern glasses, Roman wine glasses were **crude**. 학평
로마의 와인 잔은 현대의 유리잔에 비하면 ....

the production of
.... oil
원유 생산

1528 cuisine
[kwizí:n]

(명) 요리(법)

We will offer main dishes from particular **cuisines**, such as Mexican or Chinese. 학평
우리는 멕시코 요리나 중국 요리 같은 특정한 .... 중에서 주 요리를 제공할 것이다.

local ....
현지 요리

1529 deception
[disépʃən]

(명) 사기, 기만; 속임수

Nonverbal cues may reveal the speaker's true mood as they do in **deception**. 모평
비언어적 신호는 ....를 쓸 때 그런 것처럼 말하는 사람의 진 정한 기분을 드러낼지도 모른다.

for the purpose of
....
사기를 목적으로

1530 deserve
[dizə́:rv]

(동) ~할[받을] 만하다

It was you who **deserved** the credit for that great idea. 학평
그 훌륭한 아이디어에 대해 인정을 .... 사람은 당신이었다.

.... immediate attention
즉시 주목을 받을 만하다

1531 dimension
빈칸 [diménʃən]

(명) 차원; 규모; 치수

Young school-age children confuse temporal and spatial **dimensions**. 수능
어린 학령기 아동은 시간 차원과 공간 ....을 혼동한다.

➕ **dimensional** (형) 차원의; 치수의

in a totally new
....
완전히 새로운 차원에서

1532 diploma
[diplóumə]

(명) 졸업장, 학위 수여증

Tammy was able to earn her high school **diploma** and some college credit. 모평
Tammy는 고등학교 ....과 약간의 대학 학점을 딸 수 있었다.

award a ....
졸업장을 수여하다

1533 disposition
[dìspəzíʃən]

(명) 기질; 경향; 배열, 배치

Attitude is your psychological **disposition**, a proactive way to approach life. 학평
태도는 여러분의 심리적 ....로, 삶에 접근하는 주도적인 방 식이다.

mental ....
정신적인 기질

해석 완성 투박했다 / 요리 / 속임수 / 받을 만한 / 차원 / 졸업장 / 기질

10   20   30   50

1534 **disrupt**
[disrʌ́pt]

동 방해하다; 부수다, 붕괴시키다

Do you fear terrorist attacks will **disrupt** the economy and your security? 수능
테러리스트의 공격이 경제와 당신의 안전을 .... 두려운가?

➕ disruption 명 분열; 붕괴; 혼란

.... the ecosystem
생태계를 붕괴시키다

1535 **distasteful**
[distéistfəl]

형 맛없는; 싫은, 불쾌한

Some plants are **distasteful** or even poisonous. 학평
어떤 식물들은 .... 독성이 있기도 하다.

➕ distaste 명 싫음, 혐오

a .... medicine
맛없는 약

1536 **eloquent**
[éləkwənt]
빈칸

형 웅변의, 달변인; 설득력 있는

We need more science writing that is clear, wise and **eloquent**. 모평
우리는 명료하고, 지혜롭고, ... 더 많은 과학 저술이 필요하다.

➕ eloquently 부 (유창한) 웅변으로   eloquence 명 웅변

an .... speech
설득력 있는 연설

1537 **empathetic**
[èmpəθétik]
빈칸

형 공감할 수 있는; 감정 이입의

The know-how to be **empathetic** is central to practical wisdom. 모평
.... 비결은 실제적으로 유용한 지혜에 중요하다.

an ....
conversation
공감하는 대화

1538 **enjoyable**
[indʒɔ́iəbl]

형 즐거운, 재미있는

Almost every activity is more **enjoyable** with another person around. 학평
거의 모든 활동은 주변에 다른 사람이 있을 때 더 ....

.... movies
재미있는 영화

해석 완성 방해할까 / 맛이 없거나 / 설득력 있는 / 공감할 수 있는 / 즐겁다

진파 기출로 확인! 우리말과 일치하도록 빈칸에 알맞은 단어를 고르시오.   고3 학평

Auctioning seats in the incoming freshman class to the highest bidders might raise revenue but also erode the integrity of the college and the value of its (1)_____. Hiring foreign soldiers to fight our wars might spare the lives of our citizens but (2)_____ the meaning of citizenship.
(신입생 학급의 자리를 최고가 입찰자에게 경매하는 것은 수입을 올려주겠지만 그 대학의 신뢰와 학위의 가치를 손상시킬 수도 있다. 자국의 전쟁에서 싸워줄 외국인 병사들을 고용하는 것은 시민들의 생명을 아낄 수 있겠지만 시민권의 의미를 더럽힐 수도 있다.)

① disrupt   ② corrupt   ③ dimensions   ④ deceptions   ⑤ diplomas

ANSWERS p.483

1539 entitle
[intáitl]

(동) 이름을 붙이다; 권리를 주다

I am **entitled** to receive a full refund within two months. 학평 나는 두 달 이내에 전액 환불 받을 ....

➕ entitlement (명) 자격, 권리

.... the book *Three Sons*
책에 〈삼 형제〉라는 이름을 붙이다

1540 eternal
[itə́:rnəl]

(형) 영원한, 불멸의; 끝없는; 불변의

Perfect and **eternal** motion is circular. EBS
완벽하고 .... 움직임은 원형이다.

➕ eternity (명) 영원; 불멸
➖ temporary (형) 일시적인

.... friendship
영원한 우정

1541 excavate
[ékskəvèit]

(동) 파내다; 발굴하다

The archaeologists continued to **excavate** the area and found other cultural assets.
고고학자들은 그 지역을 계속 .... 다른 문화재들을 찾아냈다.

➕ excavation (명) 굴착; 구덩이

.... ancient ruins
고대 유적을 발굴하다

1542 export
(동)[ikspɔ́:rt]
(명)[ékspɔːrt]
빈칸

(동) 수출하다 (명) 수출(품)

In Kenya, farmers are encouraged to grow **export** crops such as tea and coffee. 수능
케냐에서, 농부들은 차와 커피와 같은 .... 작물을 재배하도록 권장된다.

➖ import (동) 수입하다 (명) 수입(품)

agricultural production for ....
수출을 위한 농업 생산

1543 fluid
[flú:id]
빈칸

(명) 유동체, 유체; 분비액 (형) 유동성의

The bodily **fluids** of aquatic animals show a strong similarity to oceans. 모평
수중 동물의 체.....................은 바다와 강한 유사성을 보인다.

➕ fluidity (명) 유동성, 유체성

┌─ **TIP** fluid / liquid
│ ≫ **fluid** (명) (liquid보다 상위 개념의) 기체와 액체
│ ≫ **liquid** (명) 액체

a glass with a clear ....
맑은 액체가 담긴 유리잔

1544 fold
[fould]

(동) 접다; 구부리다 (명) 주름

You will like the reusable lunch bag because you can **fold** it up and put it in your backpack. 모평
여러분은 재사용 가능한 도시락 가방 .... 배낭에 넣을 수 있기 때문에 그것을 마음에 들어 할 것입니다.

➕ foldable (형) 접을 수 있는
➖ unfold (동) 펼치다, 펴다

.... laundry
빨래를 개다

해석 완성 권리가 있다 / 영원한 / 발굴해서 / 수출 / 액 / 접어서

1545 supreme
[səpríːm]

(형) 최고의; 궁극의

We are in a state of **supreme** happiness.
우리는 .... 행복을 느끼는 상태이다.

➕ supremacy (명) 최고, 우위

the .... commander of the forces
육군 최고 사령관

1546 gasp
심경
[gæsp]

(동) 헐떡거리다; 숨이 막히다　(명) 헐떡거림

My jaw dropped and I **gasped** at the sight before me.
(학평) 나는 내 앞에 있는 광경에 입이 딱 벌어졌고 ....

🟰 pant (동) 헐떡거리다 (명) 헐떡거림

.... with horror
공포로 숨이 막히다

1547 graze
빈칸
[greiz]

(동) 풀을 뜯다; 방목하다

All the cattle-owners are permitted to **graze** their animals free of charge. (수능)
모든 소 소유주들은 무료로 자신의 동물들을 .... 허용된다.

🟰 pasture (동) 방목하다

.... in fields
들판에서 풀을 뜯다

1548 grip
심경
[grip]

(동) 꽉 쥐다; 사로잡다　(명) 꽉 쥠; 잡는 법; 손잡이

Fear **gripped** my heart and it pounded furiously. (학평)
두려움이 내 심장을 .... 심장이 격렬하게 뛰었다.

TIP grip / grasp / grab
» grip (동) (손으로) 꽉 쥐다, 움켜잡다
» grasp (동) (목적어로 흔히 hand나 wrist가 와서) 꽉 잡다, 움켜잡다
» grab (동) (물리적으로) 꽉 잡다; (추상적으로 기회 등을) 잡다

keep a tight ....
꽉 쥐고 있다

1549 halt
[hɔːlt]

(동) 멈추다; 정지시키다　(명) 정지; 휴식

When spider webs unite, they can **halt** a lion. (EBS)
거미줄이 뭉치면 사자를 .... 수 있다.

🟰 cease, pause (동) 멈추다 (명) 정지

an abrupt ....
갑작스러운 정지

해석 완성 최고의 / 숨이 막혔다 / 방목하도록 / 사로잡았고 / 멈출

진파 기출로 확인 ! 밑줄 친 단어의 뜻을 네모 안에서 고르시오.

고3 학평

There are two (1)fundamental components in mathematics and music: formulas and gestures. Music (2)transfers formulas into gestures when performers interpret the written notes, and when the composers unfold formulas into the score's gestures. Similarly, mathematicians do mathematics; they don't just observe (3)eternal formulas.

(수학과 음악에는 두 가지 (1) 상반되는 / 필수적인 요소가 있는데, 바로 공식과 표현이다. 연주자가 쓰인 음표를 해석할 때 그리고 작곡가가 공식을 악보적 표현으로 펼쳐낼 때 음악은 공식을 표현으로 (2) 약화시킨다 / 전환한다 . 마찬가지로, 수학자는 수학을 하는데, 단지 (3) 검증된 / 불변의 공식을 따르기만 하는 것은 아니다.)

ANSWERS p.483

1550 hesitant
빈칸
[hézətənt]

(형) 머뭇거리는, 주저하는

Once we have been given something, we are **hesitant** to give it up. 모평
일단 어떤 것이 우리에게 주어지면, 우리는 그것을 포기하기를 ....

➕ hesitance, hesitation (명) 머뭇거림, 망설임
🟰 reluctant (형) 주저하는

.... about taking action
실행에 옮기기를 주저하는

1551 radioactive
[rèidiouǽktiv]

(형) 방사성의, 방사능의

Switzerland had been trying to find a place to store **radioactive** nuclear waste. 학평
스위스는 .... 핵 폐기물을 저장할 장소를 찾기 위해 노력해 왔다.

➕ radioactivity (명) 방사능

detect .... substances
방사성 물질을 탐지하다

1552 imperfect
주제
[impɔ́ːrfikt]

(형) 불완전한, 결함이 있는

Imperfect wisdom teeth may be a disease of civilization. 학평
.... 사랑니는 문명 세계의 질병인지도 모른다.

➕ imperfection (명) 불완전성; 결함
🟰 flawed (형) 결함이 있는

.... memories
불완전한 기억들

1553 innocent
[ínəsənt]

(형) 순결한; 순진한; 무죄의

The child who threw the ball is **innocent**. 학평
공을 던진 그 아이는 ....

➕ innocence (명) 순결; 무죄
🔄 guilty, convicted (형) 유죄의

.... local people
순진한 현지인들

1554 inseparable
심경
[insépərəbl]

(형) 떨어질 수 없는; 불가분의

We became **inseparable**, swimming joyfully around together. 모평
우리는 함께 즐겁게 여기저기 헤엄쳐 다니면서 .... 사이가 되었다.

an .... relationship
불가분의 관계

1555 intangible
[intǽndʒəbl]

(형) 만져서 알 수 없는; 무형의 (명) 무형의 것

Intellectual property is **intangible**.
지적 재산은 ....

🔄 tangible (형) 만져서 알 수 있는; 유형의

.... assets
무형 자산

해석 완성 주저한다 / 방사능 / 불완전한 / 죄가 없다 / 떨어질 수 없는 / 무형이다

1556 legislation
[lèdʒisléiʃən]

몡 입법; 법률

The government passes **legislation** that makes the desired activity more profitable. 수능
정부는 바람직한 활동을 더 수익성 있게 만드는 ....을 통과시킨다.

➕ legislate 통 법률을 제정하다   legislator 몡 입법자

call for ....
입법을 요구하다

1557 lethal
[líːθəl]

혱 죽음을 가져오는, 치명적인

For large mammals in forested areas, fire can be **lethal**. EBS
산림 지역의 큰 포유동물에게 불은 .... 수 있다.

a lethal dose 치사량

🟰 fatal, deadly 혱 치명적인

a .... blow
치명타

1558 magnify
[mǽgnəfài]

통 확대하다; 과장하다

Some people tend to **magnify** the importance of their failures. 학평
어떤 사람들은 자신의 실패의 중요성을 .... 경향이 있다.

➕ magnification 몡 확대

.... the letter
five times
글자를 5배로 확대하다

1559 marble
[máːrbl]

몡 대리석; 구슬

Phillip was an antique **marble** collector. 학평
Phillip은 오래된 .... 수집가였다.

TIP 혼동하기 쉬운 단어 marvel
» marvel 몡 경이(로운 것) 통 경이로워하다
ex. the marvel of nature 자연의 경이(로움)

.... columns
대리석 기둥들

1560 membrane
[mémbrein]

몡 얇은 막; 세포막

The **membranes** covering bacteria are full of pores. 모평
박테리아를 덮고 있는 ....이 모공으로 가득 차 있다.

a protective ....
보호막

해석 완성 법률 / 치명적일 / 과장하는 / 구슬 / 막

진짜 기출로 확인! 밑줄 친 단어의 뜻을 문맥에 맞게 찾으시오.   고3 모평

In contrast to literature or film, tourism leads to (1)tangible worlds, while nevertheless remaining tied to the sphere of fantasies and dreams. People experience moments that they have already seen in books and films. Their notion of untouched nature and (2)innocent indigenous people will probably be confirmed.

① 불가분의   ② 치명적인   ③ 입법의   ④ 유형의   ⑤ 순진한

ANSWERS p.483

3-Minute Check

		check				check
1521 **chronological**	휑 연대순의	☐	1541 **excavate**	동 파내다; 발굴하다		☐
1522 **coexist**	동 공존하다	☐	1542 **export**	동 수출하다 명 수출(품)		☐
1523 **colonize**	동 식민지로 만들다; 대량 서식하다	☐	1543 **fluid**	명 유동체, 유체; 분비액 휑 유동성의		☐
1524 **congress**	명 회의; 의회, 국회	☐	1544 **fold**	동 접다; 구부리다 명 주름		☐
1525 **corrupt**	동 타락하다; 오염[변질]시키다 휑 타락한; 부패한	☐	1545 **supreme**	휑 최고의; 궁극의		☐
1526 **diplomacy**	명 외교; 외교술	☐	1546 **gasp**	동 헐떡거리다; 숨이 막히다 명 헐떡거림		☐
1527 **crude**	휑 가공하지 않은, 천연 그대로의; 투박한	☐	1547 **graze**	동 풀을 뜯다; 방목하다		☐
1528 **cuisine**	명 요리(법)	☐	1548 **grip**	동 꽉 쥐다; 사로잡다 명 꽉 쥠; 잡는 법; 손잡이		☐
1529 **deception**	명 사기, 기만; 속임수	☐	1549 **halt**	동 멈추다; 정지시키다 명 정지; 휴식		☐
1530 **deserve**	동 ~할[받을] 만하다	☐	1550 **hesitant**	휑 머뭇거리는, 주저하는		☐
1531 **dimension**	명 차원; 규모; 치수	☐	1551 **radioactive**	휑 방사성의, 방사능의		☐
1532 **diploma**	명 졸업장, 학위 수여증	☐	1552 **imperfect**	휑 불완전한, 결함이 있는		☐
1533 **disposition**	명 기질; 경향; 배열, 배치	☐	1553 **innocent**	휑 순결한; 순진한; 무죄의		☐
1534 **disrupt**	동 방해하다; 부수다, 붕괴시키다	☐	1554 **inseparable**	휑 떨어질 수 없는; 불가분의		☐
1535 **distasteful**	휑 맛없는; 싫은, 불쾌한	☐	1555 **intangible**	휑 만져서 알 수 없는; 무형의 명 무형의 것		☐
1536 **eloquent**	휑 웅변의, 달변인; 설득력 있는	☐	1556 **legislation**	명 입법; 법률		☐
1537 **empathetic**	휑 공감할 수 있는; 감정 이입의	☐	1557 **lethal**	휑 죽음을 가져오는, 치명적인		☐
1538 **enjoyable**	휑 즐거운, 재미있는	☐	1558 **magnify**	동 확대하다; 과장하다		☐
1539 **entitle**	동 이름을 붙이다; 권리를 주다	☐	1559 **marble**	명 대리석; 구슬		☐
1540 **eternal**	휑 영원한, 불멸의; 끝없는; 불변의	☐	1560 **membrane**	명 얇은 막; 세포막		☐

외우지 못한 단어가 있으면 미니 단어장에서 다시 한번 정리해 보세요.

A 영어는 우리말로, 우리말은 영어로 쓰시오.

01	prominent		21	무효의; 실효성이 없는
02	liberate		22	분류; 구색; 모음
03	graze		23	얇은 막; 세포막
04	equilibrium		24	묻다, 매장하다
05	disapprove		25	표준화하다
06	fluent		26	헐떡거리다; 헐떡거림
07	eloquent		27	풍부한; 부유한
08	averse		28	파내다; 발굴하다
09	irrational		29	지각의, 지각 있는
10	flourish		30	유혹하다, 부추기다
11	hesitant		31	부하; 아래의; 종속하는
12	immerse		32	사기, 기만; 속임수
13	depict		33	방해하다; 부수다
14	supervisor		34	수출하다; 수출(품)
15	agony		35	기질; 경향; 배열
16	crude		36	가파른, 험한
17	surrender		37	검사, 조사; 감사
18	sprout		38	무형의; 무형의 것
19	string		39	위로하다
20	fragile		40	차원; 규모; 치수

B 문장의 네모 안에서 문맥에 알맞은 단어를 고르시오.

01 She invented a new way to | grind / mimic | corn into meal.

02 Moisture is stored in the root, and during droughts the root | magnifies / shrinks |.

03 When a firm discovers a new drug, patent laws give the firm a | monopoly / reception | on the sale of that drug.

04 Tammy was able to earn her high school | diplomacy / diploma | and some college credit.

05 The quest for profit and the search for knowledge cannot | coexist / dim | in archaeology.

C 우리말과 일치하도록 빈칸에 알맞은 단어를 〈보기〉에서 골라 쓰시오.

보기				
wander	dismiss	distasteful	legislation	coverage

01 Media _____ of sports is carefully edited.
스포츠에 대한 대중 매체의 보도는 신중하게 편집된다.

02 Some plants are _____ or even poisonous.
어떤 식물들은 맛이 없거나 독성이 있기도 하다.

03 We often _____ new ideas that could further our growth.
우리는 종종 우리의 성장을 촉진할 수 있는 새로운 생각들을 묵살한다.

04 One should break away from experience and let the mind _____ freely.
사람은 경험에서 벗어나서 정신이 자유롭게 떠돌게 해야 한다.

05 The government passes _____ that makes the desired activity more profitable.
정부는 바람직한 활동을 더 수익성 있게 만드는 법률을 통과시킨다.

가리개를 사용하여 뜻을 암기했는지 확인하세요.

DRILLS

1561 **messy** [mési]

[형] **어질러진; 지저분한**

My mother did not care as much about a **messy** house. [모평]

어머니는 .... 집에 대해 그렇게 신경 쓰지 않으셨다.

a .... desk
어질러진 책상

1562 **mortgage** [mɔ́:rgidʒ]

[명] **(담보) 대출, 융자; 담보**

The amount, term and interest rates of a **mortgage** vary from customer to customer. [EBS]

..........의 금액, 기간, 이자율은 고객마다 다르다.

pay a ....
담보 대출을 갚다

1563 **navigate** [nǽvəgèit]

[동] **길을 찾다; 항해하다**

The satellite-based global positioning system(GPS) helps you **navigate** while driving. [수능]

인공위성에 기반을 둔 위치 확인 시스템(GPS)은 여러분이 운전 중에 .... 것을 도와준다.

[+] **navigation** [명] 항해(술), 운항(술)
navigator [명] 조종사, 항해사; 조종 장치

.... by the stars
별을 보고 길을 찾다

1564 **noble** [nóubl]

[명] **귀족** [형] **귀족의; 고상한, 숭고한**

During the Renaissance, **nobles** and church leaders expanded their fortunes. [학평]

르네상스 시대에 ....과 교회 지도자들은 부를 확장시켰다.

a .... act
숭고한 행위

1565 **obese** [oubí:s]

[형] **비만의, 뚱뚱한**

Rats become **obese** when they are presented with a variety of high-calorie foods. [학평]

쥐들은 열량이 높은 음식이 다양하게 주어졌을 때 ....

[+] **obesity** [명] 비만

extremely .... children
고도 비만의 아동들

1566 **offend** [əfénd] [빈칸]

[동] **성나게 하다; 불쾌하게 하다; 위반하다**

It is possible to write correctly and still **offend** your readers' notions of your language competence. [모평]

글을 바르게 쓰면서도 여러분의 언어 능력에 대한 독자의 생각에 .... 것은 가능하다.

[+] **offense** [명] 위반; 모욕; 공격 **offensive** [형] 불쾌한, 모욕적인
offender [명] 위반자; 범죄자

a joke to .... the hearers
듣는 사람들을 불쾌하게 하는 농담

해석 완성 지서분한 / 딤보 대출 / 길올 찾는 / 귀족들 / 뚱뚱해진다 / 불쾌감을 주는

1567 ongoing
[ɑ́ŋgòuiŋ]

(형) 진행 중인, 계속되는; 전진하는

I have been under your care for the past four months for **ongoing** foot problems. (학평)
나는 지난 4개월 동안 .... 발 질환으로 당신의 보살핌을 받았다.

.... projects
진행 중인 프로젝트들

1568 peasant
[pézənt]
빈칸

(명) 농부, 소작농

The capitalist mode of production is affecting **peasant** production in the less developed world. (수능)
자본주의적 생산 방식은 개발이 덜 된 국가에서 .... 의 생산에 영향을 끼치고 있다.

.... populations
소작농 인구

1569 peculiar
[pikjúːljər]

(형) 독특한; 특별한; 기묘한

The cactus is one of the most **peculiar** plants found in the desert. (모평)
그 선인장은 사막에서 발견되는 가장 .... 식물 중 하나이다.

.... sounds and smells
독특한 소리와 냄새

1570 portrait
[pɔ́ːrtrit]

(명) 초상; 초상화

We know Mona Lisa, the subject of the most famous **portrait** in the world. (모평)
우리는 세상에서 가장 유명한 .... 의 대상인 모나리자를 알고 있다.

a family ....
가족 초상화

1571 premature
[prìːmətʃúər]

(형) 너무 이른, 시기상조의; 조산의

Think of the world as a **premature** baby in an incubator. (학평)
세계를 인큐베이터 안에 있는 .... 아라고 생각해 보라.

.... judgement
너무 이른 판단

1572 profound
[prəfáund]
제목

(형) 깊은, 심오한; 엄청난

The results of science have **profound** impacts on every human being on earth. (모평)
과학의 결과는 지구상의 모든 인간에게 .... 영향을 끼친다.

a ....
understanding
심오한 이해

1573 pronounce
[prənáuns]

(동) 발음하다; 선언하다, 공표하다

How do you **pronounce** your name?
당신의 이름을 어떻게 ....?

➕ pronunciation (명) 발음

.... an opinion
의견을 공표하다

해석 완성 계속되는 / 소작농 / 독특한 / 초상화 / 조산 / 엄청난 / 발음하나요

1574 **protest**
[제목]
[동][prətést]
[명][próutest]

[동] 항의하다, 이의를 제기하다 [명] 항의, 이의

You might protest that remaining in a loving relationship is not reducible to rewards and costs. [EBS]
당신은 사랑하는 관계를 유지하는 것이 보상과 비용으로 줄어들지 않는다고 .... 수 있다.

.... against the decision
결정에 반대하여 항의하다

1575 **provision**
[prəvíʒən]

[명] 공급, 제공; 준비

The **provision** of constructive feedback to participants is an asset that some competitions offer. [모평]
참가자에게 건설적인 피드백을 ....하는 것은 대회가 제공하는 자산이다.

make provision for[against] ~에 준비[대비]하다

the .... of necessities
필수품의 공급

1576 **radiation**
[rèidiéiʃən]

[명] 방사(선); 복사; 복사 에너지

The **radiation** emitted into space would be so great. [모평] 우주로 방사되는 ....는 매우 엄청날 것이다.

[+] **radiate** [동] (빛·열을) 방사하다; 내뿜다

.... therapy
방사선 치료

1577 **receipt**
[risíːt]

[명] 영수증; 수령

I received an envelope with a copy of a restaurant **receipt**. [학평]
나는 식당 ....이 하나 든 봉투를 받았다.

an original ....
영수증 원본

1578 **segment**
[ségmənt]

[명] 단편, 조각; 부분 [동] 나누다, 분할하다

The largest **segment** of world fisheries is commercial fishing. [학평]
세계 어업의 가장 큰 ....은 영리적인 어업이다.

[유] **part, division, section** [명] 부분

a .... of an orange
오렌지 한 조각

해석 완성 항의할 / 제공 / 복사 에너지 / 영수증 / 부분

진짜 기출로 확인! 우리말과 일치하도록 빈칸에 알맞은 단어를 고르시오. 12년 수능

The (1) "________" and the "victim" usually see the event differently. Those who cause harm tend to minimize the (2)________. These tendencies can inflame the anger of the hurt person. Those who are hurt tend to see the act as part of an (3)________ pattern that is immoral.
('잘못한 사람'과 '당한 사람'은 보통 사건을 다르게 본다. 해를 가한 사람들은 잘못한 일을 축소하는 경향이 있다. 이러한 경향은 상처 입은 사람의 노여움을 악화시킬 수 있다. 상처 입은 사람들은 그러한 행위를 진행 중인 비도덕적 패턴의 일부로 바라보는 경향이 있다.)

① peculiar ② radiation ③ ongoing ④ offender ⑤ offense

ANSWERS p.484

1579 enlist
[inlíst]

동 (협력을) 구하다; 입대하다; 적극적으로 참가하다

We **enlisted** the help of ninety people to take part in a pilot program. 학평
우리는 시범 프로그램에 참여하기 위해 90명의 도움을 ....

.... in the navy
해군에 **입대하다**

1580 spice
[spais]

명 양념, 향신료

Walking into a kitchen would reveal shelves full of **spices** such as salt, pepper, or garlic. EBS
부엌으로 걸어 들어가면 소금, 후추, 또는 마늘과 같은 ....로 가득 찬 선반들이 드러날 것이다.

➕ spicy 형 양념 맛이 강한; 매운

a fragrant ....
향이 강한 **향신료**

1581 stain
[stein]

명 얼룩; 녹

Worn or torn is fine, but no oil **stains** are allowed. 학평
마모되거나 찢어진 것은 괜찮지만, 기름 ....은 허용되지 않습니다.

➕ stainless 형 얼룩지지 않은; 녹슬지 않는

> **TIP** stain / mark / spot
> » **stain** 명 (지우기 힘든, 특히 액체가 묻어서 생긴) 얼룩
> » **mark** 명 (어떤 것의 외관을 망치는) 자국, 흔적
> » **spot** 명 (더러운 것이 묻어서 생긴 작은) 얼룩

wipe out a ....
얼룩을 빼다

1582 staple
[stéipl]

형 중요한, 주요한

A **staple** crop is not being produced in a sufficient amount. 수능
.... 작물은 충분한 양으로 생산되지 못하고 있다.

🟰 major, principal, main 형 주요한

.... food
주식

1583 stroke
[strouk]

명 타격; 수영법; 한 획; 뇌졸중   동 쓰다듬다

Finally, this new swimming **stroke**—now known as the 'butterfly'—became an Olympic event in 1956. 수능
마침내, 이제 '접영'으로 알려진 이 새로운 ....은 1956년에 올림픽 종목이 되었다.

at a (single) stroke 단박에, 한방에

suffer a massive
....
심각한 **뇌졸중**을 겪다

1584 stubborn
[stʌ́bərn]

형 고집이 센; 완강한

Confirmation bias is not the same as being **stubborn**. 학평
확증 편향은 .... 것과 같은 것이 아니다.

➕ stubbornness 명 완고; 완강
🟰 persistent 형 고집이 센; 완고한

a .... refusal
완강한 거절

해석 완성 구했다 / 양념들 / 얼룩 / 주요한 / 수영법 / 고집이 센

substitute
[sʌ́bstitjùːt]

명 대체품; 대리인　동 대체하다; 대리하다

Jim never became a starter, but he was the first **substitute** to go in the game. 모평
Jim은 결코 선발 선수는 되지 못했지만 경기에 들어가는 첫 .... 선수였다.

substitute A for B, substitute B with[by] A
B를 A로 대체하다

➕ substitution 명 대체, 대리

a .... for meat
고기의 대체품

1586
supplement
주제
명 [sʌ́pləmənt]
동 [sʌ́pləmènt]

명 보충(제); 추가　동 보충하다, 추가하다

Most organic farmers rely on chemicals as necessary **supplements** to their operations. 모평
대부분의 유기농 농부들은 그들의 운영에 필요한 .... 로서 화학 물질에 의존한다.

➕ supplementary, supplemental 형 보충의, 추가의

a nutritional ....
영양 보충제

1587
swallow
주제
[swálou]

동 삼키다

The bird is liable to **swallow** poisonous oil and die. 학평
자칫하면 그 새가 독성이 있는 기름을 .... 죽기 쉽다.

.... a pill
알약을 삼키다

1588
tame
[teim]

동 길들이다; 다스리다

The real lesson of chess is learning how to **tame** your mind. 모평
체스의 진정한 교훈은 여러분의 마음을 .... 법을 배우는 것이다.

.... animals
동물을 길들이다

1589
thorough
제목
[θɔ́ːrou]

형 철저한, 면밀한

The management team conducts **thorough** research of the candidate before recruitment. 학평
관리팀은 채용 전에 후보자에 대해 .... 조사를 수행한다.

➕ thoroughly 부 아주, 전적으로

a .... safety inspection
철저한 안전 점검

해석 완성 교체 / 보충물 / 삼키고 / 다스리는 / 철저한

진짜 기출로 확인! 밑줄 친 단어의 뜻을 문맥에 맞게 찾으시오.　　고3 학평

Knowing means that you will not be looking at the assumptions that exist behind what you think. The result could be a persistent (1)determination to hold onto a belief. A "blind person" like this chooses to (2)reject all new evidence that could change his or her knowing. He or she becomes (3)stubborn.

① 양념　　② 결심　　③ 철저한　　④ 거부하다　　⑤ 고집스러운

ANSWERS p.484

1590 **tide** [taid] [분위기]

[명] 조수, 조류; 경향, 추세

The **tide** lazily trickled onto the beach. [학평]
..........가 해변으로 느긋하게 흘러들었다.

[+] **tidal** [형] 조수의

TIP 조수 관련 표현
» **flow, high tide, flood tide, rising tide** 밀물[만조]
» **ebb, low tide, outgoing tide** 썰물[간조]

at high .... 만조 때

1591 **merge** [məːrdʒ]

[동] 합병하다; 융합하다

The two political parties **merged** to form a new party.
그 두 정당이 .... 새로운 정당을 만들었다.

[+] **merger** [명] 합병
[=] **combine, unite** [동] 합병하다

.... the two companies into one 두 회사를 하나로 합병하다

1592 **dwindle** [dwíndl]

[동] 점점 줄어들다, 저하되다

They discussed the company's expenses and **dwindling** revenue. [수능]
그들은 회사의 경비와 .... 수입에 대해 논의했다.

.... to nothing 점점 줄어들어 없어지다

1593 **weed** [wiːd]

[명] 잡초 [동] 잡초를 뽑다; 제거하다

Organic fields suffer more from **weeds** and insects than conventional fields. [모평]
유기농 경작지는 전통적인 경작지보다 ....와 벌레에 더 시달린다.

chemical .... killers 화학 제초제

1594 **withdraw** [wiðdrɔ́ː]

[동] (-withdrew-withdrawn) 물러나다; 철회하다; 인출하다

The applicant can **withdraw** the order within seven days from the signing of the order form. [학평]
신청자는 주문서에 서명한 이후로부터 7일 이내에 주문을 .... 수 있다.

[+] **withdrawal** [명] 회수; 철회; 인출

.... money from an account 계좌에서 돈을 인출하다

1595 **worthwhile** [wə̀ːrθhwáil] [제목]

[형] ~할 가치가 있는; 훌륭한

The superrich will have something **worthwhile** to do with their enormous wealth. [학평]
갑부들은 그들의 막대한 부를 가지고 .... 무언가를 갖게 될 것이다.

a .... purpose 훌륭한 목적

해석 완성 조수 / 합병하여 / 점점 줄어드는 / 잡초 / 철회할 / 할 가치가 있는

1596 compute [kəmpjúːt]	통 계산하다, 추정하다	.... the interest with a calculator
	A method of **computing** the heights of mountains from sea level became popular. 학평	계산기로 이자를 계산하다
	산의 높이를 해수면에서부터 .... 방법이 널리 보급되었다.	
	➕ computation 명 계산	
	➡ count, calculate 동 계산하다	

1597 applause [əplɔ́ːz] 제목	명 박수갈채; 칭찬	thunderous ....
	Many people find the fake **applause** and laughter annoying. 학평	우레와 같은 박수갈채
	많은 사람들이 가짜 .... 와 웃음을 짜증나게 여긴다.	
	➕ applaud 동 박수치다 applausive 형 박수갈채의; 칭찬의	
	➡ clapping 명 박수	

1598 appraisal [əpréizəl]	명 평가, 견적	make a fair ....
	Pride or shame are the product of the reflected **appraisals** of others. 학평	공정한 평가를 내리다
	자부심이나 수치심은 다른 사람들의 .... 가 반영된 산물이다.	
	➕ appraise 동 평가하다, 견적하다	

1599 dismay [disméi]	동 실망시키다, 낙담시키다 명 실망; 당황; 놀람	see the sight with ....
	Their cold reaction **dismayed** him.	놀라서 그 광경을 보다
	그들의 차가운 반응이 그를	
	to one's dismay 실망스럽게도	

1600 degenerate 동[didʒénərèit] 형[didʒénərət]	동 퇴보하다; 타락하다 형 퇴보한; 타락한	.... into chaos
	Inactivity can make your joints stiff, which may cause bones to **degenerate**.	혼돈으로 퇴보하다
	비활동은 관절을 굳게 만들 수 있고, 그것은 뼈를 .... 시킬 수도 있다.	
	➕ degeneration 명 퇴보; 타락	

해석 완성 측정하는 / 박수갈채 / 평가 / 실망시켰다 / 퇴화

진짜 기출로 확인 ! 빈칸에 공통으로 알맞은 단어를 고르시오. 고3 모평

The last musician performed brilliantly. When the _____ subsided, Zukerman complimented the artist, then picked up his own violin, tucked it under his chin, paused a long moment, and then, without playing a note or uttering a word, he placed the instrument back in its case. The audience responded with deafening _____.

① appraisal   ② dismay   ③ weed   ④ applause   ⑤ tide

ANSWERS p.484

3-Minute Check

check

1561	messy	형 어질러진; 지저분한	☐
1562	mortgage	명 (담보) 대출, 융자; 담보	☐
1563	navigate	동 길을 찾다; 항해하다	☐
1564	noble	명 귀족 형 귀족의; 고상한, 숭고한	☐
1565	obese	형 비만의, 뚱뚱한	☐
1566	offend	동 성나게 하다; 불쾌하게 하다; 위반하다	☐
1567	ongoing	형 진행 중인; 전진하는	☐
1568	peasant	명 농부, 소작농	☐
1569	peculiar	형 독특한; 특별한; 기묘한	☐
1570	portrait	명 초상; 초상화	☐
1571	premature	형 너무 이른, 시기상조의; 조산의	☐
1572	profound	형 깊은, 심오한; 엄청난	☐
1573	pronounce	동 발음하다; 선언하다, 공표하다	☐
1574	protest	동 항의하다, 이의를 제기하다 명 항의, 이의	☐
1575	provision	명 공급, 제공; 준비	☐
1576	radiation	명 방사(선); 복사; 복사 에너지	☐
1577	receipt	명 영수증; 수령	☐
1578	segment	명 단편, 조각; 부분 동 나누다, 분할하다	☐
1579	enlist	동 입대하다; 적극적으로 참가하다	☐
1580	spice	명 양념, 향신료	☐

check

1581	stain	명 얼룩; 녹	☐
1582	staple	형 중요한, 주요한	☐
1583	stroke	명 타격; 수영법; 한 획; 뇌졸중 동 쓰다듬다	☐
1584	stubborn	형 고집이 센; 완강한	☐
1585	substitute	명 대체품; 대리인 동 대체하다; 대리하다	☐
1586	supplement	명 보충(제); 추가 동 보충하다; 추가하다	☐
1587	swallow	동 삼키다	☐
1588	tame	동 길들이다; 다스리다	☐
1589	thorough	형 철저한, 면밀한	☐
1590	tide	명 조수, 조류; 경향, 추세	☐
1591	merge	동 합병하다; 융합하다	☐
1592	dwindle	동 점점 줄어들다, 저하되다	☐
1593	weed	명 잡초 동 잡초를 뽑다; 제거하다	☐
1594	withdraw	동 물러나다; 철회하다; 인출하다	☐
1595	worthwhile	형 ~할 가치가 있는; 훌륭한	☐
1596	compute	동 계산하다, 추정하다	☐
1597	applause	명 박수갈채; 칭찬	☐
1598	appraisal	명 평가, 견적	☐
1599	dismay	동 실망시키다, 낙담시키다 명 실망; 당황; 놀람	☐
1600	degenerate	동 퇴보하다; 타락하다 형 퇴보한; 타락한	☐

외우지 못한 단어가 있으면 미니 단어장에서 다시 한번 정리해 보세요.

가리개를 사용하여 뜻을 암기했는지 확인하세요.

DRILLS

1601 **broaden** [brɔ́ːdn]

[동] **넓히다, 확장하다**

Positive emotions **broaden** people's perspectives. [EBS] 긍정적인 감정은 사람들의 시야를 ....

[+] **breadth** [명] 폭, 너비

DRILLS: .... the roads / 도로를 **확장하다**

1602 **carpenter** [kɑ́ːrpəntər] [빈칸]

[명] **목수, 목공**

Carpenters may request a lightweight circular saw. [수능] ....은 가벼운 원형 톱을 요청할 수도 있다.

[+] **carpentry** [명] 목수일; 목공품

DRILLS: a skilled .... / 숙련된 **목수**

1603 **clarity** [klǽrəti]

[명] **명료, 명확; 투명함**

Clarity is often a difficult thing for a leader to obtain. [모평] ....은 흔히 지도자가 손에 넣기 어려운 것이다.

DRILLS: a lack of .... / **명확성**의 결여

1604 **coherent** [kouhíərənt]

[형] **일관성이 있는; 응집성의**

Key words should be fitted into new sentences that work together as a **coherent** passage. [EBS] 핵심 단어들은 한데 모여 .... 한 단락으로 기능하는 새 문장들 안에 적절히 들어가야 한다.

[+] **coherence** [명] 일관성 **cohesion** [명] 결합; 단결; 응집

DRILLS: a .... speech / **일관성 있는** 연설

1605 **collide** [kəláid]

[동] **충돌하다**

Billiard balls rolling around the table may **collide**, but they do not actually change each other. [모평] 당구대를 굴러다니는 당구공은 .... 수는 있지만 실제로 서로를 변화시키지는 않는다.

[+] **collision** [명] 충돌; 대립

DRILLS: .... with an iceberg / 빙하와 **충돌하다**

1606 **commission** [kəmíʃən]

[명] **임무; 의뢰; 위원회; 수수료**

His reputation gained him many **commissions** from wealthy patrons. [수능] 그의 명성은 그에게 부유한 후원자들로부터 많은 ....를 받게 해 주었다.

DRILLS: set up a .... / **위원회**를 수립하다

해석 완성 넓힌다 / 목수들 / 명료함 / 일관성 있는 / 충돌할 / 의뢰

1607 **committee**
[kəmíti]

(명) 위원회

Expert **committees** set different guidelines about when to treat high blood pressure. 학평
전문가 ....는 고혈압을 언제 치료해야 하는지에 대해 서로 다른 지침을 설정하고 있다.

🔁 board, commission, council (명) 위원회

an organization
....
조직 위원회

1608 **compassion**
[kəmpǽʃən]

(명) 연민, 동정심

Her heart was touched with **compassion** for the distressed mother. 수능
그녀의 마음은 괴로워하는 어머니에 대한 ....으로 뭉클했다.

feel deep ....
for the victim
희생자에 대해 깊은 연민을
느끼다

1609 **complement**
(동)[kámpləmènt]
(명)[kámpləmənt]

(동) 보충하다, 보완하다   (명) 보충물

Libraries remain alive because the Internet **complements** libraries, but does not replace them. EBS 인터넷이 도서관을 대체하는 것이 아니라 .... 때문에 도서관은 존속한다.

➕ complementary (형) 보충하는, 보완적인

ideas that ....
each other
상호 보완적인 생각들

1610 **comply**
[kəmplái]

(동) 동의하다, 따르다

Failure to **comply** with any of the rules will disqualify the entry. 모평
규칙 중 어떤 것이라도 .... 않으면 참가 자격이 박탈될 것이다.

➕ compliant (형) 순응하는

.... with the
trend
유행을 따르다

1611 **conceive**
[kənsíːv]

(동) 생각하다, 고안하다; 임신하다

Architecture is generally **conceived** and designed in response to an existing set of conditions. 학평
구조는 일반적으로 기존 조건에 대응하여 .... 설계된다.

.... of a plan
계획을 생각해 내다

1612 **counterpart**
[káuntərpàːrt]

(명) 상대; 대응물; 짝의 한 쪽

There's a direct **counterpart** to pop music in the classical song. 모평
고전 성악곡에는 대중음악과 직접 ....이 있다.

the .... negotiation
협상 상대

1613 **dash**
[dæʃ]

(동) 돌진하다; 급히 가다   (명) 돌진; 충돌

I usually wait for a break in the downpour, and then we all **dash** out together. 수능
나는 보통 쏟아지는 비가 그치기를 기다리고, 그 다음에 우리는 모두 함께 ....

🔁 rush (동) 돌진하다; 급하게 행동하다

make a ....
for the door
문을 향해 돌진하다

해석 완성 위원회 / 연민 / 보완하기 / 따르지 / 고안되고 / 상응하는 곡 / 급히 뛰어나간다

1614 deadly
[dédli]

(형) 죽음의, 치명적인; 맹렬한

The failure to detect spoiled or toxic food can have **deadly** consequences. (수능)
상했거나 독이 있는 음식을 감지하지 못하면 _____ 결과가 생길 수 있다.

目 fatal, lethal (형) 치명적인

a _____ blow
치명타

1615 debris
[dəbríː]

(명) 파편, 부스러기, 잔해

A fisherman caught a piece of the airship's **debris** in his net. (모평)
한 어부가 그 비행선의 _____ 중 하나를 그물로 건졌다.

目 fragment (명) 파편

rock _____
돌 부스러기

1616 deficit
[défəsit]

(명) 부족; 적자

Much drinking that people do does not reduce a water **deficit**. (EBS)
사람들이 하는 물 많이 마시기는 수분 _____을 약화시키지 않는다.

➕ deficient (형) 부족한, 결핍된 deficiency (명) 결핍
🔄 surplus (명) 과잉; 흑자

a trade _____
무역 적자

1617 deplete
[diplíːt]

(동) 고갈시키다, 소모시키다

General exercise does not sufficiently **deplete** any nutrients to affect health. (학평)
일반적인 운동은 건강에 영향을 줄 정도로 영양분을 충분히 _____ 않는다.

➕ depletion (명) 고갈, 소모

_____ resources
자원을 고갈시키다

1618 dilute
[dilúːt]

(동) 희석하다 (형) 희석한

Try tasting some other sour solution, such as **dilute** vinegar. (모평)
_____ 식초와 같은 다른 신 용액을 시음해 보라.

_____ the juice with water
주스를 물로 희석하다

해석 완성 치명적인 / 파편 / 부족 / 소모시키지 / 희석한

진짜 기출로 확인! 밑줄 친 단어의 뜻을 문맥에 맞게 찾으시오. 17년 수능

Both humans and rats dislike bitter and sour foods, which tend to contain toxins. They also adaptively adjust their eating behavior in response to (1)deficits in water, calories, and salt. They likewise increase their intake of sweets and water when their energy and fluids become (2)depleted.

① 부족 ② 잔해 ③ 돌진 ④ 고갈된 ⑤ 보충된

ANSWERS p.484

1619 discriminate
[diskrímənèit]

동 구별하다; 차별하다

The dog knows how to **discriminate** one scent from another. 모평
그 개는 어떤 냄새를 다른 냄새와 .... 법을 알고 있다.

discriminate A from B A와 B를 구별하다
discriminate in favor of ~에 대해 편애하다

➕ discrimination 명 구별; 차별

.... on grounds of race
인종을 근거로 **차별하다**

1620 disorder
[disɔ́ːrdər]

명 무질서, 혼란; 질환, 장애 동 어지럽히다

A certain amount of recreation reduces the chances of developing stress-related **disorders**. 수능
어느 정도의 취미 활동은 스트레스와 관련된 .... 이 발생할 가능성을 줄인다.

🟰 confusion, chaos 명 혼란

physical diseases and mental ....
신체 질병과 정신 **질환**

1621 dissimilar
[dissímələr]

형 닮지 않은, 다른

People who are similar will like one another but also that persons who are **dissimilar** will like each other. 수능 비슷한 사람들은 서로를 좋아하겠지만 .... 사람들도 서로를 좋아할 것이다.

🔄 similar 형 비슷한

entirely .... in character
성격이 완전히 **다른**

1622 drain
[drein]

동 배수하다; 소모시키다 명 배수; 배수구; 유출

Compared with paper, screens may **drain** more of our mental resources while we are reading. 학평
종이와 비교하여, 화면은 우리가 글을 읽는 동안에 더 많은 정신적 에너지를 .... 수 있다.

➕ drainage 명 배수; 배수 시설

.... water out of the sink
물을 개수대 밖으로 **배수하다**

1623 drought
[draut]

명 가뭄; 부족

Our ancestors faced frequent periods of **drought** and freezing. 모평
우리 조상들은 빈번한 .... 과 혹한의 시기에 직면했다.

🟰 scarcity 명 부족

a serious ....
심한 **가뭄**

1624 embellish
[imbéliʃ]

동 아름답게 하다, 꾸미다

Her dress was **embellished** with shining threads.
그녀의 드레스는 빛나는 실로 ....

🟰 beautify 동 아름답게 하다 decorate 동 장식하다

.... a story with details
이야기에 살을 붙여 **꾸미다**

해석 완성 구별하는 / 질환 / 다른 / 소모시킬 / 가뭄 / 꾸며졌다

1625 enforce
빈칸
[inf5:rs]

(동) 시행하다, 집행하다; 강요하다

In the past, penalties for pollution were hard to **enforce**. (EBS)
과거에 오염에 대한 처벌은 _____ 어려웠다.

➕ enforcement (명) 시행; 강제
🟰 implement (동) 시행하다　carry out ~을 시행하다
　 force (동) 강요하다

_____ a new rule
새 규칙을 시행하다

1626 engrave
[ingréiv]

(동) 조각하다; 새기다

The carpenter **engraved** his son's name on the chair.
그 목수는 의자에 아들의 이름을 _____.

🟰 sculpt (동) 조각하다　carve (동) 새기다

_____ on the memory
기억 속에 새기다

1627 enrich
[inrítʃ]

(동) 부유하게 하다; 풍부하게 하다; 질을 높이다

Humans seem to **enrich** their understanding of the present. (학평)
인간은 현재에 대한 이해도를 _____ 듯하다.

➕ enrichment (명) 부유; 풍부; 강화

TIP 접두사 en- 표현
》 en(되게 하다)+rich(부유한) → enrich(부유하게 하다)
》 en(되게 하다)+force(힘) → enforce(힘을 사용하다, 강요하다)
》 en(안에)+close(닫다) → enclose(안에 넣고 닫다, 동봉하다)

_____ a nation by trade
무역으로 나라를 부유하게 하다

1628 equip
[ikwíp]

(동) 갖추다; 설비하다

Cars are **equipped** with devices designed to inform the driver about potential dangers. (EBS)
자동차는 운전자에게 잠재적인 위험에 대해 알려주도록 설계된 장치들을 _____.

➕ equipped (형) 장비를 갖춘

해석 완성 집행하기 / 새겼다 / 높인 / 갖추고 있다

_____ a fort with guns
요새에 대포를 갖추다

진파 기출로 확인! 우리말과 일치하도록 빈칸에 알맞은 단어를 고르시오. 　　고3 모평

In extremely dry conditions, living rock cactus is almost (1)_____: it literally (2)_____ into the surrounding rocky soil. Moisture is stored in the root, and during (3)_____ the root shrinks, dragging the stem underground.
(극도로 건조한 환경에서, 살아있는 암석 선인장은 거의 보이지 않는다. 그것은 문자 그대로 주변의 암석 토양으로 쪼그라든다. 뿌리에 습기가 저장되며, 가뭄 동안에는 뿌리가 수축하여 줄기를 땅 밑으로 끌어당긴다.)

① droughts　② discriminates　③ shrinks　④ invisible　⑤ dissimilar

ANSWERS p.484

1629 □□ **estate** [istéit]

[명] 토지, 부동산; 재산

As real **estate** prices rose, many of their neighbors sold their homes and lots. [수능]
.... 가격이 오르면서, 그들의 많은 이웃들은 자신들의 집과 부지를 팔았다.

[동] **property** [명] 재산

buy an ....
토지를 사다

1630 □□ **extrinsic** [ekstrínsik]

[형] 외부의, 외적인; 부대적인

When a learning activity is undertaken to attain some **extrinsic** reward, people seek the least demanding way. [수능]
학습 활동이 .... 보상을 얻기 위해 이루어질 때 사람들은 가장 덜 힘든 방식을 추구한다.

[반] **intrinsic** [형] 내적인; 본질적인

.... factors
외적 요인들

1631 □□ **fixation** [fikséiʃən]

[명] 고착, 고정; 집착

He tends to have a **fixation** with cleanliness.
그는 청결에 ....하는 경향이 있다.

[파] **fixate** [동] 고정하다; 응시하다; 병적으로 집착하다

the country's .... on the war
그 국가의 전쟁에 대한 집착

1632 □□ [심경] **forehead** [fɔ́(:)rid]

[명] 이마

Sweat poured from his **forehead**. [학평]
땀이 그의 ....에서 마구 흘러내렸다.

put a hand on the ....
손으로 이마를 짚다

1633 □□ [제목] **fountain** [fáuntən]

[명] 분수; 샘; 원천

One spring morning I paused beside a park **fountain**. [학평] 어느 봄날 아침에 나는 공원 .... 옆에 잠시 멈춰 섰다.

a .... of insights
통찰력의 원천

1634 □□ **groom** [gru(:)m]

[동] (털을) 다듬다; 몸단장을 하다 [명] 신랑

Male chimpanzees hunt cooperatively and share the food, and **groom** one another. [EBS]
수컷 침팬지들은 협동하여 먹이를 찾아 나눠 먹고 서로 ....

[동] **bridegroom** [명] 신랑

the bride and ....
신부와 신랑

1635 □□ **gut** [gʌt]

[명] 창자; 내장; 본능, 직감

The bacteria inside your **gut** are actually manipulating you. [EBS]
여러분의 .... 속에 있는 박테리아는 실제로 여러분을 조종하고 있다.

follow one's ....
~의 직감을 따르다

해석 완성 부동산 / 외적인 / 집착 / 이마 / 분수 / 털을 다듬어 준다 / 장

1636 humane
[hju:méin]

(형) 인도적인; 인정 있는

The new system should be fair and **humane**.
그 새로운 시스템은 공정하고 .... 한다.

➕ **humanitarian** (형) 인도주의적인 (명) 인도주의자
🔄 **inhumane** (형) 비인도적인, 비인간적인

a .... society
인정 있는 사회

1637 hybrid
[háibrid]
빈칸

(명) 잡종; 혼성물   (형) 잡종의; 혼성의; 하이브리드의

Today most maize seed cultivated are **hybrids**. 수능
오늘날 재배되는 대부분의 옥수수 종자는 .... 이다.

a .... vehicle
하이브리드 차량(휘발유와 전
기 병용 차량)

1638 inborn
[ìnbɔ́:rn]

(형) 타고난, 선천적인; 천부의

Self-mastery and optimism are not permanent **inborn** traits of people. 학평
극기와 낙관주의는 인간이 .... 불변의 특성이 아니다.

🔄 **acquired** (형) 습득한, 후천적인
🟰 **innate** (형) 타고난, 선천적인

waste the ....
talents
천부적인 재능을 낭비하다

1639 indulge
[indʌ́ldʒ]

(동) 만족시키다; 빠지다

Some people may **indulge** fantasies of violence by watching a film. 수능
어떤 사람들은 영화를 시청함으로써 폭력에 대한 환상을 ....
모른다.

➕ **indulgence** (명) 멋대로 함; 탐닉; 관대
indulgent (형) 멋대로 하게 하는; 관대한

.... in dreams
공상에 빠지다

1640 inhibit
[inhíbit]
빈칸

(동) 방해하다, 억제하다; 금하다

The physical layout of buildings encourages some uses and **inhibits** others. 수능
건물의 물리적 배치는 어떤 용도는 권장하고 다른 용도는 ....

inhibit A from -ing A가 ~하는 것을 금하다

.... rational
judgment
이성적인 판단을 방해하다

해석 완성 인도적이어야 / 잡종 / 타고난 / 충족시킬지도 / 억제한다

진짜 기출로 확인! 문맥에 맞도록 빈칸에 알맞은 단어를 고르시오.   15년 수능

The negative effects of (1)_____ motivators such as grades have been documented with students from different cultures. We agree that people are likely to express more satisfaction with their lives when their primary goals are (2)_____ rather than extrinsic.

① inborn   ② intrinsic   ③ extrinsic   ④ humane   ⑤ hybrid

ANSWERS p.484

		check
1601 **broaden**	동 넓히다, 확장하다	
1602 **carpenter**	명 목수, 목공	
1603 **clarity**	명 명료, 명확; 투명함	
1604 **coherent**	형 일관성이 있는; 응집성의	
1605 **collide**	동 충돌하다	
1606 **commission**	명 임무; 의뢰; 위원회; 수수료	
1607 **committee**	명 위원회	
1608 **compassion**	명 연민, 동정심	
1609 **complement**	동 보충하다, 보완하다 명 보충물	
1610 **comply**	동 동의하다, 따르다	
1611 **conceive**	동 생각하다, 고안하다; 임신하다	
1612 **counterpart**	명 상대, 대응물; 짝의 한 쪽	
1613 **dash**	동 돌진하다; 급히 가다 명 돌진; 충돌	
1614 **deadly**	형 죽음의, 치명적인; 맹렬한	
1615 **debris**	명 파편, 부스러기, 잔해	
1616 **deficit**	명 부족; 적자	
1617 **deplete**	동 고갈시키다, 소모시키다	
1618 **dilute**	동 희석하다 형 희석한	
1619 **discriminate**	동 구별하다; 차별하다	
1620 **disorder**	명 무질서, 혼란; 질환, 장애 동 어지럽히다	

		check
1621 **dissimilar**	형 닮지 않은, 다른	
1622 **drain**	동 배수하다; 소모시키다 명 배수; 배수구; 유출	
1623 **drought**	명 가뭄; 부족	
1624 **embellish**	동 아름답게 하다, 꾸미다	
1625 **enforce**	동 시행하다, 집행하다; 강요하다	
1626 **engrave**	동 조각하다; 새기다	
1627 **enrich**	동 부유하게 하다; 풍부하게 하다; 질을 높이다	
1628 **equip**	동 갖추다; 설비하다	
1629 **estate**	명 토지, 부동산; 재산	
1630 **extrinsic**	형 외부의, 외적인; 부대적인	
1631 **fixation**	명 고착, 고정; 집착	
1632 **forehead**	명 이마	
1633 **fountain**	명 분수; 샘; 원천	
1634 **groom**	동 (털을) 다듬다; 몸단장을 하다 명 신랑	
1635 **gut**	명 창자; 내장; 본능, 직감	
1636 **humane**	형 인도적인; 인정 있는	
1637 **hybrid**	명 잡종; 혼성물 형 잡종의; 혼성의; 하이브리드의	
1638 **inborn**	형 타고난, 선천적인; 천부의	
1639 **indulge**	동 만족시키다; 빠지다	
1640 **inhibit**	동 방해하다, 억제하다; 금하다	

외우지 못한 단어가 있으면 **미니 단어장**에서 다시 한번 정리해 보세요.

가리개를 사용하여 뜻을 암기했는지 확인하세요.

DRILLS

1641 **insecure** [ìnsikjúər]

[형] 불안정한, 불안한

In some studies, participants were made to feel either secure or **insecure** about their claims. [EBS]
일부 연구에서, 참가자들은 그들의 주장에 대해 안정감을 느끼거나 ....을 느끼게 되었다.

[+] insecurity [명] 불안정, 불안

.... voices
불안한 목소리

1642 **jury** [dʒúəri]

[명] 배심원단; 심사위원단

A prosecuting attorney constructs an argument to persuade the judge or a **jury**. [모평]
기소한 검사는 판사나 ....을 설득하기 위한 논거를 구성한다.

[+] juror [명] (한 사람의) 배심원

serve on a ....
배심원단을 하다

1643 **knowledgeable** [nálidʒəbl]

[형] 지식이 있는; 총명한

How well an employee can focus might now be more important than how **knowledgeable** he is. [학평]
이제는 직원이 얼마나 잘 집중할 수 있는지가 그 사람이 얼마나 ....지보다 더 중요하다.

.... about politics
정치에 대한 지식이 있는

1644 **leak** [liːk]

[동] 새다; 누설되다 [명] 누출; 누설

Some energy must **leak** through from the Sun's center to its outer regions. [모평]
어느 정도의 에너지가 태양의 중심에서 바깥 지역으로 .... 것이 틀림없다.

[+] leaky [형] 새는; 새기 쉬운 leakage [명] 누출; 누설

a .... in the roof
지붕의 물이 새는 곳

1645 **legend** [lédʒənd]

[명] 전설; 전설적인 인물

By the time Ricky was through with baseball, he had become a **legend**. [모평]
Ricky가 야구로 끝을 맺었을 때쯤, 그는 ....이 되어 있었다.

[+] legendary [형] 전설적인; 아주 유명한

a book based on a ....
전설에 바탕을 둔 책

1646 **legitimate** [형][lidʒítəmit] [동][lidʒítəmèit]

[형] 합법의; 정당한 [동] 합법으로 인정하다

Challenges to new ideas are the **legitimate** business of science in building valid knowledge. [학평]
새로운 생각에 대한 도전은 타당한 지식을 구축하기 위한 과학의 .... 본분이다.

.... investment
합법적인 투자

해석 완성 불안감 / 배심원단 / 총명한 / 새어 나오는 / 전설적인 인물 / 정당한

1647 □□ **loop** [lu:p]

[명] 고리

When his mind got busy, he was sucked into a mental **loop** of analyzing his problems. [학평]
마음이 바빠졌을 때 그는 자신의 문제를 분석하는 정신적인 ....에 휘말렸다.

make a .... of a string
끈으로 고리를 만들다

1648 □□ **mankind** [mæ̀nkáind]

[명] 인류, 인간

From **mankind**'s point of view, the domestication of maize made available an abundant new source of food. [모평]
..................의 관점에서, 옥수수의 재배는 풍부한 새로운 식량 공급원을 제공하게 했다.

[동] **humankind** [명] 인류, 인간 **human race[beings]** 인류, 인간

the history of ....
인류의 역사

1649 □□ **margin** [mɑ́:rdʒin]

[명] 가장자리; 여백; 판매 수익

Companies' profit **margins** have been squeezed by the lowering of trade barriers. [학평]
무역 장벽의 완화로 회사들의 이윤 ....은 줄어들어 왔다.

[+] **marginal** [형] 가장자리의; 중요하지 않은

notes in the ....
여백에 쓴 메모

1650 □□ **masculine** [mǽskjəlin]

[형] 남성의; 남자다운

He has a very **masculine** voice.
그는 아주 .... 목소리를 가지고 있다.

[반] **feminine** [형] 여성의; 여성다운

.... and feminine roles
남성과 여성의 역할들

1651 □□ **meditate** [médətèit]

[동] 명상하다; 숙고하다

We have to slow down a bit and take the time to contemplate and **meditate**. [모평]
우리는 속도를 조금 늦추고 깊이 생각하고 .... 시간을 가져야 한다.

[+] **meditation** [명] 명상; 숙고
[동] **ponder** [동] 숙고하다

.... on a regular basis
정기적으로 **명상하다**

1652 □□ [제목] **metabolic** [mètəbɑ́lik]

[형] 신진대사의

The human brains use up 20 percent of **metabolic** energy. [학평]
인간의 두뇌는 .... 에너지의 20%를 소모한다.

[+] **metabolize** [동] 신진대사시키다

low .... rates
낮은 **신진대사율**

[해석 완성] 고리 / 인류 / 수익 / 남자다운 / 숙고할 / 신진대사

10   20   30   50

1653 minimal
[mínəməl]

(형) 최소의; 극소의

The additional energy conservation in going from the resting state to sleep is **minimal**. 학평
휴식 상태에서 수면으로 들어갈 때 추가되는 에너지 보존은 .... 량이다.

➕ minimum (형) 최소의 (명) 최소한도

at a .... cost
최소의 비용으로

1654 optimism
[áptəmìzəm]

(명) 낙관주의; 낙관

Gratitude boosts feelings of **optimism**, pleasure, and enthusiasm. EBS
감사하는 마음은 ...., 즐거움, 그리고 열정의 감정을 북돋운다.

➕ optimist (명) 낙관주의자 optimistic (형) 낙관적인
➖ pessimism (명) 비관주의; 비관

move from pessimism to ....
비관주의에서 낙관주의로 옮겨가다

1655 paddle
심정
[pǽdl]

(동) 노를 젓다; 손으로 물을 젓다   (명) 노

I jumped on my surfboard and **paddled** out. 수능
나는 내 서핑 보드에 올라타서 .... 나아갔다.

.... a boat
배를 젓다

1656 permanence
주제
[pə́ːrmənəns]

(명) 영구; 영속성

Ancient Greek and Roman costume presents a traditional stability and **permanence**. 모평
고대 그리스와 로마의 의상은 전통적인 안정감과 .... 을 나타낸다.

➕ permanent (형) 영구한; 불변의

the .... of nature
자연의 영속성

1657 persist
[pərsíst]

(동) 고집하다; 지속하다

Behaviors have **persisted** in the form of customs. 학평
행동은 관습의 형태로 .... 왔다.

➕ persistence (명) 고집; 지속 persistent (형) 고집하는; 끊임없는

.... in the belief
신념을 고집하다

해석 완성 극소 / 낙관주의 / 손으로 물을 저어 / 영속성 / 지속해

진짜 기출로 확인! 밑줄 친 단어의 뜻을 문맥에 맞게 찾으시오.

고3 학평

Why did the same themes and motifs appear through the (1)myths and folktales of the entire world? One response of many late-nineteenth century writers was to suggest that all the stories, myths and (2)legends were attempts to explain and to dramatize natural phenomena, familiar to all (3)mankind.

① 누출   ② 신화   ③ 인류   ④ 전설   ⑤ 영속성

ANSWERS p.484

1658 **polite** [pəláit]

[형] 공손한, 예의 바른

The restaurant was fantastic and all the staff were very **polite** and kind. [모평]
그 식당은 환상적이었으며, 모든 직원이 매우 .... 친절했다.

[+] **politeness** [명] 공손함, 정중함
[↔] **impolite, rude** [형] 예의 없는, 무례한

friendly and .... behavior
상냥하고 **공손한** 행동

1659 **prohibit** [prouhíbit] [실용문]

[동] 금지하다

All calls are **prohibited** inside the reading room. [학평]
독서실 내에서는 모든 통화가 ....

[+] **prohibition** [명] 금지

.... by law
법으로 **금지하다**

1660 **proverb** [prɑ́vəːrb]

[명] 속담; 격언

The **proverb** is about power, control and law making.
[수능] 그 ....은 권력, 통제 그리고 법 제정에 관한 것이다.

quote a ....
속담을 인용하다

1661 **rear** [riər]

[명] 뒤, 후방 [형] 뒤의, 후방의 [동] 기르다; 사육하다

Tons of water were pouring into the **rear** of the ship.
[EBS] 엄청난 양의 물이 배의 ....으로 쏟아져 들어오고 있었다.

[+] **rearing** [명] 양육, 사육
[↔] **front** [명] 앞 [형] 앞쪽의 **frontal** [형] 앞쪽의, 정면의

.... one's children
아이를 **기르다**

1662 **rectangular** [rektǽŋgjələr]

[형] 직사각형의; 직각의

We tend to perceive the door of a classroom as **rectangular** no matter from which angle it is viewed.
[수능] 우리는 교실의 문을 어느 각도에서 보든지 ....으로 인식하는 경향이 있다.

[+] **rectangle** [명] 직사각형

[TIP] **도형 관련 표현**
» **square** [형] 정사각형의 » **triangular** [형] 삼각형의
» **round, circular** [형] 원형의 » **oval** [형] 타원형의
» **diamond-shaped** [형] 마름모의

a .... shaped bed
직사각형 모양의 침대

1663 **refine** [rifáin]

[동] 정제하다; 세련되게 하다, 다듬다

Chemists have **refined** their view of the way molecules bond together. [학평]
화학자들은 분자들이 서로 결합하는 방식에 대한 관점을 ....

[+] **refined** [형] 정제된; 세련된 **refinement** [명] 정제; 개선
[=] **clarify** [동] 정제하다 **elaborate, polish** [동] 다듬다

.... the theory
이론을 **다듬다**

해석 완성 예의 바르고 / 금지된다 / 속담 / 후방 / 직사각형 / 다듬어 왔다

¹⁶⁶⁴ **reluctant**
[rilʌ́ktənt]

(형) 주저하는, 내키지 않는

Unsupervised kids are not **reluctant** to tell one another how they feel. 학평
관리 하에 있지 않은 아이들은 그들이 어떻게 느끼는지를 서로에게 말하는 것을 .... 않는다.

be reluctant to ~하기를 주저하다[망설이다]

➕ **reluctance** (명) 꺼림, 내키지 않음　**reluctantly** (부) 마지못해

.... to take a risk
위험을 감수하기를 주저하는

---

¹⁶⁶⁵ **remedy**
[rémədi]

(명) 치료; 치료약; 해결책

With most herbal **remedies**, the risk of overdose is tiny. EBS
대부분의 한방 .... 에 있어, 과다 복용의 위험은 아주 작다.

🔁 **therapy, treatment** (명) 치료(법)　**solution** (명) 해결책

an effective home ....
효과적인 가정 치료법

---

¹⁶⁶⁶ **renowned**
[rináund]
실용문

(형) 유명한, 명성이 있는

The conference includes lectures by **renowned** industry figures. 수능
그 회의에는 .... 업계 인물들의 강연이 포함된다.

➕ **renown** (명) 명성
🔁 **prominent, famous, noted** (형) 저명한

the world's most .... castle
세계에서 가장 유명한 성

---

¹⁶⁶⁷ **solidify**
[səlídəfài]

(동) 굳히다; 응고시키다

Once **solidified**, glass does not flow anymore. 학평
유리는 일단 .... 더 이상 흐르지 않는다.

.... a position
입지를 굳히다

---

¹⁶⁶⁸ **spear**
[spiər]

(명) 창　(동) 창으로 찌르다

Hunting fast animals with **spear** is an uncertain task.
수능 빠른 동물을 .... 으로 사냥하는 것은 불확실한 과업이다.

receive a .... and shield
창과 방패를 받다

해석 완성 주저하지 / 치료 / 유명한 / 굳으면 / 창

진파 기출로 확인! 우리말과 일치하도록 빈칸에 알맞은 단어를 고르시오.　　　고3 학평

The pilum was a heavy (1)_____, used for thrusting or throwing by Roman soldiers. It had a leaf-shaped iron head, 60 to 90 centimeters long, in a wooden shaft with a short iron spike at the (2)_____.
(pilum은 무거운 창으로, 로마 병사들이 찌르거나 던지는 데 사용되었다. 그것은 60~90센티미터 길이의 쇠로 된 나뭇잎 모양의 창 끝이 있는데, 그 창끝은 뒤에 짧은 쇠못이 박힌 나무 손잡이에 꽂혀 있었다.)

① rear　　② spear　　③ proverb　　④ remedy　　⑤ rectangle

ANSWERS p.484

1669 spontaneous
□□
빈칸
[spɑntéiniəs]

(형) 자발적인; 자연히 일어나는; 자연스러운

People should be natural, and should follow their **spontaneous** tastes. (학평)
사람들은 자연스러워야 하며, 그들의 .... 취향을 따라야 한다.

➕ spontaneously (부) 자발적으로; 자연스럽게

a .... physical response
자연스러운 신체적 반응

1670 stir
□□
[stəːr]

(동) 휘젓다; (감정을) 자극하다

Mix together the lemon juice, sugar, and water in a jug, and **stir**. (모평)
레몬즙, 설탕 그리고 물을 주전자에 섞어 넣고 ....

.... great excitement
흥미를 크게 자극하다

1671 successive
□□
[səksésiv]

(형) 연속하는, 다음의; 상속의

Artificial neural networks contain a pyramid of **successive** layers. (EBS)
인공 신경망은 피라미드 형태의 .... 층을 포함한다.

➕ successively (부) 연속하여   succession (명) 연속; 상속

invent .... hypotheses
연속적인 가설을 고안하다

1672 surpass
□□
빈칸
[sərpǽs]

(동) 낫다; 능가하다

No animal **surpasses** humans in dispersing plants. (학평) 어떤 동물도 식물을 퍼뜨리는 것에 있어서 인간을 .... 못한다.

➕ surpassing (형) 뛰어난

.... the world record
세계 기록을 능가하다

1673 tackle
□□
[tǽkl]

(동) (곤란한 일을) 다루다; 맞붙다; 태클하다

The government has done little to **tackle** the worsening problem. (학평)
정부는 악화되는 문제를 .... 위해 한 일이 거의 없다.

.... multiple tasks
다수의 일을 다루다

1674 terrain
□□
실용문
[təréin]

(명) 지대; 지형; 분야

The hike covers 3 to 4 miles and includes moderately difficult **terrain**. (모평)
하이킹은 3~4마일을 이동하며 적당히 힘든 .... 이 포함되어 있다.

mountainous ....
산악 지대

1675 thorn
□□
[θɔːrn]

(명) 가시

There is no rose without a **thorn**.
.... 가 없는 장미는 없다.

➕ thorny (형) 가시가 많은; 고통스러운; 곤란한

remove a .... from the finger
손가락에서 가시를 제거하다

해석 완성 자발적인 / 휘저어라 / 연속적인 / 능가하지 / 다루기 / 지형 / 가시

1676 flush [flʌʃ]	동 (얼굴이) 붉어지다; (물이) 왈칵 흐르다; (변기의) 물을 내리다　명 홍조; 물 내림 Shame **flushed** through me. 모평 부끄러움이 내 온몸을 타고 .... 🔁 blush 동 얼굴을 붉히다 명 홍조	.... a toilet 변기의 물을 내리다
1677 **acoustic** [əkúːstik]	형 청각의; 음향의; 전자 장치를 쓰지 않는 Whispering galleries are remarkable **acoustic** spaces found beneath certain domes. 모평 속삭임의 회랑은 특정 돔 아래에서 발견되는 놀라운 .... 공간이다.	.... instruments 전자 장치를 쓰지 않는 악기
1678 **acquisition** [ækwizíʃən]	명 획득; 습득 Schools are important sites of the **acquisition** of citizenship knowledge. EBS 학교는 시민 의식을 .... 하는 중요한 장소이다.	language .... 언어 습득
1679 **adventurous** 제목 [ədvéntʃərəs]	형 모험적인; 대담한 My sister was not as **adventurous** as my brother and I. 모평 내 여동생은 남동생과 나만큼 .... 않았다. ➕ adventure 명 모험; 모험심	an .... life 모험적인 삶
1680 **alliance** [əláiəns]	명 동맹; 결연; 협력 The feeling of **alliance** is the reason we keep wearing the jersey of our hometown sports team. EBS .... 의 감정이 우리가 고향 스포츠 팀의 유니폼을 계속 입는 이유이다. form[make] an alliance 동맹을 맺다	the .... between the two countries 두 나라의 동맹

해석 완성 흘렀다 / 음향 / 습득 / 대담하지 / 동맹

진짜 기출로 확인! 밑줄 친 단어의 뜻을 네모 안에서 고르시오. 　　　　　　　　고3 학평

Thomas Jefferson had vigorously promoted an orderly (1)<u>division</u> of the American land. Surveyors
were sent forth to draw (2)<u>rectangular</u> grids on the land, dividing the wilds with little concern for
(3)<u>terrain</u> or other natural features.

Thomas Jefferson은 미국 땅의 질서 정연한 (1)│분할 / 통폐합│을 활발히 진행시켰다. 측량사들이 땅에 (2)│직사각형의 / 정
사각형의│격자무늬를 그리도록 파견되어, (3)│전망 / 지형│이나 다른 자연적 특징에 대한 고려는 거의 하지 않고 야생의 자연
을 나누었다.

ANSWERS p.484

3-Minute Check

		check
1641 **insecure**	형 불안정한, 불안한	
1642 **jury**	명 배심원단; 심사위원단	
1643 **knowledgeable**	형 지식이 있는; 총명한	
1644 **leak**	동 새다; 누설되다 명 누출; 누설	
1645 **legend**	명 전설; 전설적인 인물	
1646 **legitimate**	형 합법의; 정당한 동 합법으로 인정하다	
1647 **loop**	명 고리	
1648 **mankind**	명 인류, 인간	
1649 **margin**	명 가장자리; 여백; 판매 수익	
1650 **masculine**	형 남성의; 남자다운	
1651 **meditate**	동 명상하다; 숙고하다	
1652 **metabolic**	형 신진대사의	
1653 **minimal**	형 최소의; 극소의	
1654 **optimism**	명 낙관주의; 낙관	
1655 **paddle**	동 노를 젓다; 손으로 물을 젓다 명 노	
1656 **permanence**	명 영구; 영속성	
1657 **persist**	동 고집하다; 지속하다	
1658 **polite**	형 공손한, 예의 바른	
1659 **prohibit**	동 금지하다	
1660 **proverb**	명 속담; 격언	

		check
1661 **rear**	명 뒤, 후방 형 뒤의, 후방의 동 기르다; 사육하다	
1662 **rectangular**	형 직사각형의; 직각의	
1663 **refine**	동 정제하다; 세련되게 하다, 다듬다	
1664 **reluctant**	형 주저하는, 내키지 않는	
1665 **remedy**	명 치료; 치료약; 해결책	
1666 **renowned**	형 유명한, 명성이 있는	
1667 **solidify**	동 굳히다; 응고시키다	
1668 **spear**	명 창 동 창으로 찌르다	
1669 **spontaneous**	형 자발적인; 자연히 일어나는; 자연스러운	
1670 **stir**	동 휘젓다; (감정을) 자극하다	
1671 **successive**	형 연속하는, 다음의; 상속의	
1672 **surpass**	동 낫다; 능가하다	
1673 **tackle**	동 (곤란한 일을) 다루다; 맞붙다; 태클하다	
1674 **terrain**	명 지대; 지형; 분야	
1675 **thorn**	명 가시	
1676 **flush**	동 (얼굴이) 붉어지다; (물이) 왈칵 흐르다 명 홍조; 물 내림	
1677 **acoustic**	형 청각의; 음향의; 전자 장치를 쓰지 않는	
1678 **acquisition**	명 획득; 습득	
1679 **adventurous**	형 모험적인; 대담한	
1680 **alliance**	명 동맹; 결연; 협력	

외우지 못한 단어가 있으면 **미니 단어장**에서 다시 한번 정리해 보세요.

Wrap Up

A 영어는 우리말로, 우리말은 영어로 쓰시오.

01 deplete		21 항의하다; 항의, 이의	
02 persist		22 입대하다; 적극 참가하다	
03 solidify		23 계산하다, 추정하다	
04 reluctant		24 부족; 적자	
05 surpass		25 (털을) 다듬다; 신랑	
06 alliance		26 분수; 샘; 원천	
07 indulge		27 영수증; 수령	
08 meditate		28 공급, 제공; 준비	
09 inhibit		29 초상; 초상화	
10 profound		30 철회하다; 인출하다	
11 enforce		31 발음하다; 선언하다	
12 metabolic		32 고안하다; 임신하다	
13 tame		33 동의하다, 따르다	
14 permanence		34 단편, 조각; 나누다	
15 supplement		35 연민, 동정심	
16 refine		36 대체품; 대체하다, 대리하다	
17 estate		37 철저한, 면밀한	
18 acquisition		38 희석하다; 희석한	
19 stir		39 박수갈채; 칭찬	
20 coherent		40 ~할 가치가 있는; 훌륭한	

B 밑줄 친 단어와 뜻이 가장 유사한 단어를 고르시오.

01 Confirmation bias is not the same as being <u>stubborn</u>.
① messy   ② noble   ③ peculiar   ④ persistent   ⑤ masculine

02 A <u>staple</u> crop is not being produced in a sufficient amount.
① inborn   ② major   ③ insecure   ④ successive   ⑤ legitimate

03 The conference includes lectures by <u>renowned</u> industry figures.
① dissimilar   ② polite   ③ ongoing   ④ prominent   ⑤ adventurous

04 There's a direct <u>counterpart</u> to pop music in the classical song.
① appraisal   ② carpenter   ③ commission   ④ equivalent   ⑤ thorn

05 The failure to detect spoiled or toxic food can have <u>deadly</u> consequences.
① rear   ② fatal   ③ humane   ④ minimal   ⑤ acoustic

C 우리말과 일치하도록 빈칸에 알맞은 단어를 〈보기〉에서 골라 쓰시오. (형태 변화 가능)

보기	drought	swallow	optimism	discriminate	prohibit

01 All calls are .... inside the reading room.
독서실 내에서는 모든 통화가 금지된다.

02 The bird is liable to .... poisonous oil and die.
자칫하면 그 새가 독성이 있는 기름을 삼키고 죽기 쉽다.

03 Our ancestors faced frequent periods of .... and freezing.
우리 조상들은 빈번한 가뭄과 혹한의 시기에 직면했다.

04 The dog knows how to .... one scent from another.
그 개는 어떤 냄새를 다른 냄새와 구별하는 법을 알고 있다.

05 Gratitude boosts feelings of ...., pleasure, and enthusiasm.
감사하는 마음은 낙관주의, 즐거움, 그리고 열정의 감정을 북돋운다.

DRILLS

1681
☐☐
amends
[əméndz]

(명) 배상, 보상

Making **amends** serves to repair damaged social relations. 수능
................하는 것은 손상된 사회적 관계를 회복하는 데 도움이 된다.

make amends for (손실·손상 따위를) 보상하다, 메우다

.... for some actions
어떤 행동에 대한 보상

1682
☐☐
anguish
[ǽŋgwiʃ]

(명) 고통, 번민

I was struck by the **anguish** that young people endured because of the political situation. 모평
정치 상황 때문에 젊은이들이 참았던 ....에 나는 가슴이 철렁했다.

📖 **agony, misery** (명) 고통, 괴로움

the .... of human existence
인간 존재의 번민

1683
☐☐
animate
(동)[ǽnəmèit]
(형)[ǽnəmit]

(동) 생기를 주다; 만화 영화로 만들다 (형) 살아 있는

A sparkle in her eyes **animated** her face.
반짝이는 눈빛이 그녀의 얼굴에 ....

➕ **animation** (명) 생기; 만화 영화

.... a fairy tale
동화를 만화 영화로 만들다

1684
☐☐
심경
ascend
[əsénd]

(동) 올라가다

The roller coaster began **ascending** to the top of the first hill. 학평
롤러코스터가 첫 번째 고개의 꼭대기로 .... 시작했다.

➕ **ascendant** (명) 우월; 선조   **ascendance** (명) 우월, 우세
↔ **descend** (동) 내려가다

.... a ladder
사다리에 올라가다

1685
☐☐
attorney
[ətə́ːrni]

(명) 변호사; 대리인

Most professionals, such as physicians and **attorneys**, advise clients about what they ought to do. EBS
의사와 .... 같은 대부분의 전문가는 고객에게 그들이 해야 할 일에 대해 조언한다.

a defense ....
피고 측 변호인

1686
☐☐
bear
[bɛər]

(동) (–bore–born(borne)) 견디다; (아이를) 낳다; 떠맡다

He couldn't **bear** to see anything thrown away. 학평
그는 무언가 버려지는 것을 보는 것을 .... 수 없었다.

📖 **endure, tolerate** (동) 견디다

.... the responsibility
책임을 떠맡다

해석 완성 보상 / 고통 / 생기를 주었다 / 올라가기 / 변호사 / 견딜

1687 betrayal
[bitréiəl]

명 배신; 폭로

I saw his actions as a **betrayal** of my trust.
나는 그의 행동을 나의 신뢰에 대한 ....으로 보았다.

➕ **betray** 동 배신하다   **betrayer** 명 배신자

the sense of ....
배신감

1688 blast
[blæst]

동 폭파하다   명 돌풍; 폭발

The workers used dynamite to **blast** away rocks in order to clear the way for a road.
그 인부들은 다이너마이트를 이용해 돌을 .... 도로를 뚫었다.

a bomb ....
폭탄 폭발

1689 blink
[bliŋk]

동 (눈을) 깜박거리다; (불이) 깜박이다   명 깜박거림

At the moment, a light was **blinking** on the room's telephone. 학평
그 순간, 방의 전화기에서 불빛이 .... 있었다.

in the blink (of an eye) 눈 깜짝할 사이에

🔁 **wink** 동 (눈을) 깜빡거리다

.... one's eyes
눈을 깜박거리다

1690 blur
[bləːr]

동 흐리게 하다   명 흐릿한 것[형체]

Social networks can **blur** the line between people's professional and personal lives.
소셜 네트워크 서비스는 사람들의 직장 생활과 사생활 간 경계를 .... 수 있다.

.... the trail
흔적을 흐리게 하다

1691 bribe
[braib]
제목

명 뇌물   동 매수하다, 뇌물을 주다

The offer of cash to residents of the village felt like a **bribe**. 학평
마을 주민들에게 현금을 제공하는 것은 ....로 느껴졌다.

some politicians taking a ....
뇌물을 받는 일부 정치인들

1692 brick
[brik]

명 벽돌

What waited for me was **brick** buildings with white pillars. 모평
나를 기다리는 것은 하얀 기둥이 있는 .... 건물들이었다.

climb a ....
wall
벽돌담을 오르다

1693 brutal
[brúːtl]
빈칸

형 잔인한; 모진

A dictatorship can be **brutal** or benevolent. 모평
독재 정권은 .... 자비로울 수 있다.

➕ **brute** 명 짐승; 야수성   **brutality** 명 잔인; 무자비

a terrifyingly .... attack
무섭도록 잔인한 공격

해석 완성 배신 / 폭파해 / 깜박이고 / 흐리게 할 / 뇌물 / 벽돌 / 잔인하거나

10	20	30	40	50

1694 bureaucracy
[bjuərάkrəsi]

(명) 관료주의, 관료 조직

Leaders use passion to lead people, as opposed to using **bureaucracy** to manage them. 학평
리더는 사람들을 관리하기 위해 ....을 이용하는 것과는 반대로 사람들을 이끌기 위해 열정을 이용한다.

➕ bureaucratic (형) 관료 정치의

unnecessary ....
불필요한 관료주의

1695 buzz
심경
[bʌz]

(명) 소란스러운 소리   (동) 윙윙거리다

Rising above the **buzz** of complaining children, comes a thin melody. 모평
불평하는 아이들의 .... 위로 약한 멜로디가 흘러나온다.

➕ buzzer (명) 버저

some insects ....
overhead
곤충들이 머리 위에서 **윙윙거리다**

1696 byproduct
[báiprὰdəkt]

(명) 부산물; 부작용

Law is the **byproduct** of custom built up by habit.
법은 습관에 의해 만들어진 관습의 ....이다.

a .... of industrialization
산업화의 부산물

1697 candid
[kǽndid]

(형) 정직한, 솔직한

The nonverbal message is designed to let the partner know one's **candid** reaction. 모평
그 비언어적 메시지는 상대방에게 자신의 .... 반응을 알리려고 계획된다.

➡ frank (형) 솔직한

have a .... discussion
솔직한 논의를 하다

1698 cease
주제
[si:s]

(동) 멈추다, 중지하다

Without the service of pollination which insects provide, humankind might **cease** to exist. 학평
곤충이 제공하는 꽃가루받이 용역이 없다면, 인류는 존재하기를 .... 모른다.

.... publication
발행을 중지하다

해석 완성 관료 조직 / 소란스러운 소리 / 부산물 / 솔직한 / 멈출지도

진파 기출로 확인! 우리말과 일치하도록 빈칸에 알맞은 단어를 고르시오.   고3 모평

I tried my best not to follow in her footsteps, but I didn't know that it was already too late for me. The way I (1)_____ my books revealed the extent of how much I was already like my mother. The years passed in a (2)_____ of covertly turned pages until I was a grown-up schoolteacher.

(나는 그녀의 전철을 밟지 않으려고 최선을 다했지만, 이미 너무 늦은 줄은 몰랐다. 내가 책을 소중히 간직하는 방식은 내가 이미 우리 엄마와 얼마나 닮았는가를 보여 주었다. 내가 다 큰 학교 선생님이 될 때까지 그 세월은 은밀하게 책장을 넘긴 채 흐릿하게 지나갔다.)

① bribe   ② treasured   ③ animated   ④ ascended   ⑤ blur

ANSWERS p.485

1699 charm
[tʃɑːrm]
심경

동 매료하다 명 매력; 마법

I am fitted out to **charm** any crowd. 학평
나는 어떠한 군중도 .... 준비가 되어 있다.

➕ **charming** 형 매력적인 **charmed** 형 매혹된; 마법에 걸린
🟰 **attraction, fascination** 명 매력 **spell** 명 마법; 매력

lose the original ....
본래의 매력을 잃다

1700 cherish
[tʃériʃ]

동 소중히 하다

He made the dinnerware set our whole family has **cherished** for many years. 모평
그는 우리 가족 모두가 수년간 .... 식기 세트를 만들었다.

🟰 **treasure** 동 소중히 여기다

.... the memory
추억을 소중히 여기다

1701 chick
[tʃik]

명 병아리; 새끼 새

A hen focuses on laying eggs without paying any attention to raising **chicks**. EBS
닭은 .... 를 키우는 데는 전혀 신경 쓰지 않고 알을 낳는 데만 집중한다.

a freshly hatched ....
갓 부화한 병아리

1702 choir
[kwáiər]
심경

명 합창단; 성가대 동 합창하다

Somewhere in the college a **choir** was singing and Billy's joy was complete. 학평
대학 어디에선가 ....이 노래하고 있었고 Billy는 온전히 행복했다.

🟰 **chorus** 명 합창단 동 합창하다

a specially trained ....
특별히 훈련된 합창단

1703 consensus
[kənsénsəs]
빈칸

명 (의견의) 일치; 합의

Disagreement is wrong and **consensus** is the desirable state of things. 모평
의견 불일치는 잘못된 것이고 ....는 바람직한 상태이다.

reach (a) consensus on ~에 합의를 보다

🟰 **agreement, consent** 명 일치; 합의

reach a social ....
사회적 합의에 도달하다

1704 decent
[díːsənt]

형 예의 바른; 품위 있는

He was a good kid, **decent** student, talented athlete. EBS
그는 훌륭한 아이, ... 학생, 재능 있는 운동선수였다.

➕ **decency** 명 품위; 예절

lead a .... life
품위 있는 생활을 하다

해석 완성 매료시킬 / 소중히 여겨 온 / 병아리 / 합창단 / 의견 일치 / 예의 바른

1705 decisive
[disáisiv]

휑 결정적인; 단호한, 확고한

The body is seen as playing a **decisive** role in producing the kind of mind we have. (학평)
신체는 우리가 지닌 생각의 종류를 만들어내는 데 .... 역할을 하는 것으로 여겨진다.

a .... moment
결정적인 순간

1706 degrade
[digréid]

동 저하시키다; 퇴화시키다

Many ancient civilizations destroyed themselves by **degrading** their environment. (EBS)
많은 고대 문명이 자신들의 환경을 .... 으로써 자멸했다.

.... quality for cost
비용 때문에 질을 낮추다

1707 dehydrate
[di:háidreit]

동 탈수하다, 건조시키다

The milk is **dehydrated** and stored as powder.
우유는 .... 가루로 저장된다.

➕ dehydration 명 탈수

.... vegetables
채소를 건조시키다

1708 differentiate
[difərénʃièit]

동 구별하다; 차별화하다

What **differentiates** music from noise? (EBS)
음악과 소음을 .... 것은 무엇인가?

➕ differ 동 다르다　differentiation 명 구별, 차별
🟰 distinguish 동 구별하다　discriminate 동 차별하다

.... reality from the ideal
이상과 현실을 **구별하다**

1709 diffuse
[difjú:z]
제목

동 퍼지다, 흩어지다; 발산하다

Oxygen from the atmosphere can freely **diffuse** into the seawater. (학평)
대기 중의 산소는 해수 속으로 자유로이 .... 수 있다.

.... the sweet scent
달콤한 향기를 발산하다

해석 완성 결정적인 / 저하시킴 / 탈수되어 / 구별하는 / 흩어질

진짜 기출로 확인! 밑줄 친 단어의 뜻을 문맥에 맞게 찾으시오.　　　　　　19년 수능

Most people acquire a bit of (1)decency that qualifies them for membership in the community. Genes, development, and learning all contribute to the process of becoming a (2)decent human being. The interaction between nature and nurture is, however, highly complex.

① 예절　　　② 예의 바른　　　③ 일치　　　④ 결정적인　　　⑤ 매력적인

ANSWERS p.485

1710 disbelief
□□ 심경
[dìsbilíːf]

(명) 불신, 의혹

His eyes shot back to me with a look of suppressed emotion, **disbelief**, and surprise. 학평
그의 눈이 억눌린 감정과 ...., 놀라움이 나타난 눈빛으로 나를 향했다.

in a state of ....
불신의 상태

1711 disgust
□□
[disgʌ́st]

(명) 싫증, 혐오   (동) 역겹게 하다

Instead of evoking admiration of beauty, artists may evoke shock, and even **disgust**. 모평
아름다움에 대한 감탄을 불러일으키는 대신, 예술가들은 충격, 심지어 ....를 불러일으킬 수도 있다.

to one's disgust 정떨어지게도

➕ **disgusting** (형) 구역질나는, 정말 싫은

show .... to others
타인에 대한 혐오를 보이다

1712 disprove
□□ 빈칸
[disprúːv]

(동) 반증을 들다, 틀렸음을 증명하다

We should construct our general theories and prove or **disprove** them against the data. 모평
우리는 전반적인 이론을 구축하고 그것을 자료와 비교하여 입증하거나 .... 한다.

➕ **disproof** (명) 반증, 논박

.... a hypothesis
가설에 반증을 들다

1713 eligible
□□
[élidʒəbl]

(형) 적격의; 적당한   (명) 적임자, 적격자

Anyone over the age of 18 is **eligible**, with the exception of professional photographers. 모평
전문 사진가를 제외하고 18세 이상인 사람은 누구든지 ....

➡ **suitable, qualified** (형) 적절한

.... for the position
그 직책에 적격인

1714 embody
□□
[imbádi]

(동) 구체화하다; 구현하다

We are deciding what we value, and how we will **embody** our values in the material world.
학평 우리는 우리가 가치 있게 여기는 것과 어떻게 우리의 가치를 물질 세계에서 ....지를 결정하고 있다.

➕ **embodiment** (명) 구체화

.... democratic ideas
민주주의 사상을 구현하다

1715 eminent
□□ 빈칸
[émənənt]

(형) 저명한; 뛰어난

Studies of **eminent** scientists in the 1950s supported this view. 학평
1950년대의 .... 과학자들의 연구가 이 견해를 뒷받침했다.

➡ **prominent, renowned** (형) 저명한   **outstanding** (형) 뛰어난

an .... Hungarian composer
저명한 헝가리 작곡가

해석 완성 불신 / 혐오 / 틀렸음을 증명해야 / 자격이 있다 / 구현할 / 저명한

1716 energetic

심경

[ènərdʒétik]

(형) 활동적인; 강력한

The rhythm and tempo were so **energetic** that they shook her body and soul. (모평)

리듬과 박자가 매우 .... 그녀의 몸과 마음을 뒤흔들었다.

invent an .... dance
활동적인 춤을 고안하다

1717 erupt

[irʌ́pt]

(동) 분출하다; (감정이) 폭발하다

When a popular television show ended, many fans **erupted** in indignation. (학평)

어떤 인기 있는 텔레비전 프로그램이 결말을 맺었을 때, 많은 팬들이 분노하여 ....

➕ eruption (명) 분화; 폭발

volcanoes .... again
화산들이 또다시 분출하다

1718 escalate

[éskəlèit]

(동) 확대되다; 확대시키다; 차츰 오르다

The conflict is likely to **escalate** into a global war.

그 갈등은 세계 대전으로 .... 가능성이 있다.

➕ escalation (명) 확대   escalator (명) 에스컬레이터
🟰 enlarge (동) 확대하다

.... the war
전쟁을 확대하다

1719 feat

[fiːt]

(명) 위업; 공적

Many who have experienced a major loss often go on to achieve remarkable **feats**. (모평)

큰 상실을 경험한 많은 사람들이 흔히 남다른 .... 을 이루어 간다.

perform a feat 위업을 달성하다, 공훈을 세우다

a .... of bravery
용맹한 위업

1720 formulate

빈칸

[fɔ́ːrmjəlèit]

(동) 공식화하다; 만들어내다

Top management **formulated** plans for every aspect of operations. (학평)

최고 경영진은 운영의 모든 측면에 대한 계획을 ....

➕ formula (명) 공식; 제조법   formulation (명) 공식화

.... a principle
원리를 만들어내다

해석 완성 활기차서 / 폭발했다 / 확대될 / 위업 / 공식화했다

고3 학평

Sybilla Masters was the wife of an (1)eminent Philadelphia merchant. She was also America's first female inventor. In 1712, she invented a new way to grind corn into meal. The State of Pennsylvania didn't offer patents, so she set sail for England. What Londoners thought of this (2)energetic female inventor is largely unrecorded.

① 적당한   ② 저명한   ③ 확대시키다   ④ 활동적인   ⑤ 갈아서 만들다

ANSWERS p.485

3-Minute Check

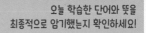 오늘 학습한 단어와 뜻을
최종적으로 암기했는지 확인하세요!

DAY 43

1681 amends	똉 배상, 보상		
1682 anguish	똉 고통, 번민		
1683 animate	똉 생기를 주다; 만화 영화로 만들다 똉 살아 있는		
1684 ascend	똉 올라가다		
1685 attorney	똉 변호사; 대리인		
1686 bear	똉 견디다; (아이를) 낳다; 떠맡다		
1687 betrayal	똉 배신; 폭로		
1688 blast	똉 폭파하다 똉 돌풍; 폭발		
1689 blink	똉 (눈을) 깜박거리다; (불이) 깜박이다 똉 깜박거림		
1690 blur	똉 흐리게 하다 똉 흐릿한 것[형체]		
1691 bribe	똉 뇌물 똉 매수하다, 뇌물을 주다		
1692 brick	똉 벽돌		
1693 brutal	똉 잔인한; 모진		
1694 bureaucracy	똉 관료주의, 관료 조직		
1695 buzz	똉 소란스러운 소리 똉 윙윙거리다		
1696 byproduct	똉 부산물; 부작용		
1697 candid	똉 정직한, 솔직한		
1698 cease	똉 멈추다, 중지하다		
1699 charm	똉 매료하다 똉 매력; 마법		
1700 cherish	똉 소중히 하다		

1701 chick	똉 병아리; 새끼 새		
1702 choir	똉 합창단; 성가대 똉 합창하다		
1703 consensus	똉 (의견의) 일치; 합의		
1704 decent	똉 예의 바른; 품위 있는		
1705 decisive	똉 결정적인; 단호한, 확고한		
1706 degrade	똉 저하시키다; 퇴화시키다		
1707 dehydrate	똉 탈수하다, 건조시키다		
1708 differentiate	똉 구별하다; 차별화하다		
1709 diffuse	똉 퍼지다, 흩어지다; 발산하다		
1710 disbelief	똉 불신, 의혹		
1711 disgust	똉 싫증, 혐오 똉 역겹게 하다		
1712 disprove	똉 반증을 들다, 틀렸음을 증명하다		
1713 eligible	똉 적격의; 적당한 똉 적임자; 적격자		
1714 embody	똉 구체화하다; 구현하다		
1715 eminent	똉 저명한; 뛰어난		
1716 energetic	똉 활동적인; 강력한		
1717 erupt	똉 분출하다; (감정이) 폭발하다		
1718 escalate	똉 확대되다; 확대시키다; 차츰 오르다		
1719 feat	똉 위업; 공적		
1720 formulate	똉 공식화하다; 만들어내다		

외우지 못한 단어가 있으면 미니 단어장에서 다시 한번 정리해 보세요.

DRILLS

1721 **grid**
[grid]

(명) 격자무늬; 배관망

Surveyors were sent forth to draw rectangular **grids** on the land. 학평
측량사들은 그 땅에 직사각형 ....를 그리도록 파견되었다.

a power ....
전력망

1722 **grief**
[gri:f]

(명) 슬픔, 비탄

She realized with **grief** that she was rude one. 학평
..................하게도 그녀는 자신이 무례한 사람이었다는 것을 깨달았다.

➕ **grieve** (동) 슬퍼하다, 비통해하다

ease the ....
슬픔을 덜다

1723 **harbor**
빈칸 [háːrbər]

(동) 정박하다; 품다   (명) 항구; 피난처

Natural ecosystems may **harbor** tomorrow's drugs against cancer. 모평
자연 생태계는 암을 치료할 미래의 약을 .... 있을지도 모른다.

.... hateful views
증오의 시선을 품다

1724 **hasten**
빈칸 [héisn]

(동) 서두르다, 재촉하다

Digital technology accelerates dematerialization by **hastening** the migration from products to services. 모평 디지털 기술은 제품에서 서비스로의 이동을 ....으로써 비물질화를 가속한다.

➕ **hasty** (형) 급한; 경솔한   **haste** (명) 급함, 서두름

.... the development
발전을 재촉하다

1725 **hectic**
[héktik]

(형) 매우 바쁜

We are lying in bed recovering from an illness, away from our **hectic** daily routines. EBS
우리는 .... 매일의 일상에서 벗어나 질병으로부터 회복하면서 침대에 누워 있다.

a .... schedule
매우 바쁜 일정

1726 **hollow**
[hálou]

(형) (속이) 빈; 공허한   (명) 구멍; 움푹 꺼진 곳

A secret **hollow** space is hidden inside some telescopes. EBS
어떤 망원경 안에는 비밀스러운 .... 공간이 숨겨져 있다.

🟰 **empty, vacant** (형) 비어 있는

.... tree trunks
속이 빈 나무줄기

해석 완성 격자무늬 / 비참 / 품고 / 재촉함 / 매우 바쁜 / 빈

1727 hydrogen
[háidrədʒən]
명 수소

Water will be broken down by UV light into oxygen and **hydrogen**. 모평

물은 자외선에 의해 산소와 _____로 분해될 것이다.

_____ energy
수소 에너지

1728 impair
[impέər]
동 해치다, 손상하다

Good fantasy literature can help bridge some of the intellectual disconnect that **impairs** many of our students. EBS

좋은 공상 문학은 많은 학생을 _____ 지적 단절 중 일부를 연결하는 데 도움이 될 수 있다.

➕ impairment 명 손상

_____ one's health
건강을 해치다

1729 incompatible
[ìnkəmpǽtəbl]
형 양립할 수 없는

Zoo life is **incompatible** with an animal's most deeply-rooted survival instincts. 모평

동물원 생활은 동물의 가장 깊게 뿌리 내린 생존 본능과 _____.

↔ compatible 형 양립하는

_____ goals
양립할 수 없는 목표들

1730 integral
[íntəɡrəl]
형 완전한; 필수의

Living simply was **integral** to his life philosophy. 수능

단순하게 사는 것은 그의 인생철학에 _____이었다.

➕ integration 명 통합; 적분

an _____ part of the design
설계의 필수적인 부분

1731 integrity
[intéɡrəti]
명 진실성; 성실; 온전함

Integrity means that you are the same on the inside as the outside. EBS

_____은 여러분의 내면과 외면이 같다는 것을 의미한다.

_____ of the tax system
조세 제도의 온전함

1732 involuntary
[inváləntèri]
형 무의식적인; 비자발적인

Breathing is usually an **involuntary** action.

숨 쉬는 것은 종종 _____ 행동이다.

➕ involuntarily 부 모르는 사이에; 본의 아니게
↔ voluntary 형 자발적인; 의도적인

_____ unemployment
비자발적인 실업

1733 kinship
[kínʃip]
명 친족 관계; 유대감

Members have almost identical mindset and a strong sense of **kinship**. 학평

구성원들은 거의 동일한 사고방식과 강한 _____을 가지고 있다.

be near[distant] in _____
친족 관계(촌수)가 가깝다[멀다]

해석 완성 수소 / 해치는 / 양립할 수 없다 / 필수적 / 진실성 / 무의식적인 / 유대감

10   20   30   40   50

1734 lengthen
[léŋkθən]
빈칸

(동) 늘이다; 늘어나다

His field of view **lengthens**, but he becomes blind to what's nearby. 학평
그의 시야는 .... 가까이 있는 것은 보이지 않게 된다.

➕ **length** (명) 길이   **lengthy** (형) 긴
➖ **shorten** (동) 짧게 하다; 짧아지다

.... the pants
바지 길이를 늘이다

1735 lottery
[látəri]

(명) 복권; 추첨

Most of us believe attaining true happiness is like winning the **lottery**. EBS
우리 대부분은 진정한 행복을 얻는 것은 ....에 당첨되는 것과 같다고 믿는다.

scratch a ....
ticket
복권을 긁다

1736 manuscript
[mǽnjəskrìpt]

(명) 원고; 필사본

Would you be interested in seeing some or all of my 70,000-word **manuscript**? 학평
귀하는 저의 7만 단어짜리 ....의 일부나 전체를 보는 것에 관심이 있으신가요?

write a ....
for a book
책의 원고를 쓰다

1737 mediation
[mì:diéiʃən]

(명) 중개; 중재

Mediation is a process that has much in common with advocacy but is also crucially different. 수능
.... 는 옹호와 공통점이 많은 과정이지만 결정적으로 다르기도 하다.

➕ **mediate** (동) 중재하다   **mediator** (명) 매개자; 중재자

resolve a dispute by
using ....
중재를 이용하여 분쟁을 해결
하다

1738 minister
[mínistər]

(명) 성직자, 목사; 장관

His father wished for him to become a **minister** of the church. 학평
그의 아버지는 그가 교회의 ....가 되기를 바랐다.

➕ **ministry** (명) 내각; (정부의) 부

the .... of
Finance
재무부 장관

해석 완성   늘어나지만 / 복권 / 원고 / 중재 / 목사

진짜 기출로 확인!   밑줄 친 단어의 뜻을 문맥에 맞게 찾으시오.   11년 수능

It is important to maintain a clear focus in undertaking advocacy or (1)mediation in order to ensure that the roles do not become blurred. For example, a (2)mediator who 'takes sides' is likely to lose all credibility, as is an advocate who seeks to adopt a neutral position.

① 성실   ② 중재   ③ 성직자   ④ 중재자   ⑤ 친족 관계

ANSWERS p.485

1739 miserable
[mízərəbl]

형 불쌍한, 비참한; 괴로운

She sat all alone in her room, thoroughly **miserable**.
그녀는 완전히 .... 자기 방에 혼자 앉아 있었다.

➕ misery 명 불행; 고통

make a life ....
삶을 비참하게 만들다

1740 nourish
[nə́:riʃ]

동 양분을 주다; 기르다, 육성하다

The destiny of a community depends on how well it **nourishes** its members. 모평
한 공동체의 운명은 그것이 그 구성원들을 얼마나 잘 .... 에 달려 있다.

➕ nourishment 명 영양, 자양분

.... plants
식물에게 양분을 주다

1741 outfit
[áutfit]

명 의상, 복장; 장비   동 공급하다; 갖추어 주다

I recently ordered an **outfit** from your online store. 학평
저는 최근에 귀사의 온라인 매장에서 .... 한 벌을 주문했습니다.

🔁 costume, clothing 명 의상; 복장

pick out a new ....
새 옷을 한 벌 고르다

1742 outstanding
[àutstǽndiŋ]

형 눈에 띄는, 현저한; 뛰어난

Jim Nelson was an **outstanding** athlete. 모평
Jim Nelson은 .... 운동선수였다.

🔁 prominent, remarkable 형 주목할 만한, 현저한; 훌륭한

produce ....
performance
눈에 띄는 성과를 내다

1743 panic
[pǽnik]

명 공포; 공황   동 (-panicked-panicked) 당황하다

There was a certain **panic** in his voice that demanded attention. 수능
그의 목소리에는 주의를 요하는 어떤 .... 가 있었다.

🔁 fear, fright, horror 명 공포

in a total ....
완전히 공황 속에 빠져

1744 parallel
[pǽrəlèl]

형 평행의; 유사한   명 평행선; 유사성

In a typical experiment, two toy cars were shown running on **parallel** tracks. 수능
어떤 대표적인 실험에서, 두 장난감 자동차가 .... 경주로에서 달리는 것을 보여 주었다.

have no parallel 유례가 없다, 비할 데 없다

a .... between
the two cases
두 사건의 유사성

해석 완성 비참하게 / 육성하는지 / 옷 / 뛰어난 / 공포 / 평행

1745 **patch** [pætʃ]	몡 천 조각; 작은 밭	a cabbage _____ 작은 양배추 밭

Green places are good places — from the small **patches** in cities to the wide open wildernesses. EBS
푸른 잎으로 뒤덮인 곳은 도시의 _____ 에서부터 탁 트인 황야에 이르기까지 좋은 곳이다.

➕ patchy 혱 드문드문 있는; 고르지 못한

1746 **penetrate** 제목 [pénətrèit]	통 관통하다; 통과하다; 침투하다	_____ deep into the lungs 폐 깊숙이 침투하다

Trees have a few small roots which **penetrate** to great depth. 모평
나무는 아주 깊이 _____ 몇 개의 작은 뿌리가 있다.

➕ penetrating 혱 꿰뚫는; 예리한   penetration 몡 관통; 침투
🟰 pierce 통 관통하다

1747 **peripheral** [pərífərəl]	혱 주변의; 중요하지 않은	_____ devices for computers 컴퓨터 주변 장치

Do not focus your mind on **peripheral** issues.
_____ 일들에 중점을 두지 마라.

the peripheral nervous system 말초 신경계

1748 **portion** 실용문 [pɔ́ːrʃən]	몡 일부, 부분; 몫; 1인분 통 나누다	a large _____ of the food 음식 중 많은 부분

A **portion** of the proceeds from sales will go to support local neighbors in need. EBS
판매 수익 중 _____ 는 도움이 필요한 지역 이웃을 후원하는 데 쓰일 것입니다.

1749 **postpone** [poustpóun]	통 연기하다, 미루다	_____ the presentation 발표를 미루다

I was given permission to **postpone** my membership for three months. EBS
나는 회원 자격을 3개월간 _____ 수 있도록 허락을 받았다.

🟰 delay 통 미루다   put off ~을 미루다

해석 완성 작은 밭 / 침투하는 / 중요하지 않은 / 일부 / 연기할

진짜 기출로 확인 ! 밑줄 친 단어의 뜻을 문맥에 맞게 찾으시오. 고3 학평

In one study, the subject was asked to perform two visual tasks. One task was to respond to blinking lights in the center of the subject's visual field, and the other involved responding to blinking lights in his (1)peripheral vision. As expected, the subjects showed all the usual signs of (2)panic.

① 공포   ② 부분   ③ 눈에 띄는   ④ 주변의   ⑤ 평행의

ANSWERS p.485

1750 prehistoric
주제
[prìːhistɔ́(ː)rik]

(형) 선사(시대)의

We know little about the details of timekeeping in **prehistoric** eras. 모평
우리는 ....시대의 시간 기록에 관한 자세한 내용에 대해 알고 있는 것이 거의 없다.

➕ prehistory (명) 선사시대

.... art
선사시대의 예술

1751 prestige
[prestíːʒ]

(명) 위신, 명성   (형) 위신 있는; 고급의

The king wanted to enhance his **prestige** through war.
왕은 전쟁으로 그의 ....을 높이길 원했다.

➕ prestigious (형) 명성이 있는
🟰 status (명) 위신, 높은 지위

a loss of status or
....
지위나 명성의 상실

1752 prevail
[privéil]

(동) 우세하다; 만연하다; 이기다

Dishonest signals would become ignored and only honest signals would **prevail**. EBS
정직하지 않은 신호는 무시되고, 정직한 신호만이 .... 것이다.

➕ prevailing (형) 우세한; 널리 퍼진
　　prevalent (형) 널리 퍼져 있는; 유행하는

beliefs that ....
among certain groups
특정 집단에 만연한 믿음

1753 propel
[prəpél]

(동) 추진하다, 나아가게 하다

He **propelled** himself into a backspin. 수능
그는 역주행을 해서 스스로 ....

➕ propulsion (명) 추진(력)   propeller (명) 프로펠러; 추진기

.... rockets
into the sky
로켓을 하늘로 추진하다

1754 pulse
[pʌls]

(명) 맥박; 파동   (동) 맥박치다; 고동치다

A world-class runner was constantly hooking himself up to **pulse** meters and pace keepers. 모평
한 세계 일류의 달리기 선수는 .... 측정기와 속도 측정기에 자신을 끊임없이 연결하고 있었다.

🟰 throb (동) 고동치다

a racing ....
빠르게 뛰는 맥박

1755 quest
[kwest]

(명) 탐색, 탐구; 추구   (동) 탐구하다

The great scientists are driven by an inner **quest** to understand the nature of the universe. 모평
위대한 과학자들은 우주의 본질을 이해하려는 내적인 ....에 의해 동력을 얻는다.

🟰 search (명) 탐색   pursuit (명) 추구

the .... for profit
이윤의 추구

해석 완성 선사 / 위신 / 우세할 / 나아갔다 / 맥박 / 탐구

1756	**sarcasm**	(명) 빈정거림; 풍자	biting ....
□□	[sá:rkæzəm]	The nature of **sarcasm** implies a contradiction between intent and message. (모평)	통렬한 풍자
		.... 의 본질은 의도와 전해진 말 사이의 모순을 암시한다.	
		in sarcasm 비꼬아서	
		➕ **sarcastic** (형) 빈정대는, 비꼬는	

1757	**scheme**	(명) 계획, 설계; 책략	a new management
□□	[ski:m]	Wetlands are converted in favor of more profitable options such as dams or irrigation **schemes**. (학평)	.... 새로운 운영 계획
		습지는 댐이나 관개 .... 과 같은 보다 이익이 되는 선택으로 전환된다.	

1758	**scope**	(명) 범위, 영역; 여지, 기회	an investigation of wide
□□	[skoup]	A huge amount of effort is employed to assess the size and **scope** of actual losses. (수능)	.... 광범위한 조사
제목		실제 손실의 크기와 .... 를 평가하는 데 막대한 노력이 동원된다.	
		🟰 **range, extent** (명) 범위	

1759	**sole**	(형) 유일한; 혼자의; 단독의 (명) 발바닥; (신발) 밑창	the .... right
□□	[soul]	Popularity is probably a **sole** criterion. (EBS)	of use
		인기는 아마도 .... 기준일 것이다.	단독 사용권
		➕ **solely** (부) 혼자서; 오로지	

1760	**sphere**	(명) 구; 천체; 영역	the center of the
□□	[sfiər]	The public **sphere** can not be left entirely to the private marketplace.	.... 구의 중심
		공공 .... 이 전적으로 민간 시장에 맡겨질 수는 없다.	

> **TIP** 입체도형 관련 표현
> » **sphere** (명) 구체 » **cylinder** (명) 원기둥
> » **cone** (명) 원뿔 » **pyramid** (명) 각뿔
> » **cube** (명) 정육면체 » **cuboid** (명) 직육면체

해석 완성 빈정거림 / 계획 / 범위 / 유일한 / 영역

진짜 기출로 확인! 문맥에 맞도록 빈칸에 알맞은 단어를 고르시오.   19년 수능

Speculations about the meaning and purpose of (1)_____ art rely heavily on analogies drawn with modern-day hunter-gatherer societies. Such primitive societies tend to view man and beast, animal and plant, organic and inorganic (2)_____, as participants in an animated totality.

① spheres   ② pulses   ③ schemes   ④ sole   ⑤ prehistoric

ANSWERS p.485

3-Minute Check

오늘 학습한 단어와 뜻을
최종적으로 암기했는지 확인하세요!

		check
1721 **grid**	(명) 격자무늬; 배관망	☐
1722 **grief**	(명) 슬픔, 비탄	☐
1723 **harbor**	(동) 정박하다; 품다 (명) 항구; 피난처	☐
1724 **hasten**	(동) 서두르다, 재촉하다	☐
1725 **hectic**	(형) 매우 바쁜	☐
1726 **hollow**	(형) (속이) 빈; 공허한 (명) 구멍; 움푹 꺼진 곳	☐
1727 **hydrogen**	(명) 수소	☐
1728 **impair**	(동) 해치다, 손상하다	☐
1729 **incompatible**	(형) 양립할 수 없는	☐
1730 **integral**	(형) 완전한; 필수의	☐
1731 **integrity**	(명) 진실성; 성실; 온전함	☐
1732 **involuntary**	(형) 무의식적인; 비자발적인	☐
1733 **kinship**	(명) 친족 관계; 유대감	☐
1734 **lengthen**	(동) 늘이다; 늘어나다	☐
1735 **lottery**	(명) 복권; 추첨	☐
1736 **manuscript**	(명) 원고; 필사본	☐
1737 **mediation**	(명) 중개; 중재	☐
1738 **minister**	(명) 성직자, 목사; 장관	☐
1739 **miserable**	(형) 불쌍한, 비참한; 괴로운	☐
1740 **nourish**	(동) 양분을 주다; 기르다, 육성하다	☐

		check
1741 **outfit**	(명) 의상, 복장; 장비 (동) 공급하다; 갖추어 주다	☐
1742 **outstanding**	(형) 눈에 띄는, 현저한; 뛰어난	☐
1743 **panic**	(명) 공포; 공황 (동) 당황하다	☐
1744 **parallel**	(형) 평행의; 유사한 (명) 평행선; 유사성	☐
1745 **patch**	(명) 천 조각; 작은 밭	☐
1746 **penetrate**	(동) 관통하다; 통과하다; 침투하다	☐
1747 **peripheral**	(형) 주변의; 중요하지 않은	☐
1748 **portion**	(명) 일부, 부분; 몫; 1인분 (동) 나누다	☐
1749 **postpone**	(동) 연기하다, 미루다	☐
1750 **prehistoric**	(형) 선사(시대)의	☐
1751 **prestige**	(명) 위신, 명성 (형) 위신 있는; 고급의	☐
1752 **prevail**	(동) 우세하다; 만연하다; 이기다	☐
1753 **propel**	(동) 추진하다, 나아가게 하다	☐
1754 **pulse**	(명) 맥박; 파동 (동) 맥박치다; 고동치다	☐
1755 **quest**	(명) 탐색, 탐구; 추구 (동) 탐구하다	☐
1756 **sarcasm**	(명) 빈정거림; 풍자	☐
1757 **scheme**	(명) 계획, 설계; 책략	☐
1758 **scope**	(명) 범위, 영역; 여지, 기회	☐
1759 **sole**	(형) 유일한, 혼자의; 단독의 (명) 발바닥; (신발) 밑창	☐
1760 **sphere**	(명) 구; 천체; 영역	☐

외우지 못한 단어가 있으면 미니 단어장에서 다시 한번 정리해 보세요.

📖 가리개를 사용하여 뜻을 암기했는지 확인하세요.

1761 spur
분위기
[spəːr]

(동) 박차를 가하다　(명) 박차; 자극

He **spurred** his horse, allowing it to run freely. (학평)
그는 말에 .... 말을 자유롭게 달리게 했다.

spur A up to duty A를 자극하여 본분을 다하도록 하다

📘 stimulus (명) 자극　accelerate (동) 박차를 가하다

a .... to improvement
개선을 위한 자극

1762 stack
빈칸
[stæk]

(명) 더미; 서가　(동) 쌓아올리다

He purposely dropped a book from the **stack**. (학평)
그는 ....에서 책을 고의로 떨어뜨렸다.

stack up 계속 쌓이다

📘 pile (명) 더미

a .... of wood
목재 한 더미

1763 stall
[stɔːl]

(명) 노점; 마구간　(동) 시간을 끌다

He sold plastic souvenirs to tourists from a street **stall**. (학평)
그는 거리의 ....에서 관광객에게 플라스틱 기념품을 팔았다.

horses in a
마구간의 말들

1764 suspend
[səspénd]

(동) 매달다; 중지하다; 연기하다; 정학시키다

We have **suspended** your membership privileges. (학평)
우리는 당신의 회원 특혜를 ....

suspend a sentence 집행을 유예하다

➕ suspension (명) 중지; 보류　suspense (명) 긴장감

.... judgment
판결을 연기하다

1765 spacious
심경
[spéiʃəs]

(형) 넓은

The room was **spacious** and there was a large window overlooking the college grounds. (학평)
방은 .... 대학 교정이 내려다보이는 큰 창이 있었다.

a .... untapped domain
미개발된 넓은 영역

1766 synthetic
[sinθétik]

(형) 합성의, 인조의; 종합적인

The pesticide industry argues that **synthetic** pesticides are necessary to grow food. (모평)
농약 제조업계는 식량을 재배하기 위해서는 .... 살충제가 필수라고 주장한다.

➕ synthesize (동) 합성하다; 종합하다　synthesis (명) 합성; 종합

.... substance
합성 물질

해석 완성 박차를 가하여 / 서가 / 노점 / 중지시켰습니다 / 넓었고 / 합성

1767 □□ **thread** [θred]

[명] 실; 줄; 가닥 [동] 실을 꿰다

Ghost spiders have long legs, yet they weave webs out of very short **threads**. [모평]

유령거미는 다리가 길지만 거미집을 매우 짧은 ....으로 짜서 만든다.

a needle and ....
실을 꿴 바늘

1768 □□ [제목] **tissue** [tíʃuː]

[명] (세포) 조직; 화장지; 직물

The rate of annual change varies among various cells, **tissues**, and organs. [수능]

매년의 변화율은 다양한 세포, ..., 그리고 장기마다 다르다.

muscle and nerve ....
근육과 신경 조직

1769 □□ [제목] **torment** [tɔ́ːrment]

[동] 괴롭히다; 고문하다 [명] 고통, 고뇌

Michael's **tormenting** helped push his team to the top. [학평]

Michael의 ....은 그의 팀을 정상으로 밀어 올리는 데 도움이 되었다.

suffer .... of violence
폭력으로 고통을 겪다

1770 □□ **turbulence** [tə́ːrbjələns]

[명] 휘몰아침; 격동; 난류

Turbulence caused by currents adds oxygen to the water. [학평]

해류가 만들어 낸 ....는 해수에 산소를 더해준다.

[+] **turbulent** [형] 몹시 거친; 난폭한

a period of ....
격동의 시대

1771 □□ [빈칸] **undoubtedly** [ʌndáutidli]

[부] 틀림없이, 확실히

Genes would **undoubtedly** have changed during the human revolution. [수능]

유전자는 인류 혁명 동안 .... 변해 왔을 것이다.

.... play a part
제 역할을 확실히 하다

1772 □□ **vibrate** [váibreit]

[동] 진동하다; 떨리다; 진동시키다

It requires more energy to make water **vibrate** than to **vibrate** air. [수능]

공기를 .... 것보다 물이 .... 만드는 데 더 많은 에너지가 필요하다.

[+] **vibration** [명] 진동, 떨림 **vibrant** [형] 떠는, 진동하는

.... with rage
분노로 떨리다

1773 □□ **vicious** [víʃəs]

[형] 사악한; 잔인한; 사나운

Vicious ocean currents protected the island from the destruction of humankind.

.... 해류가 그 섬을 인간의 파괴로부터 보호했다.

[+] **vice** [명] 악; 범죄

a .... cycle
악순환

해석 완성 가닥 / 조직 / 괴롭힘 / 난류 / 틀림없이 / 진동시키는, 진동하도록 / 사나운

1774 virtue
[vɔ́ːrtʃuː]

명 미덕, 선행; 장점

Though efficiency is a great **virtue**, it is not the only economic goal of interest to the society. 학평
효율성은 큰 ....이지만, 그것이 사회가 주목해야 할 유일한 경제적 목표는 아니다.

by virtue of ~ 덕분에

↔ **vice** 명 악; 범죄

practice ....
선을 행하다

1775 warehouse
[wέərhàus]

명 창고, 저장소

In order to feed the population, vast **warehouses** and markets were needed. EBS
그 인구를 먹여 살리기 위해 거대한 ....와 시장이 필요했다.

a frozen ....
냉동 창고

1776 acclaim
[əkléim]

명 갈채; 찬사 동 갈채를 보내다

She had danced the lead for three years, to critical **acclaim**. EBS
그녀는 비평가들의 ....를 받으며 3년간 주역으로 춤을 춰 왔다.

➕ **acclamation** 명 갈채

receive ....
for winning a medal
메달을 획득해 갈채를 받다

1777 advent
[ǽdvent]

명 도래, 출현

With the **advent** of social media, our children become impatient for an immediate answer. 학평
소셜 미디어의 ....와 함께 우리 아이들은 즉각적인 응답을 초조하게 기다리게 되었다.

the .... of
globalization
세계화의 도래

1778 allot
[əlát]

동 할당하다, 분배하다

Generally we have more time than we **allot** ourselves to make decisions. 학평
일반적으로 우리는 결정하기 위해 자신에게 .... 시간보다 더 많은 시간이 있다.

🟰 **assign** 동 할당하다, 배당하다

.... money
for a car purchase
자동차 구매에 돈을 할당하다

해석 완성 미덕 / 창고 / 찬사 / 도래 / 할당하는

진짜 기출로 확인! 밑줄 친 단어의 뜻을 문맥에 맞게 찾으시오. 고3 학평

When you consume calories at times of peak energy need, most of them are used to fuel your muscles and nervous system, to (1)synthesize muscle (2)tissue, and to replenish muscle fuel stores. When you consume more calories than you need those excess calories will be stored as body fat.

① 진동하다　　② 합성하다　　③ 괴롭히다　　④ 조직　　⑤ 화장지

ANSWERS p.485

1779 **amplify**
[æmpləfài]
빈칸

동 확대하다; 증폭시키다
Information technologies may serve to **amplify** existing prejudices and misconceptions. 학평
정보 통신 기술은 기존의 편견과 오해를 .... 데 기여할 수도 있다.

➕ ample 형 광대한; 충분한

.... sounds and signals
소리와 신호를 증폭시키다

1780 **anchor**
[ǽŋkər]

명 닻; 진행자 동 닻을 내리다
Sailors have scarcely one chance in a thousand of dropping **anchor** in the right port. 모평
선원들은 적절한 항구에 .... 을 내릴 기회를 거의 천 번 중에 한 번도 갖지 못한다.

➕ anchorage 명 정박지

a TV news ....
텔레비전 뉴스 진행자

1781 **autonomy**
[ɔːtánəmi]
제목

명 자주성, 자율성; 자치권
Workers have traded security that companies used to provide for greater **autonomy**. 학평
노동자들은 회사가 제공했던 안정을 더 큰 ....과 바꾸어 왔다.

➕ autonomous 형 자율의, 자치의

give individuals greater ....
개인에게 더 큰 자율성을 부여하다

1782 **antecedent**
[æntəsíːdənt]

형 앞서는, 선행의 명 선례
All things may occur because of **antecedent** events.
모든 일은 .... 일 때문에 발생하는지도 모른다.

🟰 previous, prior 형 이전의

a historical ....
역사 속의 선례

1783 **antisocial**
[æntisóuʃəl]

형 반사회적인; 비사교적인
You can stay true to your personality without appearing to be **antisocial**. 모평
여러분은 .... 보이지 않으면서 자신의 개성에 충실할 수 있다.

discourage .... acts
반사회적인 행위를 저지하다

1784 **apocalypse**
[əpákəlips]

명 세계의 파멸; 대참사
Some people believe an **apocalypse** is going to happen soon.
어떤 사람들은 .... 이 곧 일어날 것이라고 믿는다.

an environmental ....
환경적 대재앙

해석 완성 확대하는 / 닻 / 자율성 / 앞서 일어난 / 비사교적으로 / 세계의 파멸

1785 **apparatus** [æ̀pərǽtəs]

[명] (특정 활동·과제에 필요한) 장치, 기기

He began designing exercise **apparatus** for immobilized hospital patients. [학평]
그는 거동이 어려운 병원 환자들을 위한 운동 .... 를 고안하기 시작했다.

an oxygen breathing ....
산소 호흡 장치

1786 **apparel** [əpǽrəl]

[명] 의복, 의류

Today's **apparel** supplier must look for new ways to offer customers top-quality goods. [학평]
오늘날의 .... 공급 회사는 고객들에게 최상품을 제공하는 새로운 방법을 찾아야 한다.

sports ....
스포츠 의류

1787 **apt** [æpt] [주제]

[형] ~하기 쉬운; 적절한

In a heated argument, we are **apt** to lose sight of the truth. [학평]
격앙된 논쟁에서 우리는 진실을 보지 못............

be apt to ~하기 쉽다, ~하는 경향이 있다

[+] **aptitude** [명] 소질, 적성

an .... description
적절한 묘사

1788 **arouse** [əráuz] [빈칸]

[동] 깨우다; 자극하다

Buildings **arouse** an empathetic reaction in us through the experiences. [수능]
건물은 경험을 통해 우리 내부에서 공감의 반응을 ....

[+] **arousal** [명] 각성; 자극 **aroused** [형] 흥분한, 자극된

.... fear of the unknown
미지의 것에 대한 공포를 자극하다

1789 **astrological** [æ̀strəlɑ́dʒikəl]

[형] 점성학의

Ancient Chinese astronomers acquired a vast amount of **astrological** information. [학평]
고대 중국 천문학자들은 방대한 양의 .... 정보를 얻었다.

[+] **astrology** [명] 점성술 **astrologist** [명] 점성술사

[TIP] **혼동하기 쉬운 단어 astronomical**
» **astronomical** [형] 천문학의 » **astronomy** [명] 천문학
» **astronomer** [명] 천문학자

an .... prediction
점성술적인 예언

해석 완성 기구 / 의류 / 하기 쉽다 / 자극한다 / 점성학

진짜 기출로 확인! 밑줄 친 단어의 뜻을 문맥에 맞게 찾으시오. 고3 모평

When a dog is trained to detect drugs, the trainer doesn't teach the dog how to smell. Rather, the dog is trained to become emotionally (1) aroused by one smell versus another. This emotional (2) arousal is also why playing tug with a dog is a more powerful emotional reward in a training regime than just giving a dog a food treat.

① 자극 ② 기기 ③ 자주성 ④ 확대된 ⑤ 자극된

ANSWERS p.485

1790 barren
[bǽrən]

(형) 황량한; 불임의, 열매를 맺지 못하는

My friend and I wandered around the **barren** lands looking for dinosaur bones. EBS
내 친구와 나는 공룡 뼈를 찾아 .... 땅 주변을 헤매었다.

反 **fertile** (형) 비옥한
同 **infertile** (형) 불임의, 열매를 맺지 못하는

.... landscapes
황량한 풍경

1791 beware
[biwέər]

(동) 조심하다, 경계하다

Beware of putting yourself into a position where you think you know all the answers. EBS
여러분이 모든 답을 안다고 생각하는 태도를 갖는 것을 ....

.... of unreliable information
신뢰할 수 없는 정보를 경계하다

1792 bind
[baind]

(동) (-bound-bound) 묶다; 단결시키다

We need a leader who can **bind** us together.
우리는 우리를 .... 수 있는 지도자가 필요하다.

.... a box with a string
상자를 끈으로 묶다

1793 blush
[blʌʃ]

(동) 얼굴을 붉히다   (명) 홍조

I feel myself **blushing**. 학평
나는 .... 것을 느낀다.

同 **flush** (동) 얼굴을 붉히다 (명) 홍조

.... with embarrassment
당황해서 얼굴을 붉히다

1794 brainstorming
[bréinstɔ̀:rmiŋ]

(명) 브레인스토밍

Group **brainstorming** is an effective way of generating ideas. 학평
집단 .... 은 아이디어를 만들어내는 효과적인 방법이다.

派 **brainstorm** (동) 브레인스토밍을 하다

participate in ....
브레인스토밍에 참여하다

1795 bruise
[bru:z]

(명) 멍, 타박상; 상처   (동) 멍들게 하다

Her hands were so wrinkled, and there were so many **bruises** on her hands. 학평
그녀의 손은 매우 주름지고, 아주 많이 .... 들어 있었다.

派 **bruised** (형) 멍든; 상처 입은

get a .... on the leg
다리에 멍이 들다

1796 censor
[sénsər]

(동) 검열하다

Many of his plays and books were **censored** and burned in public. 학평
그의 많은 연극과 책들은 대중 앞에서 .... 불태워졌다.

派 **censorship** (명) 검열

.... the news
뉴스를 검열하다

해석 완성 황량한 / 경계하라 / 단결시킬 / 얼굴이 붉어지는 / 브레인스토밍 / 멍 / 검열되고

1797 clumsy
[klʌ́mzi]
주제

(형) 서투른; 어색한

We are drawn to relatively large heads, short and thin arms and legs, and **clumsy** movement. 학평

우리는 상대적으로 큰 머리, 짧고 가느다란 팔다리, 그리고 .... 움직임에 끌린다.

➕ clumsily (부) 어색하게, 서투르게
🟰 awkward (형) 서투른; 어색한

make a ....
attempt
서투른 시도를 하다

1798 column
[kɑ́ləm]

(명) 기둥; (신문) 칼럼

Columns, editorials and other forms of news analysis will never qualify as objective reporting. 학평

............, 사설 그리고 다른 형태의 뉴스 분석은 절대로 객관적 보도로서의 자격을 갖추지 못할 것이다.

a white marble ....

흰 대리석 기둥

1799 compact
[kəmpǽkt]
주제

(형) 밀집한; 소형의   (동) 꽉 채우다

The individuals of the prey species are concentrated in **compact** units rather than dispersed over a larger area. 모평

먹이가 되는 종의 개체들은 더 넓은 지역에 흩어져 있기보다 .... 단위로 모여 있다.

🟰 dense (형) 밀집한

.... communities

밀집된 공동체

1800 confidential
[kɑ̀nfidénʃəl]

(형) 은밀한, 기밀의

Your individual responses will be kept completely **confidential**. EBS

귀하의 개별적인 응답은 철저히 ....로 지켜질 것입니다.

➕ confidentially (부) 은밀하게, 비밀로
confidentiality (명) 기밀성
🟰 secret, classified (형) 비밀의, 기밀의

.... document

기밀 서류

> **TIP** 혼동하기 쉬운 단어 confident
> » confident (형) 자신감 있는; 확신하는
>   ex. I am **confident** of success. 나는 성공을 확신한다.
>   cf. confidence (명) 자신감; 확신

해석 완성 서투른 / 칼럼 / 밀집된 / 기밀

진짜 기출로 확인! 빈칸에 공통으로 알맞은 단어를 고르시오. 고3 학평

A normal, straight-edged ruler was of little use to the masons who were carving round _____ from slabs of stone and needed to measure the circumference of the _____. They fashioned a flexible ruler out of lead, a forerunner of today's tape measure.

① brainstorming   ② blushes   ③ bruises   ④ censorship   ⑤ columns

ANSWERS p.485

3-Minute Check

오늘 학습한 단어와 뜻을 최종적으로 암기했는지 확인하세요!

			check
1761	spur	[동] 박차를 가하다 [명] 박차; 자극	☐
1762	stack	[명] 더미; 서가 [동] 쌓아올리다	☐
1763	stall	[명] 노점; 마구간 [동] 시간을 끌다	☐
1764	suspend	[동] 매달다; 중지하다; 연기하다; 정학시키다	☐
1765	spacious	[형] 넓은	☐
1766	synthetic	[형] 합성의, 인조의; 종합적인	☐
1767	thread	[명] 실; 줄; 가닥 [동] 실을 꿰다	☐
1768	tissue	[명] (세포) 조직; 화장지; 직물	☐
1769	torment	[동] 괴롭히다; 고문하다 [명] 고통, 고뇌	☐
1770	turbulence	[명] 휘몰아침; 격동; 난류	☐
1771	undoubtedly	[부] 틀림없이, 확실히	☐
1772	vibrate	[동] 진동하다; 떨리다; 진동시키다	☐
1773	vicious	[형] 사악한; 잔인한; 사나운	☐
1774	virtue	[명] 미덕, 선행; 장점	☐
1775	warehouse	[명] 창고, 저장소	☐
1776	acclaim	[명] 갈채; 찬사 [동] 갈채를 보내다	☐
1777	advent	[명] 도래, 출현	☐
1778	allot	[동] 할당하다, 분배하다	☐
1779	amplify	[동] 확대하다; 증폭시키다	☐
1780	anchor	[명] 닻; 진행자 [동] 닻을 내리다	☐

			check
1781	autonomy	[명] 자주성, 자율성; 자치권	☐
1782	antecedent	[형] 앞서는, 선행의 [명] 선례	☐
1783	antisocial	[형] 반사회적인; 비사교적인	☐
1784	apocalypse	[명] 세계의 파멸; 대참사	☐
1785	apparatus	[명] (특정 활동·과제에 필요한) 장치, 기기	☐
1786	apparel	[명] 의복, 의류	☐
1787	apt	[형] ~하기 쉬운; 적절한	☐
1788	arouse	[동] 깨우다; 자극하다	☐
1789	astrological	[형] 점성학의	☐
1790	barren	[형] 황량한; 불임의, 열매를 맺지 못하는	☐
1791	beware	[동] 조심하다, 경계하다	☐
1792	bind	[동] 묶다; 단결시키다	☐
1793	blush	[동] 얼굴을 붉히다 [명] 홍조	☐
1794	brainstorming	[명] 브레인스토밍	☐
1795	bruise	[명] 멍, 타박상; 상처 [동] 멍들게 하다	☐
1796	censor	[동] 검열하다	☐
1797	clumsy	[형] 서투른; 어색한	☐
1798	column	[명] 기둥; (신문) 칼럼	☐
1799	compact	[형] 밀집한; 소형의 [동] 꽉 채우다	☐
1800	confidential	[형] 은밀한, 기밀의	☐

외우지 못한 단어가 있으면 미니 단어장에서 다시 한번 정리해 보세요.

Wrap Up

A 영어는 우리말로, 우리말은 영어로 쓰시오.

01	impair		21	진실성; 성실; 온전함
02	dehydrate		22	평행의; 유사한; 평행선
03	candid		23	위신, 명성; 위신 있는
04	eligible		24	매달다; 중지하다; 연기하다
05	eminent		25	닻; 진행자; 닻을 내리다
06	brutal		26	황량한; 불임의
07	ascend		27	검열하다
08	decent		28	양분을 주다; 육성하다
09	incompatible		29	일부; 몫; 1인분; 나누다
10	disgust		30	할당하다, 분배하다
11	grief		31	묶다; 단결시키다
12	hollow		32	중개; 중재
13	cherish		33	공포; 공황; 당황하다
14	byproduct		34	우세하다; 만연하다; 이기다
15	attorney		35	배신; 폭로
16	clumsy		36	밀집한; 소형의; 꽉 채우다
17	disprove		37	멍; 상처; 멍들게 하다
18	embody		38	~하기 쉬운; 적절한
19	differentiate		39	사악한; 잔인한; 사나운
20	decisive		40	탐구; 추구; 탐구하다

B 빈칸에 알맞은 말을 쓰시오.

01 Oxygen from the atmosphere can freely diffuse into the seawater.

→ 대기 중의 산소는 해수 속으로 자유로이 _____ 수 있다.

02 A huge amount of effort is employed to assess the size and scope of actual losses.

→ 실제 손실의 크기와 _____ 를 평가하는 데 막대한 노력이 동원된다.

03 Though efficiency is a great virtue, it is not the only economic goal of interest to the society.

→ 효율성은 큰 _____ 이지만, 그것이 사회가 주목해야 할 유일한 경제적 목표는 아니다.

04 Living simply was integral to his life philosophy.

→ 단순하게 사는 것은 그의 인생철학에 _____ 이었다.

05 Information technologies may serve to amplify existing prejudices and misconceptions.

→ 정보 통신 기술은 기존의 편견과 오해를 _____ 데 기여할 수도 있다.

C 문장의 네모 안에서 문맥에 알맞은 단어를 고르시오.

01 Trees have a few small roots which penetrate / postpone to great depth.

02 Disagreement is wrong and bureaucracy / consensus is the desirable state of things.

03 She sat all alone in her rooms, thoroughly miserable / antecedent.

04 With the manuscript / advent of social media, our children become impatient for an immediate answer.

05 Without the service of pollination which insects provide, humankind might cease / blast to exist.

가리개를 사용하여 뜻을 암기했는지 확인하세요.

DRILLS

1801 **contemplate** [kɑ́ntəmplèit]

[동] 심사숙고하다; 찬찬히 보다

Self-awareness is the consciousness that enables us to **contemplate** ourselves. [EBS]
자아의식은 우리가 스스로를 .... 수 있게 하는 의식이다.

[+] **contemplation** [명] 심사숙고; 응시

seriously .... the idea
그 아이디어를 진지하게 심사숙고하다

1802 **contempt** [kəntémpt]

[명] 경멸, 모욕

Far from feeling **contempt** for Helen's disabilities, the other birds stood in a kind of admiration for her. [EBS]
다른 새들은 Helen의 장애에 대해 ....을 느끼기는커녕 그녀를 찬양하는 듯이 서 있었다.

an object of ....
경멸의 대상

1803 **counteract** [kàuntərǽkt] 빈칸

[동] 대응하다; 방해하다; 중화하다

You have the ability to **counteract** negativity with positivity. [학평]
당신은 부정성에 긍정으로 .... 능력을 가지고 있다.

[+] **counteraction** [명] 반작용; 중화 작용

.... the effects of the drugs
약효를 방해하다

1804 **crave** [kreiv]

[동] 열망하다; 간청하다

Do you **crave** the recognition of being the parent of a star athlete? [학평]
당신은 스타인 운동선수의 부모라고 인정받기를 ....?

[=] **long for, be eager for** ~을 열망하다

.... cool water
시원한 물을 열망하다

1805 **curse** [kəːrs] 주제

[명] 저주; 욕설 [동] 저주하다; 욕하다

Over the years, work began to be seen as the **curse** of the poor. [학평]
수년간, 노동은 가난한 사람들에 대한 ....로 여겨지기 시작했다.

a blessing and a ....
축복이자 저주

1806 **damp** [dæmp]

[형] 축축한, 습기 찬

A boy riding a bicycle slipped on the **damp** wooden surface. [모평]
자전거를 탄 소년이 .... 나무 표면에서 미끄러졌다.

a .... evening
습기 찬 저녁

해석 완성 찬찬히 볼 / 경멸 / 대응하는 / 열망하는가 / 저주 / 축축한

1807 diameter
[daiǽmitər]
제목

명 직경, 지름

A satellite of just 250km in **diameter** could supply all of our present energy needs. 학평

.... 이 단지 250km인 인공위성이 현재 우리의 모든 에너지 필요량을 공급할 수 있을 것이다.

calculate the .... of the sun
태양의 지름을 계산하다

1808 entrust
[intrʌ́st]

동 맡기다, 위탁하다

Dad **entrusted** me with his movie projector and all the reels of film. 모평

아빠는 자신의 영사기와 모든 필름 통들을 내게 ....

entrust A with B, entrust B to A A에게 B를 맡기다

.... a matter to experts
문제를 전문가들에게 맡기다

1809 erect
[irɛ́kt]

형 똑바로 선, 직립의   동 똑바로 세우다; 직립하다

I sat **erect** with my back straight up.
나는 등을 곧게 세워서 .... 앉았다.

⊞ **erection** 명 직립; 건립
➲ **straight, vertical, upright** 형 직립의

an .... posture
직립 자세

1810 flesh
[fleʃ]
제목

명 살; 육체

A robot might have needs, but to understand desire, one needs language and **flesh**. 수능

로봇도 욕구가 있을 수 있겠지만, 욕망을 이해하기 위해서는 언어와 ....가 필요하다.

the .... of fish
생선의 살

1811 gigantic
[dʒaigǽntik]
빈칸

형 거대한

An Egyptian sculpture is more monumental than that **gigantic** pile of stones. 수능

어떤 이집트의 조각은 그 .... 돌무더기보다 더 기념비적이다.

a .... sculpture of a hand
거대한 손 모양 조각

1812 gulp
[gʌlp]

동 벌컥벌컥 마시다   명 벌컥벌컥 마심

Runners usually **gulp** down a cup of water when they are being very thirsty.

주자들은 매우 목이 마를 때 보통 물 한 잔을 ....

at one[a] gulp 한 모금에, 한 입에, 단숨에

➲ **swallow** 동 삼키다

take a fast ....
빠르게 한 입 벌컥 마시다

1813 haul
[hɔːl]

동 끌어당기다; 운반하다

He had returned to get his bed and **haul** it to his new home. EBS

그는 자신의 침대를 가져다가 새집으로 .... 위해 돌아왔다.

➲ **drag, draw, pull** 동 끌어당기다

.... a fish onto the boat
물고기를 배 위로 끌어당기다

해석 완성 지름 / 맡겼다 / 똑바로 / 육체 / 거대한 / 벌컥벌컥 마신다 / 운반하기

1814 heredity
주제
[hərédəti]

(명) 유전 (형질)

Heredity encodes the results of millions of years of environmental influences on the human genome. (학평)
.................은 인간 게놈에 대한 수백만 년의 환경적 영향의 결과를 암호화한다.

effects of .... and environment
유전과 환경의 영향

1815 hospitality
[hὰspitǽləti]

(명) 환대; 친절

The plate hangs in my dining room as a pleasant reminder of my mother's **hospitality**. (모평)
그 접시는 어머니의 ....를 기분 좋게 떠오르게 하는 물건으로서 내 식당에 걸려 있다.

➕ hospitable (형) 환대하는; 친절한

show special ....
특별히 환대하다

1816 idle
[áidl]

(형) 게으른, 한가한

Children's minds are never **idle** and, once they start talking, their mouths aren't, either. (학평)
어린이들의 정신은 절대 .... 않고, 일단 그들이 말을 하기 시작하면 입도 게으르지 않다.

➖ diligent (형) 근면한, 성실한

an .... factory
한가한 공장

1817 imprint
(명)[ímprint]
(동)[imprínt]

(명) 흔적; 인상 (동) 찍다; 인쇄하다

Corals were too scarce to leave their **imprint**. (EBS)
산호는 너무 희귀해서 ....을 남길 수 없었다.

imprint A in(on) B, imprint B with A A를 B에 찍다

leave an .... on memory
기억 속에 흔적을 남기다

1818 imprison
[imprízən]

(동) 투옥하다, 구속하다

Brunel was **imprisoned** for several months because of his debt. (모평)
Brunel은 그의 부채 때문에 몇 달간 ....

➕ imprisonment (명) 투옥; 구속

.... a convicted criminal
유죄로 선고받은 범죄자를 투옥하다

해석 완성 유전 / 환대 / 게으르지 / 흔적 / 투옥되었다

진짜 기출로 확인! 우리말과 일치하도록 빈칸에 알맞은 단어를 고르시오. 고3 학평

Our kitchens (1)_____ much to the brilliance of science, and a cook experimenting with mixtures at the stove is often not very different from a chemist in the lab: we add vinegar to red cabbage to fix the color and use baking soda to (2)_____ the acidity of lemon in the cake.
(우리의 주방은 과학의 탁월함에 힘입은 바가 크다. 그리고 스토브에서 혼합물로 실험하는 요리사는 종종 실험실의 화학자와 크게 다르지 않다. 우리는 붉은 양배추에 식초를 첨가하여 색을 유지하고 케이크에 레몬의 산도를 중화하는 베이킹 소다를 사용한다.)

① contemplate ② owe ③ counteract ④ entrust ⑤ haul

ANSWERS p.486

1819 □□ **injustice** [제목]
[indʒʌ́stis]

[명] **부당함; 불공평**

Anger often reflects a feeling of **injustice**. [EBS]
분노는 종종 ....의 감정을 반영한다.

[유] **inequality, unfairness** [명] 불공평

.... of racial prejudice
인종적 편견의 **부당함**

1820 □□ **inquire** [실용문]
[inkwáiər]

[동] **묻다, 문의하다**

Please call or email to **inquire**. [학평]
전화나 이메일로 .... 바랍니다.

[+] **inquisitive** [형] 호기심이 많은

.... about data
자료에 대해서 **묻다**

1821 □□ **laborious**
[ləbɔ́:riəs]

[형] **힘든; 부지런한**

Checking the entire report is **laborious** work.
전체 보고서를 검토하는 것은 .... 일이다.

[+] **labor** [명] 노동 [동] 노동하다

a learner in .... pursuit of wisdom
지혜를 **부지런히** 좇는 학습자

1822 □□ **landfill** [도표]
[lǽndfil]

[명] **쓰레기 매립(지)**

Burying solid waste in **landfills** was the most commonly used solid waste management technique. [학평] 고체 폐기물을 ....에 묻는 것은 가장 흔히 사용되는 고체 폐기물 처리 기법이었다.

dispose of garbage in a ....
쓰레기를 **매립지**에서 처리하다

1823 □□ **merchandise** [제목]
[mə́:rtʃəndàiz]

[명] **상품, 제품**

We've been in business only one week — all of our **merchandise** is brand-new! [학평]
우리는 영업한 지 일주일밖에 안됐어요. 모든 ....이 완전히 신상품이에요!

[+] **merchant** [명] (무역) 상인

[TIP] **merchandise / goods**
» **merchandise** 상품 자체보다 브랜드나 사고파는 행위에 더 강조점이 있을 때 사용
ex. official Olympic **merchandise** 올림픽 공식 제품
» **goods** 상품의 소재나 용도에 강조점이 있을 때 사용
ex. household **goods** 가정 용품

brand-new ....
신상품

1824 □□ **microscope**
[máikrəskòup]

[명] **현미경**

Hooke devised a compound **microscope** with a new mechanism he designed. [학평]
Hooke는 자신이 설계한 새로운 기계 장치로 복합 ....을 고안했다.

see bacteria under a ....
현미경으로 박테리아를 보다

해석 완성 부당함 / 문의하시기 / 힘든 / 쓰레기 매립지 / 상품 / 현미경

1825 moderate

□□

형 [mάdərət]
동 [mάdərèit]

혱 적당한; 절제하는　동 조절하다; 완화하다

Having to deal with a **moderate** amount of stress may build resilience in the face of future stress. 모평
.... 양의 스트레스를 다루는 것은 미래에 스트레스에 직면할 때의 회복력을 길러 줄 수도 있다.

.... the effect of global warming
지구온난화의 영향을 **조절하다**

1826 moist

□□

[mɔist]

혱 습기 있는, 축축한

Keep the sponge **moist** by pouring a little water on it from time to time. 학평
가끔 스펀지에 약간의 물을 부어줌으로써 스펀지를 .... 유지하라.

➕ moisture 혱 습기, 수분　moisturize 동 촉촉하게 하다
🟰 damp, humid 혱 습기 있는, 축축한

.... air
축축한 공기

1827 monologue

□□
실8□문

[mάnəlɔ̀(:)g]

명 독백; 1인극

Your **monologue** must be memorized completely and fully prepared for the audition. 학평
당신의 .... 은 완전히 암기되고 오디션에 충분히 준비되어야 합니다.

TIP 접두사 mono- 표현
» mono(혼자의)+logue(말) → monologue(혼자 하는 말 → 독백)
» mono(하나의)+tone(곡조) → monotone(하나의 곡조 → 단조로움)

a .... from plays
희곡의 **독백**

1828 monumental

□□

[mὰnjəméntl]

혱 기념비적인; 엄청난

"**Monumental**" is a word that comes very close to expressing the basic characteristic of Egyptian art. 수능
'............'이라는 말은 이집트 예술의 기본적인 특성을 표현하기에 매우 근접한 단어이다.

➕ monument 명 기념비, 기념물
🟰 memorial 혱 기념비적인

.... achievement
기념비적인 업적

해석 완성　적당한 / 축축하게 / 독백 / 기념비적

진짜 기출로 확인 ! 밑줄 친 단어의 뜻을 문맥에 맞게 찾으시오.　　　　　12년 수능

Gregorio Dati was a successful (1)merchant of Florence, who entered into many profitable partnerships dealing in wool, silk, and other (2)merchandise. Over the years he wrote a "diary," actually an occasional record in which he kept accounts of his commercial and family life.

① 상품　　　　② 상인　　　　③ 부당함　　　　④ 기념비　　　　⑤ 독백

ANSWERS p.486

1829 naive
[nɑ:íːv]

(형) 순진한

Like **naive** car buyers, most people see only animals' varied exteriors. 모평
.... 자동차 구매자들처럼, 대부분의 사람들은 오직 동물들의 다양한 겉모습만을 본다.

.... and unrealistic question
순진하고 현실성이 없는 질문

1830 nuisance
[njúːsəns]

(명) 성가심; 골칫거리

People's protests are seen by planners and developers as an expensive **nuisance**. 학평
사람들의 항의는 계획자와 개발업자에 의해 값비싼 대가를 치르게 되는 .... 로 여겨진다.

cause damage or
....
피해나 폐를 끼치다

1831 nursery
[nɔ́ːrsəri]

(명) 아이 방; 보육원

She ran back to the **nursery** to check on her daughter. 모평
그녀는 자신의 딸을 살피기 위해 .... 으로 다시 달려갔다.

a .... for infants under two
2세 미만 유아를 위한 보육원

1832 outlaw
[áutlɔ̀:]

(동) 금지하다; 불법화하다

Swedish government has **outlawed** television advertising of products aimed at children under 12. 모평 스웨덴 정부는 12세 미만 아이들을 겨냥하는 제품의 텔레비전 광고를 ....

(반) **legalize** (동) 합법화하다
(유) **ban, prohibit** (동) 금지하다 **illegalize** (동) 불법화하다

.... discrimination at work
직장 내 차별을 금지하다

1833 outline
[áutlàin]

(명) 윤곽; 개요 (동) 윤곽을 그리다; 개요를 서술하다

Our **outline** of the school is at a primitive stage currently. 학평
학교의 .... 은 현재 초기 단계에 있다.

a research ....
연구 개요

1834 overlap
(동)[òuvərlǽp]
(명)[óuvərlæ̀p]

(동) 겹치다; 중복하다 (명) 겹침; 중복

The processes of advocacy and mediation can **overlap**. 수능
옹호와 중재의 과정은 .... 수 있다.

.... the pieces of wood
나무 조각을 겹치다

1835 overtake
[òuvərtéik]

(동) (-overtook-overtaken) 따라잡다; 불시에 닥치다

Sleepiness **overtook** me for a short while. 학평
잠깐 졸음이 나를 ....

(유) **catch up with** ~을 따라잡다

.... a person on the road
길에서 ~을 따라잡다

해석 완성 순진한 / 골칫거리 / 아이 방 / 금지했다 / 윤곽 / 겹칠 / 덮쳐왔다

1836 overvalue
[òuvərvǽlju:]

[동] 과대평가하다

People generally tend to **overvalue** money and undervalue art.
사람들은 일반적으로 돈을 .... 예술을 과소평가하는 경향이 있다.

[반] **undervalue, underestimate** [동] 과소평가하다
[동] **overestimate** [동] 과대평가하다

.... the impacts of tourism
관광이 끼치는 영향을 과대평가하다

1837 patron
[péitrən]

[명] 후원자; 단골손님

He presented beautifully decorated copies of his music and poetry to his noble **patrons**. [모평]
그는 그의 귀족 ....에게 아름답게 장식된 자신의 음악과 시를 선물했다.

a wealthy .... of artists
예술가들의 부유한 후원자

1838 peruse
[pərú:z]

[동] 정독하다

This is what '**peruse**' really means: 'to study or read something carefully, in detail.' [모평]
'무언가를 주의 깊게 상세히 검토하거나 읽다'가 '..................'가 실제로 의미하는 바이다.

.... a contract
계약서를 정독하다

1839 pervasive
[pərvéisiv]

[형] 널리 퍼지는, 만연하는

Under-use in human gene patents was said to be **pervasive**. [EBS]
인간의 유전자에 대한 특허를 불충분하게 이용하는 현상이 .... 있다고 언급되었다.

.... inequality
널리 퍼져 있는 불평등

1840 pesticide
[péstəsàid]

[명] 농약, 살충제

A world without birds could be the ultimate outcome of indiscriminate **pesticide** use. [EBS]
새가 살지 않는 세상은 무분별한 .... 사용의 궁극적인 결과일 수 있다.

act as a natural ....
천연 살충제 역할을 한다

해석 완성 과대평가하고 / 후원자들 / 정독하다 / 만연해 / 살충제

진짜 기출로 확인! 밑줄 친 단어의 뜻을 문맥에 맞게 찾으시오. **19년 수능**

A Stone Age genius realized the hunting advantage he would gain by being able to glide over the water's surface, and built the first boat. Once the easily (1) overtaken and killed prey had been (2) hauled aboard, getting its body back would have been far easier by boat than on land.

① 중복되다 ② 따라잡히다 ③ 금지되다 ④ 끌어당겨지다 ⑤ 과대평가되다

ANSWERS p.486

3-Minute Check

오늘 학습한 단어와 뜻을
최종적으로 암기했는지 확인하세요!

			check
1801	contemplate	동 심사숙고하다; 찬찬히 보다	☐
1802	contempt	명 경멸, 모욕	☐
1803	counteract	동 대응하다; 방해하다; 중화하다	☐
1804	crave	동 열망하다; 간청하다	☐
1805	curse	명 저주; 욕설 동 저주하다; 욕하다	☐
1806	damp	형 축축한, 습기 찬	☐
1807	diameter	명 직경, 지름	☐
1808	entrust	동 맡기다, 위탁하다	☐
1809	erect	형 똑바로 선, 직립의 동 똑바로 세우다; 적립하다	☐
1810	flesh	명 살; 육체	☐
1811	gigantic	형 거대한	☐
1812	gulp	동 벌컥벌컥 마시다 명 벌컥벌컥 마심	☐
1813	haul	동 끌어당기다; 운반하다	☐
1814	heredity	명 유전 (형질)	☐
1815	hospitality	명 환대; 친절	☐
1816	idle	형 게으른, 한가한	☐
1817	imprint	명 흔적; 인상 동 찍다; 인쇄하다	☐
1818	imprison	동 투옥하다, 구속하다	☐
1819	injustice	명 부당함; 불공평	☐
1820	inquire	동 묻다, 문의하다	☐

			check
1821	laborious	형 힘든; 부지런한	☐
1822	landfill	명 쓰레기 매립(지)	☐
1823	merchandise	명 상품, 제품	☐
1824	microscope	명 현미경	☐
1825	moderate	형 적당한; 절제하는 동 조절하다; 완화하다	☐
1826	moist	형 습기 있는, 축축한	☐
1827	monologue	명 독백; 1인극	☐
1828	monumental	형 기념비적인; 엄청난	☐
1829	naive	형 순진한	☐
1830	nuisance	명 성가심; 골칫거리	☐
1831	nursery	명 아이 방; 보육원	☐
1832	outlaw	동 금지하다; 불법화하다	☐
1833	outline	명 윤곽; 개요 동 윤곽을 그리다; 개요를 서술하다	☐
1834	overlap	동 겹치다; 중복하다 명 겹침; 중복	☐
1835	overtake	동 따라잡다; 불시에 닥치다	☐
1836	overvalue	동 과대평가하다	☐
1837	patron	명 후원자; 단골손님	☐
1838	peruse	동 정독하다	☐
1839	pervasive	형 널리 퍼지는, 만연하는	☐
1840	pesticide	명 농약, 살충제	☐

외우지 못한 단어가 있으면 미니 단어장에서 다시 한번 정리해 보세요.

가리개를 사용하여 뜻을 암기했는지 확인하세요.

DRILLS

1841 **plausible** [plɔ́:zəbl]

[형] 그럴듯한, 타당해 보이는

Consider whether other **plausible** options are being ignored or overlooked. [수능]

.... 다른 선택 사항들이 무시되거나 간과되고 있는지를 생각해 보라.

a .... explanation
그럴듯한 설명

1842 **plunge** [plʌndʒ]

[동] 뛰어들다; 급락하다 [명] 떨어져 내림; 낙하

Her love overpowered her fear and she **plunged** into the water. [모평]

그녀의 사랑이 두려움을 제압했고 그래서 그녀는 물속으로 ....

a dramatic .... in profits
극적인 수익 하락

1843 **preoccupied** [prì:ɑ́kjəpaid] [주제]

[형] 사로잡힌; 몰두한

During busy times of the year, it's easy to become **preoccupied** with the stresses. [학평]

연중에 바쁜 시기에는 스트레스에 .... 쉽다.

[+] **preoccupy** [동] 미리 점령하다; 마음을 빼앗다
preoccupation [명] 사로잡힘

look .... with thoughts
생각에 사로잡힌 것처럼 보이다

1844 **presumably** [prizjú:məbli]

[부] 아마; 추측상

Presumably nobody is more aware of an experiment's potential hazards than the scientist who devised it. [수능]

실험을 고안한 과학자보다 그것의 잠재적인 위험을 더 잘 아는 사람은 .... 없을 것이다.

[+] **presume** [동] 추정하다

.... the door is open
아마 문이 열려 있을 것이다

1845 **privilege** [prívəlidʒ] [실용문]

[명] 특권, 특전 [동] 특권을 주다

Enjoy unlimited admission and all the **privileges** of membership. [EBS]

무제한 입장과 모든 회원 ....을 누리세요.

abuse a ....
특권을 남용하다

1846 **propagate** [prɑ́pəgèit]

[동] 전파하다

The dominant media **propagate** half-truths and sometimes even lies as well as useful truths. [EBS]

유력 언론은 유용한 사실뿐 아니라 부분적인 진실과 심지어 때로는 거짓도 ....

.... a false image
잘못된 이미지를 전파하다

해석 완성 타당해 보이는 / 뛰어들었다 / 사로잡히기 / 아마 / 특전 / 전파한다

1847 province
[právins]

(명) 지방, 지역

Machaut was born in the French **province** of Champagne. (모평)
Machaut는 프랑스의 Champagne .... 에서 태어났다.

➕ **provincial** (형) 지방의
🟰 **district, region** (명) 지방, 지역

a home ....
고향 지역

1848 quote
[kwout]

(동) 인용하다   (명) 인용구

Aphorisms are easy to **quote** and tend to attract a lot of attention. (EBS)
격언은 .... 쉽고 많은 관심을 끄는 경향이 있다.

➕ **quotation** (명) 인용구; 인용
🟰 **cite** (동) 인용하다; 언급하다   **make quotations** 인용하다

.... the experts in the field
그 분야의 전문가들의 말을 인용하다

1849 reckless
[réklis]

(형) 분별없는; 난폭한

Evidence suggests an association between loud, fast music and **reckless** driving. (모평)
시끄럽고 빠른 음악과 .... 운전 사이의 연관성을 제시하는 증거가 있다.

🟰 **rash, thoughtless** (형) 분별없는

.... spending
분별없는 소비

1850 recruit
[rikrú:t]

(동) 모집하다; 고용하다

Jeremy joined an organization that **recruits** future leaders to teach in low-income communities. (수능)
Jeremy는 저소득 지역 사회에서 가르칠 미래의 지도자들을 .... 단체에 들어갔다.

➕ **recruitment** (명) 모집; 채용
🟰 **hire, employ** (동) 고용하다

.... qualified pilots
자격을 갖춘 조종사를 모집하다

1851 rehearse
[rihɔ́:rs]

(동) 연습하다; 예행연습을 하다

A new teacher may **rehearse** at home and be satisfied with his or her performance. (EBS)
신임 교사는 집에서 .... 자신의 수행에 만족할 수도 있다.

➕ **rehearsal** (명) 연습; 예행연습

.... a play
연극의 예행연습을 하다

1852 respectful
[rispéktfəl]

(형) 공손한; 존경하는

We waited in **respectful** silence as the funeral procession went past.
우리는 장례 행렬이 지나갈 때 .... 침묵 속에 기다렸다.

➖ **disrespectful** (형) 무례한; 경의를 표하지 않는

say in .... tone
공손한 어조로 말하다

해석 완성 지방 / 인용하기 / 난폭한 / 모집하는 / 예행연습을 하고 / 공손한

10   20   30   40   50

1853 **retrospect**
[rétrəspèkt]

명 회고, 회상 동 회고하다

In **retrospect**, they probably made a poor choice. 수능

.... 해 보면, 아마도 그들은 좋지 않은 선택을 한 것 같다.

目 recall 명 회상 동 생각해 내다

.... to childhood
어린 시절을 **회상하다**

1854 **systematic**
[sìstəmǽtik]

형 체계적인; 계획적인

The investigation wasn't sufficiently **systematic** to give a reliable result.

그 조사는 신뢰할 만한 결과를 얻을 만큼 충분히 .... 않았다.

🔁 system 명 체계, 계통
　　systematically 부 체계적으로, 질서정연하게

a .... approach to solving the problem
문제를 해결하는 **체계적인** 접근법

1855 **rigid**
[rídʒid]
빈칸

형 엄격한; 굳은

The **rigid** social control was not beneficial to science.
수능 .... 사회 통제는 과학에 이롭지 못했다.

⊠ flexible 형 유연한, 융통성 있는
目 strict 형 엄격한　stiff 형 굳은

apply ....
procedures
엄격한 절차를 적용하다

1856 **sacred**
[séikrid]

형 신성한; 종교적인

No good (thing, activity, way of life, etc.) in itself is special or **sacred**. EBS
어떤 선(일, 행위, 생활 방식 등)도 그 자체로 특별하거나 ....
않다.

目 holy 형 신성한

.... songs
종교적인 노래

1857 **scratch**
[skrætʃ]

동 할퀴다, 긁다　명 긁은 자국

Rings are rarely made from pure gold metal because they get **scratched** quickly. 학평
반지는 곧 .... 때문에 순금으로 반지를 만드는 일은 드물다.

.... one's head
머리를 **긁다**

해석 완성 회고 / 체계적이지 / 엄격한 / 신성하지 / 긁히기

진짜 기출로 확인! 문맥에 맞도록 빈칸에 알맞은 단어를 고르시오.　　　고3 학평

We know little about the details of timekeeping in prehistoric eras. But we usually discover that in every culture, some people were (1)_____ with measuring the passage of time. Ice-age hunters in Europe (2)_____ lines and made holes in sticks and bones, possibly counting the days between phases of the moon.

① quoted　　② plunged　　③ recruited　　④ scratched　　⑤ preoccupied

ANSWERS p.486

1858 **seize**
[siːz]

ⓢ 붙잡다, 움켜쥐다

The king **seized** him by the shoulder. (모평)
왕은 그의 어깨를 ....

seize the day 오늘을 즐기다

🔁 grab, grasp ⓢ 움켜잡다

.... the opportunity
기회를 잡다

1859 **sensible**
[sénsəbl]

ⓗ 분별 있는, 합리적인; 감각의

We are **sensible** persons and there is no misunderstanding which cannot be cleared. (EBS)
우리는 .... 사람들이고 풀리지 않는 오해는 없다.

➕ sensibility ⓜ 감각, 지각; 감수성

reach a ....
decision
합리적인 결정에 도달하다

1860 **setback**
[sétbæk]
제목

ⓜ 방해; 좌절, 차질

When we experience life's **setbacks** and feel down, something strange happens. (학평)
우리가 삶에서 ....을 경험하고 마음이 울적할 때 이상한 일이 일어난다.

bring a major
중대한 차질을 가져오다

1861 **shrub**
[ʃrʌb]
제목

ⓜ 키 작은 나무, 관목

Trees grow at a very slow pace compared with the **shrubs** and weeds around them. (학평)
나무는 그 주변의 ....과 잡초에 비해서 매우 느린 속도로 성장한다.

🔁 bush ⓜ 관목

a flowering ....
꽃이 피는 관목

1862 **snatch**
[snætʃ]

ⓢ 움켜쥐다, 잡아채다

You reach for the saltshaker, but suddenly one of the other guests **snatches** the salt away. (학평)
당신이 식탁용 소금 통으로 손을 뻗는데, 갑자기 다른 손님 중 한 명이 그 소금을 ....

.... a bag
가방을 잡아채다

1863 **suburb**
[sʌ́bəːrb]

ⓜ 교외, 근교

Living close to nature out in the country or in a leafy **suburb** is the best green lifestyle. (모평)
시골이나 잎이 우거진 ....에서 자연과 가까이 사는 것은 최고의 친환경적인 생활 방식이다.

🔄 downtown ⓜ 시내
🔁 outskirts ⓜ 교외

have a house in a
.... of London
런던 교외에 집을 소유하다

해석 완성 붙잡았다 / 분별 있는 / 좌절 / 관목 / 잡아챈다 / 교외

1864 supernatural
[sùːpərnǽtʃərəl]

(형) 초자연적인, 불가사의한

Usually, religious myths feature tales of **supernatural** beings. (학평)

일반적으로 종교적 신화는 .... 존재에 관한 이야기를 특징으로 한다.

.... power
초자연적인 힘

빈칸

1865 sweep
[swiːp]

(동) (-swept-swept) 쓸다; 휩쓸다

Great forces of social and economic change are **sweeping** the globe. (EBS)

사회와 경제 변화의 강력한 힘이 세계를 .... 있다.

.... streets
거리를 쓸다

1866 tactic
[tǽktik]

(명) 작전; 전략

Louise's mother had learned this threatening **tactic** from her own mother. (모평)

Louise의 어머니는 이런 협박 .... 을 자신의 어머니로부터 배웠다.

➕ **tactical** (형) 작전의

a .... in negotiations
협상에서의 전략

1867 tangible
[tǽndʒəbl]

(형) 만져서 알 수 있는, 유형의

In contrast to literature or film, tourism leads to real, **tangible** worlds. (모평)

문학이나 영화와는 대조적으로, 관광은 실제적이며 .... 세상으로 이어진다.

production of .... goods
유형 상품의 생산

1868 theft
[θeft]

(명) 도둑질, 절도(죄)

Identity **theft** can take many forms in the digital world. (학평)

신원 .... 은 디지털 세상에서 많은 유형을 취할 수 있다.

imprison a criminal for ....
범인을 절도죄로 투옥하다

해석 완성 초자연적인 / 휩쓸고 / 작전 / 만져서 알 수 있는 / 도용

진짜 기출로 확인 ! 우리말과 일치하도록 빈칸에 알맞은 단어를 고르시오. 고3 학평

The pattern of life in the country and most (1)_____ involves long hours in the automobile each week, burning fuel and pumping out exhaust to get to work, buy groceries, and take kids to school and activities. City (2)_____, on the other hand, have the option of walking or taking transit to work, shops, and school.

(시골과 대부분의 교외에서의 생활 패턴은 출근하고, 식료품을 사고, 아이들을 학교와 활동에 데려다주기 위해 연료를 태우고 배기가스를 쏟아내며 매주 긴 시간 동안 자동차 안에 있는 것을 포함한다. 반면에, 도시 거주자들은 직장, 상점, 그리고 학교로 걸어가거나 대중교통을 선택할 수도 있다.)

① setbacks   ② suburbs   ③ shrubs   ④ thefts   ⑤ dwellers

ANSWERS p.486

1869 transcend
[trænsénd]

동 초월하다; 능가하다

Houser's sculpture **transcends** race and language. 학평
Houser의 조각 작품은 인종과 언어를 ....

목 exceed, surpass 동 능가하다

.... the limits of thought
사고의 한계를 초월하다

1870 transplant
명 [trænsplæ̀nt]
동 [trænsplǽnt]

명 이식   동 옮겨 심다; 이식하다

Of all the medical achievements of the 1960s, the most widely known was the first heart **transplant**. 학평
1960년대의 모든 의학적 성취 중에서 가장 널리 알려진 것은 최초의 심장 ....이었다.

목 implant 동 이식하다

.... flowers
꽃을 옮겨 심다

1871 undertake
[ʌ̀ndərtéik]

동 떠맡다; 착수하다, 시작하다

War should be a last resort **undertaken** when all other options have failed. 수능
전쟁은 다른 모든 선택지가 실패했을 때 .... 최후의 수단이 되어야 한다.

.... training for a job
직업 훈련을 시작하다

1872 unify
[júːnəfài]

동 통합하다; 통일하다

European citizens are urged to collaborate, integrate and **unify** for the common good. EBS
유럽 시민은 공익을 위해 협력하고, 통합하고, ... 촉구된다.

.... the country
나라를 통일하다

1873 vaccine
[væksíːn]

명 백신

Food and **vaccine** would spoil without refrigeration. 모평
식품과 ....은 냉장하지 않으면 상할 것이다.

➕ vaccinate 동 예방 접종을 하다   vaccination 명 예방 접종

..................-preventable diseases
백신으로 예방 가능한 질병들

1874 vanish
[vǽniʃ]

동 사라지다

The feeling of disappointment too will **vanish**. 학평
실망감 또한 .... 것이다.

목 disappear 동 사라지다   fade away (서서히) 사라지다

.... without trace
흔적도 없이 사라지다

1875 vigorous
[víɡərəs]

형 활발한, 활기찬

If you are extremely joyful, your response is less predictable but usually **vigorous**. 학평
여러분이 매우 기쁘면 여러분의 반응은 덜 예측 가능하지만 일반적으로 ....

➕ vigor 명 활기, 활력

.... arguments
활발한 논의

해석 완성 초월한다 / 이식 / 착수되는 / 통일하도록 / 백신 / 사라질 / 활발하다

1876 **weird** □□ [wiərd]	휑 이상한, 기묘한 Even after people learned the scientific method, many still believed in really **weird** things. EBS 사람들이 과학적인 방법을 배운 후에도, 많은 이들이 여전히 아주 .... 일들을 믿었다. ➕ **weirdo** 몡 기인, 괴짜	.... and unstable weather 불안정한 이상 기후
1877 **withhold** □□ 빈칸 [wiðhóuld]	통 보류하다; 억제하다 You should be prepared to **withhold** judgment for a while. 학평 여러분은 판단을 잠시 .... 준비가 되어 있어야 한다.	.... one's payment 지불을 보류하다
1878 **worsen** □□ [wə́:rsən]	통 악화하다 Negative experiences can create or **worsen** conflicts with others. EBS 부정적인 경험은 다른 사람들과의 갈등을 일으키거나 .... 수 있다.	.... a problem 문제를 악화시키다
1879 **absence** □□ 제목 [金bsəns]	몡 부재, 결석; 결여 The **absence** of an audience has affected performers of all types and traditions. 학평 관객의 .... 는 모든 유형과 전통의 연주자들에게 영향을 끼쳤다. ➕ **absent** 휑 부재의; 결여된	.... of evidence 증거의 부재
1880 **adore** □□ [ədɔ́:r]	통 숭배하다; 매우 좋아하다 Aria and her family **adore** Max, their 9-year-old dog. Aria와 그녀의 가족은 아홉 살짜리 개인 Max를 .... ➕ **adorable** 휑 숭배할 만한; 사랑스러운	.... God 신을 숭배하다

해석 완성 기묘한 / 보류할 / 악화시킬 / 부재 / 매우 좋아한다

진짜 기출로 확인 ! 밑줄 친 단어의 뜻을 문맥에 맞게 찾으시오.

고3 학평

Geography greatly restricted colonial communications. Colonists traveled by foot or horseback along trails unfit for wheeled vehicles. In a vicious circle, the awful roads interrupted intercolonial communications, which further developed the provinces' sense of isolation and autonomy, only (1)worsening the chances of (2)unified transportation and postal networks.

① 악화할   ② 통합된   ③ 착수할   ④ 능가할   ⑤ 이식된

ANSWERS p.486

		check
1841 **plausible**	(형) 그럴듯한, 타당해 보이는	☐
1842 **plunge**	(동) 뛰어들다; 급락하다 (명) 떨어져 내림; 낙하	☐
1843 **preoccupied**	(형) 사로잡힌; 몰두한	☐
1844 **presumably**	(부) 아마; 추측상	☐
1845 **privilege**	(명) 특권, 특전 (동) 특권을 주다	☐
1846 **propagate**	(동) 전파하다	☐
1847 **province**	(명) 지방, 지역	☐
1848 **quote**	(동) 인용하다 (명) 인용구	☐
1849 **reckless**	(형) 분별없는; 난폭한	☐
1850 **recruit**	(동) 모집하다; 고용하다	☐
1851 **rehearse**	(동) 연습하다; 예행연습을 하다	☐
1852 **respectful**	(형) 공손한; 존경하는	☐
1853 **retrospect**	(명) 회고, 회상 (동) 회고하다	☐
1854 **systematic**	(형) 체계적인; 계획적인	☐
1855 **rigid**	(형) 엄격한; 굳은	☐
1856 **sacred**	(형) 신성한; 종교적인	☐
1857 **scratch**	(동) 할퀴다, 긁다 (명) 긁은 자국	☐
1858 **seize**	(동) 붙잡다, 움켜쥐다	☐
1859 **sensible**	(형) 분별 있는, 합리적인; 감각의	☐
1860 **setback**	(명) 방해; 좌절, 차질	☐

		check
1861 **shrub**	(명) 키 작은 나무, 관목	☐
1862 **snatch**	(동) 움켜쥐다, 잡아채다	☐
1863 **suburb**	(명) 교외, 근교	☐
1864 **supernatural**	(형) 초자연적인, 불가사의한	☐
1865 **sweep**	(동) 쓸다; 휩쓸다	☐
1866 **tactic**	(명) 작전; 전략	☐
1867 **tangible**	(형) 만져서 알 수 있는, 유형의	☐
1868 **theft**	(명) 도둑질, 절도(죄)	☐
1869 **transcend**	(동) 초월하다; 능가하다	☐
1870 **transplant**	(명) 이식 (동) 옮겨 심다; 이식하다	☐
1871 **undertake**	(동) 떠맡다; 착수하다, 시작하다	☐
1872 **unify**	(동) 통합하다; 통일하다	☐
1873 **vaccine**	(명) 백신	☐
1874 **vanish**	(동) 사라지다	☐
1875 **vigorous**	(형) 활발한, 활기찬	☐
1876 **weird**	(형) 이상한, 기묘한	☐
1877 **withhold**	(동) 보류하다; 억제하다	☐
1878 **worsen**	(동) 악화하다	☐
1879 **absence**	(명) 부재, 결석; 결여	☐
1880 **adore**	(동) 숭배하다; 매우 좋아하다	☐

외우지 못한 단어가 있으면 미니 단어장에서 다시 한번 정리해 보세요.

가리개를 사용하여 뜻을 암기했는지 확인하세요.

DRILLS

1881 **afloat** [əflóut]

[형] (물에) 뜬

Denise didn't know how long Levi could keep Josh **afloat**. [학평]
Denise는 Levi가 얼마나 오래 Josh를 .... 할 수 있는지 알지 못했다.

manage to stay ....
간신히 떠 있다

1882 **endow** [endáu] [빈칸]

[동] 부여하다; 기부하다

Natural selection **endowed** us with brains that intentionally see and hear the world inaccurately. [수능]
자연 선택은 우리에게 세상을 고의로 부정확하게 보고 듣는 두뇌를 ....

endow A with B A에게 B를 부여하다

.... a scholarship
장학금을 기부하다

1883 **allergic** [ələ́ːrdʒik]

[형] 알레르기의

Don't buy a shaggy dog if you're **allergic**. [모평]
.... 털이 많은 개를 사지 마라.

[+] **allergy** [명] 알레르기

.... reactions to peanuts
땅콩에 대한 알레르기 반응

1884 **amenities** [əménətis]

[명] 편의 시설

Innovations in the **amenities** available within the home have increased the privacy and isolation. [EBS]
집 안에서 이용 가능한 ....에서의 혁신제품들은 사생활과 고독을 증가시켰다.

hotel .... such as gyms
체육관과 같은 호텔 편의 시설

1885 **antenna** [ænténə]

[명] 더듬이; 안테나

Individuals of the species Thecla togarna possess a false head with dummy **antennae**. [학평]
Thecla togarna 종의 개체들은 가짜 ....가 달린 보조 머리가 있다.

a satellite ....
위성 안테나

1886 **aphorism** [ǽfərìzəm]

[명] 격언; 경구

We depend on **aphorisms** whenever we face difficulties in the long journey of our lives. [수능]
우리는 삶의 긴 여정에서 어려움에 직면할 때마다 ....에 의지한다.

cite an old ....
옛 격언을 인용하다

해석 완성 (물에) 뜨게 / 부여했다 / 알레르기가 있다면 / 편의 시설 / 더듬이 / 격언

1887 arrogant
[ǽrəgənt]
빈칸

(형) 오만한, 건방진

We are too **arrogant** and embarrassed to ask the way. 모평
우리는 너무 .... 당황스러워서 길을 물어보지 못한다.

➕ **arrogance** (명) 오만함
🔄 **humble, modest** (형) 겸손한

a rude and ....
man
무례하고 오만한 남자

1888 autograph
[ɔ́:təgræ̀f]
실용문

(명) (유명인의) 사인 (동) 사인하다

Participants return to the resort for a free BBQ at 1 p.m., followed by a pro surfer **autograph** session. 학평
참가자들은 무료 바비큐를 위해 오후 1시에 리조트로 돌아오고 프로 서퍼 .... 회가 이어집니다.

get an ....
from the world-famous singer
세계적으로 유명한 가수의 사인을 받다

1889 barometer
[bərɑ́mitər]

(명) 기압계; 지표, 척도

Studying people's eyes was a surer **barometer** of pain and pleasure than any spoken word. 학평
사람들의 눈을 유심히 보는 것이 그 어떤 말보다 더 확실한 고통과 기쁨의 ....이다.

an economic ....
경제적 지표

1890 behold
[bihóuld]

(동) (−beheld−beheld(beholden)) 보다

The floral arrangement was beautiful to **behold**. EBS
그 꽃 장식은 .... 아름다웠다.

➕ **beholder** (명) 보는 사람, 구경꾼

a fantastic sight to ....
보기에 환상적인 광경

1891 bequest
[bikwést]

(명) 유산; 유물

One of Rome's clearest **bequests** was its influence over the development of law. 학평
로마의 가장 분명한 .... 중 하나는 그것이 법의 발달에 끼친 영향이었다.

🟰 **legacy** (명) 유산

leave a generous ....
풍부한 유산을 남기다

1892 blunt
[blʌnt]

(형) 무딘; 둔감한

She mixed a while with a **blunt** knife. EBS
그녀는 .... 칼로 한동안 섞었다.

🔄 **sharp** (형) 날카로운; 예민한
🟰 **dull** (형) 무딘; 둔감한

cut wood with a ....
.... axe
무딘 도끼로 나무를 쪼개다

1893 boycott
[bɔ́ikɑt]

(동) 보이콧하다, 불매 운동을 하다

Customers are voicing their concerns in every way, from **boycotting** stores to suing companies. 학평
소비자들은 상점에 .... 것부터 회사를 고소하는 것까지 모든 방면으로 그들의 우려를 소리 높여 나타내고 있다.

decide to ....
the conference
회담을 보이콧하기로 결정하다

해석 완성 오만하고 / 사인 / 척도 / 보기에 / 유산 / 무딘 / 불매 운동을 하는

1894 breeze
[bri:z]

[명] 산들바람, 미풍

The spring **breeze** chased them playfully. [모평]
봄의 ....이 그들을 장난스럽게 쫓아갔다.

flowers swaying in the ....
산들바람에 흔들리는 꽃들

1895 budding
[bʌ́diŋ]

[형] 싹이 트기 시작한; 신예의

We're providing the important first experiences to **budding** young writers and editors. [모평]
우리는 젊은 .... 작가와 편집자들에게 중요한 첫 경험들을 제공하고 있다.

[+] **bud** [명] 싹; 꽃봉오리 [동] 싹을 틔우다

.... chefs
신예 요리사들

1896 bullet
[búlit]

[명] 총알

What's faster than a speeding **bullet** and isn't named Superman? [모평]
고속의 ....보다 더 빠르며 그 이름이 슈퍼맨이 아닌 것은 무엇일까?

[+] **bulletproof** [형] 방탄의

a .... hole
총알구멍

1897 compatible
[kəmpǽtəbl]

[형] 양립하는, 조화되는

Is the company you are interviewing with **compatible** with your career? [EBS]
여러분이 면접을 보고 있는 회사가 여러분의 경력과 ....?

[+] **compatibility** [명] 양립 가능성
[↔] **incompatible** [형] 양립할 수 없는

pursue .... goals
양립하는 목표들을 추구하다

1898 comprise
[kəmpráiz]

[동] 포함하다; 구성하다, 차지하다

A football game is **comprised** of exactly sixty minutes of play. [모평]
미식축구 한 경기는 정확히 60분의 경기로 ....

[=] **consist of, be composed of** ~(으)로 구성되다

.... 50 percent of the budget
예산의 50%를 차지하다

해석 완성 산들바람 / 신예 / 총알 / 양립하는가 / 구성된다

진짜 기출로 확인! 밑줄 친 단어의 뜻을 문맥에 맞게 찾으시오. 고3 모평

Warren McArthur began working in the (1) budding field of industrial design. At age 44, he moved to Los Angeles to design and manufacture metal furniture. He was among the pioneers in the use of aluminum for furniture, and his (2) contribution included improvements and patents to facilitate mass production.

① 공헌 ② 사인 ③ 유산 ④ 둔감한 ⑤ 싹이 트기 시작한

ANSWERS p.486

1899 condense
[kəndéns]

(동) 응축하다; 요약하다

Would you **condense** the report into just one page?
보고서를 단 한 쪽으로 .... 주시겠어요?

≡ summarize (동) 요약하다

.... a gas to a liquid
기체를 액체로 **응축하다**

1900 confess
[kənfés]

(동) 고백하다, 자백하다; 인정하다

He **confessed** that he was having a great deal of trouble completing his tasks. 모평
그는 자신의 업무를 완수하는 데 큰 어려움이 있다고 ....

➕ confession (명) 고백, 자백

.... a crime
범죄를 **자백하다**

1901 congest
[kəndʒést]

(동) 혼잡하게 하다

Increased car use could **congest** the city's roads.
차량 이용의 증가는 도시의 도로를 .... 수 있다.

≡ overcrowd (동) 혼잡하게 하다

.... traffic conditions
교통을 **혼잡하게 하다**

1902 connotation
[kὰnətéiʃən]

(명) 함축; 함의

Media coverage has given the term "hacker" a negative **connotation**.
언론 보도가 '해커'라는 용어에 부정적인 .... 를 부여해 왔다.

➕ connote (동) 함축하다
≡ implication (명) 함축; 암시

a term's primary meaning and its ....
어떤 용어의 주요 의미와 **함의**

1903 courtesy
[kə́ːrtəsi]

(명) 예의, 공손함

People want not only efficiency but **courtesy**. 모평
사람들은 효율성뿐만 아니라 ....을 원한다.

➕ courteous (형) 예의 바른

have the common ....
기본 **예의**를 갖추다

1904 deduce
[didjúːs]

(동) 추론하다, 연역하다

The brain makes inferences and **deduces** relationships very quickly and efficiently. EBS
뇌는 추측을 해서 관련성을 매우 빠르고 효율적으로 ....

➕ deduction (명) 추론, 연역
≡ infer (동) 추론하다

.... a reason from the facts
사실로부터 이유를 **추론하다**

1905 deduct
[didʌ́kt]

(동) 빼다, 공제하다

Your employer will **deduct** income tax from your salary.
당신의 고용주가 당신의 급여로부터 소득세를 .... 것입니다.

.... 15 percent tax from the pay
임금의 15%를 세금으로 **공제하다**

해석 완성 요약해 / 고백했다 / 혼잡하게 할 / 함의 / 공손함 / 연역한다 / 공제할

1906 descent
[disént]

몡 하강; 혈통

In skeleton bobsled, the athlete starts the **descent** of the track with a sprint. EBS
스켈레톤 경기에서 선수는 전력 질주로 트랙을 .... 시작한다.

⊞ **ascent** 몡 상승; 오르막

people of Asian ....

아시아 **혈통**의 사람들

1907 dialect
[dáiəlèkt]

몡 방언, 사투리

The approach most consistent with culturally responsive teaching is to first accept the **dialect**. 수능
문화 감응 교육에 가장 일치하는 접근법은 먼저 .... 을 인정하는 것이다.

speak in ....

사투리를 쓰다

1908 dignity
[dígnəti]

제목

몡 존엄(성); 위엄, 품위

The actress had decided to play the scene with an air of **dignity**. 학평
그 여배우는 .... 있는 태도로 그 장면을 연기하기로 결심했다.

⊞ **dignify** 통 위엄[품위] 있어 보이게 하다

respect human ....

인간의 **존엄성**을 존중하다

1909 disobedient
[dìsəbí:diənt]

주제

휑 반항적인

If the parents are insecure in their authority, their child will become **disobedient**. 수능
부모가 자신의 권위에 대해 자신이 없다면, 아이는 .... 될 것이다.

⊞ **disobey** 통 불복종하다
⊞ **obedient** 휑 순종적인

say in a ....
manner
반항적인 태도로 말하다

해석 완성 내려가기 / 방언 / 품위 / 반항적이게

진짜 기출로 확인 ! 우리말과 일치하도록 빈칸에 알맞은 단어를 고르시오.

12년 수능

Genes would have changed in response to new habits. At an earlier date, cooking selected mutations for smaller guts and mouths, rather than vice versa. At a later date, milk drinking selected for mutations for (1)_____ lactose digestion into adulthood in people of western European and East African (2)_____.

(유전자는 새로운 습관에 대한 반응으로 변해 왔을 것이다. 초기에는, 요리는 그 반대의 경우보다는 더 작은 창자와 입을 위한 변이를 선택했다. 나중에는, 우유 섭취가 서구 유럽인들과 동아프리카 혈통의 사람들에게서 유당의 소화를 성인기까지 유지하기 위한 변이를 선택했다.)

① congesting ② retaining ③ connotation ④ descent ⑤ dignity

ANSWERS p.487

1910 dispute
□□
[dispjúːt]

몡 논쟁; 분쟁   됭 논쟁하다

The **dispute** over the best way to answer this question has inflamed passions for centuries. (EBS)
이 질문에 답하는 최선의 방법에 관한 ....은 수세기 동안 열의를 자극해 왔다.

🔁 argument, debate 몡 논쟁

mediate an academic ....
학문적 논쟁을 중재하다

1911 doom
□□
[duːm]

됭 (불행한) 운명을 맞게 하다   몡 운명; 불운; 파멸

Unless a beekeeper intervenes with a new queen, the hive is **doomed**. (EBS)
양봉가가 새 여왕벌을 데리고 개입하지 않으면, 그 벌집은 ....

🔁 fate 몡 운명   ruin 몡 파멸

sense an impending ....
곧 닥칠 파멸을 감지하다

1912 drastic
□□
[drǽstik]

혱 격렬한; 과감한

More **drastic** technical solutions involve disabling or banning social media. (EBS)
더 .... 기술적 해결책에는 소셜 미디어를 무력화하거나 금지하는 것이 포함된다.

🔁 vigorous, violent 혱 격렬한

bring a ....
change
격렬한 변화를 가져오다

1913 dubious
□□
[djúːbiəs]

혱 의심스러운, 미심쩍은

Tango was simply music played on piano in houses of **dubious** reputation. (EBS)
탱고는 그저 .... 평판이 난 연예장에서 피아노로 연주되는 음악이었다.

🔁 doubtful, suspicious 혱 의심스러운, 수상쩍은

morally ....
acts
도덕적으로 의심스러운 행위들

1914 enlarge
□□
제목
[inláːrdʒ]

됭 크게 하다, 확대하다

Workers wanted more leisure and leisure time was **enlarged** by union campaigns. (수능)
노동자들은 더 많은 여가를 원했고 여가 시간은 노동조합 운동에 의해 ....

➕ enlargement 몡 확대, 확장
🔁 expand, magnify 됭 확대하다

.... the market
size
시장 규모를 확대하다

1915 entangle
□□
[intǽŋgl]

됭 얽히게 하다

Small insects can get **entangled** in the net.
작은 곤충들은 그물에 .... 수 있다.

➕ tangle 몡 얽힌 것; 엉망인 상태 됭 얽히게 하다

.... the fishline
in the bushes
낚싯줄을 덤불에 얽히게 하다

해석 완성 논쟁 / 불행한 운명을 맞는다 / 과감한 / 미심쩍은 / 확대되었다 / 얽힐

1916 envision □□ [빈칸]
[invíʒən]

[동] 상상하다, 마음속에 그리다

Story allowed us to step out of the present and **envision** the future. [EBS]
이야기는 우리가 현재에서 벗어나 미래를 .... 수 있게 해 주었다.

[유] **visualize** [동] 마음속에 그리다

.... a world without war
전쟁 없는 세상을 마음속에 그리다

1917 evacuate □□
[ivǽkjuèit]

[동] 피난시키다; 대피하다

British activist Sally Becker **evacuated** many children during the war. [학평]
영국의 사회 운동가인 Sally Becker는 전쟁 중에 많은 아이들을 ....

[+] **evacuation** [명] 피난, 대피

use the stairs to ....
계단을 이용해 대피하다

1918 fabulous □□
[fǽbjələs]

[형] 매우 멋진, 굉장한

Talking and laughing over coffee, they enjoyed the **fabulous** spring day. [모평]
커피를 마시며 이야기하고 웃으면서, 그들은 .... 봄날을 즐겼다.

.... drawings and sculptures
매우 멋진 그림들과 조각들

1919 forefather □□
[fɔ́ːrfɑ̀ːðər]

[명] 조상, 선조

Someone of our **forefathers** early on noticed that a round log was easier to roll than to carry. [학평]
우리 .... 중 누군가가 초기에 둥근 통나무는 들어 나르는 것보다 굴리는 것이 더 쉽다는 것을 알아차렸다.

[유] **ancestor** [명] 조상, 선조

the land of the ....
선조의 땅

1920 fraction □□
[frǽkʃən]

[명] 조각; 분수; 소량

When pupils learn rhythm, they are learning ratios, **fractions** and proportions. [모평]
학생들이 리듬을 배울 때, 그들은 비율, ..., 비례를 배우고 있다.

pay off a .... of the debts
부채 중 소량을 갚다

해석 완성 상상할 / 피난시켰다 / 매우 멋진 / 조상들 / 분수

진짜 기출로 확인! 문맥에 맞도록 빈칸에 알맞은 단어를 고르시오. 고3 학평

In all (1)________, the more passion there is, the less purpose there is. Debate, you often hear, typically (2)________ more heat than light. Passion clouds reason. And in the context of an interpersonal argument, or debate, people sometimes are willing to do anything to save face.

① disputes ② dooms ③ generates ④ evacuates ⑤ envisions

ANSWERS p.487

3-Minute Check

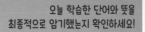

			check
1881	afloat	형 (물에) 뜬	
1882	endow	동 부여하다; 기부하다	
1883	allergic	형 알레르기의	
1884	amenities	명 편의 시설	
1885	antenna	명 더듬이; 안테나	
1886	aphorism	명 격언; 경구	
1887	arrogant	형 오만한, 건방진	
1888	autograph	명 (유명인의) 사인 동 사인하다	
1889	barometer	명 기압계; 지표, 척도	
1890	behold	동 보다	
1891	bequest	명 유산; 유물	
1892	blunt	형 무딘; 둔감한	
1893	boycott	동 보이콧하다, 불매 운동을 하다	
1894	breeze	명 산들바람, 미풍	
1895	budding	형 싹이 트기 시작한; 신예의	
1896	bullet	명 총알	
1897	compatible	형 양립하는, 조화되는	
1898	comprise	동 포함하다; 구성하다, 차지하다	
1899	condense	동 응축하다; 요약하다	
1900	confess	동 고백하다, 자백하다; 인정하다	

			check
1901	congest	동 혼잡하게 하다	
1902	connotation	명 함축; 함의	
1903	courtesy	명 예의, 공손함	
1904	deduce	동 추론하다, 연역하다	
1905	deduct	동 빼다, 공제하다	
1906	descent	명 하강; 혈통	
1907	dialect	명 방언, 사투리	
1908	dignity	명 존엄(성); 위엄, 품위	
1909	disobedient	형 반항적인	
1910	dispute	명 논쟁; 분쟁 동 논쟁하다	
1911	doom	동 (불행한) 운명을 맞게 하다 명 운명; 불운; 파멸	
1912	drastic	형 격렬한; 과감한	
1913	dubious	형 의심스러운, 미심쩍은	
1914	enlarge	동 크게 하다, 확대하다	
1915	entangle	동 얽히게 하다	
1916	envision	동 상상하다, 마음속에 그리다	
1917	evacuate	동 피난시키다; 대피하다	
1918	fabulous	형 매우 멋진, 굉장한	
1919	forefather	명 조상, 선조	
1920	fraction	명 조각; 분수; 소량	

외우지 못한 단어가 있으면 미니 단어장에서 다시 한번 정리해 보세요.

Wrap Up

☑ ANSWERS p.487

A 영어는 우리말로, 우리말은 영어로 쓰시오.

01 contemplate		21 방해; 좌절, 차질	
02 counteract		22 쓸다; 휩쓸다	
03 hospitality		23 떠맡다; 착수하다	
04 naive		24 오만한, 건방진	
05 overtake		25 산들바람, 미풍	
06 privilege		26 현미경	
07 recruit		27 격렬한; 과감한	
08 rigid		28 얽히게 하다	
09 sensible		29 피난시키다; 대피하다	
10 contempt		30 교외, 근교	
11 preoccupied		31 혼잡하게 하다	
12 crave		32 작전; 전략	
13 inquire		33 농약, 살충제	
14 overlap		34 무딘; 둔감한	
15 overvalue		35 양립하는, 조화되는	
16 quote		36 하강; 혈통	
17 retrospect		37 의심스러운, 미심쩍은	
18 diameter		38 만져서 알 수 있는, 유형의	
19 moderate		39 부여하다; 기부하다	
20 vigorous		40 포함하다; 구성하다	

B 빈칸에 알맞은 말을 쓰시오.

01 The feeling of disappointment too will vanish.

→ 실망감 또한 .... 것이다.

02 He confessed that he was having a great deal of trouble completing his tasks.

→ 그는 자신의 업무를 완수하는 데 큰 어려움이 있다고 ....

03 You should be prepared to withhold judgment for a while.

→ 여러분은 판단을 잠시 .... 준비가 되어 있어야 한다.

04 A robot might have needs, but to understand desire, one needs language and flesh.

→ 로봇도 욕구가 있을 수 있겠지만, 욕망을 이해하기 위해서는 언어와 .... 가 필요하다.

05 The dispute over the best way to answer this question has inflamed passions for centuries.

→ 이 질문에 답하는 최선의 방법에 관한 .... 은 수세기 동안 열의를 자극해 왔다.

C 우리말과 일치하도록 빈칸에 알맞은 단어를 〈보기〉에서 골라 쓰시오. (형태 변화 가능)

보기				
moist	dignity	reckless	fabulous	imprison

01 Brunel was .... for several months because of his debt.
Brunel은 그의 부채 때문에 몇 달간 투옥되었다.

02 The actress had decided to play the scene with an air of ....
그 여배우는 품위 있는 태도로 그 장면을 연기하기로 결심했다.

03 Talking and laughing over coffee, they enjoyed the .... spring day.
커피를 마시며 이야기하고 웃으면서, 그들은 매우 멋진 봄날을 즐겼다.

04 Keep the sponge .... by pouring a little water on it from time to time.
가끔 스펀지에 약간의 물을 부어줌으로써 스펀지를 축축하게 유지하라.

05 Evidence suggests an association between loud, fast music and .... driving.
시끄럽고 빠른 음악과 난폭한 운전 사이의 연관성을 제시하는 증거가 있다.

📖 가리개를 사용하여 뜻을 암기했는지 확인하세요.

DRILLS

1921 **gracious**
[gréiʃəs]

형 친절한; 품위 있는

The Russian people were friendly and **gracious**. EBS
그 러시아인들은 상냥하고 ....

➕ grace 명 우아, 기품

show .... attitude
친절한 태도를 보이다

1922 **gratitude**
[grǽtətjùːd]

명 고마움, 감사

I am writing this letter to express my **gratitude**. 학평
저는 .... 를 표하기 위해 이 편지를 씁니다.

🟰 appreciation, thanks 명 고마움, 감사

a feeling of ....
감사하는 마음

1923 **heartily**
[háːrtili]
제목

부 진심으로; 마음껏

In years of bountiful crops people ate **heartily**, and in lean years they starved. 모평
농작물이 풍부한 해에는 사람들이 .... 먹었고, 흉년에는 굶주렸다.

welcome ....
진심으로 환영하다

1924 **immature**
[imətʃúər]

형 미숙한; 익지 않은

Firefly larvae glow despite being **immature** for mating. 모평 반딧불이 애벌레는 짝짓기하기에 .... 불구하고 빛을 낸다.

🔁 mature 형 성숙한; 익은   ripe 형 익은

.... cognitive systems
미성숙한 인지 체계

1925 **inject**
[indʒékt]

동 주사하다, 주입하다

Ants attack their enemies by biting, stinging, often **injecting** or spraying chemicals. 학평
개미는 깨물고, 찌르고, 종종 화학 물질을 .... 뿌림으로써 적을 공격한다.

➕ injection 명 주사, 주입

.... medicine into a vein
정맥에 약을 주사하다

1926 **insane**
[inséin]

형 미친, 정신 이상의

Some large parrots will seem to go **insane** if subjected to long periods of isolation. 학평
어떤 큰 앵무새들은 오랜 기간 고립당하면 .... 가는 것처럼 보일 것이다.

➕ insanity 명 광기, 정신 이상

drive a person ....
사람을 미치게 하다

해석 완성 친절했다 / 감사 / 마음껏 / 미숙함에도 / 주입하거나 / 미쳐

1927 leather
[léðər]

명 가죽; 가죽 제품

Throwing himself with his **leather** bag on the sofa, he closed his eyes. (모평)
.... 가방과 함께 소파에 몸을 던진 후에, 그는 눈을 감았다.

synthetic ....
인조 가죽

1928 legacy
[légəsi]
제목

명 유산

Rome left an enduring **legacy** in many areas and multiple ways. (학평)
로마는 많은 분야와 여러 면에서 영구적인 ....을 남겼다.

圓 bequest, inheritance 명 유산

a historical ....
역사적 유산

1929 literate
[lítərit]

형 읽고 쓸 수 있는; 학식이 있는

We were not **literate** for almost the entire history of our species. (EBS)
우리는 우리 종족의 거의 모든 역사에 대해 .... 않았다.

🔄 illiterate 형 읽거나 쓸 줄 모르는, 문맹의; 무식한
圓 educated 형 학식이 있는

scientifically ....
society
과학적인 학식이 풍부한 사회

1930 mindful
[máindfəl]

형 주의를 기울이는

Be **mindful** before you say something. (학평)
무슨 말을 하기 전에 ....

be .... of the
reputation
평판에 주의를 기울이다

1931 misinterpret
[mìsintə́:rprit]
제목

동 잘못 이해하다; 오역하다

At the time, phone calls were extremely noisy and easy to **misinterpret**. (학평)
당시에 전화 통화는 잡음이 극도로 많고 .... 쉬웠다.

圓 misunderstand, misconceive 동 오해하다

.... the text
글을 오역하다

1932 murder
[mə́:rdər]

명 살인, 살해 동 살해하다

Detectives have launched a **murder** investigation.
형사들이 .... 사건에 착수했다.

➕ murderer 명 살인자

inspect the ....
site
살해 현장을 조사하다

1933 notify
[nóutəfài]

동 통보하다, 알리다

You must be **notified** of the final results by email. (수능)
최종 결과는 반드시 이메일로 .... 합니다.

➕ notification 명 통지, 알림
圓 inform 동 알리다

.... via phone
or e-mail
전화나 이메일로 통보하다

해석 완성 가죽 / 유산 / 학식이 있지 / 주의를 기울여라 / 잘못 이해하기 / 살인 / 통보되어야

10	20	30	40

1934 obscure
[əbskjúər]

(형) 모호한; 무명의; 어두운

The connection between the two studies seems somewhat **obscure**.
두 연구들 사이의 연관성은 다소 .... 보인다.

🔁 vague (형) 모호한

an .... writer
무명작가

1935 oppression
[əpréʃən]

(명) 억압, 탄압

They are struggling against political **oppression**.
그들은 정치적 .... 에 맞서 싸우고 있다.

🔁 suppression, repression (명) 억압

opposition against racial ....
인종적 탄압에 대한 대항

1936 outgoing
제목 [áutgòuiŋ]

(형) 외향적인, 사교적인; 떠나는

The research claims that if you own a German Shepherd, you're most likely **outgoing**. 학평
그 연구는 여러분에게 독일 셰퍼드가 있다면, 여러분은 .... 가능성이 가장 높다고 주장한다.

🔁 extrovert (형) 외향적인   sociable (형) 사교적인

the .... government
떠나는(물러나는) 정부

1937 ornament
[ɔ́ːrnəmənt]

(명) 꾸밈; 장식(품)   (동) 장식하다

Plato and Aristotle considered color to be an **ornament** that obstructed the truth. 학평
플라톤과 아리스토텔레스는 색을 진실을 가리는 .... 으로 여겼다.

➕ ornamental (형) 장식용의
🔁 decoration (명) 장식(품)   decorate (동) 장식하다

.... a Christmas tree with lights
크리스마스트리를 전구로 장식하다

1938 painkiller
[péinkìlər]

(명) 진통제

Painkillers are a relatively recent invention. 모평
.... 는 비교적 최근의 발명품이다.

🔁 pain reliever 진통제

take a ....
진통제를 복용하다

해석 완성 모호해 / 탄압 / 외향적일 / 장식 / 진통제

진짜 기출로 확인! 우리말과 일치하도록 빈칸에 알맞은 단어를 고르시오.   고3 학평

People transported and introduced some nonnative species intentionally, for food, fiber, medicine, (1)................... or scientific curiosity. Seeds of other plants were introduced accidentally in sacks of seed grain, wool or cotton, or in mud stuck to (2)....................
(사람들은 음식, 섬유질, 약, 장식 또는 과학적인 호기심을 위해 의도적으로 몇몇 외래종을 수송하고 소개했다. 다른 식물의 씨앗들은 씨앗 알갱이, 양모나 면화의 자루, 또는 기계류에 달라붙는 진흙 속에 우연히 도입되었다.)

① legacy   ② ornament   ③ oppression   ④ painkiller   ⑤ machinery

ANSWERS p.487

1939 paralyze
[pǽrəlàiz]
심경

(동) 마비시키다

I tried to paddle back to shore but my arms and legs were **paralyzed**. 수능
나는 다시 물가로 노를 저어 가려고 했지만 내 팔과 다리는 .... 있었다.

➕ paralysis (명) 마비

.... muscles
근육을 마비시키다

1940 parliament
[pɑ́:rləmənt]
제목

(명) 의회, 국회

The Swiss **parliament** decided to build a nuclear waste repository there. 학평
스위스 .... 는 그곳에 핵폐기물 처리장을 짓기로 결정했다.

➕ parliamentary (형) 의회의
🟰 assembly, congress (명) 의회, 국회

the British ....
영국 의회

1941 particle
[pɑ́:rtikl]
빈칸

(명) 입자; 작은 조각

Fine **particles** like sulfate reflect the Sun's light and heat. 모평
황산염과 같은 미세한 .... 은 태양의 빛과 열을 반사한다.

a .... of water or ice
물이나 얼음의 입자

1942 paste
[peist]

(명) 풀; 반죽 (동) (풀로) 붙이다

You can make a **paste** of curry leaves and apply it on your hair. 학평
여러분은 카레 잎사귀로 .... 을 만들어 머리카락에 바를 수 있습니다.

.... the pieces together
조각들을 함께 붙이다

1943 perish
[périʃ]

(동) 멸망하다, 사라지다

Other living creatures thrive or **perish** depending on how well they adapt to the environment, so too do humans. EBS
다른 생물들이 환경에 얼마나 잘 적응하느냐에 따라 번성하거나 .... 인간도 마찬가지이다.

➕ perishable (형) 썩기 쉬운; 죽을 운명의
🟰 disappear, vanish (동) 사라지다

.... from the earth
지구상에서 사라지다

1944 pessimism
[pésəmìzəm]

(명) 비관; 비관주의

Sad and fearful people tend toward **pessimism**, feeling powerless to make change. EBS
슬프고 두려워하는 사람들은 .... 하는 경향이 있으며, 변화를 만드는 데 무력감을 느낀다.

➕ pessimist (명) 비관주의자 pessimistic (형) 비관주의적인
🔄 optimism (명) 낙관; 낙관주의

indulge in ....
비관주의에 빠지다

해석 완성 마비되어 / 의회 / 입자들 / 반죽 / 사라지듯 / 비관

¹⁹⁴⁵ **petition**
[pətíʃən]

명 청원(서), 탄원(서) 동 청원하다

Fifty psychologists signed a **petition** calling for a ban on the advertising of children's goods. 모평
50명의 심리학자들이 아동 상품에 대한 광고 금지를 요구하는 ....에 서명했다.

present a ....
청원서를 제출하다

¹⁹⁴⁶ **physique**
빈칸 [fizíːk]

명 체격, 체형

Professional swimmers are good swimmers because of their **physiques**. 학평
프로 수영 선수들은 그들의 .... 덕분에 좋은 수영 선수이다.

a good ....
as an athlete
운동선수와 같은 좋은 체격

¹⁹⁴⁷ **pitfall**
빈칸 [pítfɔ̀ːl]

명 함정; 위험

Professional policy design does not necessarily escape the **pitfalls** of degenerative politics. 수능
전문적인 정책 설계가 퇴행적인 정치의 ....을 반드시 피하는 것은 아니다.

face a potential ....

잠재적인 위험에 직면하다

¹⁹⁴⁸ **plain**
[plein]

형 평범한; 솔직한; 순수한 명 평지, 평야

The **plain** old telephone was not integrated as it only transmitted speech and sounds. 수능
.... 옛 전화는 오직 말과 소리만을 전송했기 때문에 통합적이지 않았다.

a sheet of ....
white paper
평범한 흰 종이 한 장

¹⁹⁴⁹ **precede**
[prisíːd]

동 앞서다; 우선하다

Reading the world **precedes** reading the word. EBS
세상을 읽는 것이 글을 읽는 것보다 ....

➕ **precedence** 명 선행; 우선

.... all the others
다른 모든 것들을 앞서다

해석 완성 청원서 / 체격 / 함정 / 평범한 / 우선이다

진짜 기출로 확인! 밑줄 친 단어의 뜻을 문맥에 맞게 찾으시오.　　　　　　　　　고3 학평

Low self-confidence may turn you into a (1)<u>pessimist</u>, but when (2)<u>pessimism</u> teams up with (3)<u>ambition</u> it often produces outstanding performance. To be the very best at anything, you will need to be your harshest critic, and that is almost impossible when your starting point is high self-confidence.

① 비관주의자　　② 낙관주의자　　③ 비관　　④ 야망　　⑤ 함정

ANSWERS p.487

1950 predecessor
[prédisèsər]

(명) 선행자, 선배; 전의 것

The tendency of modern writers is to make less use of punctuation than their **predecessors** did. (EBS)
현대 작가들의 경향은 그들의 ....보다 구두점을 덜 사용한다는 것이다.

(반) **successor** (명) 후임자; 뒤의 것

a .... of modern trademarks
현대 상표의 전신(이전 형태)

1951 preliminary
[prilímənèri]

(형) 예비의; 시초의

The **preliminary** structural analysis for the sculpture is compulsory. (학평)
조형물을 위한 .... 구조적 분석이 필수적이다.

(파) **preliminarily** (부) 예비적으로; 사전에

a .... talk on a trade agreement
무역 협정에 대한 예비회담

1952 proclaim
[proukléim]

(동) 선언하다

I **proclaimed** that the person who didn't recite the poem perfectly had to give me ten pushups. (학평)
나는 그 시를 완벽히 암송하지 못하는 사람은 팔굽혀펴기를 열 번 해야 한다고 ....

(파) **proclamation** (명) 선언
(유) **declare** (동) 선언하다

.... human rights
인권을 선언하다

1953 prolong
[prəlɔ́(:)ŋ]

(동) 늘이다, 연장하다

If Beethoven had been able to **prolong** his stay in Vienna, he would have met Mozart in the end. (EBS)
만약 베토벤이 빈에서의 체류를 .... 수 있었더라면, 그는 결국 모차르트를 만났을 것이다.

(파) **prolonged** (형) 장기적인
(유) **extend, lengthen** (동) 늘이다, 연장하다

.... a railroad
철도를 연장하다

1954 prosecute
[prásəkjù:t]

(동) 기소하다, 고소하다

People who infringe on that copyright can be taken to court and **prosecuted**. (수능)
그 저작권을 침해하는 사람들은 법정으로 소환되어 .... 수 있다.

(파) **prosecution** (명) 기소, 고소   **prosecutor** (명) 기소자; 검찰

.... a person for theft
절도죄로 ~을 기소하다

1955 punctual
[pʌ́ŋktʃuəl]

(형) 시간을 엄수하는

Highly conscientious people are **punctual** and persevering. (EBS)
아주 성실한 사람들은 .... 끈기가 있다.

(파) **punctuality** (명) 시간 엄수
(유) **prompt** (형) 시간을 엄수하는

be .... for appointments
약속 시간을 엄수하다

해석 완성 선배 작가들 / 예비적인 / 선언했다 / 연장할 / 기소될 / 시간을 엄수하며

1956 **rage** ☐☐ [reidʒ]	몡 격노, 분노 동 몹시 화를 내다 Despite the accumulated **rage**, genuine resistance to the machine is relatively rare. **EBS** 축적된 ＿＿＿＿＿에도 불구하고 기계에 대한 진정한 저항은 비교적 드물다. 🔁 fury 몡 격노, 분노	explode with ＿＿＿＿＿ 분노를 터트리다
1957 **reassure** ☐☐ 빈칸 [rìːəʃúər]	동 안심시키다; 장담하다 Understanding the cyclical nature of life will **reassure** you that difficult times won't last forever. **학평** 생의 순환적인 성질에 대한 이해는 어려운 시기가 영원히 지속되지 않을 것이라고 여러분을 ＿＿＿＿＿ 것이다.	＿＿＿＿＿ a kid 아이를 안심시키다
1958 **regime** ☐☐ [reiʒíːm]	몡 정권; 제도 Science cannot be practiced in authoritarian **regimes**. **학평** 과학은 권위주의적인 ＿＿＿＿＿에서는 실행될 수 없다.	collapse of a corrupt ＿＿＿＿＿ 부패한 정권의 붕괴
1959 **resent** ☐☐ [rizént]	동 분개하다; 원망하다 She **resented** bitterly yet seemed unable to do anything. 그녀는 몹시 ＿＿＿＿＿ 아무것도 할 수 없는 것 같았다. ➕ resentment 몡 분개, 원한	＿＿＿＿＿ one's criticism ~의 비판에 분개하다
1960 **restraint** ☐☐ [ristréint]	몡 금지; 자제 **Restraint** in speech was valued by these students and their families. **학평** 말하는 것을 ＿＿＿＿＿하는 것은 이 학생들과 그들의 가족들에게 가치 있게 여겨졌다. ➕ restrain 동 제지하다; 억제하다	＿＿＿＿＿ on trade 무역에 대한 금지

해석 완성 분노 / 안심시킬 / 제도 / 분개했지만 / 자제

진파 기출로 확인! 우리말과 일치하도록 빈칸에 알맞은 단어를 고르시오.   17년 수능

In one sense, every character you create will be yourself. You've never (1)＿＿＿＿＿, but your murderer's (2)＿＿＿＿＿ will be drawn from memories of your own extreme anger. Your love scenes will contain hints of your own past kisses and sweet moments.
(어떤 의미에서, 여러분이 창조하는 모든 등장인물은 여러분 자신일 것이다. 여러분은 절대 살인을 한 적이 없지만, 여러분 자신의 극단적인 분노에 대한 기억에서 살인자의 격노가 도출될 것이다. 여러분의 사랑의 장면은 여러분 자신의 과거의 키스와 달콤한 순간들에 대한 흔적을 포함할 것이다.)

① rage   ② prosecuted   ③ murdered   ④ regime   ⑤ reassured

ANSWERS p.487

DAY 49

3-Minute Check

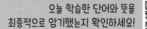 오늘 학습한 단어와 뜻을
최종적으로 암기했는지 확인하세요!

		check
1921 **gracious**	(형) 친절한; 품위 있는	
1922 **gratitude**	(명) 고마움, 감사	
1923 **heartily**	(부) 진심으로; 마음껏	
1924 **immature**	(형) 미숙한; 익지 않은	
1925 **inject**	(동) 주사하다, 주입하다	
1926 **insane**	(형) 미친, 정신 이상의	
1927 **leather**	(명) 가죽; 가죽 제품	
1928 **legacy**	(명) 유산	
1929 **literate**	(형) 읽고 쓸 수 있는; 학식이 있는	
1930 **mindful**	(형) 주의를 기울이는	
1931 **misinterpret**	(동) 잘못 이해하다; 오역하다	
1932 **murder**	(명) 살인, 살해 (동) 살해하다	
1933 **notify**	(동) 통보하다, 알리다	
1934 **obscure**	(형) 모호한; 무명의; 어두운	
1935 **oppression**	(명) 억압, 탄압	
1936 **outgoing**	(형) 외향적인, 사교적인; 떠나는	
1937 **ornament**	(명) 꾸밈, 장식(품) (동) 장식하다	
1938 **painkiller**	(명) 진통제	
1939 **paralyze**	(동) 마비시키다	
1940 **parliament**	(명) 의회, 국회	

		check
1941 **particle**	(명) 입자; 작은 조각	
1942 **paste**	(명) 풀; 반죽 (동) (풀로) 붙이다	
1943 **perish**	(동) 멸망하다, 사라지다	
1944 **pessimism**	(명) 비관; 비관주의	
1945 **petition**	(명) 청원(서), 탄원(서) (동) 청원하다	
1946 **physique**	(명) 체격, 체형	
1947 **pitfall**	(명) 함정; 위험	
1948 **plain**	(형) 평범한; 솔직한; 순수한 (명) 평지, 평야	
1949 **precede**	(동) 앞서다; 우선하다	
1950 **predecessor**	(명) 선행자, 선배; 전의 것	
1951 **preliminary**	(형) 예비의; 시초의	
1952 **proclaim**	(동) 선언하다	
1953 **prolong**	(동) 늘이다, 연장하다	
1954 **prosecute**	(동) 기소하다, 고소하다	
1955 **punctual**	(형) 시간을 엄수하는	
1956 **rage**	(명) 격노, 분노 (동) 몹시 화를 내다	
1957 **reassure**	(동) 안심시키다; 장담하다	
1958 **regime**	(명) 정권; 제도	
1959 **resent**	(동) 분개하다; 원망하다	
1960 **restraint**	(명) 금지; 자제	

외우지 못한 단어가 있으면 미니 단어장에서 다시 한번 정리해 보세요.

DRILLS

1961 retreat
[ritríːt]

⑤ 후퇴하다; 도피하다　⑮ 후퇴; 도피

Individuals tend to **retreat** to the cocoon of family and friends. (EBS)

개인은 가족과 친구의 보호막으로 .... 경향이 있다.

a .... from reality
현실로부터의 도피

1962 revival
[riváivəl]

⑮ 재생, 부활; 회복

Without a sound currency, there can be no economic **revival**.

건전한 통화 없이는 경제의 ....이 있을 수 없다.

➕ revive ⑤ 회복시키다; 부활시키다

a .... of interest in traditional music
전통 음악에 대한 관심의 부활

1963 roast
[roust]

⑤ (고기를) 굽다; (콩 등을) 볶다　⑮ 구이 요리

Further **roasting** will turn some of the sugar into pure carbon, which creates a dark-brown color. (학평)

좀 더 .... 일부의 당이 순수 탄소로 변하는데, 그것은 진한 갈색을 만들어낸다.

.... a chicken
닭고기를 굽다

1964 rob
[rɑb]

⑤ 강탈하다; 훔쳐가다

While Gregorio was en route to Spain, pirates **robbed** him of all his goods. (수능)

Gregorio가 스페인으로 가는 도중에 해적들이 그의 모든 상품을 ....

rob A of B A에게서 B를 강탈하다

➕ robber ⑮ 도둑, 강도　robbery ⑮ 강도, 약탈
➕ deprive ⑤ 강탈하다　steal ⑤ 훔쳐가다

.... a bank
은행을 털다

1965 sanitation
[sæ̀nitéiʃən]

⑮ (공중)위생; 하수 처리

Improvements in education, housing, and **sanitation** systems have reduced infections. (학평)

교육, 주거 그리고 .... 시설의 개선은 감염을 줄여 왔다.

➕ hygiene ⑮ 위생

proper .... facilities
적절한 위생 시설

1966 secretary
[sékrətèri]

⑮ 비서; 사무관; 간사; (S-) 장관

Mary joined the women's rights movement, serving as **secretary** at the conventions in New York. (EBS)

Mary는 뉴욕에서 열린 총회에서 ....로 일하며 여성 인권 운동에 참가했다.

an experience and qualified ....
노련하고 자격이 있는 비서

해석 완성 도피하는 / 회복 / 볶으면 / 강탈했다 / 하수 처리 / 간사

1967 sentiment
[séntəmənt]

(명) 감정, 정서

Kant is notorious for arguing that morality depends on reason rather than **sentiment**. EBS
칸트는 도덕성이 .... 보다는 이성에 달려있다고 주장하는 것으로 악명이 높다.

➕ sentimental (형) 감정적인, 정서적인

a negative .... like grief
슬픔과 같은 부정적인 감정

1968 shallow
[ʃǽlou]
제목

(형) 얕은

Trees have deep roots while grasses have **shallow** roots. 모평
풀은 뿌리가 .... 반면에 나무는 뿌리가 깊다.

swim in .... water
얕은 물에서 수영하다

1969 shield
[ʃi:ld]

(동) 감싸다, 보호하다   (명) 방패; 보호물

The first reaction to a period of turbulence is to try to build a wall that **shields** one's own garden. 학평
폭풍 기간에 대한 최초의 대응은 자신의 정원을 .... 담을 쌓으려 애쓰는 것이다.

wear sunglasses to .... eyes
눈을 보호하기 위해 선글라스를 착용하다

1970 shrug
[ʃrʌg]
빈칸

(동) (어깨를) 으쓱하다   (명) (어깨를) 으쓱하기

Today, more and more parents **shrug** their shoulders, saying it's okay. 모평
오늘날 점점 더 많은 부모들이 그것이 괜찮다고 말하면서 어깨를 ....

answer with a ....
어깨를 으쓱하며 대답하다

1971 sneak
[sni:k]

(동) 몰래 가다; 살그머니 다가가다

These thieving bees **sneak** into the nest of an unsuspecting "normal" bee, lay an egg and **sneak** back out. 모평
이 도둑질하는 벌은 의심하지 않는 평범한 벌의 둥지로 .... 알을 낳고 다시 ....

➕ sneaky (형) 몰래 하는; 남을 속이는

.... behind the back
등 뒤로 살그머니 다가가다

1972 speculate
[spékjəlèit]

(동) 사색하다; 추측하다

The Greeks **speculated** about the nature of the world they found themselves in. 학평
그리스인들은 자신들이 속해 있는 세상의 본질에 대해 ....

➕ speculation (명) 사색, 추측   speculative (형) 사색적인

.... what happened
일어난 일을 추측하다

1973 stunned
[stʌnd]

(형) 깜짝 놀란, 망연자실한

I sat there in **stunned** silence and I wept. 학평
나는 .... 침묵 속에 그곳에 앉아 있었고 눈물을 흘렸다.

➕ stunning (형) 깜짝 놀랄; 굉장히 아름다운

be .... by the news
그 소식에 깜짝 놀라다

해석 완성 감정 / 얕은 / 보호하는 / 으쓱한다 / 몰래 가서, 몰래 나온다 / 사색했다 / 망연자실한

1974 **suicide** [sjúːəsàid]

[명] 자살 [동] 자살하다

I am no longer thinking about **suicide** because people care about me. [학평]
사람들이 나에게 마음을 써 주기 때문에 나는 더 이상 ....에 대해 생각하지 않는다.

.... prevention
자살 예방

1975 **superb** [sju(ː)pə́ːrb]

[형] 멋진; 뛰어난

Teens have **superb** cognitive abilities and high rates of learning and memory. [학평]
십 대들은 .... 인지 능력과 높은 학습 및 기억 속도를 지닌다.

[동] **excellent, marvelous** [형] 멋진, 뛰어난

a .... view over the park
공원의 멋진 전망

1976 **superstition** [sjùːpərstíʃən]

[명] 미신

There are many **superstitions** surrounding the world of the theater. [학평]
연극계를 둘러싸고 있는 많은 ....이 있다.

[+] **superstitious** [형] 미신적인, 미신을 믿는

widespread ....
널리 퍼져 있는 미신

1977 **sympathy** [símpəθi] [제목]

[명] 동정; 조의; 공감

If someone has suffered a misfortune, you may show **sympathy** by expressing your concern in words. [학평]
누군가가 불행한 일을 겪고 있다면 여러분은 염려를 말로 나타냄으로써 ....를 표할 수 있다.

[+] **sympathize** [동] 동정하다; 공감하다
sympathetic [형] 동정하는; 공감하는

offer expressions of ....
조의를 표하다

해석 완성 자살 / 뛰어난 / 미신 / 조의

진짜 기출로 확인! 우리말과 일치하도록 빈칸에 알맞은 단어를 고르시오. 고3 학평

One day, I discovered that the sounds of our kids' playing floated up into our room. For a few minutes, I-listened intently. But then I felt (1)_________. So I told them the secret. I thought they'd be surprised, but they just (2)_________ their shoulders. "We know," they said. "We hear you and Daddy talking, too."

(어느 날, 나는 우리 아이들이 노는 소리가 우리 방으로 흘러 올라온다는 것을 알게 되었다. 잠시 동안 나는 열심히 들었다. 그러나 그때 나는 남을 속이는 것 같은 느낌이 들었다. 그래서 이 비밀을 아이들에게 이야기했다. 나는 그들이 놀랄 것이라고 생각했지만 그들은 그저 어깨를 으쓱했다. "우리도 알아요."하고 아이들이 말했다. "우리도 엄마와 아빠가 이야기하는 것이 들려요.")

① sneaky ② superb ③ stunned ④ shrugged ⑤ speculated

ANSWERS p.487

1978 **terrific** [tərífik] [제목]

[형] 대단한; 멋진

Great people have **terrific** advice about what helped them succeed. [수능]
훌륭한 사람들에게는 자신들이 성공하는 데 도움이 되었던 것들에 대한 .... 조언이 있다.

a .... employee
대단한 직원

1979 **apprehension** [æ̀prihénʃən]

[명] 우려, 불안; 이해

An **apprehension** towards change permeates the day-to-day affairs of the contemporary Western world.
[EBS] 변화에 대한 ....는 현대 서구 세계의 일상에 스며든다.

[+] apprehend [동] 이해하다; 염려하다
apprehensive [형] 불안한; 걱정되는

under no ....
아무 불안 없이

1980 **apprentice** [əpréntis]

[명] 수습(공); 실습생

He was the son of a blacksmith and worked as an **apprentice** in bookbinding. [EBS]
그는 대장장이의 아들이었고 제본업에서 ....으로 일했다.

become an .... to a fashion designer
패션 디자이너의 실습생이 되다

1981 **equator** [ikwéitər]

[명] 적도

In a few locations at latitudes near the **equator**, tea can be harvested year-round. [학평]
.... 부근 위도의 몇몇 지역에서는 차가 일 년 내내 수확될 수 있다.

north of the ....
적도의 북부

1982 **compulsive** [kəmpʌ́lsiv]

[형] 강제적인; 강박적인

She resisted the **compulsive** urge to eat the chocolate cake.
그녀는 초콜릿 케이크를 먹으려는 .... 충동을 참았다.

[+] compulsion [명] 강제 compulsory [형] 강제적인
[=] coercive [형] 강제적인, 강압적인

.... consumption
강박적 소비

1983 **gross** [grous] [빈칸]

[형] 엄청난; 총계의

Gross human inequality is still widespread. [수능]
.... 인간 불평등이 아직도 널리 퍼져 있다.

[=] whole, entire, total [형] 총; 총계의

.... revenue
총수입

1984 **growl** [graul]

[동] 으르렁거리다 [명] 으르렁 소리

The tigress **growled** as she saw the body of her dead offspring. [EBS]
암 호랑이가 새끼의 죽은 몸을 보자 ....

hear a frightful ....
무서운 으르렁 소리를 듣다

[해석 완성] 멋진 / 우려 / 수습공 / 적도 / 강박적인 / 엄청난 / 으르렁거렸다

1985 **haunt** [hɔ:nt]

[동] (귀신이) 출몰하다; 따라다니며 괴롭히다

If the hunter did not kill the animal properly, the animal could return as a ghost and **haunt** the hunter. [EBS]
만약 사냥꾼이 그 동물을 적절하게 죽이지 않는다면, 그 동물은 유령으로 돌아와 사냥꾼을 .... 수도 있다.

[+] **haunted** [형] 귀신이 나오는; 겁에 질린

.... a house
귀신이 집에 출몰하다

1986 **hysterical** [histérikəl]

[형] 히스테릭한; 병적으로 흥분한

Many women find that the more **hysterical** the inner critic's voice, the closer they are to a breakthrough. [EBS] 많은 여성들이 내면의 비판가의 목소리가 더 .... 수록 자신이 돌파구에 더 가까이 있다는 것을 알게 된다.

.... reaction
히스테릭한 반응

1987 **juvenile** [ʤú:vənəl]

[형] 어린; 청소년의

By dispersing, a **juvenile** tree has a chance to get beyond the cluster of predators. [EBS]
흩어짐으로써, ... 나무는 포식자 무리를 벗어날 기회를 갖는다.

.... crime
청소년 범죄

1988 **laterally** [lǽtərəli] [제목]

[부] 옆으로; 횡적으로

Instead of moving up through the ranks of one organization, people move **laterally** from company to company. [학평]
사람들은 어떤 조직의 계층을 따라 위로 올라가는 대신 회사에서 회사로 .... 이동한다.

[↔] **vertically** [부] 수직으로

grow ....
옆으로 자라다

1989 **mandatory** [mǽndətɔ̀:ri] [제목]

[형] 의무적인; 필수적인

We are familiar with the **mandatory** nutritional information placed on food products. [모평]
우리는 식료품에 ....으로 표기된 영양 정보에 익숙하다.

[+] **mandate** [동] 위임하다; 명령하다

.... for survival
생존에 필수적인

해석 완성 따라다니며 괴롭힐 / 히스테릭할 / 어린 / 횡적으로 / 의무적

진짜 기출로 확인! 밑줄 친 단어의 뜻을 문맥에 맞게 찾으시오. 고3 학평

As Rip was about to descend he heard a voice. He looked around, but could see nothing but a crow. When he heard the same cry ring through the still evening air, his dog bristled up his back, and giving a low (1) <u>growl</u>. Rip now felt a vague (2) <u>apprehension</u> stealing over him.

① 불안 ② 적도 ③ 실습생 ④ 이해 ⑤ 으르렁 소리

ANSWERS p.487

1990 misbehave
[mìsbihéiv]

(동) 못된 행동을 하다

Child-rearing experts caution parents not to tell children they're bad when they **misbehave**. (학평)
자녀 양육 전문가들은 부모들에게 자녀들이 .... 때 그들이 나쁘다고 말하지 않도록 주의시킨다.

➕ misbehavior (명) 나쁜 행실
🔄 behave (동) 예의바르게 행동하다

.... in public places
공공장소에서 못된 행동을 하다

1991 momentary
[móumantèri]

(형) 순간의, 잠깐의

Psychologists make the distinction between traits and **momentary** feelings. (학평)
심리학자들은 특성과 .... 감정을 구분한다.

a .... impulse
순간의 충동

1992 obedience
[oubí:dians]

(명) 복종; 순종

Our safety requires **obedience**, especially to our parents when we are not yet adults. (학평)
우리가 아직 성인이 아닐 때 우리가 안전하기 위해서는 특히 부모에게 ....하는 것이 필요하다.

➕ obey (동) 복종하다; 순종하다
🔄 disobedience (명) 불복종; 불순종

enforce ....
복종을 강요하다

1993 outburst
[áutbə̀ːrst]

(명) 폭발; 격발

People may find it difficult to express what they want and may show sudden **outbursts** of emotion.
사람들은 자신이 원하는 바를 표현하는 것을 어렵게 느낄지도 모르며 감정을 갑작스럽게 ....시킬 수 있다.

🟰 explosion (명) 폭발

respond with ....
of laughter
웃음의 폭발로 반응하다

1994 partial
[páːrʃəl]

(형) 부분적인; 편파적인

One way to cope with the uncertainty about an innovation's consequences is to try out the new idea on a **partial** basis. (EBS)
혁신에 대한 불확실성의 결과에 대처하는 한 가지 방법은 새 아이디어를 ....으로 시험해 보는 것이다.

➕ partially (부) 부분적으로
🟰 biased (형) 편파적인

a .... solution
부분적인 해결책

1995 purify
[pjúərəfài]

(동) 정화하다; 깨끗이 하다

She would come back to **purify** the world. (EBS)
그녀는 세상을 .... 위해 돌아올 것이었다.

.... air and water
공기와 물을 정화하다

해석 완성 못된 행동을 할 / 순간의 / 순종 / 폭발 / 부분적 / 정화하기

1996	**statistical**	(형) 통계의; 통계학의	a new ....

1996 statistical
[stətístikəl]

(형) 통계의; 통계학의

We often accept **statistical** correlations as good evidence for one thing causing another. **EBS**
우리는 흔히 .... 상관관계를 어떤 일이 다른 일을 일으키는 것에 대한 좋은 증거로 받아들인다.

➕ **statistics** (명) 통계; 통계학 **statistically** (부) 통계상으로

a new .... analysis method
새로운 통계학적 분석 방법

1997 literally
[lítərəli]

(부) 말 그대로; 정말로

If he didn't go to the restroom immediately he would **literally** explode. **EBS**
만약 그가 즉시 화장실에 가지 않는다면 그는 .... 폭발할 것이다.

➕ **literacy** (명) 읽고 쓰는 능력

stay cool ....
말 그대로 냉정함을 유지하다

1998 lyric
[lírik]

(명) 서정시; (pl.) (노래) 가사   (형) 서정시의; 서정적인

The next time we hear the song, we hear a **lyric** we didn't catch the first time. **모평**
다음에 우리가 그 노래를 들을 때 처음에 알아듣지 못한 .... 를 듣는다.

a .... poet
서정시인

1999 nominate
[nάmənèit]

(동) 지명하다; 추천하다

Richard Burton became a praised actor, who was **nominated** for an Academy Award seven times. **모평**
Richard Burton은 찬사를 받는 배우가 되었는데, 아카데미상 후보에 일곱 번 ....

➕ **nomination** (명) 지명; 입후보 **nominee** (명) 지명된 사람

.... an eligible candidate
적격인 후보를 추천하다

2000 omit
[oʌmít]

(동) 빼다, 생략하다

An architect who **omits** a beam will see his structure collapse. **EBS**
대들보를 .... 건축가는 그의 건축물이 무너지는 것을 보게 될 것이다.

➕ **omission** (명) 생략

.... an unnecessary procedure
불필요한 절차를 생략하다

해석 완성 통계적인 / 말 그대로 / 가사 / 지명되었다 / 빼는

진짜 기출로 확인! 문맥에 맞도록 빈칸에 알맞은 단어를 고르시오.   13년 수능

It is impossible for a child to successfully release himself unless he knows exactly where his parents stand, both (1)_____ and figuratively. If, in other words, the parents are insecure in their authority, he cannot move successfully away from them. Under the circumstances, he will become clingy, or (2)_____, or both.

① literally   ② partially   ③ statistically   ④ disobedient   ⑤ momentary

ANSWERS p.487

3-Minute Check

			check
1961	retreat	동 후퇴하다; 도피하다 명 후퇴; 도피	☐
1962	revival	명 재생, 부활; 회복	☐
1963	roast	동 굽다; 볶다 명 구이 요리	☐
1964	rob	동 강탈하다; 훔쳐가다	☐
1965	sanitation	명 (공중)위생; 하수 처리	☐
1966	secretary	명 비서; 사무관; 간사; 장관	☐
1967	sentiment	명 감정, 정서	☐
1968	shallow	형 얕은	☐
1969	shield	동 감싸다, 보호하다 명 방패; 보호물	☐
1970	shrug	동 (어깨를) 으쓱하다 명 (어깨를) 으쓱하기	☐
1971	sneak	동 몰래 가다; 살그머니 다가가다	☐
1972	speculate	동 사색하다; 추측하다	☐
1973	stunned	형 깜짝 놀란, 망연자실한	☐
1974	suicide	명 자살 동 자살하다	☐
1975	superb	형 멋진; 뛰어난	☐
1976	superstition	명 미신	☐
1977	sympathy	명 동정; 조의; 공감	☐
1978	terrific	형 대단한; 멋진	☐
1979	apprehension	명 우려, 불안; 이해	☐
1980	apprentice	명 수습(공); 실습생	☐

			check
1981	equator	명 적도	☐
1982	compulsive	형 강제적인; 강박적인	☐
1983	gross	형 엄청난; 총계의	☐
1984	growl	동 으르렁거리다 명 으르렁 소리	☐
1985	haunt	동 (귀신이) 출몰하다; 따라다니며 괴롭히다	☐
1986	hysterical	형 히스테릭한; 병적으로 흥분한	☐
1987	juvenile	형 어린; 청소년의	☐
1988	laterally	부 옆으로; 횡적으로	☐
1989	mandatory	형 의무적인; 필수적인	☐
1990	misbehave	동 못된 행동을 하다	☐
1991	momentary	형 순간의, 잠깐의	☐
1992	obedience	명 복종; 순종	☐
1993	outburst	명 폭발; 격발	☐
1994	partial	형 부분적인; 편파적인	☐
1995	purify	동 정화하다; 깨끗이 하다	☐
1996	statistical	형 통계의; 통계학의	☐
1997	literally	부 말 그대로; 정말로	☐
1998	lyric	명 서정시; (노래) 가사 형 서정시의; 서정적인	☐
1999	nominate	동 지명하다; 추천하다	☐
2000	omit	동 빼다, 생략하다	☐

외우지 못한 단어가 있으면 미니 단어장에서 다시 한번 정리해 보세요.

A 영어는 우리말로, 우리말은 영어로 쓰시오.

01 inject …………

02 sanitation …………

03 obscure …………

04 paralyze …………

05 gross …………

06 preliminary …………

07 prosecute …………

08 reassure …………

09 legacy …………

10 notify …………

11 outgoing …………

12 juvenile …………

13 predecessor …………

14 proclaim …………

15 immature …………

16 speculate …………

17 oppression …………

18 ornament …………

19 precede …………

20 compulsive …………

21 늘이다, 연장하다 …………

22 읽고 쓸 수 있는 …………

23 미신 …………

24 적도 …………

25 비관; 비관주의 …………

26 복종; 순종 …………

27 지명하다; 추천하다 …………

28 가죽; 가죽 제품 …………

29 후퇴하다; 후퇴 …………

30 깜짝 놀란, 망연자실한 …………

31 살인, 살해; 살해하다 …………

32 함정; 위험 …………

33 못된 행동을 하다 …………

34 부분적인; 편파적인 …………

35 정권; 제도 …………

36 잘못 이해하다; 오역하다 …………

37 동정; 조의; 공감 …………

38 수습(공); 실습생 …………

39 의무적인; 필수적인 …………

40 입자; 작은 조각 …………

B 빈칸에 알맞은 말을 쓰시오.

01 I am writing this letter to express my gratitude.

→ 저는 ....를 표하기 위해 이 편지를 씁니다.

02 Trees have deep roots while grasses have shallow roots.

→ 풀은 뿌리가 .... 반면에 나무는 뿌리가 깊다.

03 Highly conscientious people are punctual and persevering.

→ 아주 성실한 사람들은 .... 끈기가 있다.

04 Psychologists make the distinction between traits and momentary feelings.

→ 심리학자들은 특성과 .... 감정을 구분한다.

05 Teens have superb cognitive abilities and high rates of learning and memory.

→ 십 대들은 .... 인지 능력과 높은 학습 및 기억 속도를 지닌다.

C 문장의 네모 안에서 문맥에 알맞은 단어를 고르시오.

01 An architect who growls / omits a beam will see his structure collapse.

02 Restraint / Paste in speech was valued by these students and their families.

03 While Gregorio was en route to Spain, pirates robbed / resented him of all his goods.

04 Kant is notorious for arguing that morality depends on reason rather than rage / sentiment .

05 In years of bountiful crops people ate laterally / heartily , and in lean years they starved.

찾아보기
INDEX

A

abandon	144
abandonment	144
ability	31
abnormal	30
abnormality	30
abolish	289
abolishment	289
abrupt	289
abruptly	289
absence	419
absent	419
absolute	144
absolutely	144
absorb	164
absorption	164
abstract	215
abstraction	215
abundance	156
abundant	156
abuse	232
abusive	232
academic	118
academy	118
accelerate	182
acceleration	182
accelerator	182
accept	24
acceptable	24
access	39
accessible	39
acclaim	397
acclamation	397
accommodate	208
accommodation	208
accompany	117
accomplish	78
accomplishment	78
account	43
accountable	43
accountant	43
accumulate	153

accumulation	153
accuracy	42
accurate	42
accurately	42
accusation	278
accuse	278
accustomed	320
achieve	25
achievement	25
acknowledge	144
acknowledgment	144
acoustic	375
acquaintance	252
acquainted	252
acquire	92
acquisition	375
activate	75
active	75
activity	75
actual	24
actualize	24
actually	24
acute	320
adapt	100
adaptability	100
adaptation	71
adaptive	100
addict	48
addiction	201
addictive	48
additional	105
address	144
adequate	253
adequately	253
adhere	321
adherence	321
adjust	83
adjustment	83
administer	195
administration	195
administrator	195
admiration	161
admire	161

admission	111
adopt	78
adopter	78
adoption	78
adorable	419
adore	419
advance	41
advancement	41
advantage	39
advent	397
adventure	375
adventurous	375
adverse	304
adversely	304
adversity	304
advise	291
advisor	291
advisory	291
advocacy	240
advocate	240
aesthetic	153
aesthetics	153
affair	340
affect	25
affection	25
affirm	102
affirmation	102
affirmative	102
affluent	340
afford	189
affordable	189
afloat	421
agency	82
agent	82
aggression	101
aggressive	101
agonize	340
agony	340
agricultural	105
agriculture	105
aid	129
aim	129
alarm	195

alert	232
alien	291
alienate	291
allergic	421
allergy	421
alliance	375
allocate	201
allocation	201
allot	397
allow	15
allowance	15
alter	134
alternate	279
alternative	75
altitude	182
altruism	321
ambiguity	195
ambiguous	195
ambiguously	195
ambition	265
ambitionless	265
ambitious	15
amends	379
amenities	421
amount	21
amphibian	321
ample	398
amplify	398
amuse	232
amused	232
amusement	232
analogous	201
analogy	201
analysis	43
analyst	43
analyze	43
anchor	398
anchorage	398
anguish	379
animate	379
animation	379
announce	102
announcement	102

barren	400	blink	380	brutal	380	carving	240
barrier	157	block	196	brutality	380	cast	203
barter	183	blossom	292	brute	380	casual	266
basic	131	blow	216	bud	423	catastrophe	305
basis	131	blunt	422	budding	423	catastrophic	305
beam	240	blur	380	budget	157	categorize	58
bear	379	blush	400	buffer	322	category	58
beast	225	board	121	bulb	253	causal	16
beat	101	bond	164	bullet	423	cause	16
behave	14	boom	341	bulletin	292	caution	241
behavior	14	booming	341	bulletproof	423	cautious	241
behavioral	14	boost	197	bump	266	cease	381
behold	422	border	200	bumper	266	celebrity	255
beholder	422	borderless	200	bumpy	266	censor	400
belong	133	bother	208	burden	240	censorship	400
belonging	133	bothersome	208	bureaucracy	381	central	171
bend	208	bounce	216	bureaucratic	381	ceremonial	267
beneficent	18	bouncy	216	burial	341	ceremony	267
beneficial	18	bound	240	burrow	322	certificate	216
benefit	18	boundary	197	burst	266	certification	216
bequest	422	boycott	422	bury	341	challenge	24
betray	380	brainstorm	400	buzz	381	challengeable	24
betrayal	380	brainstorming	400	buzzer	381	chamber	292
betrayer	380	brand-new	305	byproduct	381	channel	216
beverage	31	breadth	361			chaos	267
beware	400	breakdown	137			chaotic	267
bias	97	breakthrough	161	**C**		characteristic	45
bid	279	breath	149			characterization	267
bilingual	40	breathe	127	calculate	110	characterize	267
bind	400	breathtaking	143	calculation	110	charge	57
biodiverse	208	breed	182	calculator	110	charity	97
biodiversity	208	breeding	182	calculus	323	charm	382
biofuel	266	breeze	423	camouflage	341	charmed	382
biological	48	bribe	380	campaign	177	charming	382
bitter	189	brick	380	candid	381	chase	208
bitterness	189	brief	165	candidacy	255	cheat	153
blade	240	brilliance	266	candidate	255	cheer	122
blame	157	brilliant	266	capacity	59	chemical	73
blast	380	broad	149	capture	145	chemist	73
blend	233	broaden	361	caregiver	305	chemistry	73
blender	233	browse	322	carpenter	361	cherish	382
bless	225	bruise	400	carpentry	361	chest	279
blessing	225	bruised	400	carve	240	chew	267

merely	147	moist	409	narrate	186	nutritious	147
merge	358	moisture	409	narration	186		
merger	358	moisturize	409	narrative	186		
merit	314	mold	285	native	86	**O**	
messy	353	molecular	314	navigate	353		
metabolic	370	molecule	314	navigation	353	obedience	444
metabolism	94	momentary	444	navigator	353	obese	353
metabolize	370	monetary	259	necessary	86	obesity	353
metal	199	monologue	409	necessity	86	obey	444
metaphor	170	monopoly	333	negative	29	object	24
method	53	monotonous	285	neglect	174	objection	24
methodology	53	monument	409	negligence	174	objective	112
microscope	408	monumental	409	negotiate	260	objectivity	112
migrate	301	mood	213	negotiation	260	obligation	277
migration	301	moody	213	negotiator	260	obligatory	277
military	163	moral	60	nerve	286	oblige	277
mimic	333	morality	60	nervous	286	obscure	433
mindful	432	mortgage	353	neutral	260	observation	50
mineral	248	motion	160	neutralize	260	observatory	50
minimal	371	motionless	160	noble	353	observe	50
minimize	186	motivate	82	nomad	335	obsess	315
minimum	186, 371	motivation	82	nomadic	335	obsession	315
minister	389	motive	229	nominate	445	obsessive	315
ministry	389	multiple	128	nomination	445	obstacle	133
minor	248	multiply	128	nominee	445	obtain	125
minority	248	multitask	301	norm	222	occasion	174
misbehave	444	murder	432	notable	315	occasional	174
misbehavior	444	murderer	432	notice	25	occupation	301
miserable	390	muscle	42	noticeable	25	occupy	301
misery	390	muscular	42	notification	432	occur	32
misinterpret	432	mutation	314	notify	432	occurrence	32
mislead	205	mutual	286	notion	180	odd	186
misleading	205	mutuality	286	notional	180	offend	353
misplace	60	mutually	286	nourish	390	offender	353
mobile	206	myth	155	nourishment	390	offense	353
mobility	206	mythical	155	novelty	78	offensive	353
mobilize	206	mythology	155	nuisance	410	offer	17
moderate	409			numerous	191	official	137
modest	314			nursery	410	offspring	238
modesty	314	**N**		nurture	223	omission	445
modification	199			nutrient	147	omit	445
modify	199	naive	410	nutrition	147	ongoing	354

poet	206	precision	163	preview	83	promptly	200
poetic	206	predator	131	prey	127	prone	336
poetry	206	predatory	131	primarily	83	pronounce	354
policy	79	predecessor	436	primary	83	pronunciation	354
polite	372	predetermination	336	primitive	180	proof	76
politeness	372	predetermined	336	principal	181	propagate	413
political	45	predict	55	principle	57	propel	392
pollen	317	predictable	55	prior	206	propeller	392
pollutant	260	prediction	55	priority	206	proper	138
pollute	260	predominant	26	privacy	138	proportion	174
pollution	260	predominate	26	private	138	proposal	175
ponder	279	prefer	56	privately	138	propose	175
populate	29	preference	56	privilege	413	propulsion	392
population	29	prehistoric	392	probe	336	prosecute	436
portability	301	prehistory	392	procedural	200	prosecution	436
portable	301	prejudice	249	procedure	200	prosecutor	436
portion	391	preliminarily	436	proceed	15	prospect	301
portrait	354	preliminary	436	process	15	prospective	301
portray	301	premature	354	proclaim	436	prosper	317
portrayal	301	preoccupation	413	proclamation	436	prosperity	317
pose	286	preoccupied	413	produce	16	prosperous	317
positive	22	preoccupy	413	product	15	protect	39
possess	163	preparation	74	productive	15	protection	39
possession	163	preparatory	74	productivity	15	protective	39
possibility	21	prepare	74	professional	53	protein	214
possible	21	prescribe	214	proficiency	35	protest	355
post	113	prescription	214	proficient	35	prove	76
postpone	391	presence	129	profit	92	proverb	372
posture	317	preservation	86	profitability	92	provide	14
potential	55	preservative	86	profitable	92	province	414
potentiality	55	preserve	86	profound	354	provincial	414
pottery	105	president	200	program	108	provision	355
pound	129	presidential	200	prohibit	372	provocation	92
pour	170	prestige	392	prohibition	372	provocative	92
practical	126	prestigious	392	project	81	provoke	92
praise	108	presumably	413	prolong	436	psychological	118
praiseworthy	108	presume	413	prolonged	436	psychologist	118
precaution	56	pretend	160	prominent	336	psychology	118
precede	435	prevail	392	promise	83	puberty	148
precedence	435	prevailing	392	promising	26	publication	73
precious	230	prevalent	392	promote	70	publicity	22
precise	163	prevent	35	promotion	70	publish	73
precisely	163	prevention	35	prompt	200	publisher	73

thorn	374
thorny	374
thorough	357
thoroughly	357
thread	396
threat	91
threaten	188
thrill	288
thrive	288
throw	61
tickle	319
tidal	358
tide	358
tissue	396
tolerance	288
tolerant	288
tolerate	288
torment	396
toss	164
toxic	252
trace	264
trade	75
tradition	95
tragedy	224
tragic	224
trail	303
trait	99
transcend	418
transfer	164
transform	171
transformation	171
translate	188
translation	188
translator	188
transmission	232
transmit	232
transplant	418
transport	152
transportation	152
trap	143
treasure	181
treat	74
treatment	74
tremendous	303
trend	100
trendy	100
trial	224
tribe	252
trigger	181

trivia	322
trivial	322
troop	278
tropical	304
trustworthy	288
tuition	232
turbulence	396
turbulent	396
typical	134
typically	134

U

ultimate	152
ultimately	152
unanimous	33
unanimously	33
uncover	319
undergo	319
underlie	44
underlying	44
undertake	418
undoubtedly	396
unemployment	265
unfair	320
unify	418
unique	75
uniqueness	75
universal	144
universe	144
upcoming	18
urban	121
urge	232
urgent	207
utility	252
utilization	252
utilize	252
utmost	86

V

vacancy	42
vacant	42
vaccinate	418
vaccination	418
vaccine	418
vacuum	239

vague	304
vaguely	304
vagueness	304
valid	288
validate	288
valuable	100
vanish	418
vapor	149
vaporize	149
variability	215
variable	215
variety	95
vary	95
vast	171
vegetation	288
vehicle	113
venture	215
venturous	215
verbal	195
verbally	195
verification	43
verify	43
versus	195
vertical	320
veteran	169
via	14
vibrant	396
vibrate	396
vibration	396
vice	396
vicious	396
victim	153
vigor	418
vigorous	418
violate	289
violation	289
violence	265
violent	265
virtual	239
virtuality	239
virtually	239
virtue	397
visible	239
visual	81
visualize	81
vital	224
vitality	224
vitalize	224
vivid	320

voluntary	66
volunteer	66
vote	108
vulnerability	252
vulnerable	252

W

wage	188
wander	339
warehouse	397
warn	208
warning	208
weave	289
weed	358
weigh	129
weight	129
weird	419
weirdo	419
welfare	265
whisper	289
widespread	189
wilderness	320
withdraw	358
withdrawal	358
withhold	419
withstand	320
witness	201
wonder	76
worsen	419
worship	52
worth	97
worthwhile	358
wound	239
wrap	304
wreck	276
wrestle	149

Y

yield	189

맞춰 보기
ANSWERS

PART I 최빈출 어휘

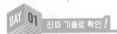

p. 15 정답 (1) ② (2) ④

p. 17 정답 (1) ③ (2) ④
해석 실험과 관찰은 우리에게 단서를 제공하지만, 그 단서들은 비밀스러워서 해결하기에 (2)상당한 독창성을 (1)요구한다. 각각의 새로운 해법으로, 우리는 전반적인 자연의 방식을 조금 더 흘긋 보게 된다.

p. 19 정답 (1) ① (2) ④

p. 23 정답 (1) ③ (2) ①
해석 예를 들어, 만약 당신이 샌드위치를 먹음으로써 하루에 200칼로리를 추가로 섭취하기 시작한다면, 당신은 다음 식사나 그날의 식사 과정 중에 같은 (2)양만큼 칼로리 섭취를 (1)줄이는 경향이 있을 것이다.

p. 25 정답 (1) ④ (2) ⑤

p. 27 정답 (1) ② (2) ③
해석 영화 (1)산업은 명백히 (2)개인의 추천에 영향을 받는다. 매년 10억 달러 이상이 새로운 영화를 홍보하는 데 쓰이지만, 사람들에게 이야기하는 사람들이 정말로 중요한 것이다.

p. 31 정답 (1) ③ (2) ①
해석 그래프는 미국의 인구 비율과 네 개의 다른 연령대 사이의 신문 독자 비율을 (1)비교한다. 네 가지 연령대 중 18~24세 그룹이 (2)인구와 신문 독자층 모두에서 가장 낮은 비율을 차지하고 있다.

p. 33 정답 (1) approach (2) immediately
해석 가장 만족스러운 기혼 커플은 자신의 배우자를 (2)즉각적으로 비난하지 않고 문제에 (1)접근하는 경향이 있다.

p. 35 정답 (1) ③ (2) ②

Wrap Up / DAY 01 ~ 03   pp.37~38

A 01 영향; 효과, 결과 02 막다, 예방하다 03 (~에게) 알리다; 정보를 주다 04 제공하다; 제안하다; 제안; 제공 05 대답; 반응 06 요구하다; 필요로 하다 07 반대하다; 물체; 목표 08 사회적인; 사교적인 09 결심; 결정; 판결 10 직접의; 즉각적인 11 위험을 감수하다; 위태롭게 하다; 위험 12 허락하다, 허가하다 13 경제 14 이루다, 달성하다 15 교육, 훈육 16 개개의; 개인적인; 개인 17 줄이다; 줄어들다 18 평균의; 보통의; 평균 19 기회 20 특별한; 특정한 21 industry 22 attention 23 local 24 population 25 behave 26 suggest 27 consume 28 tend 29 positive 30 approach 31 situation 32 realize 33 considerable 34 cause 35 discourse 36 assume 37 term 38 ability 39 describe 40 deal

B 01 limit 02 publicity 03 antique 04 follow 05 challenge

C 01 support 02 force 03 improve 04 details 05 contrast

p. 41 정답 (1) gain (2) advantage

p. 43 정답 (1) ② (2) ⑤
해석 최상의 제품을 찾는 방법은 이 모든 정보를 (1)고려하여 진열된 여러 브랜드를 주의 깊게 (2)분석하는 것입니다.

p. 45 **정답** (1) ④ (2) ②

해석 (1)정치적 행위는 기여의 측면에서 다양하다. 한쪽 극단에서는, 표가 어느 정도까지는 (2)같은 영향력을 가진다. 매번의 선거전에서 우리 각자에게 오직 한 표만 허락되어 있다. 하지만 일 인당 한 표라는 원칙은 다른 종류의 (정치적) 참여에서는 통용되지 않는다.

p. 49 **정답** (1) maintain (2) constant

해석 가장 흥미로운 자연의 체온 조절 행동 중에는 벌과 개미와 같은 사회적 곤충들의 행동이 있다. 이 곤충들은 일 년 내내 자신들의 벌집이나 흙무더기에서 거의 (2)일정한 온도를 (1)유지할 수 있다.

p. 51 **정답** (1) ③ (2) ②

해석 전문가들은 에너지 효율을 증진하는 다수의 (2)대책을 (1)발견했다. 불행히도, 많은 대책들은 비용 효율적이지 않다. 이것은 경제적 관점에서 에너지 효율 투자를 향한 하나의 근본적인 필요조건이다.

p. 53 **정답** (1) ② (2) ⑤

해석 어떤 주어진 정책 상황의 사실들을 결정하는 과학적 (1)방법의 사용을 통해, 사회적 (2)구성의 힘은 줄어들 것으로 추정되며, 사회 문제에 대한 해결책들은 객관적인 방법으로 발견된다.

p. 57 **정답** (1) ③ (2) ①

해석 문맥과 (1)내용이 적절하게 결합되지 않은 엉망으로 만들어진 텍스트에 도달했을 때, 우리는 이해하기 위해 고군분투해야 하며, 작가가 의도한 것에 대한 우리의 이해는 아마도 그의 원래 (2)의도와 관련이 거의 없을 것이다.

p. 59 **정답** ②

해석 아프리카계 미국인의 문화가 성 역할에 대한 더 많은 유연성을 (1)인식하고, 보다 넓은 범위의 성별에 부합하는 행위를 수용하므로, 아프리카계 미국인 여성들은 백인 여성만큼 성 역할 고정관념에 의해 구속을 받지 않는다. 소녀와 여성들을 위한 운동 경기는 아프리카계 미국인 여성의 성 역할에 상충된다고 (2)인식되지 않는다.

p. 61 **정답** (1) ② (2) ⑤ (3) ④

Wrap Up / DAY 04~ 06   pp.63~64

A 01 실망한, 낙담한 02 (~에) 달려 있다; (~에) 의존하다 03 변치 않는, 일정한; 지속적인 04 정치의; 정당의 05 방법, 방식 06 이론, 학설 07 관객, 청중; 시청자 08 기증하다, 기부하다 09 보호하다, 지키다 10 전략; 계획 11 현실적인, 실현 가능한 12 알고 있는; ~한 의식이 있는 13 내부의, 실내의; 내부, 실내 14 얻다; 벌다; 늘리다; 증가; 이득 15 수용력, 용량; 능력 16 판단하다; 심판하다; 재판관; 심판 17 예언하다, 예측하다; 예보하다 18 가리키다; 나타내다; ~의 징후이다 19 진화; 발전 20 선호하다, 더 좋아하다 21 ignore 22 extreme 23 argument 24 principle 25 expert 26 bilingual 27 biological 28 vacant 29 intention 30 analyze 31 explore 32 muscle 33 flow 34 moral 35 elect 36 concept 37 potential 38 conflict 39 worship 40 respect

B 01 superficial 02 independent 03 imperial 04 Mental 05 verify

C 01 equal 02 impacts 03 surface 04 harm 05 reveal

p. 67 **정답** (1) ⑤ (2) ③

p. 69 **정답** (1) ③ (2) ②

해석 애완동물을 보호소로 들여보내야 하는 스트레스에 직면하기보다, 주인들은 애완동물들을 그들의 거주

(1)<u>범위</u>로부터 멀리 떨어진 곳으로 운전해 가서 버린다. 어떤 사람들은 그 동물이 보호소에서보다 자유롭게 돌아다닐 때 (2)<u>생존</u>할 가능성이 더 크다고 믿는데, 이는 애완동물을 버린 사람의 양심의 가책을 덜기 위해 형성된 잘못된 믿음이다.

p. 71 　정답 　(1) ① 　(2) ⑤
해석 　어떤 (1)<u>식물</u>은 먹도록 설계된 최초의 (2)<u>일련의</u> 잎들을 생산하고, 더 고급스러운 성장은 한번 일어난 후에야 발생한다.

p. 75 　정답 　(1) ② 　(2) ⑤
해석 　화학 업계는 식품과 백신은 냉장 보관하지 않으면 상하기 때문에 경제적인 재앙뿐만 아니라 수많은 사망자가 발생할 것으로 예측하며, 오존을 고갈시키는 (2)<u>화학 물질</u>에 대한 실용적인 (1)<u>대안</u>이 있다는 사실을 부인했다.

p. 77 　정답 　(1) ③ 　(2) ①

p. 79 　정답 　(1) ② 　(2) ⑤
해석 　예를 들어, 한 대기업이 (2)<u>전기</u> 모터를 제거하기 위해 다음의 직원을 요구하는 (1)<u>정책</u>을 갖고 있다 하자. 덮개를 제거하기 위한 양철공, 전기 공급을 끊기 위한 전기 기사, 대의 빗장을 여는 기계 조립공, 그리고 대로부터 모터를 제거하는 노동자 한두 명.

p. 83 　정답 　(1) ② 　(2) ⑤

p. 85 　정답 　(1) ④ 　(2) ⑤
해석 　그들은 빛을 (1)<u>탐지하도록</u> 허용한 귀머거리 고양이의 뇌의 부분이 주변 소리를 (1)<u>탐지하도록</u> 허용한 뇌의 부분과 동일하다는 사실을 발견했다. "뇌는 매우 (2)<u>효율적</u>이고 어떤 공간도 낭비하게 하지 않습니다."라고 그 연구 프로젝트를 이끌었던 Stephen Lomber 박사가 말했다.

p. 87 　정답 　(1) ② 　(2) ④
해석 　관광객들에게 (1)<u>토착</u> 미술품을 팔거나 그들을 위해 민속춤을 공연할 기회는 지역 예술가들에게 전통적인 예술 형태를 (2)<u>보존하도록</u> 용기를 북돋아 줄 수 있다. 예를 들어, 피지 제도에 사는 사람들은 그들의 야자수 깍개와 조개껍데기로 만든 장신구를 돈벌이가 되는 관광 사업으로 발전시켜 왔다.

Wrap Up / DAY 07 ~ 09 　　　　pp.89~90

A 01 이루다, 성취하다 　02 발견하다; 탐지[감지]하다; 수사하다 　03 설립하다; 확립하다 　04 화학의, 화학적인; 화학 물질 　05 흩뿌리다; 흩어지다 　06 쫓아내다, 추방하다 　07 급파하다; 발송하다; 급파; 발송 　08 우울한, 의기소침한; 불경기의 　09 대안의; 대안; 양자택일 　10 의복, 옷 　11 의식하고 있는, 의식적인 　12 주요한; 초기의; 근본적인 　13 향상하다, (가치 등을) 높이다 　14 집중하다, 전념하다 　15 지각, 자각, 인식 　16 고무하다; 영감을 주다; (감정 등을) 불어넣다 　17 능률적인, 효과적인; 유능한 　18 필요(성); 필수품 　19 나타내다, 의미하다; 대표하다; 표현하다 　20 촉진[장려]하다; 승진시키다; 홍보하다 　21 adaptation 　22 patient 　23 compete 　24 intelligence 　25 intrude 　26 identity 　27 prepare 　28 confuse 　29 policy 　30 publish 　31 adopt 　32 native 　33 purpose 　34 agency 　35 demonstrate 　36 active 　37 genetic 　38 glimpse 　39 context 　40 commercial
B 01 discovery 　02 spread 　03 device 　04 series 　05 distinct
C 01 ② 　02 ④ 　03 ③ 　04 ① 　05 ②

p. 93 　정답 　(1) ④ 　(2) ③
해석 　위 그래프는 2011년과 2012년 사이에 독서 인구의 변화를 보여 준다. (1)<u>전반적으로</u> 책을 읽은 사람들의 비율은 2011년의 78%에서 2012년의 75%로 (2)<u>감소했다</u>.

p. 95 정답 (1) variety (2) destroying

해석 유전학에 관한 새로워진 관심은 아직 알려지지 않은 (1)다양한 목적을 위해서 이용될 수 있는 흥미롭거나 유용한 유전 특성을 가진 많은 야생 동식물이 있다는 인식을 점점 키웠다. 이것은 결국 자연 생태계가 암, 말라리아 또는 비만에 대한한 미래의 약을 품고 있을 수도 있기 때문에 자연 생태계를 (2)파괴하는 것을 피해야 한다는 것을 깨닫게 해 주었다.

p. 97 정답 (1) ② (2) ④

해석 비토착종에 의한 자연 공동체의 침입은 현재 전 세계적인 (1)규모의 가장 중요한 환경 문제 중 하나로 평가된다. 생물학적 다양성의 상실은 그것이 (2)생태계의 기능에 끼칠 영향에 대한 우려를 낳아 왔고, 그러므로 둘 사이의 관계를 이해하는 것이 지난 20년간의 생물학 연구에서 주요 과제가 되어 왔다.

p. 101 정답 (1) valuable (2) decades

해석 그러나 인간의 몸은 식량이 부족한 환경에서 시간이 흐르면서 진화해 왔다. 따라서, 지방을 효율적으로 저장하는 능력은 우리 조상에게 수천 년 동안 많은 도움을 준 (1)귀중한 생리학적인 기능이다. 겨우 지난 몇 (2)십 년 동안에서야 비로소, 주요 산업 선진 경제국에서 식량이 매우 풍부해지고 구하기 쉬워져서 지방 관련 건강 문제를 야기하게 되었다.

p. 103 정답 (1) ② (2) ④

해석 이 (1)농작물은 일 년 내내 수확되고, 따라서 적정한 몫의 물 그 이상을 필요로 한다. 그 작물의 경제적 (2)지위는 생계형 작물로부터 물 권리를 사거나 매수할 수 있도록 보장한다.

p. 105 정답 (1) ⑤ (2) ④

p. 109 정답 (1) ⑤ (2) ①

---

p. 111 정답 (1) ② (2) ⑤

해석 위 그래프는 2011년 미국의 도시와 시골 가구의 연평균 (1)오락 경비 지출을 보여 준다. 다섯 개 범주 중, 다른 세 범주에서 시골 가구가 도시 가구보다 더 많은 돈을 쓴 반면, 도시 가구는 오디오와 시각 장비, 서비스에 시골 가구보다 더 많은 요금과 (2)입장료를 썼다.

p. 113 정답 (1) ③ (2) ④

해석 Felix는 학교 웹사이트에 (1)게시된 비디오를 이용해 과학 공부를 하고 있었다. 그는 짓궂은 남동생에게 화난 표정을 지었다. 바로 그때, 엄마가 주방에서 큰 소리로 물었다. "뭐 하고 있니, Felix?" Felix의 방은 주방 바로 옆에 (2)위치해 있었고 그는 엄마의 말을 뚜렷이 들을 수 있었다.

Wrap Up / DAY 10~12   pp.115~116

A 01 당혹스러운, 난처한 02 걱정, 불안; 열망 03 고립시키다, 격리하다 04 등록; 등기 05 처음의, 초기의; 첫 글자 06 명백한; 겉보기의 07 임대차 (계약); 임대하다 08 경향, 추세; 성향 09 농업의, 경작의 10 알리다, 발표하다; 공고하다 11 자비; 자선 (행위); 자선 단체 12 위협, 협박 13 피조물; 생물; 동물 14 얻다, 획득하다; 습득하다 15 규칙적인; 정기적인; 정규의 16 기원, 근원; 출신 17 점진적인; (경사가) 완만한 18 칭찬, 찬양; 칭찬하다 19 나누어 주다; 배포하다; 유통시키다 20 추구하다; 추적하다; 수행하다 21 tradition 22 department 23 reaction 24 divine 25 vote 26 physical 27 additional 28 crime 29 award 30 target 31 eliminate 32 decade 33 confidence 34 defend 35 exchange 36 revenge 37 sensitive 38 edit 39 recover 40 aggressive

B 01 Identical 02 exceed 03 deliver 04 complain 05 overcome

C 01 decline 02 appeal 03 beat 04 enable 05 valuable

p. 119 정답 (1) ③ (2) ①

해석 보통 종교적 신화는 그 사회의 윤리적 행동 (1)규약을 다양한 방식으로 보여 주는 초자연적인 존재에 관한 이야기들을 특징으로 한다. 올바른 행동은 특정 문화가 인정하는 초자연적인 힘의 승인을 얻는다. 잘못된 행동은 초자연적인 힘의 대행자를 통한 처벌을 야기할 수 있다. 간략히 말하자면, 사람들에게 자신의 행동에 대한 (2)죄의식과 불안감을 불러일으킴으로써, 종교는 사람들이 규칙을 지키게 하는 데 도움을 준다.

p. 121 정답 (1) ④ (2) ②

해석 • 무료 셔틀 버스 서비스가 Central Station에서 George Street를 경유하여 Marin Education Center 까지 우리의 역사적인 항구 도시에서 (1)운영됩니다.
• 여러분은 녹색 셔틀 로고가 있는 어느 정거장에서나 버스에 (2)탑승할 수 있습니다.

p. 123 정답 (1) clients (2) equipment

해석 예를 들면, 장비를 점검하거나 설치할 때의 첫 번째 단계는 고객들이 (2)장비를 어떻게 사용했는지를 알기 위해 (1)고객들과 이야기하는 것이다. 똑같은 내용이 판매에도 적용된다. 판매원은 먼저 고객이 필요로 하는 것에 대해 알아야 한다.

p. 127 정답 (1) ④ (2) ②

해석 화학 업계는 식품과 백신은 냉장 보관하지 않으면 상하기 때문에 경제적인 (2)재앙뿐만 아니라 수많은 사망자가 발생할 것으로 예측하며, 오존을 고갈시키는 화학 물질에 대한 (1)실용적인 대안이 있다는 사실을 부인했다.

p. 129 정답 (1) ③ (2) ⑤

해석 작은개미핥기는 길이가 21인치에서 35인치까지 자라고, 꼬리는 16인치까지 자란다. 작은개미핥기는 일반적으로 7에서 19(2)파운드 정도의 (1)무게이다. 그들의

주요 방어 수단은 날카로운 발톱이다. 낮에는 많은 파리와 모기떼에 둘러싸여서 종종 이러한 곤충들을 눈에서 쓸어버리는 광경이 목격된다.

p. 131 정답 (1) ③ (2) ②

p. 135 정답 (1) ① (2) ⑤

해석 여기서 '요령'은 개개의 인간이 사회적 구성 그 자체이며, 그들이 생애 동안 (1)접해 온 사회적, 문화적 영향의 다양성을 구현하고 반영한다는 것을 인식하는 것이다. 우리의 개인성이 (2)부인되는 것이 아니라, 특정한 사회적, 문화적 경험의 산물로 여겨지는 것이다.

p. 137 정답 (1) ② (2) ⑤

해석 여러분이 협상에서 이루어진 (1)약속을 깨뜨린다면, 분명히 다시는 그 특정 상대와 협상할 기회를 얻지 못할 것입니다. 때때로 약속을 (2)이행하는 것이 고통스럽지만, 여러분이 약속을 이행하지 않았기 때문에 거래를 놓치는 것은 더 고통스럽고 치명적일 수 있습니다.

p. 139 정답 (1) ⑤ (2) ④

해석 정답은 택시 운전사이다. 왜냐하면 택시 운전사들은 매우 자주 새로운 경로로 가야 할 필요가 있기 때문이다. 이것을 하려면, 그들은 모든 종류의 경로를 기억하기 위해 뇌의 해마를 (1)집중적으로 사용해서 그들의 (2)목적지에 도달할 가장 빠른 방법을 알아낸다.

Wrap Up / DAY 13~15   pp.141~142

A 01 학자; 장학생 02 실제적인; 실용적인 03 ~와는 다른; 반대되는; 반대(되는 것) 04 저항하다; 방해하다; 견디다 05 강의, 강연; 훈계; 강의하다 06 집합적인; 집단의; 공동의 07 도시의; 도시에 사는 08 장애(물), 방해(물) 09 심리학의; 심리[정신]적인 10 확신하는; 자신 있는 11 결과, 성과 12 제출하다;

복종시키다 13 확실히 하다; 확인하다 14 (주의를) 흩뜨리다, 딴 데로 돌리다 15 붙이다, 첨부하다; 달라붙다 16 효율(성), 능률 17 삽화를 넣다; (예를 들어) 설명하다 18 고객; 의뢰인 19 공무원; 임원; 공무상의; 공식의 20 구별하다; 식별하다
21 autobiography 22 ideal 23 deny
24 accompany 25 disaster 26 gender
27 breathe 28 instinct 29 debt 30 private
31 breakdown 32 atmosphere 33 fiction
34 oxygen 35 weigh 36 symbol 37 escape
38 imitate 39 academic 40 routine

B 01 aid 02 intensive 03 multiple
04 equipment 05 peer

C 01 immigrants 02 grateful 03 compliments
04 installing 05 cheer

p. 145 정답 (1) ① (2) ③ (3) ④

p. 147 정답 (1) ⑤ (2) ①
해석 어떤 사람들은 당신이 인간의 본성을 변화시킬 수 없다고 믿고, 그래서 그들은 진화하는 인간의 의식이라는 개념을 단지 보증되지 않은 이상주의라고 생각한다. 그러나 인간 본성이란 무엇인가? 사전은 본성이 사람 또는 사물의 (1)고유의 특성이나 기본적인 구성 즉, 그것의 (2)본질이라고 정의한다.

p. 149 정답 (1) reward (2) magnitude

p. 153 정답 (1) Aesthetic (2) secure
해석 문학이 교육의 기본 목표가 되는 것처럼, 모든 창의적인 유아기 프로그램의 중대한 목표들 중 하나는 아동들이 예술에 관한 자신의 태도, 느낌, 사고를 자유롭게 말하는 능력을 발달시키도록 돕는 것이다. 각 아동은 미, 기쁨, 경이의 개인적 선택을 할 권리가 있다. (1)미적 발달은 경쟁과 성인의 판단이 없는 (2)안정된 환경에서 일어난다.

p. 155 정답 (1) ⑤ (2) ③

p. 157 정답 (1) ① (2) ③
해석 이런 종류의 접근법은 중요한 지식을 제공했지만, 우리가 해양 생물을 보는 방식에 영향을 미치기도 했다. 그 것은 우리가 (1)풍부함, 생산 비율, 그리고 분포 패턴에 초점을 두도록 이끈다. 그러한 관점은 어업을 위한 자원으로서의 해양이라는 맥락에서는 매우 (2)적절하다.

p. 161 정답 (1) ② (2) ④

p. 163 정답 (1) ② (2) ⑤
해석 바다에서의 문제는 18세기 중반에 John Harrison에 의해서 드디어 해결되었는데, 그는 배의 끊임없는 움직임에도 불구하고 계속해서 (2)정확하게 시각을 알려주는 (1)항해용 정밀 시계를 발명하였고, 그럼으로써 최초로 어떤 곳에 있는 배도 자신의 경도를 확인하는 것을 가능하게 만들어 주었다.

p. 165 정답 (1) ⑤ (2) ③

Wrap Up / DAY 16~18 pp.167~168

A 01 절대적인; 완전한; 확고한 02 경작하다; 재배하다; (재능·품성 등을) 기르다 03 우주의; 전 세계의; 보편적인 04 보통의, 평범한; 보통 사람[물건] 05 모으다, 축적하다 06 만족; 만족을 주는 것; 보상 07 편리, 편의; 편의 시설 08 궁극적으로; 결국, 최후로 09 인식의, 인지의 10 (노력 등을 ~에) 바치다; 전념하다 11 면역; 면역성이 있는 12 참다, 견디다; 지속하다 13 보증(서); 보증하다 14 소매의; 소매; 소매하다 15 부러워하는, 샘내는 16 단지, 그저

17 관련된; 적절한　18 장벽; 경계(선); 장애물　19 풍부,
많음　20 충분한, 족한　21 remind　22 geography
23 budget　24 essence　25 former　26 rural
27 crisis　28 artificial　29 absorb　30 justice
31 insist　32 extinct　33 breath　34 ingredient
35 liquid　36 invade　37 fossil　38 symptom
39 reward　40 possess

B 01 blames　　02 random　　03 floated
04 sacrifice　05 wrestle

C 01 inherent　02 refuse　03 exert　04 brief
05 superior

p. 171 정답　(1) ⑤　(2) ②
해석　'차가운 눈길(냉담한 시선)'과 '차가운 어깨(냉대)'
와 같은 (1)은유는 차가운 관련 개념을 사용하여 사회적 거
부를 묘사한다. 그것들은 문자 그대로 받아들여져서는 안
되며 확실히 온도 저하를 (2)의미하지는 않는다. 그러나 두
가지 실험은 그러한 표현들이 단순한 (1)은유 그 이상이라
는 것을 밝혀냈다.

p. 173 정답　(1) layer　(2) derived

p. 175 정답　(1) ④　(2) ②
해석　예를 들어 대부분의 투자가 생산을 시작하기 전에
발생하는 태양 전지판이나 풍력 엔진으로부터의 에너지
(1)생산은 대부분의 화석 연료 추출 기술과 비교했을 때 다
르게 평가될 필요가 있을 수 있는데, 화석 연료 추출 기술에
서는 많은 (2)비율의 에너지 (1)생산이 훨씬 더 빨리 가능
하고, 더 큰 (상대적) (2)비율의 투입이 추출 과정 동안에 적
용되고 선행 투자되지는 않는다.

p. 179 정답　(1) ④　(2) ②
해석　초기 농경인의 뼈는 아마도 (1)수확 사이의 정기
적인 기근의 시기에 의해 발생했을 비타민 결핍의 흔적을
보여 준다. 그것들은 어쩌면 쟁기질, 작물 수확, 나무 베기,
건물과 울타리 유지 보수하기, 그리고 (2)곡물 빻기를 하는
데 요구되는 강도 높은 노동과 관련이 있는 스트레스의 징
후 또한 보여 준다.

p. 181 정답　(1) ②　(2) ⑤
해석　자연은 보통 마술의 어떤 형태나 자연 이상의, 즉
초자연적인 수단에 의해 도전받아야 했다. 과학은 그와
(1)반대의 일을 하며, 자연의 법칙 내에서 작용한다. 과학의
방법들은 대체로 초자연적인 것에 대한 의존을 없앴지만 완
전히 그러지는 못했다. 옛 방식들이 (2)원시적인 문화 속에
엄연히 지속된다.

p. 183 정답　(1) breeding　(2) density
해석　어떤 동물들과 식물들은 수용력에 대한 내재된 감
각을 지니고 있어서, (수용력의) 범위를 초과하여 급격한 자
연 소멸을 하는 대신에, 서식지가 지탱할 수 있는 한계 내에
서 개체 수를 유지한다. 예를 들면, 호수 송어는 개체 수의
(2)밀도가 지나치게 극적으로 증가할 때 그만큼 왕성하게
(1)번식하는 것을 멈춘다.

p. 187 정답　(1) narratives　(2) minimize

p. 189 정답　(1) ③　(2) ⑤

p. 191 정답　(1) ③　(2) ④
해석　권력 차이에 있어서, 당신의 문화나 배경이 더
(1)계층적일수록 권력 차이가 더 큰 경향이 있다. 이는 계
층적 문화가 관리자와 직원들 사이에 차이를 (2)강화하기
때문이다.

A 01 협력하다, 합작하다　02 순수한; 깨끗한, 맑은
03 계급[계층]의　04 고치다; 낫다; 치료하다　05 외
과; (외과) 수술　06 가속하다; 촉진하다; 가속화되다
07 반복, 재현　08 물리학; 물리적 현상　09 강화
하다, 보강하다　10 가설, 가정　11 (과학) 기술의; 전
문적인　12 고도, 높이　13 수확하다; 수확, 추수; 결
과물　14 후한; 넉넉한; 관대한　15 층, 겹　16 직관;
직감　17 방해하다; 간섭[참견]하다　18 밀도; 농도
19 평론가; 비판적인　20 방아쇠를 당기다; 유발하다;
방아쇠; 계기　21 spirit　22 maximize
23 imaginary　24 quantity　25 barter
26 metaphor　27 defense　28 row　29 shelter
30 threaten　31 infinite　32 emphasis
33 veteran　34 gravity　35 rescue
36 congestion　37 justify　38 consult
39 propose　40 bitter
B 01 democracy　02 Silence　03 principal
04 pour　05 straight
C 01 ⑤　02 ②　03 ②　04 ③　05 ①

p. 197　정답　(1) bare　(2) attain
해석　음식과 주거지에 필요한 (1)기본적인 최소한도를
벗어난 돈은 목적에 대한 수단에 불과하다. 하지만 매우 흔
히 우리는 수단을 목적과 혼동하여 돈(수단)을 위해 행복
(목적)을 희생한다. 이것은 물질적 부의 축적과 생산 그 자
체가 잘못되었다고 말하는 것이 아니다. 물질적 번영은 사
회뿐만 아니라 개인이 더 높은 수준의 행복에 (2)이르는 것
을 돕는다.

p. 199　정답　(1) ⑤　(2) ③
해석　다국적기업의 일부 상품의 유해한 영향을 드러내
지 않는 현혹성 광고의 결과로 개발도상국에서 또 다른
(1)바람직하지 않은 영향이 일어날 수 있는데, 이러한 광고
는 선진국 시장 경제에서는 금지되지만 개발도상국에서는
규제가 (2)불충분하기 때문에 이용 가능하다.

p. 201　정답　(1) ⑤　(2) ①
해석　1912년, 미국 (1)대통령 선거가 (2)한창이었다.
Theodore Roosevelt는 힘든 선거운동 중에 있었고, 매
일 새로운 도전이 오는 것처럼 보였다. 하지만 여기 아무도
예상하지 못했던 힘든 도전이 있었다.

　진짜 기출로 확인!

p. 205　정답　(1) ④　(2) ③
해석　복사기는 주기적인 유지 관리가 필요한데, 그것은
사용자들 사이에 고르게 분포되지 않는 경향이 있는 (토너
카트리지를 설치하거나 걸린 종이를 (1)빼내는 방법과 같
은) 전문적인 지식을 필요로 하는 일이다. 이런 특징들은 대
화를 (2)시작할 자연스러운 이유를 사람들에게 제공하기 때
문에, 비공식적인 상호작용에 아주 좋은 자극이다.

p. 207　정답　(1) ②　(2) ④
해석　그 은행은 직원을 20명 정도의 팀으로 조직했지
만, 그들은 부분적으로는 자신들의 업무가 전화기 한 대와
컴퓨터 한 대가 있는 칸막이가 설치된 작은 공간에 앉아 완
전히 (1)혼자서 이루어졌기 때문에 상호작용을 별로 하지
않았다. 은행이 직원 배치 수준을 (2)안정되게 유지하기 위
해 쉬는 시간에 시차를 두었기 때문에, 어쨌든 그들이 서로
매우 자주 마주칠 가능성은 낮았다.

p. 209　정답　(1) ⑤　(2) ④

　진짜 기출로 확인!

p. 213　정답　(1) ②　(2) ①

p. 215 정답 　(1) venture　(2) territory

해석　당신은 도전해야 합니다. 당신은 현재의 경험의 한계를 넘어서 (1)과감히 나아가고 새로운 (2)영역을 탐구해야 합니다. 그곳은 개선하고, 혁신하고, 실험하고, 성장할 기회가 있는 곳입니다.

p. 217 정답 　(1) ⑤　(2) ③

Wrap Up / DAY 22~ 24

A 01 존재, 현존　02 긴급한, 절박한; 재촉하는　03 자극하다; 고무하다　04 부인하다, 반박하다, (~와) 모순되다　05 협력하다, 협조하다　06 경보를 발하다; 놀라게 하다; 경보　07 제약; 제한　08 언급; 말하다, 언급하다　09 천재(성)　10 불충분한; 부적당한　11 진짜의; 진실한　12 임명[지명]하다; (시간·장소를) 지정하다　13 절차; 진행　14 상담하다; 조언하다; 상담; 조언　15 전문의; 분화한　16 말의, 구두의　17 증명서; 자격증; 자격증을 교부하다　18 환각, 환상, 착각　19 잘 구부러지는; 융통성 있는　20 단백질; 단백질의　21 addiction　22 filter　23 departure　24 philosophy　25 ambiguous　26 mislead　27 envelope　28 herd　29 persuade　30 election　31 poet　32 prescribe　33 apologize　34 duty　35 variable　36 fade　37 bounce　38 formal　39 bother　40 accommodate

B 01 fabric　02 crawling　03 casts　04 witness　05 hesitate

C 01 mood　02 launch　03 aquatic　04 chase　05 scent

p. 223 정답 　(1) ⑤　(2) ③

해석　Warren은 원래 취미로 가구 설계와 시공에 과감하게 뛰어들었으나, 44세에는 금속 가구를 설계하고 (1)생산하기 위해 로스앤젤레스로 이주하였다. 그는 가구에 알루미늄을 사용한 (2)선구자 중 한 사람이었으며, 그가 공헌한 것에는 대량 생산을 촉진시키는 (기술) 향상과 특허들이 포함되었다.

p. 225 정답 　(1) vital　(2) assembly

p. 227 정답 　(1) ②　(2) ⑤

해석　비록 여러분이 보고 싶어 하지 않더라도, 여러분의 뇌는 계속 변하는 연속된 이미지들에 이끌리는데, 왜냐하면 변화가 생과 사의 (1)결과를 낳을 수도 있기 때문이다. 실제로, 우리의 옛 아프리카 조상들이 그들의 모든 주의력을 막 익은 과일이나 다가오는 포식자들에게 집중하는 것을 잘 하지 못했다면, 우리는 여기에 없을 것이다. 같은 이유로, 사물이 보통 그러한 혹은 온당히 그래야 하는 방식과 그다지 (2)일치하지 않는 특이한 세부 사항에 대한 강한 민감도는 교전 지역에 있는 군인에게는 중요한 자산이다.

p. 231 정답 　(1) spills　(2) spilled　(3) sweating

해석　첫 번째 경우에는 긴 소매, 긴 바지, 더블 재킷이 화상, (1)엎질러진 것, 튀기는 것에 대한 방벽이 된다. 튼튼한 신발은 떨어지는 조리 기구와 칼로부터 보호해 주고 그것은 또한 요리사가 (2)엎질러진 음식과 기름기로 미끄러운 바닥에서 미끄러지는 것을 방지해 준다. 두 번째 경우에는 긴 소매, 더블 재킷, 목 손수건이 (3)땀을 흘리는 요리사로부터 음식을 보호한다.

p. 233 정답 　(1) ②　(2) ④

p. 235 정답 　(1) ④　(2) ①

해석　다른 사람들에게 해를 입히는 것에서 생기는 죄책감에 초점을 맞춰 온 Martin L. Hoffman은 이러한 죄책감의 동기적 근거는 (1)공감의 (2)고통이라고 제시한다. (1)공감의 (2)고통은 사람들이 자신의 행동이 다른 사람에게 해나 고통을 초래한 것을 부인할 때 일어난다.

p. 239 정답 (1) intimate (2) incorporate

p. 241 정답 ②

해석 의학 치료에 관한 한 환자들은 선택을 축복이자 부담으로 본다. 그리고 그 부담은 주로 여성들에게 주어지는데, 그들은 일반적으로 자기 자신의 건강뿐만 아니라 남편과 아이들의 건강의 수호자이다.

p. 243 정답 (1) ⑤ (2) ①

해석 인간은 동시에 비슷하기도 하고 다르기도 해서 둘다로 인해 동등하게 대우받아야 한다. 평등의 기초를 인간의 획일성이 아니라 획일성과 차이의 상호작용에 두는 그러한 견해는 평등이라는 바로 그 개념에 차이를 만들어내고, 전통적인 평등을 유사성과 (1)동일시하는 것을 깨뜨리며, 일원론적 (2)왜곡의 영향을 받지 않게 된다.

Wrap Up / DAY 25~ 27
pp.245~246

A 01 조심; 경고; 주의(경고)를 주다 02 셀 수 없이 많은, 무수한 03 무시하다; 경시하다; 무시; 경시 04 일그러뜨리다, 비틀다; 왜곡하다 05 조각(품); 조소 06 사나운; 맹렬한; 치열한 07 귀의, 청각의 08 조리법, 요리법; 비결 09 결과, 결론; 중요성 10 자극(제); 격려 11 믿을 수 없는; 엄청난 12 규정; 규제 13 개인 간의; 대인 관계의 14 지속; 지속 기간 15 자식; (동식물의) 새끼 16 피로; 노고; 피곤하게 하다 17 억지로 ~시키다; 강요하다 18 잠; 부담; 부담을 지우다 19 불가피한, 필연적인 20 열망하다; 동경하다 21 religion 22 jar 23 enclose 24 donor 25 endanger 26 dense 27 tragedy 28 mammal 29 march 30 sweat 31 commute 32 horizon 33 virtual 34 destructive 35 mature 36 vacuum 37 abuse 38 innate 39 advocate 40 pioneer

B 01 storm 02 beast 03 folk 04 disguise 05 alert

C 01 precious 02 wounds 03 correspond 04 confined 05 fundamental

p. 249 정답 (1) ④ (2) ⑤

p. 251 정답 (1) ① (2) ⑤

해석 공격적인 어로 행위가 발생하는 때와 같이, 개체수가 위협을 받을 때 송어는 더 많은 새끼를 낳고 더 빠른 속도로 번식 가능한 크기로 성숙해질 것이다. 작은 연못에 많은 물고기가 함께 사는 때와 같이, 공간과 먹이가 (1)부족할 때에, 송어는 더 작은 크기를 유지하고 더 천천히 (2)번식한다.

p. 253 정답 (1) ③ (2) ②

해석 Laurence Thomas는 '부정적인 감정'(없다면 우리가 더 나을 것 같다고 믿을 이유가 있어 보이는 감정들인 비통, 죄책감, 분개, 화와 같은 감정들)의 (1)유용성은 그것들이 사랑과 존경심 같은 그런 기질적 감정에 대한 일종의 (2)진정성을 보장해 준다는 점에 있다는 것을 암시했다.

p. 257 정답 (1) ① (2) ③

해석 그 후 집으로 돌아오는 길에, Leicester Square 지하철역에서 지하철을 기다리던 중 그는 (1)버려진 책 한 권이 자신의 옆에 있는 의자 위에 놓여 있는 것을 보았다. 그 책은 〈The Girl from Petrovka〉였다. 마치 그것이 충분한 (2)우연의 일치가 아닌 것처럼, 더한 것이 뒤따르게 되어 있었다.

p. 259 정답 (1) ④ (2) ③

p. 261 정답 ①

해석 로스앤젤레스의 한 학교의 연구원들은 피아노 치는 법을 배우고 악보를 읽는 법을 배운 136명의 초등학교 2학년 학생들이 그들의 수리 감각 기술을 향상시켰다는 것을 발견했다. 이것이 그럴 수가 있는데, 음악을 배우는 것이 공간적으로 그리고 시간적으로 사고하는 것을 강조하고 학생들이 리듬을 배울 때 비율, 분수 그리고 비례를 배우고 있기 때문이다.

DAY 30 진짜 기출로 확인!

p. 265 정답 (1) stereotypes (2) traced

p. 267 정답 ②

해석 인생은 롤러코스터를 타는 것과 같다. (인생에는) 오르내림, 빠르고 느린 부분, 충돌과 흔들리는 부분, 그리고 심지어는 거꾸로 뒤집힐 때가 있다. 당신은 어떤 방향으로 선로가 (또는 이 경우에는 인생사가) 당신을 이끌지를 통제할 수 없다.

p. 269 정답 (1) ③ (2) ①

해석 그들은 또한 관련된 윤리적인 문제도 피할 수 있다. 실험을 (1)고안했던 과학자보다 실험의 잠재된 위험을 더 많이 아는 사람은 아마 아무도 없을 것이다. 그럼에도 불구하고, 자신을 실험하는 것은 여전히 몹시 문제가 된다. 한 가지 명백한 (2)결점은 수반되는 위험이다. 위험이 존재한다는 것을 아는 것은 위험을 줄이는 데 아무 도움이 되지 않는다.

Wrap Up / DAY 28~ 30 pp.271~272

A 01 천문학 02 고난, 어려움 03 (~에게서) 빼앗다, 박탈하다 04 언어학 05 창의적인, 상상력이 풍부한 06 동시에 07 적대적인; 반대하는 08 오염시키다, 더럽히다 09 탄력, 탄성; 회복력 10 깜짝 놀라게 하다 11 관중, 관객 12 급진적인, 과격한; 근본적인 13 유명 인사; 명성 14 기생충 15 요약하다, 개괄하다 16 ~에 살다, 거주하다; 서식하다 17 고안하다, 창안하다 18 (감정 등을) 일깨우다; 자아내다 19 부족한; 드문, 희귀한 20 지질학; 지질 21 candidate 22 ambition 23 greed 24 chaos 25 hug 26 violence 27 illegal 28 renewable 29 refugee 30 chew 31 revenue 32 fertile 33 overload 34 unemployment 35 simplify 36 disperse 37 manual 38 toxic 39 surround 40 erode

B 01 globe 02 acquaintance 03 reproduces 04 revised 05 disclosed

C 01 vulnerable 02 lean 03 deaf 04 limbs 05 drawbacks

PART II 빈출 어휘

p.277 정답 (1) ③ (2) ⑤

p.279 정답 (1) ③ (2) ①

해석 (새들이) 이주할 때 겪는 위험은 그 범위가 폭풍우에서 (1)굶주림에까지 걸쳐 있지만 여름 거주지에서 발견하게 될 잠시나마 풍부한 먹이의 이점이 그것들을 상회한다. 진화의 과정은 한 종이 이주를 통해 자신이 이득을 얻을 경우에만 이주한다는 것을 (2)보증한다.

p.281 정답 (1) ① (2) ④

해석 그 호수에는 낚시에 적합한 물고기가 부족했다. 이 분명한 (1)결함을 보충하기 위해 특별히 선택된 한 물고기 종이 도입되었다. 그 도입된 개체는 즉각 그 호수에 사는 게와 작은 물고기에게 관심을 (2)끌고 갔고[돌렸고] 결국 얼마 남지 않은 논병아리들과 먹이를 놓고 경쟁했다.

p.285 정답 (1) ② (2) ④

해석 하급자들은 그들이 어디를 언제 볼 수 있는지에 있어서 더 제한을 받는다. (1)겸손은 왕의 존재 앞에서는 고개가 숙여지도록 지시한다. 일반적으로, 하급자들은 지배하는 사람들을 멀리서 (2)응시하는 경향이 있는 반면, 지배자들은 하급자들을 시각적으로 무시하는 경향이 있다.

p.287 정답 (1) ② (2) ① (3) ④

해석 우리의 세상의 작동이 (1)방해받을 때 수리공을 부르게 되며, 그런 순간에 당연하게 여겨지던 것들에 대한 우리의 의존성을 분명히 (2)인식하게 된다. 이런 이유로 수리공의 존재는 자아도취자의 마음을 불편하게 할 수 있다. 그는 우리의 자아 인식에 도전을 (3)제기하는 듯하다.

p.289 정답 (1) ② (2) ④

해석 과학이 독립성, 자유, 반대할 권리, 그리고 (1)관용의 가치를 포함하는 사업으로 검토될 때 사회적 활동으로서의 과학은 권위주의적인 풍토에서 (2)번성할 수 없다는 것이 분명하다.

p.293 정답 (1) ⑤ (2) ③

해석 연구는 최적의 직업 선택은 잘하는 것에 기초를 두는 경향이 있다는 것을 보여 준다. 이상적으로, 여러분은 수요가 있는 진로에서 여러분의 강점과 가치관이 (1)모이는 지점을 찾기를 원한다. 흥미는 왔다 갈 수 있다. 여러분의 강점은 여러분의 핵심이고, 여러분의 하드웨어에 내장된 (2)자산이다.

p.295 정답 ④

해석 하지만 신뢰할 만하고 믿을 만한 사람이 되기 위한 노력으로 성실한 사람에 대한 불신은 혼란스럽게 할 수 있고 그녀로 하여금 자신의 인식을 의심하고 자신을 불신하게 만들 수 있다.

p.297 정답 (1) ② (2) ①

Wrap Up / DAY 31~33   pp.299~300

A 01 예외적인, 의례의; 특별히 뛰어난 02 끼워 넣다, 삽입하다 03 의무, 책임 04 직물, 옷감; 섬유 산업; 직물의 05 번갈아 일어나다; 번갈아 하는; 대체의 06 순환; 회로 07 결점, 결함; 부족; 탈주하다; 망명하다 08 일으키다; 수반하다 09 부화하다; 알을 품다; 부화 10 단조로운, 지루한 11 적, 상대; 반대자; 대립하는 12 쪼개다; 갈라지다 13 짜다; 엮다 14 갑작스러운; 퉁명스러운 15 시의, 도시의; 시민의 16 전환하다; 개조하다 17 현혹시키는; 거짓의; 사기의 18 악화시키다; 저하되다 19 (단단히) 박다; 끼워 넣다; 깊이 새겨 두다 20 물을 대다, 관개하다 21 flaw 22 intrigue 23 spare 24 accuse 25 assure 26 contamination 27 discern 28 evaporate 29 federal 30 nerve 31 reservoir 32 violation 33 abolish 34 chronic 35 converge 36 deceive 37 deploy 38 whisper 39 insulate 40 jaywalking

B 01 정교한 02 가공품 03 보이지 않고 04 자산
05 공동의

C 01 contagious 02 starvation 03 spoil
04 troop 05 massive

p.303 정답 (1) ① (2) ②

해석 최근의 재정 위기 동안에 재정 적자와 연방 정부의 부채가 모두 (1)치솟았다. 2009년~2010년 동안에 연방 정부 지출의 거의 40%가 대출로 자금이 충당되었다. 최근의 (2)엄청난 연방 정부의 적자는 연방 정부의 부채를 제2차 세계대전 직후 몇 년 이후로는 본 적이 없는 수준으로 밀어 올렸다.

p.305 정답 (1) ② (2) ③

p.307 정답 (1) ③ (2) ④

해석 그는 아이들이 처음으로 이름을 쓰는 법을 배우는 것을 돕고, 누군가에게 새로운 친구를 찾아 주고, 독서의 기쁨을 나누는 것을 아주 좋아한다고 대답했다. 하지만 시간이 지나면서 그의 (1)헌신과 열정은 점차 사그라지는 듯했다. 그는 면접을 보던 때의 자신의 강한 (2)신념을 상기했다.

p.311 정답 (1) ⑤ (2) ②

해석 범죄 현장 수사에 중점을 두는 한 미국 드라마가 인기를 얻고 있다. 하지만 경찰관들에게는 그 정도로 인기가 있지는 않은데, 그들은 범죄 해결 방식에 대해 오해를 일으키는 이미지를 제공한다는 이유로 그 시리즈를 비판했다. 그들의 우려는 배심원들이 범죄 과학 수사 증거에 대해 점점 더 비현실적인 기대를 갖는다는 (2)증거를 찾은 한 범죄학자에 의해 (1)되풀이되었다.

p.313 정답 (1) 계승되고 (2) 두려움을 느끼는

---

p.315 정답 (1) ④ (2) ⑤

해석 고용주는 재능 있는 (1)직원을 보유하는 문제에 직면해 있다. 경영진은 종업원의 이직을 감소시키기 위한 방법을 고안하는 데 시간과 노력을 쏟아야 한다. 무엇보다 조직의 정책이 종업원 지향적이어야 한다. 이것은 중요한 결정을 하는 데 전 직원의 (2)참여를 장려하는 것으로 성취될 수 있다.

p.319 정답 (1) ① (2) ⑤

p.321 정답 (1) 견디지 (2) 붙어 있을

p.323 정답 (1) ⑤ (2) ③

해석 수면은 에너지를 (1)보존하는 기능을 한다고 주장되어 왔다. 실제로, 체중에 비해 불리한 표면적 비율을 가지고 있어서 쉽게 열을 손실하는 추운 기후에 살고 있는 많은 작은 포유동물들은 흔히 단열이 되는 (2)은신처에서 수면을 많이 취하는 경향이 있다.

Wrap Up / DAY 34~36   pp.325~326

A 01 타협, 절충안; 타협하다; 손상하다 02 추론하다; 암시하다 03 차지하다; 거주하다; (마음을) 사로잡다 04 집착하게 하다, 사로잡다; 강박감을 갖다 05 정적인, 고정된; 움직임이 없는 06 접착하다; 고수하다; 집착하다 07 저항하다; 견디다, 버티다 08 잠재의식의; 잠재의식 09 임의의, 멋대로의; 독단적인 10 일시적인; 임시의 11 인용하다; 언급하다 12 들고 다닐 수 있는, 휴대용의 13 도구; 이행하다, 실행하다 14 이주하다; 이동하다 15 굴을 파다; 파고들다; 은신처 16 유지하다; 지속하다 17 예금; 보증금; 퇴적물 18 엄청난; 거대한 19 공간의; 공간에 존재하는 20 아첨하다; 치켜세우다, 우쭐하게 하다
21 vertical 22 intact 23 inherit 24 comparable 25 molecule 26 conserve 27 retain 28 realm 29 prosper 30 array

31 ingenuity 32 adversely 33 friction
34 shiver 35 ripe 36 catastrophe
37 acute 38 recite 39 modest 40 interval
B 01 대출 02 황무지 03 신념 04 겪는다 05 유산
C 01 ② 02 ② 03 ⑤ 04 ④ 05 ⑤

DAY 37 진짜 기출로 확인!

p.329 정답 (1) ② (2) ④

해석 만약 뉴스 (1)보도가 취재 대상을 사회적으로 (2)일탈했다거나 도덕적으로 부적절하다고 묘사하면, 그 결과로 생기는 오명은 심각할 수 있다. 그럼에도 불구하고 많은 잠재적 취재 대상들에게 기자들과 협력하는 것은 여전히 해볼 가치가 있는 타협이다.

p.331 정답 (1) 사실에 입각한 (2) 시각 (3) 진술

p.333 정답 (1) ④ (2) ⑤

해석 옛 오스트리아 제국 시대의 어느 작은 마을에 어느 날 교육부에서 (1)장학사[감독자]가 교실을 시찰하러 왔다. 그렇게 정기적으로 학교를 (2)감시하는 것은 그의 직무의 일부였다.

DAY 38 진짜 기출로 확인!

p.337 정답 (1) ① (2) ④

해석 도표는 사람들이 신체 건강을 유지하기 위해서 취한 상위 다섯 가지 조치를 성별별로 보여 준다. 정기적으로 (2)구강 관리를 받은 남성들의 (1)비율은 친구 및 가족과 시간을 보낸 남성들의 비율과 같았다.

p.339 정답 (1) ③ (2) ④

해석 당신이 폭우에 적합하지 않은 옷을 입고 옷이 (1)흠뻑 젖은 채로 추운 밤에 시골에서 바깥에 있다고 상상해 보라. 찌르는듯한 차가운 바람으로 당신의 고통이 극에 달한다. 당신은 주변을 (2)돌아다니다가 어떤 피난처를 제공하는 커다란 바위를 발견한다.

p.341 정답 (1) ② (2) ③

해석 얼룩말은 왜 검은색과 흰색 줄무늬를 가지고 있을까? (1)위장술은 명백한 해답이지만, 흑백의 숲이나 정글은 어디에서 발견될까? 호랑이의 줄무늬는 그들이 키가 큰 풀과 섞이도록 도와주지만, 얼룩말은 정말로 (2)눈에 띈다.

DAY 39 진짜 기출로 확인!

p.345 정답 (1) ⑤ (2) ②

p.347 정답 (1) 필수적인 (2) 전환한다 (3) 불변의

p.349 정답 (1) ④ (2) ⑤

해석 문학 또는 영화와는 대조적으로 관광은 (1)유형의 세계로 이어지는데, 반면에 그림에도 불구하고 환상과 꿈의 영역과 여전히 관련되어 있다. 사람들은 책과 영화에서 이미 보았던 순간을 경험한다. 손대지 않은 자연과 (2)순진한 토착민에 대한 그들의 생각은 아마 확고해질 것이다.

Wrap Up / DAY 37~39   pp.351~352

A 01 현저한; 중요한; 저명한 02 해방하다, 자유롭게 하다 03 풀을 뜯다; 방목하다 04 평형 상태, 균형; 평온 05 인가(승인)하지 않다; 비난하다 06 유창한; 능수능란한 07 웅변의, 달변인; 설득력 있는 08 싫어하는; 반대하는 09 불합리한, 비이성적인 10 번영하다; 잘 자라다 11 머뭇거리는, 주저하는 12 담그다, 가라앉히다; 몰두하게 하다 13 그리다, 묘사하다 14 관리자, 감시자 15 고민; (극심한) 고통 16 가공하지 않은, 천연 그대로의; 투박한 17 넘겨주다; 항복하다; 항복 18 싹이 트다, 자라나다; 싹 19 끈, 줄; 일련; (악기의) 현; 현악기의 20 망가지기 쉬운; 연약한 21 invalid 22 assortment 23 membrane 24 bury 25 standardize 26 gasp 27 affluent 28 excavate 29 perceptual 30 tempt 31 subordinate 32 deception 33 disrupt 34 export 35 disposition 36 steep 37 inspection

38 intangible   39 console   40 dimension
B 01 grind   02 shrinks   03 monopoly
04 diploma   05 coexist
C 01 coverage   02 distasteful   03 dismiss
04 wander   05 legislation

p.355 정답 (1) ④ (2) ⑤ (3) ③

p.357 정답 (1) ② (2) ④ (3) ⑤
해석 안다는 것은 당신이 생각하는 것 이면에 존재하는 가정을 보려 하지 않을 것이라는 것을 의미한다. 그 결과는 하나의 믿음을 고수하려는 고집스러운 (1) 결심일 수 있다. 이와 같은 '눈 먼 사람'은 자신이 아는 것을 바꿀 수 있는 모든 새로운 증거를 (2) 거부하기를 선택한다. 그 사람은 (3) 고집스러워진다.

p.359 정답 ④
해석 마지막 음악가는 훌륭하게 연주를 했다. 박수가 잦아들자, Zukerman은 아티스트에게 찬사를 보내고, 바이올린을 들어 턱밑으로 집어넣고는 긴 시간을 멈췄다. 그러고 나서는 한 음이라도 연주하거나 한 마디의 말도 하지 않고 악기를 다시 케이스에 넣었다. 청중은 귀청이 터질 듯한 박수로 화답했다.

p.363 정답 (1) ① (2) ④
해석 사람과 쥐 모두 쓰고 신 음식을 싫어하는데, 그 쓰고 신 음식에는 독소를 포함하는 경향이 있다. 그들은 또한 자신의 섭식 행동을 물, 열량, 염분의 (1) 부족에 대응하여 적절히 조정한다. 마찬가지로 그들은 에너지와 체액이 (2) 고갈되면 단것과 물의 섭취를 늘린다.

p.365 정답 (1) ④ (2) ③ (3) ①

p.367 정답 (1) ③ (2) ②
해석 성적과 같은 (1) 외적인 동기 부여 요인의 부정적인 영향은 다양한 문화권 출신의 학생들에게서 입증되어 왔다. 우리는 사람들이 자신들의 주요 목표가 외적이기보다는 (2) 내적일 때 그들의 삶에 더 만족감을 표현할 가능성이 있다는 데에 동의한다.

p.371 정답 (1) ② (2) ④ (3) ③
해석 왜 전 세계의 (1) 신화나 설화에 걸쳐 같은 주제와 소재가 나타났는가? 많은 19세기 후반의 작가들의 한 가지 대답은 모든 이야기나 신화와 (2) 전설은 모든 (3) 인류에게 친숙한 자연 현상을 설명하고 극화하려는 시도였다고 제안하는 것이었다.

p.373 정답 (1) ② (2) ①

p.375 정답 (1) 분할 (2) 직사각형의 (3) 지형

Wrap Up / DAY 40~ 42   pp.377~378

A 01 고갈시키다, 소모시키다   02 고집하다; 지속하다   03 굳히다; 응고시키다   04 주저하는, 내키지 않는   05 낫다; 능가하다   06 동맹; 결연; 협력   07 만족시키다; 빠지다   08 명상하다; 숙고하다   09 방해하다, 억제하다; 금하다   10 깊은, 심오한; 엄청난   11 시행하다, 집행하다; 강요하다   12 신진대사의   13 길들이다; 다스리다   14 영구, 영속성   15 보충(제); 보충하다   16 정제하다; 세련되게 하다, 다듬다   17 토지, 부동산; 재산   18 획득; 습득   19 휘젓다; (감정을) 자극하다   20 일관성이 있는; 응집성의   21 protest   22 enlist   23 compute   24 deficit   25 groom   26 fountain   27 receipt   28 provision   29 portrait   30 withdraw   31 pronounce   32 conceive   33 comply

34 segment　35 compassion　36 substitute

37 thorough　38 dilute　39 applause

40 worthwhile

B 01 ④　02 ②　03 ④　04 ④　05 ②

C 01 prohibited　02 swallow　03 drought

04 discriminate　05 optimism

p.381　정답　(1) ②　(2) ⑤

p.383　정답　(1) ①　(2) ②

해석　대부분의 사람들은 자신에게 공동체의 구성원 자격을 부여하는 얼마간의 (1)예절을 습득한다. 유전자, 발달, 그리고 학습은 모두 (2)예의 바른 인간이 되는 과정에 기여한다. 하지만 천성과 양육 사이의 상호작용은 매우 복잡하다.

p.385　정답　(1) ②　(2) ④

해석　Sybilla Masters는 (1)저명한 필라델피아 상인의 아내였다. 그녀는 또한 미국 최초의 여성 발명가였다. 1712년에 그녀는 옥수수를 갈아서 으깬 곡물로 만드는 새로운 방법을 고안했다. 펜실베이니아 주가 특허권을 주지 않아서 그녀는 배를 타고 영국으로 향했다. 런던 사람들이 이 (2)활동적인 여성 발명가에 대해 어떻게 생각했는지는 기록으로 충분히 남아 있지 않다.

p.389　정답　(1) ②　(2) ④

해석　옹호나 (1)중재의 역할을 담당함에 있어서 그 역할이 흐려지지 않도록 하기 위해 분명한 초점을 유지하는 것이 중요하다. 예를 들어, '편을 드는' (2)중재자는 중립적인 입장을 취하려는 옹호자가 그렇듯 모든 신뢰성을 잃기 쉽다.

p.391　정답　(1) ④　(2) ①

해석　한 연구에서, 피실험자는 두 가지 시각적 과제를 수행하도록 요청받았다. 한 가지 과제는 피실험자의 시야 중앙에 깜박이는 불빛에 반응하는 것이었고, 다른 하나는 (1)주변 시야에서 깜박이는 불빛에 반응하는 것이었다. 예상대로 피실험자들은 (2)공포의 모든 일반적 징후를 보였다.

p.393　정답　(1) ⑤　(2) ①

해석　(1)선사시대 예술의 의미와 목적에 대한 고찰은 현대의 수렵 채집 사회와의 사이에서 끌어낸 유사점에 크게 의존한다. 그런 원시 사회는 인간과 짐승, 동물과 식물, 유기체 및 무기체의 (2)영역을 살아 있는 총체 속의 참여자들로 여기는 경향이 있다.

p.397　정답　(1) ②　(2) ④

해석　에너지 요구가 최고조인 시기에 열량을 섭취하면 그중 대부분은 여러분의 근육과 신경계에 연료를 공급하고, 근육 (2)조직을 (1)합성하고, 근육의 연료 저장소를 다시 채우는 데 사용된다. 여러분이 필요한 것보다 더 많은 열량을 섭취하면 그 초과된 열량은 체지방으로 저장될 것이다.

p.399　정답　(1) ⑤　(2) ①

해석　개가 마약을 탐지하도록 훈련받을 때, 트레이너는 개에게 어떻게 냄새를 맡아야 하는지 가르쳐주지 않는다. 오히려, 그 개는 다른 냄새와 대조하여 한 냄새에 의해 감정적으로 (1)자극을 받도록 훈련된다. 이러한 감정적 (2)자극은 또한 개와 당기기 놀이를 하는 것이 단지 개에게 맛있는 먹이를 주는 것보다 훈련 체계에서 더욱 강력한 감정적 보상이 되는 이유이기도 하다.

p.401　정답　⑤

해석　석판으로부터 둥근 기둥을 깎아 내는 중이며 그 기둥의 둘레를 측정할 필요가 있었던 석공들에게 보통의 직선 자는 쓸모가 거의 없었다. 그들은 납으로 구부러지는 자를 만들어 냈는데, 그것은 오늘날 줄자의 전신이다.

Wrap Up / DAY 43~45

A 01 해치다, 손상하다 02 탈수하다, 건조시키다 03 정직한, 솔직한 04 적의의, 적당한; 적격자 05 저명한; 뛰어난 06 잔인한; 모진 07 올라가다 08 예의 바른; 품위 있는 09 양립할 수 없는 10 싫증, 혐오; 역겹게 하다 11 슬픔, 비탄 12 (속이) 빈; 공허한; 구멍; 움푹 꺼진 곳 13 소중히 하다 14 부산물; 부작용 15 변호사; 대리인 16 서투른; 어색한 17 반증을 들다, 틀렸음을 증명하다 18 구체화하다; 구현하다 19 구별하다; 차별화하다 20 결정적인; 단호한, 확고한 21 integrity 22 parallel 23 prestige 24 suspend 25 anchor 26 barren 27 censor 28 nourish 29 portion 30 allot 31 bind 32 mediation 33 panic 34 prevail 35 betrayal 36 compact 37 bruise 38 apt 39 vicious 40 quest

B 01 흩어질 02 범위 03 미덕 04 필수적 05 확대하는

C 01 penetrate 02 consensus 03 miserable 04 advent 05 cease

p.407 정답 (1) ② (2) ③

p.409 정답 (1) ② (2) ①

해석 Gregorio Dati는 양털, 비단, 그리고 다른 (2)상품을 취급하며 이익이 되는 협력 관계를 많이 맺은 Florence의 성공한 (1)상인이었다. 그는 여러 해에 걸쳐 '일기'를 썼는데, 실제로 그가 상업상의 생활과 가족생활에 관해 가끔씩 쓴 기록이다.

p.411 정답 (1) ② (2) ④

해석 석기 시대의 한 천재가 수면 위에서의 활주가 가능해지는 것에 의해 자신이 얻을 사냥의 이점을 깨닫고 최초의 배를 만들었다. 쉽게 (1)따라잡혀서 도살된 먹잇감이 일단 배 위로 (2)끌어당겨지면 그 사체를 가지고 돌아가기에는 육지보다는 배로 가는 것이 훨씬 더 쉬웠을 것이다.

p.415 정답 (1) ⑤ (2) ④

해석 우리는 선사시대의 시간 기록과 관련된 자세한 사항에 대해 거의 알지 못한다. 하지만 우리는 대체로 모든 문화에서 일부 사람들이 시간의 경과를 측정하는 데에 (1)몰두했음을 알게 된다. 유럽의 빙하 시대 사냥꾼들은 막대와 뼈에 선을 (2)긁고 구멍을 냈는데, 아마도 달의 여러 모습들 사이의 일수를 세었을 것이다.

p.417 정답 (1) ② (2) ⑤

p.419 정답 (1) ① (2) ②

해석 지리는 식민지의 통신을 매우 제한했다. 식민지 개척자들은 바퀴 달린 탈것에 적합하지 않은 오솔길을 따라 걷거나 말을 타고 이동했다. 악순환으로, 끔찍한 길은 식민지 간의 통신을 가로막았으며, 이는 나아가 그 지방들의 고립감과 자치권을 발달시켰고, (2)통합된 교통과 우편망의 가능성을 (1)악화할 뿐이었다.

p.423 정답 (1) ⑤ (2) ①

해석 Warren McArthur는 (1)싹이 트기 시작한 산업 디자인 분야에서 일을 시작했다. 44세에 그는 금속 가구를 설계하고 제작하기 위해 로스앤젤레스로 이사했다. 그는 알루미늄을 가구에 사용한 선구자 중의 한 사람이었고, 그의 (2)공헌에는 대량 생산을 가능하게 한 개선과 특허들이 포함되어 있었다.

p.425 정답 (1) ② (2) ④

p.427 정답 (1) ① (2) ③
해석 모든 (1)논쟁에서, 격정이 심해질수록 목적은 사라진다. 논쟁은 전형적으로 빛보다 열을 더 많이 (2)발생시킨다는 말을 흔히 듣는다. 격정은 이성을 흐리게 한다. 그리고 개인 상호 간의 논쟁 혹은 토론의 맥락에서, 사람들은 때때로 체면을 잃지 않기 위해 무슨 일이든 하려 한다.

Wrap Up / DAY 46~48   pp.429~430

A 01 심사숙고하다; 찬찬히 보다 02 대응하다; 방해하다; 중화하다 03 환대; 친절 04 순진한 05 따라잡다; 불시에 닥치다 06 특권, 특전; 특권을 주다 07 모집하다; 고용하다 08 엄격한; 굳은 09 분별 있는, 합리적인; 감각의 10 경멸, 모욕 11 사로잡한; 몰두한 12 열망하다; 간청하다 13 묻다, 문의하다 14 겹치다; 중복하다; 겹침; 중복 15 과대평가하다 16 인용하다; 인용구 17 회고, 회상; 회고하다 18 직경, 지름 19 적당한; 절제하는; 조절하다, 완화하다 20 활발한, 활기찬 21 setback 22 sweep 23 undertake 24 arrogant 25 breeze 26 microscope 27 drastic 28 entangle 29 evacuate 30 suburb 31 congest 32 tactic 33 pesticide 34 blunt 35 compatible 36 descent 37 dubious 38 tangible 39 endow 40 comprise

B 01 사라질 02 고백했다 03 보류할 04 육체 05 논쟁

C 01 imprisoned 02 dignity 03 fabulous 04 moist 05 reckless

p.433 정답 (1) ② (2) ⑤

p.435 정답 (1) ① (2) ③ (3) ④
해석 낮은 자신감은 여러분을 (1)비관주의자로 만들지도 모르지만, (2)비관이 (3)야망과 팀을 이룰 때 그것은 흔히 뛰어난 성과를 낸다. 어떤 것에든 가장 최고가 되기 위해서 여러분은 자신의 가장 가혹한 비평가가 될 필요가 있을 것인데, 그것은 여러분의 출발점이 높은 자신감일 때는 거의 불가능하다.

p.437 정답 (1) ③ (2) ①

p.441 정답 (1) ① (2) ④

p.443 정답 (1) ⑤ (2) ①
해석 Rip이 막 내려가려고 할 때 그는 어떤 목소리를 들었다. 그는 주변을 둘러봤지만 까마귀 한 마리 외에는 아무것도 보이지 않았다. 그가 똑같은 외침이 조용한 저녁 공기에 울리는 것을 들었을 때 그의 개는 등을 곧추세우고 낮게 (1)으르렁 소리를 냈다. 이제 Rip은 그를 엄습하는 막연한 (2)불안을 느꼈다.

p.445 정답 (1) ① (2) ④
해석 아이가 (1)말 그대로 또 비유적으로 부모가 정확히 어디에 서 있는지 알지 못하면 그 아이가 스스로를 성공적으로 해방시키는 것은 불가능하다. 다시 말해서, 부모가 그들의 권위에 대해 자신이 없다면, 아이는 그들로부터 성공적으로 떠나갈 수 없다. 이런 상황 속에서는, 아이는 부모에게 달라붙거나 (2)순종하지 않게 되거나, 혹은 둘 다 일 수도 있다.

Wrap Up / DAY 49~50

pp.447~448

A 01 주사하다, 주입하다 02 (공중)위생; 하수 처리 03 모호한; 무명의; 어두운 04 마비시키다 05 엄청난; 총계의 06 예비의; 시초의 07 기소하다, 고소하다 08 안심시키다; 장담하다 09 유산 10 통보하다, 알리다 11 외향적인, 사교적인; 떠나는 12 어린; 청소년의 13 선행자, 선배; 전의 것 14 선언하다 15 미숙한; 익지 않은 16 사색하다; 추측하다 17 억압, 탄압 18 꾸밈; 장식(품); 장식하다 19 앞서다; 우선하다 20 강제적인; 강박적인 21 prolong 22 literate 23 superstition 24 equator 25 pessimism 26 obedience 27 nominate 28 leather 29 retreat 30 stunned 31 murder 32 pitfall 33 misbehave 34 partial 35 regime 36 misinterpret 37 sympathy 38 apprentice 39 mandatory 40 particle

B 01 감사 02 얕은 03 시간을 엄수하며 04 순간의 05 뛰어난

C 01 omits 02 Restraint 03 robbed 04 sentiment 05 heartily